JOSEPH SCHUMACHER
DER APOSTOLISCHE ABSCHLUSS
DER OFFENBARUNG GOTTES

FREIBURGER
THEOLOGISCHE STUDIEN

Unter Mitwirkung
der Professoren der Theologischen Fakultät
herausgegeben von

Remigius Bäumer, Alfons Deissler, Helmut Riedlinger

Hundertvierzehnter Band

Der apostolische Abschluß
der Offenbarung Gottes

JOSEPH SCHUMACHER

Der apostolische Abschluß der Offenbarung Gottes

HERDER

FREIBURG · BASEL · WIEN

MEINEN VERSTORBENEN ELTERN
IN DANKBARKEIT UND VEREHRUNG

Als Habilitationsschrift auf Empfehlung der Theologischen Fakultät der Universität Freiburg i. Br.
gedruckt mit Unterstützung der Deutschen Forschungsgemeinschaft

Imprimatur. – Freiburg im Breisgau, den 26. Januar 1979
Der Generalvikar: Dr. R. Schlund
Satz: VID Verlags- und Industriedrucke GmbH & Co. KG, Villingen-Schwenningen
Druck und Einband: Freiburger Graphische Betriebe 1979
ISBN 3-451-18299-8

Vorwort

Da für die Theologie als doctrina secundum revelationem divinam (vgl. Thomas v. Aquin, Summa theologica I, 1, 1) die Offenbarung grundlegend ist, muß jede ernsthafte Untersuchung, die sich der Offenbarung widmet, dem regen Interesse aller theologischen Disziplinen begegnen. Der apostolische Abschluß der Offenbarung ist ein zentrales Problem, das heute von erhöhter Bedeutung ist, denn die geschichtliche Abgeschlossenheit der Offenbarung widerstrebt dem Denken des modernen Menschen, dem sich die Welt als eine evolutive darbietet. Der moderne Mensch erwartet weniger von der Vergangenheit als von der Zukunft. Er möchte sich zudem an Ideen, nicht an historischen Tatsachen orientieren. Die traditionelle Formel, mit der die Dogmatik diesen Abschluß der Offenbarung umschreibt, lautet: „Die Offenbarung ist mit dem Tode des letzten Apostels abgeschlossen." Was ist damit gemeint? Die vorliegende Studie entwickelt ihr Thema in drei Schritten: Im 1. Teil geht es um die Offenbarung, im 2. Teil um den Abschluß der Offenbarung, im 3. Teil um den apostolischen Abschluß der Offenbarung, näherhin darum, wie der Begriff „apostolisch" hier zu verstehen ist.

Die Arbeit wurde im Sommer-Semester 1977 von der Theologischen Fakultät der Albert-Ludwigs-Universität in Freiburg i. Br. als Habilitationsschrift angenommen. Für die Drucklegung wurden einige Präzisierungen und stilistische Glättungen vorgenommen und die Register angefügt.

Die Anregung zu dieser Untersuchung erfolgte durch meinen verehrten Lehrer, Professor Dr. Adolf Kolping, der auch das Referat erstellt hat. Ihm gilt an dieser Stelle mein besonderer Dank. Mein Dank gilt auch dem Korreferenten, Professor Dr. Werner Marschall. Danken muß ich ebenso meinem Bischof, Exzellenz Heinrich Tenhumberg, der mit Interesse und Verständnis die Entstehung der Arbeit verfolgt und mir dafür die notwendige Zeit zur Verfügung gestellt hat. Ferner danke ich meiner Schwester, Frau Anni Frohne, die mit großer Akribie die Register erstellt hat, wie auch den Herausgebern der „Freiburger theologische Studien" für die Aufnahme der Arbeit in diese wissenschaftliche Reihe und der Deutschen Forschungsgemeinschaft, die durch ihre Unterstützung den Druck ermöglichte.

Die Untersuchung will den Abschluß oder, besser, die Vollendung der Offenbarung und ihre Bedeutung hinsichtlich ihrer Begründung und ihres Inhaltes einsichtig machen und vor der Vernunft rechtfertigen. Sie möchte damit einen Baustein zu der drängenden Frage des Menschen nach einer rationalen Rechtfertigung der Predigt der Kirche liefern, die nur dann in unserer Welt angenommen werden und ihre heilenden Kräfte entfalten kann, wenn sie sich vor der Vernunft als glaubwürdig erweist. Der Leser, der sich der Mühe unterzieht, die folgenden Überlegungen mitzudenken, wird ihre existentielle Bedeutung erfahren und möglicherweise auch Antworten auf seine persönlichen Fragen erhalten.

Freiburg i. Br., am Feste Allerheiligen 1978

Joseph Schumacher

Inhalt

ZWEITER TEIL

DRITTER TEIL

Literaturverzeichnis

a) Quellen, Lexika, Sammelwerke, Zeitschriften

AKG   Anzeiger für die katholische Geistlichkeit, Freiburg 1881 ff.

Anima   Anima, Vierteljahresschrift für praktische Seelsorge, Olten 1946 ff.

Biblica   Biblica, Commentarii editi quater in anno a Pontificio Instituto Biblico, Rom 1920 ff.

BiLe   Bibel und Leben, Düsseldorf 1960 ff.

BKV   Bibliothek der Kirchenväter, hrsg. v. F. X. Reithmayr, fortgesetzt v. V. Thalhofer, 79 Bde, Kempen 1869–1888. Hier: 2. Aufl., hrsg. v. O. Bardenhewer, Th. Schermann (ab Bd 35 J. Zellinger) u. C. Weymann, 83 Bde, Kempen 1911 ff.

BZ   Biblische Zeitschrift, Freiburg 1903–1929; Paderborn 1931–1939 u. 1957 ff. (NF).

Cath   Catholica, Jahrbuch (Vierteljahresschrift) für Kontroverstheologie, (Paderborn) Münster 1932 ff.

Cavallera   F. Cavallera, Thesaurus doctrinae catholicae ex documentis magisterii ecclesiastici, ordine methodico dispositus, Paris ²1936 (¹1920).

Conc   Concilium, Internationale Zeitschrift für Theologie, Einsiedeln 1965 ff.

D   H. Denzinger, Enchiridion Symbolorum, Definitionum et Declarationum de rebus fidei et morum, Freiburg ³¹1957.

DS   H. Denzinger – A. Schönmetzer, Enchiridion Symbolorum, Definitionum et Declarationum de rebus fidei et morum, Freiburg ³⁴1967.

DTh   Divus Thomas (ab 1954 Freiburger Zeitschrift für Theologie und Philosophie), Fribourg 1914–1954.

DThC   Dictionnaire de théologie catholique, hrsg. v. A. Vacant u. E. Mangenot, fortgesetzt v. E. Aman, Paris 1930 ff.

DV   Dei Verbum, Dogmatische Konstitution des II. Vatikanischen Konzils über die göttliche Offenbarung (zit. nach LThK, Das Zweite Vatikanische Konzil II, Freiburg 1967).

Diakonia/   Diakonia/Der Seelsorger, Internationale Zeitschrift für die Praxis der Kirche,
Der Seelsorger   Mainz 1970 ff.

Entscheidung   Entscheidung, Blätter katholischen Glaubens, Wien 1969 ff.

EvTh   Evangelische Theologie, Zweimonatsschrift, München 1934 ff.

FZThPh   Freiburger Zeitschrift für Theologie und Philosophie (vor 1914: Jahrbuch für Philosophie und spekulative Theologie, 1914–1954: Divus Thomas), Fribourg 1954 ff.

Gr   Gregorianum, Commentarii de re theologica et philosophica, Rom 1920 ff.

GuL   Geist und Leben, Zeitschrift für Aszese und Mystik (bis 1947: Zeitschrift für Aszese und Mystik, Würzburg 1926 ff.), Würzburg 1947 ff.

HDG   Handbuch der Dogmengeschichte, hrsg. v. M. Schmaus u. a., Freiburg 1951 ff.

HThG   Handbuch theologischer Grundbegriffe, 2 Bde, hrsg. v. H. Fries, München 1962 f.

HThK	Herders Theologischer Kommentar zum Neuen Testament, hrsg. v. A. Wikenhauser, Freiburg 1953 ff.
KuD	Kerygma und Dogma, Zeitschrift für theologische Forschung und kirchliche Lehre, Göttingen 1955 ff.
Klerusblatt	Klerusblatt, Organ der Diözesan-Priestervereine Bayerns und des Bistums Speyer, München 1920 ff.
LG	Lumen Gentium, Dogmatische Konstitution des II. Vatikanischen Konzils über die Kirche (zit. nach LThK, Das II. Vatikanische Konzil I, Freiburg 1966).
LThK	Lexikon für Theologie und Kirche, Freiburg ¹1930 ff.; ²1957 ff.
MS	Mysterium Salutis, Grundriß heilsgeschichtlicher Dogmatik, hrsg. v. J. Feiner u. M. Löhrer, 4 Bde, Einsiedeln 1965 ff.
MSR	Mélanges de Science religieuse, Lille 1944 ff.
MThZ	Münchener Theologische Zeitschrift, München 1950 ff.
NZSTh	Neue Zeitschrift für systematische Theologie, Berlin 1959 ff.
PG	Patrologia Graeca, hrsg. v. J. P. Migne, 161 Bde, Paris 1857–1866.
PL	Patrologia Latina, hrsg. v. J. P. Migne, 217 Bde u. 4 Reg.-Bde, Paris 1878–1890.
QD	Quaestiones Disputatae, hrsg. v. K. Rahner u. H. Schlier.
RAC	Reallexikon für Antike und Christentum, Stuttgart 1941 (1950) ff.
RCF	Revue de Clergé Français, Paris 1894 ff.
RGG	Die Religion in Geschichte und Gegenwart, Tübingen ³1957 ff. (¹1909 ff.).
RHPhR	Revue d'histoire et de philosophie religieuses, Straßburg 1921 ff.
RNT	Regensburger Neues Testament, hrsg. v. A. Wikenhauser u. O. Kuss, Regensburg 1938 ff.
RSPhTh	Revue des sciences philosophiques et théologiques, Paris 1907 ff.
RSR	Recherches de science religieuse, Paris 1910 ff.
Schol	Scholastik, Vierteljahreszeitschrift für Theologie und Philosophie, Freiburg 1926 ff., ab 1966: Theologie und Philosophie.
SM	Sacramentum mundi, Theologisches Lexikon für die Praxis, 4 Bde, hrsg. v. K. Rahner, Freiburg 1967–1969.
STh	Thomas v. Aquin, Summa theologica.
Strack-Billerbeck	H. L. Strack – P. Billerbeck, Kommentar zum Neuen Testament aus Talmud und Midrasch, 4 Bde, München 1922–1928, Nachdruck 1961–1965.
StTh	Studia Theologica, Lund 1948 ff.
ThGl	Theologie und Glaube, Zeitschrift für den katholischen Klerus, Paderborn 1909 ff.
ThLZ	Theologische Literaturzeitung, Leipzig 1878 ff.
ThQ	Theologische Quartalschrift, Tübingen 1819 ff.; Stuttgart 1946 ff.
ThR	Theologische Rundschau, Tübingen 1897 ff.
ThRv	Theologische Revue, Münster 1902 ff.
ThStK	Theologische Studien und Kritiken, Eine Zeitschrift für das gesammte Gebiet der Theologie, (Hamburg) Gotha 1828 ff.
ThW	Theologisches Wörterbuch zum Neuen Testament, hrsg. v. G. Kittel, fortges. v. G. Friedrichs, Stuttgart 1933 ff.
TThZ	Trierer Theologische Zeitschrift (bis 1944: Pastor Bonus), Trier 1888 ff.
VS	La Vie Spirituelle, (Ligugé, Juvisy) Paris 1869 ff.
Wetzer-Welte	Wetzer und Welte's Kirchenlexikon, 12 Bde u. 1 Reg.-Bd, Freiburg ²1882–1902.
WiWei	Wissenschaft und Weisheit, Augustinisch-Franziskanische Theologie und Philosophie in der Gegenwart, Düsseldorf 1934 ff.
ZKG	Zeitschrift für Kirchengeschichte, (Gotha) Stuttgart 1876 ff.
ZKTh	Zeitschrift für Katholische Theologie, (Innsbruck) Wien 1877 ff.

ZNW   Zeitschrift für die neutestamentliche Wissenschaft und die Kunde der älteren Kirche, Gießen 1900 ff.; Berlin 1934 ff.

ZSTh   Zeitschrift für systematische Theologie, (Gütersloh) Berlin 1923 ff.

ZThK   Zeitschrift für Theologie und Kirche, Tübingen 1891 ff.

b) Sekundärliteratur

Aland, K., Das Problem des neutestamentlichen Kanons, in: NZSTh 4, 1962, 220–242.

–, Das Problem der Anonymität und Pseudonymität in der christlichen Literatur der ersten beiden Jahrhunderte, in: Studien zur Überlieferung des Neuen Testamentes und seines Textes (Arbeiten zur neutestamentlichen Textforschung II), Berlin 1967, 24–34.

Altaner, B., Stuiber, A., Patrologie, Freiburg [7]1966.

Althaus, P., Die Inflation des Begriffes „Offenbarung" in der gegenwärtigen Theologie, in: ZSTh 18, 1941, 134–149.

–, Die christliche Wahrheit, Gütersloh [6]1962 ([1]1947 f.).

Andersen, W., Bespr. zu M. Seybold (Hrsg.), Die Offenbarung, Von der Schrift bis zum Ausgang der Scholastik (HDG I, 1a), Freiburg 1971, in: ThLZ 99, 1974, 137–140.

Appel, N., Kanon und Kirche, Die Kanonkrise im heutigen Protestantismus als kontroverstheologisches Problem, Paderborn 1964.

Arenhoevel, D., Was sagt das Konzil über die Offenbarung?, Mainz 1967.

Asting, R., Die Verkündigung des Wortes Gottes im Urchristentum, dargestellt an den Begriffen „Wort Gottes", „Evangelium" und „Zeugnis", Stuttgart 1939.

Auer, J., Zum Begriff der Dogmengeschichte, in: MThZ 15, 1964, 146–149.

Bacht, H. SJ, Tradition und Sakrament, Zum Gespräch mit Oscar Cullmanns Schrift „Tradition", in: Schol 30, 1955, 1–32.

–, Art. Apostel (fundamentaltheologisch-ekklesiologisch), in: LThK I, Freiburg [2]1957, 736–738.

–, Art. Apostolisch, in: LThK I, Freiburg [2]1957, 758.

Backes, J., Tradition und Schrift als Quellen der Offenbarung, in: TThZ 72, 1963, 321–333.

Bader, D., Der Weg Loisys zur Erforschung der christlichen Wahrheit (Freiburger theologische Studien 96), Freiburg 1974.

Bakker, L., Welche Rolle hat der Mensch im Offenbarungsgeschehen?, in: Conc 3, 1967, 9–17.

Balthasar, H. U. von, Karl Barth, Darstellung und Deutung seiner Theologie, Köln 1951.

–, Verbum Caro, Skizzen zur Theologie I, Einsiedeln 1960.

Balz, H. R., Anonymität und Pseudepigraphie im Urchristentum, Überlegungen zum literarischen und theologischen Problem der urchristlichen und gemeinantiken Pseudepigraphie, in: ZThK 66, 1969, 403–436.

Barbel, J., Dogmenentwicklung und Tradition, in: TThZ 74, 1965, 213–231.

Bardenhewer, O., Geschichte der altkirchlichen Literatur I, Vom Ausgang des apostolischen Zeitalters bis zum Ende des zweiten Jahrhunderts, Darmstadt 1962 (Nachdruck der 2. Aufl., Freiburg 1913).

Barth, K., Offenbarung, Kirche und Theologie, München 1934.

–, Der Römerbrief, München [5]1929.

–, Rudolf Bultmann, Ein Versuch, ihn zu verstehen (Theologische Studien 34), Zürich [2]1952.

Bartmann, B., Lehrbuch der Dogmatik, 2 Bde, Freiburg [8]1932 ([1]1905).

–, Grundriß der Dogmatik, Freiburg [2]1931 ([1]1923).

Bartsch, H.-W. (Hrsg.), Kerygma und Mythos I, Ein theologisches Gespräch (Theologische Forschung, Wissenschaftliche Beiträge zur kirchlich evangelischen Lehre 1), Hamburg [5]1967 ([1]1948).

–, Kerygma und Mythos II (Theologische Forschung, Wissenschaftliche Beiträge zur kirchlich evangelischen Lehre 2), Hamburg [2]1954 ([1]1952).

–, Kerygma und Mythos III (Theologische Forschung, Wissenschaftliche Beiträge zur kirchlich evangelischen Lehre 5), Hamburg 1954.

–, Kerygma und Mythos IV (Theologische Forschung, Wissenschaftliche Beiträge zur kirchlich evangelischen Lehre 8), Hamburg 1955.

–, Kerygma und Mythos V (Theologische Forschung, Wissenschaftliche Beiträge zur kirchlich evangelischen Lehre 9), Hamburg 1955.

Baum, G., Die Konstitution De Divina Revelatione, in: Cath 20, 1966, 85–107.

Baus, K., Von der Urgemeinde zur frühchristlichen Großkirche (H. Jedin, Hrsg., Handbuch der Kirchengeschichte I), Freiburg ³1965 (¹1962).

Bautz, J., Grundzüge der katholischen Dogmatik, 4 Bde, Mainz ²1889 ff. (¹1888).

Bea, A. SJ, Art. Inspiration, in: LThK V, Freiburg ²1960, 703–711.

–, Ökumenische Bilanz des Konzils, in: Klerusblatt 46, 1966, 39–41.

Becker, W., Bespr. zu G. Biemer, Überlieferung und Offenbarung, Die Lehre von der Tradition nach J. H. Newman, Freiburg 1961, in: ThRv 62, 1966, 114–119.

Bengsch, A., Heilsgeschichte und Heilswissen, Eine Untersuchung zur Struktur und Entfaltung des theologischen Denkens im Werk „Adversus haereses" des hl. Irenäus von Lyon (Erfurter theologische Studien 3), Leipzig 1957.

Benoit, P. OP, Inspiration und Offenbarung, in: Conc 1, 1965, 797–805.

Betz, O., Offenbarung und Schriftforschung in der Qumransekte (Wissenschaftliche Untersuchungen zum NT 6, hrsg. von J. Jeremias und O. Michel), Tübingen 1960.

Beumer, J. SJ, Bespr. zu G. Söll SDB, Dogma und Dogmenentwicklung (HDG I, 5), Freiburg 1971, in: Theologie und Philosophie 49, 1974, 629–630.

Beyschlag, K., Bespr. zu G. G. Blum, Tradition und Sukzession, Studien zum Normbegriff des Apostolischen von Paulus bis Irenäus, Berlin–Hamburg 1963, in: ThLZ 92, 1967, 112–115.

Biemer, G., Überlieferung und Offenbarung, Die Lehre von der Tradition nach J. H. Newman (Die Überlieferung in der neueren Theologie 4), Freiburg 1961.

Bläser, P., Zum Problem des urchristlichen Apostolates, in: Unio Christianorum, FS für Erzbischof Lorenz Jäger, Paderborn 1962, 92–107.

Blank, J., Krisis, Untersuchungen zur johanneischen Christologie und Eschatologie, Freiburg 1964.

Blondel, M., Geschichte und Dogma, hrsg. von J. B. Metz u. R. Marlé, Mainz 1963.

Blum, G. G., Tradition und Sukzession, Studien zum Normbegriff des Apostolischen von Paulus bis Irenäus (Arbeiten zur Geschichte und Theologie des Luthertums 9), Berlin 1963.

–, Offenbarung und Überlieferung, Die dogmatische Konstitution Dei Verbum des II. Vatikanum im Lichte altkirchlicher und moderner Theologie, Göttingen 1971.

Bornkamm, G., Jesus von Nazareth, Stuttgart ⁷1965.

–, Der Auferstandene und der Irdische, Mt 28, 16–20, in: Zeit und Geschichte, Dankesgabe an Rudolf Bultmann zum 80. Geburtstag, hrsg. von E. Dinkler, Tübingen 1964, 171–191.

Bouwmann, G., Art. Apostel, in: H. Haag, Bibellexikon, Einsiedeln ²1968, 87 f.

Braaten, C. E., History and Hermeneutics, New Directions in Theology Today 2, Philadelphia 1966.

Breuning, W., Art. Urgemeinde, Urchristentum, Urkirche II (Der dogmatische Begriff der Urkirche), in: LThK X, Freiburg ²1965, 555–557.

Brinkmann, B., Inspiration und Kanonizität der Hl. Schrift in ihrem Verhältnis zur Kirche, in: Schol 33, 1958, 208–233.

Brinktrine, J., Offenbarung und Kirche, Fundamental-Theologie, 2 Bde, Paderborn ²1947.

–, Einleitung in die Dogmatik, Paderborn 1951.

Brox, N., Die Pastoralbriefe (RNT 7/2), Regensburg ⁴1969.

Brunner, E., Natur und Gnade, Zum Gespräch mit Karl Barth, Tübingen ²1935.

–, Offenbarung und Vernunft, Die Lehre von der christlichen Glaubenserkenntnis, Zürich ²1961 (¹1941).

Brunner, P., Schrift und Tradition, in: Viva vox Evangelii, FS für Landesbischof H. Meiser, München 1951, 119–140.

Büchsel, F., Die Offenbarung Gottes, Gütersloh 1938.

Bulst, W., Offenbarung, biblischer und theologischer Begriff, Düsseldorf 1960.

Bultmann, R., Glauben und Verstehen I, Tübingen ⁶1966 (¹1933).

–, Glauben und Verstehen II, Tübingen ²1958 (¹1952).

–, Glauben und Verstehen III, Tübingen 1960.

–, Theologie des Neuen Testaments, Tübingen 1953.

Buri, F., Entmythologisierung oder Entkerygmatisierung der Theologie, in: H. W. Bartsch, (Hrsg.), Kerygma und Mythos II (Theologische Forschung, Wissenschaftliche Beiträge zur kirchlich evangelischen Lehre 2), Hamburg [2]1954 ([1]1952), 85–101.

Campenhausen, H. von, Der urchristliche Apostelbegriff, in: StTh 1, 1947, 96–130.

–, Die Nachfolge des Jakobus, in: ZKG 63, 1950/51, 133–144.

–, Kirchliches Amt und geistliche Vollmacht in den ersten drei Jahrhunderten (Beiträge zur historischen Theologie 14), Tübingen [2]1963 ([1]1953).

–, Aus der Frühzeit der Kirche, Studien zur Kirchengeschichte des ersten und zweiten Jahrhunderts, Tübingen 1963.

–, Die Entstehung der christlichen Bibel (Beiträge zur historischen Theologie 39), Tübingen 1968.

Catholicisme, Hier – Aujourd'hui – Demain, Encyclopédie en sept volumes, dirigée par G. Jacquemet, Paris 1948 ff.

Cayré, F., Geistliches Leben im christlichen Altertum, Geistesmänner und Mystiker (Der Christ in der Welt, Eine Enzyklopädie, VIII, hrsg. von J. Hirschmann SJ, Aschaffenburg 1959).

Cerfaux, L., Le chrétien dans la théologie paulinienne (Lectio divina 33), Paris 1962.

–, Pour l'histoire du titre „Apostolos" dans le Nouveau Testament, in: RSR 48, 1960, 76–92.

Congar, Y. OP, Apostolicité, in: Catholicisme, Hier – Aujourd'hui – Demain, Encyclopédie en sept volumes, dirigée par G. Jacquemet, vol I, Paris 1948, 728–730.

–, Le Saint-Esprit et le corps apostolique réalisateurs de l'œuvre de Christ, in: RSPhTh 36, 1952, 613–625; 37, 1953, 24–48.

–, „Traditio" und „Sacra Doctrina" bei Thomas von Aquin, in: Kirche und Überlieferung, hrsg. von J. Betz und H. Fries, FS für J. R. Geiselmann, Freiburg 1960, 170–210.

–, L'apostolicité de l'Église selon S. Thomas d'Aquin, in: RSPhRh 44, 1960, 209–224.

–, Die Tradition und die Traditionen I, Mainz 1965.

–, Heilige Kirche, Stuttgart 1966.

Conzelmann, H., „Was von Anfang an war", in: Neutestamentliche Studien für Rudolf Bultmann (Beihefte zur ZNW 21), Berlin 1954, 194–201.

–, Die Geschichte des Urchristentums (Grundrisse zum Neuen Testament, Das Neue Testament Deutsch, Ergänzungsreihe, 5), Göttingen 1969.

Cren, P.-R., Der Offenbarungsbegriff im Denken von Wilhelm von Ockham und Gabriel Biel, in: M. Seybold (Hrsg.), Offenbarung, Von der Schrift bis zum Ausgang der Scholastik (HDG I, 1a), Freiburg 1971, 144–152.

Cullmann, O., Petrus, Jünger – Apostel – Märtyrer, Zürich 1952.

–, Die Tradition als exegetisches, historisches und theologisches Problem, Zürich 1954.

–, Christus und die Zeit, Die urchristliche Zeit- und Geschichtsauffassung, Zürich [3]1962 ([1]1945).

Daniélou, J. SJ, Écriture et Tradition, in: Dieu Vivant 24, 1953, 107–116; 26, 1954, 73–78.

Darlapp, A., Fundamentale Theologie der Heilsgeschichte, in: MS I (Die Grundlagen heilsgeschichtlicher Dogmatik), Einsiedeln 1965, 3–153.

Deneffe, A. SJ, Der Traditionsbegriff, Studie zur Theologie (Münsterische Beiträge zur Theologie 18), Münster 1931.

Dewailly, L.-M., Notes sur l'histoire de l'adjectif Apostolique, in: MSR 5, 1948, 141–152.

Dewart, L., Die Zukunft des Glaubens, Einsiedeln 1968.

Diekamp, F., Katholische Dogmatik nach den Grundsätzen des heiligen Thomas, 3 Bde, Münster [6]1930 ([1]1912), Aufl. 12–13 hrsg. von K. Jüssen, Münster 1957.

Dieringer, F. X., Lehrbuch der katholischen Dogmatik, Mainz 1847.

Dobschütz, E. von, Probleme des apostolischen Zeitalters, Leipzig 1904.

Dörmann, J., Theologie der Mission? Kritik zu „kritischen Analysen", in: ThGl 57, 1973, 342–361.

Doronzo, E., Theologia dogmatica, 2 Bde, Washington 1966 ff.

Dulles, A., Was ist Offenbarung?, Freiburg 1970.

Ebeling, G., Die Geschichtlichkeit der Kirche und ihrer Verkündigung als theologisches Problem (Sammlung gemeinverständlicher Vorträge und Schriften aus dem Gebiet der Theologie und Religionsgeschichte 207/208), Tübingen 1954.

–, Wort Gottes und Tradition (Kirche und Konfession 7), Göttingen 1964.

Eichrodt, W., Theologie des Alten Testaments, 3 Bde, Stuttgart 1968 ff.

Ehrhard, A., Urkirche und Frühkatholizismus, Bonn 1935.

Ehrhardt, A., The Apostolic Succession in the First Two Centuries of the Church, London 1953.

Elfers, H., Neue Untersuchung über die Kirchenordnung des Hippolyt von Rom, in: Abhandlungen über Theologie und Kirche, FS für Karl Adam, Düsseldorf 1952, 169–211.

Farrer, A. M., The Ministry in the New Testament, in: The Apostolic Ministry, prepared under the direction of Kenneth E. Kirk, London 1947, 119 ff.

Faupel, B., Die Religionsphilosophie George Tyrrells (Freiburger theologische Studien 99), Freiburg o. J.

Feiner, J., Offenbarung und Kirche – Kirche und Offenbarung, in: MS I (Die Grundlagen heilsgeschichtlicher Dogmatik), Einsiedeln 1965, 497–544.

Fehr, J., Das Offenbarungsproblem in dialektischer und thomistischer Theologie, Freiburg (Schweiz) 1939.

Filson, F. V., Geschichte des Christentums in neutestamentlicher Zeit, übersetzt und für die deutsche Ausgabe bearbeitet von F. J. Schierse, Düsseldorf 1967.

Finkenzeller, J., Offenbarung und Theologie nach der Lehre des Johannes Duns Scotus (Beiträge zur Geschichte der Philosophie und Theologie des Mittelalters, hrsg. von M. Schmaus, 38, 5), Münster 1961.

–, Das Verständnis von Dogma und Dogmenentwicklung in der Theologie nach dem I. Vatikanischen Konzil, in: G. Schwaiger (Hrsg.), Hundert Jahre nach dem Ersten Vatikanum, Regensburg 1970, 151–180.

–, Glaube ohne Dogma? Dogma, Dogmenentwicklung und kirchliches Lehramt (Schriften der Katholischen Akademie in Bayern, hrsg. von F. Henrich), Düsseldorf 1972.

Frank, I., Der Sinn der Kanonbildung, Eine historisch-theologische Untersuchung der Zeit vom 1. Clemensbrief bis Irenäus von Lyon (Freiburger theologische Studien 90), Freiburg 1971.

Franzelin, J. B. SJ, Tractus de divina Traditione et Scriptura, Rom 1875.

Franzen, A., Kleine Kirchengeschichte (Herder-Bücherei 237), Freiburg [3]1965.

Franzmann, M., Das Apostolat und seine bleibende Geltung im apostolischen Wort, in: Lutherischer Rundblick 5, 1957, 2–16.

Fridrichsen, A., The Apostle and his Message, Leipzig 1947.

Fries, H., Bultmann, Barth und die katholische Theologie, Stuttgart 1955.

–, Mythos und Offenbarung, in: Fragen der Theologie heute, hrsg. von J. Feiner, J. Trütsch und F. Böckle, Einsiedeln [2]1958 ([1]1957), 11–44.

–, Vom Formalprinzip des Katholizismus, Zu J. R. Geiselmann, Die lebendige Überlieferung als Norm des christlichen Glaubens, in: Cath 14, 1960, 118–132.

–, Art. Offenbarung (systematisch), in: LThK VII, Freiburg [2]1962, 1109–1115.

–, Die Offenbarung, in: MS I (Die Grundlagen heilsgeschichtlicher Dogmatik), Einsiedeln 1965, 159–238.

–, Kirche und Offenbarung Gottes, in: J. Chr. Hampe (Hrsg.), Die Autorität der Freiheit, Gegenwart des Konzils und Zukunft der Kirche im ökumenischen Disput I, München 1967, 155–169.

Gaechter, P. SJ, Petrus und seine Zeit, Neutestamentliche Studien, Innsbruck 1958.

Garrigou-Lagrange, R. OP, De revelatione per ecclesiam catholicam proposita (Theologia Fundamentalis sec. S. Thomae Doctrinam, prior pars Apologeticae), Rom [3]1925 ([1]1917).

Geiselmann, J. R., Jesus der Christus, Die Urform des apostolischen Kerygmas als Norm unserer Verkündigung und Theologie von Jesus Christus (Bibelwissenschaftliche Reihe 5), Stuttgart 1951.

–, Das Konzil von Trient über das Verhältnis der Heiligen Schrift und der nicht geschriebenen Traditionen, in: Die mündliche Überlieferung, hrsg. von M. Schmaus, München 1957, 123–206.

16

–, Die Tradition, in: Fragen der Theologie heute, hrsg. von J. Feiner, J. Trütsch und F. Böckle, Einsiedeln ²1958, 69–108.

–, Die lebendige Überlieferung als Norm des christlichen Glaubens, Die apostolische Tradition in der Form der kirchlichen Verkündigung – das Formalprinzip des Katholizismus, dargestellt im Geiste der Traditionslehre von Joh. Ev. Kuhn (Die Überlieferung in der neueren Theologie 3), Freiburg 1959.

–, Schrift – Tradition – Kirche, in: Begegnung der Christen, FS für O. Karrer, hrsg. von M. Roesle und O. Cullmann, Stuttgart/Frankfurt ²1960, 131–159.

–, Die Heilige Schrift und die Tradition, Zu den neueren Kontroversen über das Verhältnis der Heiligen Schrift zu den nichtgeschriebenen Traditionen (QD 18), Freiburg 1962.

–, Art. Jesus Christus, in: HThG I, 739–770.

–, Art. Offenbarung, in: HThG II, 242–250.

Gerken, A., Offenbarung und Transzendenzerfahrung, Kritische Thesen zu einer künftigen dialogischen Theologie, Düsseldorf 1969.

Gertz, K. P., Joseph Turmel (1859–1943), Ein theologiegeschichtlicher Beitrag zum Problem der Geschichtlichkeit der Dogmen (Disputationes Theologicae 2), Bern/Frankfurt 1975.

Geyer, H. F., Das Kontinuum der Offenbarung, Philosophisches Tagebuch III (Sammlung Rombach NF 10), Freiburg 1971.

Ghellinck, J. de, Pour l'histoire du mot „revelare", in: RSR 6, 1916, 149–157.

Gloege, G., Offenbarung und Überlieferung, in: ThLZ 79, 1954, 213–236.

–, Art. Offenbarung (dogmatisch), in: RGG IV, Tübingen ³1960, 1609–1613.

Goppelt, L., Tradition nach Paulus, in: KuD 4, 1958, 213–233.

–, Die apostolische und nachapostolische Zeit (Die Kirche in ihrer Geschichte I A, hrsg. von K. D. Schmidt und E. Wolf), Göttingen ²1966.

Grabmann, M., Geschichte der scholastischen Methode, 2 Bde, Berlin/Darmstadt 1956 (Neudruck).

Griboment, J., De la notion de „Faux" en literature populaire, in: Biblica 54, 1973, 434–436.

Grillmeier, A. SJ, Kommentar zu Kap. III der Dogmatischen Konstitution Dei Verbum, in: LThK, Das zweite Vatikanische Konzil II, Freiburg 1967, 528–558.

Groß, H., Die Entwicklung der alttestamentlichen Heilshoffnung, in: TThZ 70, 1961, 15–28.

Grossouw, W., Art. Offenbarung II (im NT), in: H. Haag (Hrsg.), Bibellexikon, Einsiedeln ²1968, 1248–1251.

Guardini, R., Die Offenbarung, ihr Wesen und ihre Formen, Würzburg 1940.

–, Religion und Offenbarung, 2 Bde, Würzburg 1958.

Gutwenger, E., Offenbarung und Geschichte, in: ZKTh 88, 1966, 393–410.

Haag, H., Die Buchwerdung des Wortes Gottes in der Heiligen Schrift, in: MS I (Die Grundlagen heilsgeschichtlicher Dogmatik), Einsiedeln 1965, 289–427.

–, Art. Offenbarung I (im AT), in: H. Haag (Hrsg.), Bibellexikon, Einsiedeln ²1968, 1242–1248.

Haase, F., Apostel und Evangelisten in den orientalischen Überlieferungen, Münster 1922.

Haenchen, E., Der Weg Jesu, Eine Erklärung des Markusevangeliums und der kanonischen Parallelen (Sammlung Töpelmann 2, 6), Berlin 1966.

Haible, E., Die Vergegenwärtigung des Apostelkollegiums, Eine Bemerkung zum Selbstverständnis und zur Aufgabe des Konzils, in: ZKTh 83, 1961, 80–87.

Hamer, J., Zur Entmythologisierung Bultmanns, in: H. W. Bartsch (Hrsg.), Kerygma und Mythos V (Theologische Forschung, Wissenschaftliche Beiträge zur kirchlich evangelischen Lehre 9), Hamburg 1955, 47–55.

Hammans, H., Die neueren katholischen Erklärungen der Dogmenentwicklung (Beiträge zur neueren Geschichte der katholischen Theologie 7), Essen 1965.

–, Die neueren katholischen Erklärungen der Dogmenentwicklung, in: Conc 3, 1967, 50–59.

Hampe, J. Chr. (Hrsg.), Die Autorität der Freiheit, Gegenwart des Konzils und Zukunft der Kirche im ökumenischen Disput, 3 Bde, München 1967.

Harnack, A. von, Lehrbuch der Dogmengeschichte, 3 Bde, Tübingen ⁵1931.

–, Die Mission und Ausbreitung des Christentums in den ersten drei Jahrhunderten, 2 Bde, Leipzig ⁴1923.

17

Haupt, E., Zum Verständnis des Apostolats im Neuen Testament, Halle 1896.

Hegermann, H., Der geschichtliche Ort der Pastoralbriefe, in: Theologische Versuche II, hrsg. von J. Rogge und G. Schille, Berlin 1970, 47–64.

Heiler, F., Katholischer Neomodernismus, Zu den Versuchen einer Verteidigung des neuen Mariendogmas, in: Das neue Mariendogma im Lichte der Geschichte und im Urteil der Ökumene II, hrsg. von F. Heiler (Ökumenische Einheit II/3), München 1951, 229–238.

Heinrich, J. B., Dogmatische Theologie, 10 Bde, Mainz 1873.

Held, H. J., Matthäus als Interpret der Wundergeschichten, in: G. Bornkamm, G. Barth, H. J. Held, Überlieferung und Auslegung im Matthäusevangelium (Wissenschaftliche Monographien zum Alten und Neuen Testament I), Neukirchen ³1963, 155–287.

Hengel, M., Christologie und neutestamentliche Chronologie, Zu einer Aporie in der Geschichte des Urchristentums, in: H. Baltensweiler – B. Reicke (Hrsg.), Neues Testament und Geschichte, FS für O. Cullmann, Zürich 1972, 43–67.

–, Zwischen Jesus und Paulus, Die „Hellenisten", die „Sieben" und Stephanus (Apg 6, 1–15; 7, 54–8, 3), in: ZThK 72, 1975, 151–206.

Hennecke, E., Schneemelcher, W., Neutestamentliche Apokryphen, 2 Bde, Tübingen ³1964.

Hentrich, W. SJ, Art. Gregor von Valencia, in: LThK IV, Freiburg ²1960, 1194 f.

Herrmann, S., Bespr. zu A. Jepsen, Schalom, Studien zu Glaube und Geschichte Israels, Alfred Jepsen zum 70. Geburtstag, hrsg. von K.-H. Bernhardt, Berlin 1971, in: ThLZ 97, 1972, 339–343.

Heussi, H., War Petrus in Rom?, Gotha 1936.

Hillmann, W., Grundzüge der urkirchlichen Glaubensverkündigung, in: WiWei 20, 1957, 163–180.

Horst, U., Das Offenbarungsverständnis der Hochscholastik, in: M. Seybold (Hrsg.), Die Offenbarung, Von der Schrift bis zum Ausgang der Scholastik (HDG I, 1 a), Freiburg 1971, 116–143.

Hummel, R., Die Auseinandersetzung zwischen Kirche und Judentum im Matthäusevangelium (Beiträge zur evangelischen Theologie 33), München 1963.

Javierre, A., Zur klassischen Lehre von der apostolischen Sukzession, in: Conc 4, 1968, 242–247.

Jedin, H., Geschichte des Konzils von Trient, 4 Bde, Freiburg 1949–1975.

–, Art. Trient II (Das Konzil von Trient), in: LThK X, Freiburg ²1965, 342–352.

Jeiler, J., Art. Privatoffenbarungen, in: Wetzer-Welte X, Freiburg 1897, 421–428.

Jung, N., Art. Révélation, in: DThC XIII, Paris 1936, 2580–2618.

Jungmann, J. A. SJ, Missarum Sollemnia, Wien ⁵1962.

Käsemann, E., Die Legitimität des Apostels, Eine Untersuchung zu 2 Kor 10–13, Darmstadt 1956 (erstmals erschienen in ZNW 41, 1942, 33–71).

–, Eine Apologie der urchristlichen Eschatologie, in: Exegetische Versuche und Besinnungen I, Göttingen ³1964, 135–157.

–, Begründet der neutestamentliche Kanon die Einheit der Kirche?, in: Exegetische Versuche und Besinnungen I, Göttingen ³1964, 214–223.

– (Hrsg.), Das Neue Testament als Kanon, Dokumentation und kritische Analyse zur gegenwärtigen Diskussion, Göttingen 1970.

Karrer, O., Offenbarung und inspiriertes Wort Gottes in der Heiligen Schrift, in: Anima 12, 1957, 291–301.

Kasper, W., Glaube und Geschichte, Mainz 1970.

Kasting, H., Die Anfänge der urchristlichen Mission (Beiträge zur evangelischen Theologie, Theologische Abhandlungen 55), München 1969.

Kattenbusch, F., Der Quellort der Kirchenidee, in: Festgabe für A. von Harnack, Tübingen 1921, 143–172.

–, Die Vorzugsstellung des Petrus und der Charakter der Urgemeinde zu Jerusalem, in: FS für K. Müller, Tübingen 1922, 322–351.

–, Der Spruch über Petrus und die Kirche bei Matthäus, in: ThStK 94, 1922, 96–131.

Kern, W., Schierse, F. J., Stachel, G., Warum glauben? Begründung und Verteidigung des Glaubens in neununddreißig Thesen, Würzburg 1961.

Kertelge, K., Gemeinde und Amt im Neuen Testament, München 1972.

Kinder, E., Urverkündigung der Offenbarung Gottes, Zur Lehre von den „Heiligen Schriften", in: Zur Auferbauung des Leibes Christi, FS für P. Brunner, Kassel 1965, 11–27.

Klee, H., Katholische Dogmatik, Mainz [4]1861 ([1]1835).

Klein, G., Die zwölf Apostel, Ursprung und Gehalt einer Idee (Forschungen zur Religion und Literatur des Alten und Neuen Testamentes NF 59), Göttingen 1961.

–, Die Fragwürdigkeit der Idee der Heilsgeschichte, in: Spricht Gott in der Geschichte? (Mit Beiträgen von F. Tenbruck, G. Klein, E. Jüngel, A. Sand), Weltgespräch bei Herder, Freiburg 1972, 95–153.

Kleutgen, J. SJ, Die Theologie der Vorzeit, 5 Bde, Münster [2]1867–1874 ([1]1853–1870, 3 Bde).

Klostermann, F., Das christliche Apostolat, Innsbruck 1962.

Koch, W., Dogmatik, Tübingen 1907 (als Manuskript gedruckt).

Koester, H., Häretiker im Urchristentum als theologisches Problem, in: Zeit und Geschichte, FS für R. Bultmann zum 80. Geburtstag, hrsg. von E. Dinkler, Tübingen 1964, 61–76.

Kötting, B., Bespr. zu J. Martin, Die Genese des Amtspriestertums in der frühen Kirche, Der priesterliche Dienst III (QD 48), Freiburg 1972, in: ThRv 69, 1973, 183–188.

Kolping, A., Zur theologischen Erkenntnismethode anläßlich der Definition der leiblichen Aufnahme Mariens in den Himmel, in: DTh 29, 1951, 81–105.

–, Art. Apostel II (Systematisch), in: HThG I, 68–74.

–, Fundamentaltheologie I, Theorie der Glaubwürdigkeitserkenntnis der Offenbarung, Münster 1968.

–, Fundamentaltheologie II, Die konkret-geschichtliche Offenbarung Gottes, Münster 1974.

–, Der „Fall Küng", Eine Bilanz (Theologische Brennpunkte 32/33), Bergen-Enkheim 1975.

Konrad, F., Das Offenbarungsverständnis in der evangelischen Theologie (Beiträge zur ökumenischen Theologie 6), München 1971.

Kredel, E. M., Der Apostelbegriff in der neueren Exegese, Historisch-kritische Darstellung, in: ZKTh 78, 1956, 169–193. 257–305.

–, Art Apostel I (Biblisch), in: HThG I, 61–67.

–, Art. Apostel, in: J. Bauer (Hrsg.), Bibeltheologisches Wörterbuch I, Graz [3]1967, 61–70.

Krömer, A., Die Sedes Apostolica der Stadt Rom in ihrer theologischen Relevanz innerhalb der abendländischen Kirchengeschichte bis Leo I. (Diss.), Freiburg 1972.

Kümmel, W. G., Kirchenbegriff und Geschichtsbewußtsein in der Urgemeinde und bei Jesus (Symbolae biblicae Upsalienses 1), Zürich 1943, NA 1969.

–, Notwendigkeit und Grenze des neutestamentlichen Kanons, in: ZThK 47, 1950, 277–313.

–, Das Urchristentum, in: ThR 18, 1950, 1–53.

–, Art. Bibel II (Neues Testament), in: RGG I, Tübingen [3]1957, 1130–1141.

–, Einleitung in das Neue Testament, Heidelberg [17]1973.

Küng, H., Die Kirche (Ökumenische Forschungen I, Ekklesiologische Abteilung I), Freiburg 1967.

–, Thesen zum Wesen der apostolischen Sukzession, in: Conc 4, 1968, 248–251.

–, Fehlbar? Eine Bilanz, Zürich 1974.

Kuhn, J., Katholische Dogmatik, 2 Bde, Tübingen [2]1859 ff. ([1]1846 ff.).

Kuss, O., Der Brief an die Hebräer (RNT VIII, 1), Regensburg [2]1966 (1. Aufl.: O. Kuss und J. Michl, Der Brief an die Hebräer und die Katholischen Briefe, Das Neue Testament übersetzt und kurz erklärt von A. Wikenhauser und O. Kuss, VIII, Regensburg 1953).

–, Die Schrift und die Einheit der Christen, in: MThZ 18, 1967, 292–307.

Landgraf, A. M., Dogmengeschichte der Frühscholastik, 4 Bde, Regensburg 1952–1956.

Lais, H., Dogmatik, 2 Bde (Berckers Theologische Grundrisse IV, 1 u. 2), Kevelaer 1965 u. 1972.

Lang, A., Fundamentaltheologie, 2 Bde, München [4]1967 f. ([1]1954).

Latourelle, R. SJ, Théologie de la révélation (Studia, Recherches de philosophie et de théologie publiées par les Facultés S.J. de Montréal, 15), Brügge 1963.

Lehmann, K., Der hermeneutische Horizont der historisch-kritischen Exegese, in: J. Schreiner, Einführung in die Methoden der biblischen Exegese, Würzburg 1971, 40–80.

Lemonnyer, A., Les Apôtres comme docteurs de la foi, in: Mélanges thomistes (Bibliothèque thom. III), Le Saulchoir 1923, 153–173.

Lengsfeld, P., Überlieferung, Tradition und Schrift in der evangelischen und katholischen Theologie der Gegenwart (Konfessionskundliche und kontroverstheologische Studien 3), Paderborn 1960.

–, Tradition innerhalb der konstitutiven Zeit der Offenbarung, in: MS I (Die Grundlagen heilsgeschichtlicher Dogmatik), Einsiedeln 1965, 239–287.

Liebermann, F. L. B., Institutiones theologicae, 2 Bde, Mainz ⁹1861 (¹1820, 5 Bde).

Lohse, E., Christusherrschaft und Kirche im Kolosserbrief, in: E. Lohse, Die Einheit des Neuen Testaments, Exegetische Studien zur Theologie des Neuen Testaments, Göttingen 1973, 262–275.

Lortz, J., Geschichte der Kirche in ideengeschichtlicher Schau, Münster 1953.

Marlé, R., Die „Theologie des Neuen Testaments" von R. Bultmann, in: H. W. Bartsch (Hrsg.), Kerygma und Mythos V (Theologische Forschung, Wissenschaftliche Beiträge zur kirchlich evangelischen Lehre 9), Hamburg 1955, 143–172.

Martin, J., Die Genese des Amtspriestertums in der frühen Kirche, Der priesterliche Dienst III (QD 48), Freiburg 1972.

Marxsen, W., Kontingenz der Offenbarung oder (und?) Kontingenz des Kanons, in: NZSTh 2, 1960, 355–364.

Merk, O., Bespr. zu H. Schlier, Das Ende der Zeit (Exegetische Aufsätze und Vorträge III), Freiburg 1971, in: ThLZ 99, 1974, 433–438.

Meyer, R., Art. προφήτης etc., in: ThW VI, Stuttgart 1965, 781–863.

Michel, A., Art. Tradition, in: DThC XV, Paris 1946, 1252–1350.

Michel, O., Art. μιμνήσκομαι, in: ThW IV, Stuttgart 1966, 678–687.

Möhler, J. A., Die Einheit in der Kirche oder das Prinzip des Katholizismus, dargestellt im Geiste der Kirchenväter der drei ersten Jahrhunderte, hrsg. und eingeleitet von J. R. Geiselmann, Köln 1957.

Moltmann, J., Theologie der Hoffnung, Untersuchung zur Begründung und zu den Konsequenzen einer christlichen Eschatologie, München ⁸1969.

–, Das Ende der Geschichte, in: J. Moltmann, Perspektiven der Theologie, Gesammelte Aufsätze, München/Mainz 1968, 232–250.

Monden, L., Wie können Christen noch glauben?, Salzburg 1971.

Mundle, W., Das Apostelbild der Apostelgeschichte, in: ZNW 27, 1928, 36–54.

Mußner, F., Die johanneischen Parakletsprüche und die apostolische Tradition, in: BZ NF 5, 1961, 56–70.

–, Bespr. zu E. Lohse, Die Einheit des Neuen Testaments, Exegetische Studien zur Theologie des Neuen Testaments, Göttingen 1973, in: ThRv 70, 1974, 289–291.

Nagel, W., Der Begriff des Apostolischen in der christlichen Frühzeit bis zur Kanonbildung, Leipzig 1959 (Habil. Schr.).

Newman, J. H., Vom Wesen der Universität (Ausgewählte Werke V, hrsg. von M. Laros u. W. Becker), Mainz 1960.

–, Entwurf einer Zustimmungslehre VII (Ausgewählte Werke, hrsg. von M. Laros, W. Becker, J. Artz), Mainz 1961.

–, Zur Philosophie und Theologie des Glaubens VI (Ausgewählte Werke, hrsg. von M. Laros u. W. Becker), Mainz 1964.

–, Über die Entwicklung der Glaubenslehre VIII (Ausgewählte Werke, hrsg. von M. Laros, W. Becker, J. Artz), Mainz 1969.

–, Predigten, 11 Bde (Gesamtausgabe), Stuttgart 1948–1964.

Niebecker, H., Wesen und Wirklichkeit der übernatürlichen Offenbarung, Eine Besinnung auf die Grundlagen der katholischen Theologie, Freiburg 1940.

Nierth, W., Bespr. zu F. Konrad, Das Offenbarungsverständnis in der evangelischen Theologie, München 1971, in: ThLZ 98, 1973, 206–209.

Oepke, A., Art. καλύπτω, in: ThW III, Stuttgart 1938, 558–597.

Ohlig, K. H., Woher nimmt die Bibel ihre Autorität? Zum Verhältnis von Schriftkanon, Kirche und Jesus, Düsseldorf 1970.

–, Die theologische Begründung des neutestamentlichen Kanons in der alten Kirche, Düsseldorf 1972.

Ott, H., Die Offenbarung Gottes nach dem Konzil, in: J. Chr. Hampe (Hrsg.), Die Autorität der Freiheit, Gegenwart des Konzils und Zukunft der Kirche im ökumenischen Disput I, München 1967, 169–174.

Ott, L., Grundriß der katholischen Dogmatik, Freiburg [8]1970 ([1]1952).

Pannenberg, W., Rendtorff, R., Wilckens, U., Rendtorff, T., Offenbarung als Geschichte (KuD, Beiheft I), Göttingen 1961.

–, Dogmatische Thesen zur Lehre von der Offenbarung, in: W. Pannenberg, R. Rendtorff, U. Wilckens, T. Rendtorff, Offenbarung als Geschichte, Göttingen 1961, 91–114.

–, Was ist eine exegetische Aussage?, in: Pro Veritate, Ein theologischer Dialog, Festgabe für Erzbischof Lorenz Jäger und Bischof Wilhelm Stählin, hrsg. von E. Schlink und H. Volk, Münster/Kassel 1963, 339–360.

Perrone, J. SJ, Praelectiones theologicae (Ed. XXI, Ratisbonensis I), 9 Bde, Regensburg 1854.

Pesch, R., Die Zuschreibung der Evangelien an apostolische Verfasser, in: ZKTh 97, 1975, 56–71.

–, Das Markusevangelium I (HThK II, 1), Freiburg 1976.

Petersen, E., Frühkirche, Judentum und Gnosis, Freiburg 1959.

Pieper, J., Was heißt „Gott spricht"? Vorüberlegungen zu einer kontroverstheologischen Diskussion, in: Cath 9, 1965, 171–191.

Pohle, J., Lehrbuch der Dogmatik in sieben Büchern, 3 Bde, Paderborn 1902–1905.

Pohle, J., Gummersbach, J., Lehrbuch der Dogmatik, 2 Bde, Paderborn [10]1952–1960.

Poschmann, B., Buße und Letzte Ölung (HDG IV, 3), Freiburg 1951.

Poulat, E., Histoire, dogme et critique dans la crise moderniste, Paris 1962.

Premm, M., Katholische Glaubenskunde, Ein Lehrbuch der Dogmatik, 4 Bde, Wien 1951–1955.

Pritz, J., Offenbarung, Eine philosophisch-theologische Analyse nach Anton Günther, in: ZKTh 95, 1973, 249–285.

von Rad, G., Theologie des Alten Testaments I, München [5]1966.

–, Theologie des Alten Testaments II, München [4]1965.

Rahner, H. SJ, Art. Aristides, in: LThK I, Freiburg [2]1957, 852 f.

Rahner, K. SJ, Visionen und Prophezeiungen (QD 4), Freiburg [3]1960.

–, Über die Schriftinspiration (QD I), Freiburg [4]1965 ([1]1958) (erstmals erschienen in ZKTh 78, 1956, 137–168).

–, Art. Dogmenentwicklung, in: LThK III, Freiburg [2]1959, 457–463.

–, Überlegungen zur Dogmenentwicklung (1957), in: Schriften zur Theologie IV, Einsiedeln 1960, 11–50.

–, Art. Kanon (Dogmatisch), in: LThK V, Freiburg [2]1960, 1283 f.

–, Zur Frage der Dogmenentwicklung (1954), in: Schriften zur Theologie I, Einsiedeln 1962, 49–90.

–, Theologie im Neuen Testament (1962), in: Schriften zur Theologie V, Einsiedeln 1962, 33–53.

–, Was ist eine dogmatische Aussage (1961)?, in: Schriften zur Theologie V, Einsiedeln 1962, 54–81.

–, Lehmann, K., Geschichtlichkeit der Vermittlung, in: MS I (Die Grundlagen heilsgeschichtlicher Dogmatik), Einsiedeln 1965, 727–787.

–, Lehmann, K., Kerygma und Dogma, in: MS I (Die Grundlagen heilsgeschichtlicher Dogmatik), Einsiedeln 1965, 622–703.

–, Art. Offenbarung II, in: Sacramentum Mundi III, Theologisches Lexikon für die Praxis, Freiburg 1969, 832–842.

–, Tod Jesu und Abgeschlossenheit der Offenbarung, in: Pluralisme et Oecuménisme en Recherches Théologiques, Mélanges offerts au R. P. Dockx OP (Bibliotheca ephemeridum theologicarum Lovaniensium XLIII), Paris/Gembloux 1976, 263–272.

Ratzinger, J., Offenbarung – Schrift – Überlieferung, Ein Text des hl. Bonaventura, in: TThZ 67, 1958, 13–27.

–, Die Geschichtstheologie des hl. Bonaventura, München 1959.

–, Primat, Episkopat und successio apostolica, in: K. Rahner, J. Ratzinger, Episkopat und Primat (QD 11), Freiburg 1961, 37–59 (erstmals erschienen in Cath 13, 1959, 260–277).

–, Ein Versuch zur Frage des Traditionsbegriffs, in: K. Rahner, J. Ratzinger, Offenbarung und Überlieferung (QD 25), Freiburg 1965, 25–69.

–, Das Problem der Dogmengeschichte in der katholischen Theologie (Arbeitsgemeinschaft für Forschung des Landes Nordrhein-Westfalen, Geisteswissenschaften, Heft 139), Köln 1966.

–, Einleitung und Kommentar zum Prooemium, zu Kap. I, II und VI der Dogmatischen Konstitution Dei Verbum, in: LThK, Das zweite Vatikanische Konzil II, Freiburg 1967, 498–528. 571–581.

–, Einführung in das Christentum, München [7]1968 ([1]1968).

–, Offenbarung und Transzendenzerfahrung, Bespr. des gleichnamigen Buches von A. Gerken, in: ThRv 67, 1971, 11–14.

–, Bespr. zu W. Schachten, Intellectus Verbi, Die Erkenntnis im Mitvollzug des Wortes nach Bonaventura, Freiburg/München 1973, in: ThRv 71, 1975, 328–331.

Remmers, J., Apostolische Sukzession der ganzen Kirche, in: Conc 4, 1968, 251–258.

Rendtorff, R., Die Offenbarungsvorstellungen im Alten Israel, in: W. Pannenberg, R. Rendtorff, U. Wilckens, T. Rendtorff, Offenbarung als Geschichte (KuD, Beiheft 1), Göttingen 1961, 21–41.

Rengstorf, K. H., Apostolat und Predigtamt, Ein Beitrag zur neutestamentlichen Grundlegung einer Lehre vom Amt der Kirche, Stuttgart [2]1954 ([1]1934).

–, Art. ἀπόστολος, in: ThW I, Stuttgart 1966, 406–446.

–, Art. ἀποστολή, in: ThW I, Stuttgart 1966, 447 f.

–, Art. δώδεκα, in: ThW II, Stuttgart 1967, 325–328.

–, Art. μαθητής, in: ThW IV, Stuttgart 1966, 417–465.

Ries, J. (Hrsg.), Geprüfter Glaube, 47 Anstöße zur Neuorientierung, Stuttgart 1973.

Riesenfeld, H., The Gospel Tradition and its Beginnings (1959), in: H. Riesenfeld, The Gospel Tradition, Philadelphia 1970, 1–29.

–, Art. Apostel, in: RGG I, Tübingen 1957, 497–499.

Rigaux, B., Die „Zwölf" in Geschichte und Kerygma, in: Der historische Jesus und der kerygmatische Christus, hrsg. von H. Ristow und K. Matthiae, Berlin 1960, 468–486.

–, Kommentar zu Kap. IV und V der Dogmatischen Konstitution Dei Verbum, in: LThK, Das zweite Vatikanische Konzil II, Freiburg 1967, 558–570.

–, Die zwölf Apostel, in: Conc 4, 1968, 238–242.

Roloff, J., Apostolat, Verkündigung, Kirche. Ursprung, Inhalt und Funktion des kirchlichen Apostelamtes nach Paulus, Lukas und den Pastoralbriefen, Gütersloh 1965.

Rütti, L., Zur Theologie der Mission, Kritische Analysen und neue Orientierungen (Gesellschaft und Theologie 9), München 1972.

Sand, A., Die biblischen Aussagen über die Offenbarung, in: M. Seybold (Hrsg.), Die Offenbarung, Von der Schrift bis zum Ausgang der Scholastik (HDG I, 1a), Freiburg 1971, 1–26.

–, Die Diskrepanz zwischen historischer Zufälligkeit und normativem Charakter des neutestamentlichen Kanons als hermeneutisches Problem, in: MThZ 24, 1973, 147–160.

–, Der Schriftkanon der Kirche und die kirchliche Autorität, in: MThZ 24, 1973, 363–368.

–, Kanon, Von den Anfängen bis zum Fragmentum Muratorianum (HDG I, 3a, 1), Freiburg 1974.

Schachten, W., Intellectus Verbi, Die Erkenntnis im Mitvollzug des Wortes nach Bonaventura, Freiburg/München 1973.

Schanz, P., Art. Offenbarung, in: Wetzer – Welte IX, Freiburg 1895, 770–781.

Scheeben, M. J., Handbuch der katholischen Dogmatik, 4 Bde, Freiburg 1878–1903; [2]1948 (in: M. J. Scheeben, Gesammelte Schriften III–VII).

Scheffczyk, L., Jesus für Philanthropen, Zum Jesusbuch von E. Schillebeeckx, in: Entscheidung 69, 1976, 3–11.

Schelkle, K. H., Das Wort Gottes in der Kirche, in: ThQ 133, 1953, 278–293.

–, Art. Apostel I (Bibl.), in: LThK I, Freiburg [2]1957, 734–736.

–, Jüngerschaft und Apostelamt, Eine biblische Auslegung des priesterlichen Dienstes, Freiburg ³1965 (¹1957).

–, Spätapostolische Briefe als frühkatholisches Zeugnis, in: Neutestamentliche Aufsätze, FS für J. Schmid, hrsg. von J. Blinzler, O. Kuss, F. Mußner, Regensburg 1963, 225–232.

–, Das Neue Testament, Seine literarische und theologische Geschichte (Berckers theologische Grundrisse II), Kevelaer 1963.

–, Die Petrusbriefe, Der Judasbrief (HThK XIII/2), Freiburg ²1963.

–, Bespr. zu W. Trilling, Untersuchungen zum 2. Thessalonicherbrief (Erfurter Theologische Studien 27), Leipzig 1972, in: ThQ 153, 1973, 86.

–, Theologie des Neuen Testamentes, 4 Bde (Kommentare und Beiträge zum Alten und Neuen Testament), Düsseldorf 1968 ff.

Schell, H., Katholische Dogmatik, 3 Bde, Paderborn 1889 ff. Kritische Ausgabe hrsg., eingeleitet und kommentiert von J. Hasenfuß und P.-W. Scheele, München 1968.

–, Religion und Offenbarung, Paderborn 1901.

Scherer, R., Art. Modernismus, in: LThK VII, Freiburg ²1962, 513–516.

Schierse, F. J., Die neutestamentliche Trinitätsoffenbarung, in: MS II (Die Heilsgeschichte vor Christus), Einsiedeln 1967.

Schiffers, N., Art. Offenbarung I, in: SM III, Freiburg 1969, 819–832.

Schille, G., Die urchristliche Kollegialmission (Abhandlungen zur Theologie des Alten und Neuen Testamentes 48), Zürich 1967.

Schillebeeckx, E. OP, Sakramente als Organe der Gottbegegnung, in: J. Feiner u. a., Fragen der Theologie heute, Einsiedeln 1957, 379–401.

–, Offenbarung und Theologie (Gesammelte Schriften I), Mainz 1965.

–, Jesus, Die Geschichte von einem Lebenden, Freiburg 1975.

Schleiermacher, F., Der christliche Glaube, hrsg. von M. Redeker, 2 Bde, Berlin ⁷1960.

Schlier, H., Kurze Rechenschaft, in: K. Hardt (Hrsg.), Bekenntnis zur katholischen Kirche, Würzburg ³1955, 169–195.

–, Vom Wesen der apostolischen Ermahnung nach Römerbrief 12, 1–2 (1941), in: Die Zeit der Kirche, Exegetische Aufsätze und Vorträge, Freiburg 1956.

–, Die Entscheidung für die Heidenmission in der Urchristenheit (1942), in: Die Zeit der Kirche, Exegetische Aufsätze und Vorträge, Freiburg 1956.

–, Der Brief an die Galater (Kritisch-exegetischer Kommentar über das Neue Testament, begründet von H. A. W. Meyer, 7. Abt.), Göttingen ¹²1962.

–, Art. Wort II (Biblisch), in: HThG II, 845–867.

–, Zum Begriff des Geistes nach dem Johannesevangelium, in: Neutestamentliche Aufsätze, FS für J. Schmid, hrsg. von J. Blinzler, O. Kuss, F. Mußner, Regensburg 1963, 233–239 (vgl. auch: Besinnung auf das Neue Testament, Exegetische Aufsätze und Vorträge II, Freiburg 1964, 264–271).

–, Grundzüge einer neutestamentlichen Theologie des Wortes, in: Conc 4, 1968, 157–161.

–, Das Herrenmahl bei Paulus, in: Das Ende der Zeit, Exegetische Aufsätze und Vorträge III, Freiburg 1971, 201–215.

Schlink, E., Die apostolische Sukzession (1957), in: Der kommende Christus und die kirchlichen Traditionen, Beiträge zum Gespräch zwischen den getrennten Kirchen, Göttingen 1961, 160–195.

Schmaus, M., Die mündliche Überlieferung, München 1957.

–, Katholische Dogmatik, 5 Bde, München ⁶1960–1965.

–, Der Glaube der Kirche, Handbuch katholischer Dogmatik, 2 Bde, München 1969.

Schmid, J., Das Evangelium nach Matthäus (RNT I), Regensburg ³1956.

Schmidt, K. D., Studien zur Geschichte des Konzils von Trient, Tübingen 1927.

–, Grundriß der Kirchengeschichte, Göttingen ⁵1967 (¹1949).

Schmidt, K. L., Die Kirche des Urchristentums, Eine lexikographische und biblisch-theologische Studie, in: Festgabe für A. Deißmann, Sonderdruck, Tübingen 1932, 259–319.

Schmithals, W., Das kirchliche Apostelamt, Eine historische Untersuchung (Forschungen zur Religion und Literatur des Alten und Neuen Testaments, NF 61), Göttingen 1961.

Schnackenburg, R., Art. Offenbarung (Bibl.), in: LThK VII, Freiburg ²1962, 1106–1109.

23

Schniewind, J., Das Evangelium nach Matthäus, Göttingen [7]1954.

Schouppé, F. X. SJ, Elementa theologiae dogmaticae, 2 Bde, Brüssel [3]1865.

Schürmann, H., Die Heilige Schrift im Gemeindeleben, in: Im Dienste des Wortes (Pastoral-Katechetische Hefte 9), Leipzig 1959, 54–80.

–, Das Lukas-Evangelium I (HThK III, 1), Freiburg 1969.

–, Der proexistente Christus – die Mitte des Glaubens von morgen?, in: Diakonia/Der Seelsorger 3, 1972, 147–160.

Schulte, H., Der Begriff der Offenbarung im Neuen Testament (Beiträge zur Evangelischen Theologie, Theologische Abhandlungen 13), München 1949.

Schultze, H., Bespr. zu A. Dulles, Was ist Offenbarung?, Freiburg 1970, in: ThLZ 97, 1972, 700–702.

Schumacher, J., Der „Denzinger", Geschichte und Bedeutung eines Buches in der Praxis der neueren Theologie (Freiburger theologische Studien 95), Freiburg 1974.

Semmelroth, O. SJ, Gott und Mensch in der Begegnung, Ein Durchblick durch die katholische Glaubenslehre, Frankfurt 1956.

–, Zeitalter des Heiligen Geistes?, in: GuL 32, 1959, 166–179.

Seybold, M., Die Offenbarungsthematik in der Spätpatristik und Frühscholastik, in: M. Seybold (Hrsg.), Die Offenbarung, Von der Schrift bis zum Ausgang der Scholastik (HDG I, 1a), Freiburg 1971, 88–115.

Simons, E., Philosophie der Offenbarung, Stuttgart 1966.

Söhngen, G., Überlieferung und apostolische Verkündigung, in: G. Söhngen, Die Einheit in der Theologie, Gesammelte Abhandlungen, Aufsätze und Vorträge, München 1952, 305–323 (erstmals erschienen in: Episkopus, Studien über das Bischofsamt, FS für Kard. Michael Faulhaber, hrsg. von der Theologischen Fakultät der Universität München, Regensburg 1949, 89–109).

Söll, G. SDB, Dogma und Dogmenentwicklung (HDG I, 5), Freiburg 1971.

Speyer, W., Die literarische Fälschung im heidnischen und christlichen Altertum, Ein Versuch ihrer Deutung (Handbuch der Altertumswissenschaften I, 2), München 1971.

Spiazzi, R., Rivelazione compiuta con la morte degli Apostoli, in: Gr 33, 1952, 24–57.

Stakemeier, E., Über Privatoffenbarungen, in: ThGl 44, 1954, 39–50.

–, Die Konzilskonstitution über die göttliche Offenbarung, Paderborn 1966.

Stauffer, E., Theologie des Neuen Testamentes, Stuttgart 1948.

Stirnimann, H. OP, Apostel-Amt und apostolische Überlieferung, Theologische Bemerkungen zur Diskussion mit Oscar Cullmann, in: FZThPh 4, 1957, 129–147.

Stockmeier, P., „Offenbarung" in der Kirche, in: M. Seybold (Hrsg.), Die Offenbarung, Von der Schrift bis zum Ausgang der Scholastik (HDG I, 1a), Freiburg 1971, 27–87.

Strolz, W., Kann das Neue Testament entmythologisiert werden?, in: AKG 74, 1965, 132–134.

Tenbruck, F. H., Klein, G., Jüngel, E., Sand, A., Spricht Gott in der Geschichte? Weltgespräch bei Herder, Freiburg 1972.

Thomas-Ausgabe, Deutsche, hrsg. von der Albertus-Magnus-Akademie, Walberberg b. Köln, Bd XV, Heidelberg 1950.

Trilling, W., In der apostolischen Verkündigung des Neuen Testamentes begegnet uns der lebendige Christus, in: W. Kern, F. J. Schierse, G. Stachel, Warum glauben?, Würzburg 1961, 239–247.

–, Jesusüberlieferung und apostolische Vollmacht, in: E. Kleineidam, H. Schürmann, Miscellana Erfordiana (Erfurter Theologische Studien 12), Leipzig 1962, 74–89.

–, Untersuchungen zum 2. Thessalonicherbrief (Erfurter Theologische Studien 27), Leipzig 1972.

Trippen, N., Theologie und Lehramt im Konflikt, Die kirchlichen Maßnahmen gegen den Modernismus im Jahre 1907 und ihre Auswirkungen in Deutschland, Freiburg 1977.

Troeltsch, E., Glaubenslehre, hrsg. von M. Troeltsch, München 1925.

Tromp, S. SJ, De Revelatione christiana, Rom [6]1950.

Vielhauer, Ph., Gottesreich und Menschensohn in der Verkündigung Jesu, in: FS für G. Dehn, hrsg. von W. Schneemelcher, Neukirchen 1957, 51–79.

Vilmar, A., Die Lehre vom geistlichen Amt, Gütersloh 1870.

Vögtle, A., Das Neue Testament und die neuere katholische Exegese I, Grundlegende Fragen zur Entstehung und Eigenart des Neuen Testaments, Freiburg [3]1966.

–, Die historische und theologische Tragweite der heutigen Evangelienforschung, in: ZKTh 86, 1964, 385–417.

–, Art. Urgemeinde, Urchristentum, Urkirche, in: LThK X, Freiburg [2]1965, 551–555.

–, Art. Zwölf, in: LThK X, Freiburg [2]1965, 1443–1445.

–, Offenbarung und Geschichte im Neuen Testament, Ein Beitrag zur biblischen Hermeneutik, in: Conc 3, 1967, 18–23.

–, Kirche und Schriftprinzip nach dem Neuen Testament, in: BiLe 12, 1971, 153–162. 260–281.

–, Die Schriftwerdung der apostolischen Paradosis nach 2 Petr 1, 12–15, in: H. Baltensweiler, B. Reicke (Hrsg.), Neues Testament und Geschichte, FS für O. Cullmann, Zürich 1972, 297–305.

–, Was Ostern bedeutet, Meditation zu Matthäus 28, 16–20, Freiburg 1976.

Volken, L., Die Offenbarungen in der Kirche, Innsbruck 1965.

–, Um die theologische Bedeutung der Privatoffenbarungen, Zu einem Buch von K. Rahner, in: FZThPh 6, 1959, 431–439.

Vooght, P. de, Les sources de la doctrine chrétienne d'après les théologiens du XIVe siècle et du début du XVe, avec le texte intégral des XII premières questions de la Summa inédite de Gérard de Bologne († 1317), Paris 1954.

Wagenmann, J., Die Stellung des Apostels Paulus neben den Zwölf in den ersten zwei Jahrhunderten (ZNW, Beiheft 3), Gießen 1926.

Wagner, S., 1 Sam 9, 15: „Jahwe aber hatte das Ohr des Samuel geöffnet . . .", Bemerkungen zum Problem der Offenbarung im Alten Testament, in: A. Jepsen, Schalom, Studien zu Glaube und Geschichte Israels, Alfred Jepsen zum 70. Geburtstag, hrsg. von K. H. Bernhardt, Berlin 1971, 65–72.

Walde, B., Art. Inspiration, in: LThK V, Freiburg [1]1933, 423–429.

Waldenfels, H. SJ, Offenbarung, Das zweite Vatikanische Konzil auf dem Hintergrund der neueren Theologie (Beiträge zur ökumenischen Theologie III), München 1969.

–, Scheffczyk, L., Die Offenbarung, Von der Reformation bis zur Gegenwart (HDG I, 1b), Freiburg 1977.

Welte, B., Credo ut intelligam als theologisches Programm heute, in: Wissenschaft und Verantwortung, Universitätstage Berlin 1962, 16–30.

Wikenhauser, A., Art. ἀπόστολος, in: RAC I, Stuttgart 1941, 553–555.

–, Das Evangelium nach Johannes (RNT V), Regensburg [2]1957.

–, Schmid, J., Einleitung in das Neue Testament, Freiburg [6]1973.

Wilckens, U., Das Offenbarungsverständnis in der Geschichte des Urchristentums, in: W. Pannenberg, R. Rendtorff, U. Wilckens, T. Rendtorff, Offenbarung als Geschichte (KuD, Beiheft I), Göttingen 1961, 42–90.

Zahn, Th., Geschichte des neutestamentlichen Kanons, 2 Bde, Erlangen/Leipzig 1888 f. u. 1890/92.

–, Apostel und Apostelschüler in der Provinz Asien, in: Th. Zahn, Forschungen zur Geschichte des neutestamentlichen Kanons der altchristlichen Literatur, VI. Teil, Leipzig 1900, 1–224.

Zahrnt, H., Die Sache mit Gott, Die protestantische Theologie im 20. Jahrhundert, München 1966.

Zapelena, T. SJ, De Ecclesia Christi I, Pars apologetica, Rom [6]1955.

–, De Ecclesia Christi II, Pars apologetico-dogmatica, Rom 1954.

Einleitung

Ein persönlicher Gott, der sich offenbart, ist für den modernen Menschen ein Ärgernis, mehr noch als die persönliche Gottesvorstellung an sich. An die Stelle der Offenbarung möchte er die persönliche Erfahrung, das sinnliche Erleben oder die rationale Erkenntnis setzen. Kennzeichnend für das Dilemma, das mit dem Anspruch einer „Offenbarung von außen" und der Erwartung von „Erkenntnis und Erfahrung" auch bei Christen gegeben ist, ist die Gott-ist-tot-Theologie, die jedes Sprechen über Gott als sinnlos bezeichnet, weil die Existenz Gottes nicht „nachweisbar" ist, weil sie nicht in den Bereich kontrollierbarer Erfahrung fällt, und sich resignierend auf die Begegnung mit Gott im Mitmenschen verlegt. Solches Denken ist von den modernen Naturwissenschaften und speziell ihrer praktischen Anwendung in der Technik her geprägt. Die imponierende Entwicklung der Naturwissenschaft hat den Blick des Menschen verengt, so daß die naturale Wirklichkeit ihm weithin zur Wirklichkeit schlechthin geworden ist. Die kritische Distanz der Philosophie gegenüber der Metaphysik seit I. Kant bestärkt ihn in seiner skeptischen Sicht der übernatürlichen Wirklichkeit. Somit steht der moderne Mensch dem Phänomen der Offenbarung nicht selten verständnislos oder ablehnend gegenüber[1].

In der Offenbarung greift nicht der Mensch zuerst nach Gott, sondern Gott nach dem Menschen. Gott ergreift die Initiative, und er ist der Handelnde. Auch das macht die Offenbarung fragwürdig für den modernen Menschen, sofern er vom Bewußtsein seiner eigenen unbegrenzten Macht fasziniert ist und in seinem übergroßen Selbstbewußtsein und Freiheitsstreben selber die Brücke zu Gott bauen möchte[2].

---

[1] *L. Bakker,* Welche Rolle hat der Mensch im Offenbarungsgeschehen? in: Conc 3, 1967, 9 f.; *C. E. Braaten,* History and Hermeneutics (New Directions in Theology Today 2), Philadelphia 1966, 13; vgl. *G. Szczesny,* Die Zukunft des Unglaubens, Zeitgemäße Betrachtungen eines Nichtchristen, München 1958. – Die Kategorie der Erfahrung gewinnt mehr und mehr an Bedeutung im religiösen Bereich, bis in die Religionsbücher hinein; sie tritt weithin an die Stelle des Glaubens. Dabei wird leicht übersehen, daß die übernatürlichen Realitäten von ihrem Wesen her nicht natürlicherweise erfahrbar sind; es kann sich hier höchstens um Erfahrungen handeln, die der Mensch ob ihrer Ungewöhnlichkeit im Glauben deutet, aber diese Deutung ist eine Frage des Glaubens (DS 3015).
[2] *J. Ries,* Geprüfter Glaube, 47 Anstöße zur Neuorientierung, Stuttgart 1973, 193.

Die Offenbarung spielt in der Geschichte der Menschen eine nicht geringe Rolle. In jeder lebendigen Religion ist von ihr die Rede[3]. Im Christentum nimmt sie zwar nicht den ersten Platz ein, aber es kommt ihr logisch die Priorität zu[4]. Christentum und Kirche verdanken ihr die Existenz.

Die katholische Theologie setzt den Glauben voraus. Dieser ist die Antwort auf die Offenbarung, wie sie in der Kirche verkündet wird[5]. „Principia huius doctrinae per revelationem habentur", sagt Thomas von Aquin[6]. Er definiert die Theologie ihrem Wesen nach als „doctrina secundum revelationem divinam«[7]. Ihr Gegenstand ist Gott, sofern er sich geoffenbart hat[8]. Allem theologischem Fragen liegt die Offenbarung zugrunde, weshalb sich die katholische Theologie als Glaubenswissenschaft versteht.

Die Offenbarung umfaßt die Gottesoffenbarung des Alten und des Neuen Bundes und gipfelt in der Gottesoffenbarung in Jesus von Nazareth. Sie ist enthalten in der Schrift und in der apostolischen Überlieferung[9]. Gemäß dem anselmischen Grundsatz „fides quaerens intellectum" sucht die Theologie sie zu hören und denkerisch zu durchdringen[10].

Ist schon für den modernen Menschen der Zugang zur Offenbarung an sich problematisch, so gilt das um so mehr angesichts des Glaubensgrundsatzes vom Abschluß der Offenbarung. Wir sind heute auf die Zukunft ausgerichtet. Von ihr erwarten wir das Heil. Das Vergangene zählt nicht. Es gilt als veraltet – eine Folge des naturwissenschaftlichen Denkens. Angesichts der evolutiven Welt, deren eindringende Erkenntnis mehr und mehr das Denken prägt, angesichts einer dynamischen Weltauffassung, angesichts der stets neu auftretenden Lebensprobleme, die bewältigt werden müssen, erscheint eine in grauer Vergangenheit abgeschlossene Offenbarung äußerst fragwürdig[11].

Hinzu kommt, daß wir heute eine bessere Kenntnis fremder Kulturen, Philosophien und Religionen haben, die – ungeachtet der essentiellen Unterschiede – frappierende Übereinstimmungen mit der Offenbarungsreligion Israels und mit dem Christentum zeigen. Bedrängend kommt uns zum Bewußtsein, daß der kulturelle Ort der übernatürlichen Offenbarung Gottes ein kleines, unbedeutendes Land und nachher, in der apostolischen Zeit,

---

[3] *J. Pieper,* Was heißt „Gott spricht?" Vorüberlegungen zu einer kontroverstheologischen Diskussion, in: Cath 9, 1965, 172, vgl. die Vorstellung vom ϑεῖος λόγος in der Tradition der Menschen.
[4] *A. Dulles,* Was ist Offenbarung?, Freiburg 1970, 157.
[5] Vgl. STh I q. 1 a. 2: „Doctrina sacra credit principia revelata sibi a Deo".
[6] STh I q. 1 a. 8 ad 2.   [7] STh I q. 1 a. 1.   [8] STh I q. 1 a. 5 ad 2; q. 1 a. 7.
[9] Beide Quellen oder besser Fundorte sind eigentlich nur ein Zeugnis, sofern sie dasselbe bezeugen, vgl. *J. R. Geiselmann,* Schrift- Tradition – Kirche, ein ökumenisches Problem, in: *M. Roesle* u. *O. Cullmann,* Begegnung der Christen, Stuttgart 1960, 131 ff. und unten 265–276.
[10] Vgl. *B. Welte,* Credo ut intelligam als theologisches Programm heute, in: Wissenschaft und Verantwortung, Universitätstage Berlin 1962, 16. Anselm von Canterbury knüpft an augustinisches Denken an (vgl. *Aurelius Augustinus,* De doctrina christiana II, 12), im Anschluß an Is 7, 9.
[11] *H. F. Geyer* schreibt: „Unmöglich ist es für den heutigen Menschen, an eine Offenbarung zu glauben, die zweitausend Jahre alt ist" (Das Kontinuum der Offenbarung, Philosophisches Tagebuch III, Sammlung Rombach NF 10, Freiburg 1971, 38).

durchweg ungebildete Kreise der Mittelmeerkultur waren. Solche Kontingenz, in der sich Gott dem Menschen zuwendet, erregt verständlicherweise das Unbehagen des modernen Menschen.

Entwicklung und Fortschritt bestimmen unser Denken. Daraus ergibt sich ein dynamisches und geschichtsbedingtes Verständnis auch der Wahrheit. Die Wandelbarkeit aller Dinge ist zum Zauberwort geworden. Mit Recht wird sich gerade das Christentum im Unterschied zu anderen großen Weltreligionen seiner historischen Entwicklung bewußt. Aber Entwicklung ist nicht alles. Eine neue Entdeckung darf in ihrer Faszination nicht dazu verleiten, mit ihr alles erklären zu wollen. Nicht alles ist wandelbar! Es muß die rechte Synthese zwischen dem Wandelbaren und dem Unwandelbaren gefunden werden. Bei aller geschichtlichen Erscheinungsform der Offenbarung, die wandelbar ist, muß der übernatürliche Charakter der Offenbarung gewahrt bleiben, muß das Besondere und Bleibende an ihr aufgezeigt und das Unwandelbare bewahrt werden[12].

Die Rede vom Abschluß der Offenbarung, sofern sie irgendwie die Normativität des Anfangs des Christentums meint, verbindet alle christlichen Konfessionen miteinander. Alle sind sich darin einig, daß das Bekenntnis zu Jesus Christus und den Aposteln die Gegenwart bestimmen muß, das Sein und Leben der einzelnen christlichen Gemeinschaft, mögen auch dabei die Vorstellungen über das Ausmaß der Bindung an den Ursprung, über eine mögliche Weiterentwicklung, über Offenbarung, Jesus Christus und die Apostel im einzelnen noch so verschieden sein. Auf diesen geschichtlichen Zusammenhang, so vage er im Einzelfall sein mag, spielt auch der Glaubensartikel des Apostolicum an: „Credo ecclesiam apostolicam"[13].

Die traditionelle Formel, mit der die Dogmatik den Abschluß der Offenbarung umschreibt, lautet: „Die Offenbarung ist mit dem Tode des letzten Apostels abgeschlossen". Was ist damit gemeint? Die vorliegende Untersuchung fragt nach dem Begriff und dem Wesen der Offenbarung, nach dem Problem ihres Abschlusses im Neuen Testament und in der Geschichte des Glaubens bis hin zum II. Vaticanum, nach dem Grund und dem tieferen Sinn des Abschlusses der Offenbarung mit dem Christusereignis und mit den Aposteln und nach der Bedeutung der Dogmenentwicklung in diesem Zusammenhang. Endlich unternimmt sie es, den Abschluß der Offenbarung, die Zeit der Apostel, genau zu terminieren.

Mit solchen Überlegungen kann das Ärgernis der Offenbarung überhaupt und des Abschlusses der Offenbarung im besonderen nicht beseitigt werden,

---

[12] *R. Scherer,* Art. Modernismus, in: LThK VII, Freiburg ²1962, 514.

[13] *P. Bläser,* Zum Problem des urchristlichen Apostolates, in: Unio Christianorum, FS für Erzbischof Lorenz Jäger, Paderborn 1962, 92; *A. Javierre,* Zur klassischen Lehre von der apostolischen Sukzession, in: Conc 4, 1968, 244; vgl. *U. Wilckens,* Das Offenbarungsverständnis in der Geschichte des Urchristentums, in: *W. Pannenberg – R. Rendtorff – U. Wilckens – T. Rendtorff,* Offenbarung als Geschichte (KuD Beiheft I) Göttingen 1961, 87 f.; *W. Pannenberg,* Dogmatische Thesen zur Lehre von der Offenbarung, ebd., 105 f.

und zwar deshalb nicht, weil die Offenbarung die Inkarnation Gottes in Jesus von Nazareth vorbereitet und erläutert bzw. diese selbst die Kulmination der Offenbarung Gottes an die Menschheit darstellt. Die Inkarnation Gottes aber ist das grundlegende Ärgernis des Christentums überhaupt. Dennoch wird das Ärgernis der Offenbarung und des Offenbarungsabschlusses denkerisch durchforscht, in seinem Wesen durchleuchtet, von möglichen Mißversändnissen abgegrenzt und dadurch vor der Vernunft als vertretbar ausgewiesen.

ERSTER TEIL

Die konkret-geschichtliche Offenbarung, das Fundament der Kirche

Die Offenbarung ist das Fundament des christlichen Daseins. Daher ist der Offenbarungsbegriff grundlegend für die Theologie[1]. Was Offenbarung ist, kann sie nur selbst sagen. In jedem Fall ist sie keine Stufe in der Folge der natürlichen Daseinserschließungen, sie kommt vielmehr „aus dem reinen göttlichen Anfang", sie ist „keine notwendige Selbstmitteilung des höchsten Wesens, sondern ein freies Tun des persönlichen Gottes"[2].

Gott ist für den Menschen der Ferne und der Verborgene. Seine Existenz und sein Wesen sind vom Geheimnis bestimmt. Wollen Menschen etwas über ihn aussagen, so muß der Verborgene ihnen offenbar werden. Daher ist Offenbarung ein Urbegriff der Religion. Irgendwie gehört sie zu jeder Religion, die göttliche Schöpfung, nicht menschliches Machwerk sein will[3]. Offenbarungsreligionen im religionswissenschaftlichen Sinne sind neben der biblischen Religion der Islam, der Buddhismus, die Religion des iranischen Zarathustra und der Hinduismus. In diesen verschiedenen Religionen hat der Offenbarungsbegriff aber je verschiedene Nuancen.

Vom Biblischen her denken wir bei Offenbarung zunächst an einen Spruch Gottes in unsere Welt hinein, gegebenenfalls durch beauftragte Boten, durch Propheten. Aber die Bibel legt keinen einheitlichen Offenbarungsbegriff vor. Das ist nicht verwunderlich, wenn man bedenkt, daß sie durchaus kein einheitliches Buch ist[4]. Die Vielseitigkeit des biblischen Offenbarungsverständnisses setzt sich fort in den verschiedenen theologischen Richtungen und Schulen[5]. Ganz allgemein läßt sich hier sagen: Offenbarung ist ein dialogischer Vorgang. Daher ist in der Offenbarung immer der mitgemeint, dem etwas mitgeteilt wird. Die Offenbarung will letztlich Antwort geben auf das Fragen und Suchen des Menschen nach dem Sinn seines Daseins[6].

---

[1] *R. Guardini,* Die Offenbarung, ihr Wesen und ihre Formen, Würzburg 1940, 1; *R. Latourelle,* Théologie de la révélation, Brügge 1963, 9: „La révélation ou la parole de Dieu à l'humanité est la première réalité chrétienne: le premier fait, le premier mystère, la première catégorie. Toute l'économie du salut, dans l'ordre de la connaissance, repose sur ce mystère de l'automanifestation de Dieu dans une confidence d'amour. La révélation est le mystère primordial, celui qui nous communique tous les autres, car elle est la manifestation du dessein de salut que Dieu méditait de toute éternité et qu'il a réalisé en Jésus-Christ . . . La révélation est l'événement décisif et premier du christianisme . . ."

[2] *R. Guardini,* Die Offenbarung, a. a. O., I.

[3] *K. H. Schelkle,* Theologie des Neuen Testamentes II (Kommentare und Beiträge zum Alten und Neuen Testament), Düsseldorf 1973, 15; *N. Schiffers,* Art. Offenbarung I, in: SM III, Freiburg 1969, 820.

[4] *K. H. Schelkle,* a. a. O., II, 15; *A. Kolping,* Fundamentaltheologie I, Theorie der Glaubwürdigkeitserkenntnis der Offenbarung, Münster 1968, 133 f.

[5] *A. Dulles* (a. a. O., 199–205) skizziert 9 charakteristische Formen solchen Offenbarungsverständnisses in der Geschichte, angefangen beim AT bis in die Gegenwart, die den inneren Reichtum und die umgreifende Fülle dieses Begriffes zum Ausdruck bringen.

[6] *A. Sand,* Die biblischen Aussagen über die Offenbarung, in: *M. Seybold* (Hrsg.), Die Offenbarung, Von der Schrift bis zum Ausgang der Scholastik (HDG I, 1a) Freiburg 1971, 1 f.; *R. Rendtorff,* Die Offenbarungsvorstellungen im Alten Israel, in: *W. Pannenberg – R. Rendtorff – U. Wilckens – T. Rendtorff,* Offenbarung als Geschichte (KuD Beiheft 1), Göttingen 1961, 21 f.

Erstes Kapitel
Begriff und Wesen der Offenbarung

§ 1. Offenbarung in Schrift und Tradition

1. Offenbaren – ἀποκαλύπτειν – revelare

Der Terminus „Offenbarung" wird vorwiegend religiös gebraucht. Nach Auskunft des Dudens[1] bedeutet Offenbarung „Kunde, die den Menschen über Gott, sein Dasein, Willen und Wirken und in einem ganz bestimmten Ausmaß über sein geheimes Wesen von eigens dazu Auserwählten in Mitteilungen, Weisungen und Belehrungen gegeben wird, welche die Grundlage jeder Religion bildet". Offenbaren heißt im Deutschen soviel wie nach oben bringen, eine Sache ans Licht bringen. „Offen" (althochdeutsch offan, altisländisch opinn) meint eigentlich oben liegend (vgl. auf); dem Wortteil „baren" liegt das althochdeutsche „beran" zugrunde (vgl. lat. ferre, griech. φέρειν), das soviel wie tragen bedeutet. Ähnlich ist die Vorstellung bei dem entsprechenden griechischen Wort für offenbaren, ἀποκαλύπτειν, sowie bei dem lateinischen revelare. Beiden Begriffen liegt die Vorstellung zugrunde „einen Schleier oder ein Hülle wegnehmen" (καλύμμα – velum). Diese Vokabeln umweht „etwas von dem ehrfurchtsvollen Schauer, mit dem kultische Akte als Äußerungen des Tremendum, zumal in der Antike, umgeben sind"[2]. Das Kittel'sche Wörterbuch[3] nennt als allgemeinste und umfassendste Bedeutung von ἀποκαλύπτειν die „Manifestation des Göttlichen".

Für eine Kundgebung gebrauchte die griechische religiöse Sprache aber durchweg nicht ἀποκαλύπτειν, sondern ἐπιδείκνυμι (auf etwas zeigen, aufzeigen, beweisen) und seitens der Gottheit σημαίνειν (zeigen). Die Griechen sahen die Kundmachung, auch die religiöse, nicht als Aufdeckung von etwas an, das wesenhaft verborgen ist, sondern als Hinweis auf etwas, was

---

[1] Duden, Vergleichendes Synonymwörterbuch, Sinnverwandte Wörter und Wendungen (Der große Duden VIII), Mannheim 1964, 483; vgl. A. Sand, Die biblischen Aussagen über die Offenbarung, a. a. O., 1.
[2] A. Oepke, Art. καλύπτω, in: ThW III, Stuttgart 1938, 565 f.; A. Kolping, Fundamentaltheologie I, a. a. O., 132 f.; J. R. Geiselmann, Art. Offenbarung, in: HThG II, 242; J. Brinktrine, Offenbarung und Kirche, Fundamental-Theologie, Theorie der Offenbarung, Paderborn ²1947, I, 33.
[3] A. Oepke, a. a. O., 566.

man bisher nicht oder noch nicht gesehen oder gewußt hat. Für die ursprüngliche griechische Weltauffassung meint das Göttliche nichts anderes als die großen tragenden Mächte des den Menschen umgebenden und erfüllenden Weltseins. Die griechische Religion weiß von Offenbarungen, aber sie ist eigentlich nicht Offenbarungsreligion[4].

2. Offenbarung im AT und im NT

a) Terminologie

Das hebräische AT hat verschiedene Vokabeln für „offenbaren". Sie gehen zurück auf die Wurzeln גלה, נגד und ידע. Die Vorstellung der Enthüllung von etwas Verborgenem kommt am reinsten in der Wurzel גלה zum Ausdruck. Die Bildersprache des Hebräischen geht einen zweifachen Weg: Entweder wird das Organ des Menschen (Auge, Ohr) oder die verborgene Sache aufgedeckt und damit sichtbar oder hörbar gemacht. In der Regel wird das Verbum גלה im letzteren Sinn gebraucht. Es ist also an eine Enthüllung von etwas Verborgenem gedacht, wodurch dem Menschen von Gott ein Mitwissen an seinen Geheimnissen (Dt 29, 29) geschenkt wird. Besondere Gegenstände solcher Offenbarung sind das Wort, die Herrlichkeit, die Gerechtigkeit und der Arm (= Kraft) Jahwes, die Freveltaten Jerusalems und die Sünden Edoms. Die Wurzel ידע bedeutet in der Kausativform kundtun, zu erkennen geben. Sie ist öfters synonym mit גלה. Sie bringt das Wesen aller Offenbarung zum Ausdruck, nämlich, daß sich Jahwe zu erkennen gibt. Was Jahwe kundtut, bezieht sich vor allem auf sein Handeln in der Geschichte und mit den Menschen. Das Geschichtswalten Jahwes ist zugleich Gegenstand und Mittel der Offenbarung. Immer geht es ja „um eine Offenbarung des geschichtswirkenden und seinen Heilswillen durchsetzenden Gottes"[5]. Neben dem Geschichtswalten ist die Thora das, was Jahwe offenbart und wodurch er sich offenbart. Das Verbum ידע wird im Hiphil nicht nur vom offenbarenden Gott gebraucht, sondern auch vom Menschen, der die empfangene Offenbarung weitergibt. Am häufigsten, häufiger als גלה und ידע, kommt נגד vor. Die Grundbedeutung dieses Verbs ist „eine Sache hoch, deutlich vor jemanden hinstellen, vorbringen, berichten, erzählen, mitteilen". Es findet mehr als die beiden anderen Verben in der menschlichen Sphäre Verwendung. Immer handelt es sich um ein Wissen, das dem Empfänger verschlossen bliebe, wenn es ihm nicht von einem Eingeweihten geoffenbart würde. Wie ידע im Hiphil, so wird auch נגד im Hiphil für die Weiterverkündigung der Offenbarung durch Menschen verwendet[6].

Die Septuaginta gibt „offenbaren" häufig mit ἀποκαλύπτειν wieder, aber

---

[4] *Ebd., 568 f.; A. Kolping*, Fundamentaltheologie I, a. a. O., 133.
[5] *H. Haag*, Art. Offenbarung I (im AT), in: H. Haag (Hrsg.), Bibellexikon, Einsiedeln ²1968, 1244.
[6] Ebd., 1243–1245; vgl. *W. Eichrodt*, Theologie des Alten Testamentes I, Stuttgart ⁷1962, 147–150.

nicht ausschließlich. Dieser Terminus ist im profanen Griechisch selten, die wenigen theologischen Fundstellen gehören in die späte Zeit. Auch im hellenistischen Judentum ist er außerhalb der Septuaginta nicht sehr häufig. Im Christentum hingegen hat er einen zentralen Platz. Er gehört zu jenen Wörtern, die erst in der Bibel und, möglicherweise von der griechischen Bibel her, in späthellenistischen Mysterienreligionen und im Magiertum einen eigentlich theologischen Gehalt erhielten[7]. So kann Hieronymus sagen: „Verbum quoque ipsum ἀποκαλύψεως, id est revelationis, proprie Scripturarum est et a nullo sapientium saeculi apud Graecos usurpatum«[8]. Wenn dieser Terminus auch nicht als eine originale Schöpfung der Bibel auszuweisen ist, so hat Hieronymus theologisch doch nicht unrecht, speziell auch im Hinblick auf den absoluten Offenbarungscharakter der biblischen Botschaft[9].

Während ἀποκαλύπτειν im AT auch im profanen Sinn vorkommt, wird es im neutestamentlichen Griechisch ausschließlich im religiösen Sinne gebraucht. Hieronymus übersetzt in der Vulgata ἀποκαλύπτειν fast immer mit revelare und ἀποκάλυψις mit revelatio. Entsprechende Ausdrücke der Septuaginta hat er außer mit revelare – revelatio mit ähnlichen Ausdrücken wiedergegeben, wie discooperire, aperire, detegere, denudare und den entsprechenden Substantiven. Im religiösen Sprachgebrauch aber hat revelare – revelatio die übrigen Übersetzungen verdrängt und ist zum Terminus technicus für Offenbarung geworden[10].

Ἀποκαλύπτειν wird im NT aktiv nur für das Tun Gottes gebraucht, nicht für die Predigt des Evangeliums. Es steht hauptsächlich im Futur des Passivs, d. h. in irgendeiner Beziehung auf das eschatologische Ereignis[11]. Es gibt aber im NT noch weitere Termini für Offenbarung. Während ἀποκαλύπτειν vierundzwanzigmal vorkommt, findet sich neunundvierzigmal φανεροῦν, sechsundzwanzigmal γνωρίζειν und siebenmal δηλοῦν[12]. Als entsprechende Substantiva finden sich vierundzwanzigmal παρουσία, achtzehnmal ἀποκάλυψις[13] und sechsmal ἐπιφάνεια[14]. Außerdem begegnen im NT gelegentlich

---

[7] *A. Oepke*, a. a. O., 580; *A. Kolping,* Fundamentaltheologie, a. a. O., I, 133.

[8] *Hieronymus,* In Ep. ad Gal 1, 1.

[9] *G. Gloege,* Art. Offenbarung (dogmatisch), in: RGG IV, Tübingen ³1960, 1609; *A. Oepke,* a. a. O., 572; *A. Kolping,* Fundamentaltheologie I, a. a. O., 133; *J. R. Geiselmann,* a. a. O., 242; *P. Stockmeier,* „Offenbarung" in der frühchristlichen Kirche, in: *M. Seybold* (Hrsg.), Die Offenbarung, Von der Schrift bis zum Ausgang der Scholastik (HGD I, 1a), Freiburg 1971, 79.

[10] *B. Niebecker,* Wesen und Wirklichkeit der übernatürlichen Offenbarung, Eine Besinnung auf die Grundlagen der katholischen Theologie, Freiburg 1940, 1.

[11] *H. Schulte,* Der Begriff der Offenbarung im Neuen Testament, Beiträge zur Evangelischen Theologie (Theologische Abhandlungen 13, hrsg. von E. Wolf), München 1949, 34.

[12] *H. Schulte* (ebd.) zählt ἀποκαλύπτειν 26mal, φανεροῦν 49mal, dazu 18mal ἀποκάλυψις und 2mal φανέρωσις. Sie betont, daß dabei aber an wichtigen Stellen ἀποκαλύπτειν steht, z. B. Mt 11, 25 ff.; Rö 1, 17. 18, aber nicht minder φανεροῦν, das sich z. B. Rö 3, 21; Kol 3, 4 findet. Wenn das Hauptwort vorkomme, so heiße es meistens ἀποκάλυψις.

[13] Der Begriff ἀποκάλυψις taucht erst später auf; vgl. *R. Schnackenburg,* Art. Offenbarung (bibl.), in: LThK VII, Freiburg ²1962, 1106.

[14] *A. Sand,* Die biblischen Aussagen über die Offenbarung, a. a. O., 16.

die Verben δεικνύειν, φωτίζειν, σημάινειν, ἐμφανίζειν, ἐμφανῆναι, φανῆναι, ὀφθῆναι, ursprünglich Ausdrücke der Profangräzität mit dem Sinn des profanen Kundmachens, die durch ihren Gebrauch, nicht durch ihren Gehalt, in diesen Zusammenhang gehören[15].

Außer ἀποκαλύπτειν und im allgemeinen φανεροῦν haben alle übrigen im NT für „offenbaren" gebrauchten Vokabeln nicht grundsätzlich und ausschließlich eine religiöse Bedeutung. Das Verbum φανεροῦν ist so gut wie ganz für das religiöse Gebiet belegt. Nur ganz selten blickt in allgemeineren Wendungen der profane Gebrauch noch durch; aber diese stehen immer mit religiösen Gegenständen in Verbindung und setzen nicht ein menschliches Subjekt voraus[16]. Das wurzelverwandte ἐμφανίζειν zeigt zwar ein ganz anderes Bild in der Wortstatistik, aber es fällt als seltenes und farbloses Wort kaum ins Gewicht. Die Begriffe φανεροῦν und ἀποκαλύπτειν scheinen zunächst völlig synonym verwandt zu werden. Daß aber doch ein Unterschied besteht, wird deutlich, wenn man auf die Verteilung der Vokabeln auf die einzelnen Bücher des NT achtet: φανεροῦν begegnet uns in der Synopse nur, abgesehen vom sekundären Markusschluß, Mk 4, 22, wo es von Mt und Lk durch ἀποκαλύπτειν ersetzt wird, nicht in Gal, Phil, Thess, Jak und 2 Petr, besonders häufig hingegen in Joh, 1 Joh, 2 Kor, Kol und Past. Ἀποκαλύπτειν begegnet uns häufig in der Synopse, den meisten Paulusbriefen und 1 Petr, niemals im Joh-Evangelium[17], in den Joh-Briefen und im Kolosserbrief. Während ἀποκαλύπτειν von Hause aus jüdisch-urchristlich ist, hat φανεροῦν, soweit es nicht neutral steht, eine gnostische Färbung. Im Unterschied zu γνωρίζειν und δηλοῦν meinen beide Vokabeln ein intuitives Innewerden. Dabei ist jedoch zu bedenken, daß für die Gnosis das Geschaute prinzipiell innerweltlich, dem besonders erwählten und zubereiteten Erkennen zugänglich ist, für die Apokalyptik hingegen das zu Schauende grundsätzlich überweltlich und dem Menschen unzugänglich ist. Daher entspricht die Vokabel ἀποκαλύπτειν am meisten dem strengen Offenbarungsbegriff der Bibel. Die Aufnahme von φανεροῦν in den Sprachschatz des NT erklärt sich wenigstens teilweise aus dem missionarischen Entgegenkommen. „Es handelt sich aber dabei nur um eine gewisse Auflockerung der jüdischen Schale, nicht um Preisgabe des Kerns, der wesenhaften Verborgenheit des zu Offenbarenden", sofern „der Gehalt von ἀποκαλύπτειν mehr oder weniger auf die Synonyma überströmt"[18]. Das Verbum γνωρίζειν bedeutet im NT sowohl Übermittlung von persönlichen Nachrichten und Verkündigung des Evangeliums als auch Kundtun Gottes. Δηλοῦν steht für erzählen, berichten[19]. Allerdings gibt es hier nur wenige profane Belegstellen[20]. An einer Stelle wird es eschatologisch verwendet (1 Kor 3, 13).

---

[15] *H. Schulte*, a. a. O., 47–66.   [16] Mk 4, 22; 2 Kor 2, 14; Apk 3, 18.
[17] Joh 12, 38 ist Zitat!   [18] *A. Oepke*, a. a. O., 595.
[19] *H. Schulte*, a. a. O., 43–47; vgl. 34–48; *K. H. Schelkle*, Theologie des Neuen Testamentes, a. a. O., II, 15–19; *H. Niebecker*, a. a. O., 1 f., Niebecker übersieht, daß φανεροῦν und γνωρίζειν eine nicht geringe Rolle im NT spielen.
[20] 2 Kor 1, 11; Kol 1, 8; vielleicht auch Hebr 12, 27; *A. Oepke*, a. a. O., 595.

Wenn sich in der Bibel die verschiedenen Offenbarungsformen des Erscheinens, des Enthüllens, des Kundtuns und des Sprechens finden, sich aber kein eigentlicher zusammenfassender Terminus findet, so ist das ein Zeichen dafür, daß es noch weniger auf den Begriff und die Reflexion als auf die Tatsache und das Ereignis der Offenbarung ankommt[21].

b) Sachliche Bedeutung

Die biblische *Offenbarung des AT* geht aus von dem persönlichen Gott. Für die Theologie des AT ist es unvorstellbar, daß der Mensch von sich aus Gott erkennen kann. Gott kann nur erkannt werden, wenn er sich selbst zu erkennen gibt, das heißt sich offenbart. Jahwe unterscheidet sich von den anderen Göttern dadurch, daß er sich offenbaren kann und geoffenbart hat. Die Offenbarung realisiert sich in den verschiedensten Formen. Sie ist direkt auf den Offenbarungsmittler gerichtet, vollzieht sich in geschichtlichen Akten und zeitlich sukzessiv. Sie ist Enthüllung und immer zugleich auch Verhüllung[22]. Gottes Selbstoffenbarung „geschieht", sie geschieht in göttlichen Taten und Worten, „die von Fall zu Fall als Ereignisse besonderer Art geschichtlich fixiert werden". In Israel hat sich Gotteserkenntnis „auf eine extrem unspekulative Weise" ereignet[23].

Nach Aussage des AT hat sich Gott Israel durch Worte und durch Taten zugewandt. Aber hier liegt eine gewisse Spannung. Es gibt Texte, die das Verhältnis Jahwes zu Israel so darstellen, als stünde es allein auf den Taten Jahwes, so etwa Dt 26, 5 ff., in den jüngeren Darstellungen ist jedoch im allgemeinen das in ihnen von Jahwe gewirkte Geschehen gewissermaßen schon interpretiert, sofern es vom Erzähler unmittelbar auf ein von Jahwe gesprochenes Wort zurückgeführt wird. So hat beispielsweise nach dem Jahwisten (Gen 12, 1–3) ein vorgängiges Jahwewort der ganzen Vätergeschichte Anstoß und Ziel gegeben. Im späteren Israel ist Jahwe derjenige, der reden will (Is 45, 11)[24]. Im Gegensatz zur neutestamentlichen Christusoffenbarung „zerlegt sich die alttestamentliche Jahweoffenbarung in eine lange Folge von einzelnen Offenbarungsakten mit sehr verschiedenen Inhalten"[25]. Eine alles bestimmende Mitte, von der die einzelnen Akte ihre Deutung und das rechte theologische Verhältnis zueinander bekommen könnten, scheint es nicht zu geben[26]. Es findet sich kein einheitlicher Offenbarungsbegriff, sondern es wird von einer Unzahl von Offenbarungsvorgängen berichtet, bei denen stets Gott der Handelnde ist. Er ergreift die Initiative, doch bedient er sich hierbei konkreter Mittel, die die Offenbarung „eigentümlich verhüllt und gebrochen erscheinen lassen"[27]. Jahwe offenbart sich „stufenweise durch Wort

---

[21] *R. Schnackenburg*, a. a. O., 1106; *A. Kolping*, Fundamentaltheologie, a. a. O., I, 134.

[22] *H. Haag*, Art. Offenbarung, a. a. O., 1242; *G. Gloege*, Offenbarung und Überlieferung, in: ThLZ 79, 1954, 220; *F. Büchsel*, Die Offenbarung Gottes, Gütersloh 1938, 3; *A. Oepke*, a. a. O., 574–576.

[23] *G. von Rad*, Theologie des Alten Testaments II, München ⁴1965, 381.

[24] Ebd., 381 f.   [25] Ebd. I, München ⁵1966, 128.   [26] Ebd.

[27] *G. Gloege*, Offenbarung und Überlieferung, a. a. O., 220; *F. Büchsel*, a. a. O., 3.

und Werk als Herr der Geschichte"[28], er offenbart sich als der Heilige und Gnädige, als Schöpfer der Welt[29]. Auch die Schöpfung gilt als Offenbarung. Aber mehr als für die Schöpfung begeisterte sich der fromme Israelit für die Thora[30].

Der alttestamentliche Offenbarungsglaube richtet sich auch auf das, was werden soll. Er knüpft dabei von alters her an die zumal im Orient volkstümlichen Erwartungen einer kommenden Heilszeit an[31]. Das alttestamentliche Reden von der Offenbarung Jahwes verlagert sich im Laufe der Zeit mehr und mehr auf die Zukunft. Seit der politischen Katastrophe von 587 wird der endgültige Selbsterweis Jahwes als das entscheidende Ereignis der Zukunft erwartet. Dabei behalten aber die alten heilsgeschichtlichen Traditionen, in denen sich Jahwe stets als er selbst erwiesen hat, ihre Gültigkeit und ihr Gewicht und bilden eine unabdingbare Voraussetzung für die Erwartung des zukünftigen und endgültigen Offenbarwerdens Jahwes[32]. Diese eschatologische Einstellung ist primär die des Prophetismus, während nach Ansicht der deuteronomischen Kreise die Geschichte nicht einer umwälzenden Erneuerung der gesamten Schöpfung, sondern der Entfaltung der ein für allemal gültigen Offenbarung zustrebt, weshalb die Offenbarungsgeschichte für den Deuteronomisten mit der Landnahme endet[33]. Hier wird die Offenbarung der Gottheit Jahwes als Folge des ganzen Geschichtszusammenhangs verstanden und nicht mehr punktuell in einzelnen Widerfahrnissen. Das Gesetz erhält erhöhte Bedeutung, es gilt als stabile Ordnungsmacht. Das ist übrigens der erste Ansatz für die dogmatische Überzeugung von der geschlossenen Offenbarungszeit[34].

Gerade durch die Erfahrungen seiner Geschichte ist Israel zu der Erkenntnis gekommen, daß die letztgültige Offenbarung Jahwes noch aussteht, es hatte ja seine gesamte Geschichte als den offenbarenden Weg Gottes zum Menschen verstanden (Dt 26, 5–9) und dabei das Bewußtsein, daß das Ziel dieses Weges in einer noch offenen Zukunft liege (Is 40, 3 ff.). Die jüdische Enderwartung wandelt sich seit dem Buche Daniel zur Apokalyptik und schafft sich nun neue Ausdrucksformen und Bilder[35].

---

[28] *A. Dulles*, a. a. O., 22.

[29] *A. Oepke*, a. a. O., 574–576.

[30] *H. Haag*, Art. Offenbarung, a. a. O., 1247; vgl. *A. Kolping*, Fundamentaltheologie I, a. a. O., 134; *G. Gloege*, Offenbarung und Überlieferung, a. a. O., 220; *J. R. Geiselmann*, Art. Offenbarung, a. a. O., 243–246.

[31] *A. Oepke*, a. a. O., 578 f.

[32] *R. Rendtorff*, Die Offenbarungsvorstellungen im Alten Israel, a. a. O., 40 f.; *J. Ries*, a. a. O., 195.

[33] Dt 4, 37–40.

[34] *A. Kolping*, Fundamentaltheologie II, Die konkret-geschichtliche Offenbarung Gottes, Münster 1974, 177 f. „Der deuteronomische Geist schärfte die bestehende Verpflichtung des Sinai-berît ein, was dann durch ihre kodifizierte Form zur Buchreligion mit einem in Einzelsätzen lehr- und lernbaren Glauben führen konnte (Dt 7, 6–11; 30, 10; 31, 11 f.)" (178).

[35] *R. Rendtorff*, Die Offenbarungsvorstellungen im Alten Israel, a. a. O., 40 f.; *J. Ries*, a. a. O., 195; *G. Bornkamm*, Jesus von Nazareth, Stuttgart [7]1965, 34.

Das Offenbarwerden Jahwes bezieht sich auf den כָּבוֹד, die Herrlichkeit Jahwes. Der כְּבוֹד יְהוָה beinhaltet in verschiedener Weise, daß Jahwe selbst erscheint, nicht nur etwas an ihm[36]. Eine andere Form der Selbsterschließung Gottes im AT ist die Ich-Jahwe-Formel. In ihrem Gebrauch ereignet sich Offenbarung, denn ein bisher Unbekannter tritt aus seiner Anonymität heraus, indem er seinen Eigennamen nennt und sich dadurch nennbar und erkennbar macht[37]. Jahwe lenkt die Geschicke seines Volkes. Dieses Tun hat den Sinn, daß Jahwe erkannt wird[38]. So erkennt Naaman Jahwe durch das, was er erlebt hat (2 Kö 5, 15)[39].

Die Selbsterschließung Gottes bedeutet zwar auch Wesensvermittlung. Aber diese ist nicht das Entscheidende. „Wichtig ist vielmehr die Erfahrung des glaubenden Menschen, daß Offenbarung im Sinne einer von Gott kommenden Weisung und Orientierung geschieht"[40]. Offenbarung wird als Geschehen erfahren, das dem Menschen den Willen Gottes kundtut. Sie erfolgt im Sturm, im Gewitter, im Dunkel, im Traum, in der Ekstase, in Auditionen und Visionen. Nicht selten geht schon in den ältesten Berichten die Schilderung einer Vision unvermittelt über in die einer Audition[41]. Das sind natürliche Vorgänge, die dem einfachen Menschen offen waren für Deutungen auf ein Höheres und Größeres hin. Integrierend ist dabei die Offenbarung Gottes durch das Wort, das Sprechen Gottes. Das gesprochene Wort wird später aufgeschrieben. Aufs Ganze gesehen tritt im AT das Schauen der Offenbarung hinter das Hören zurück[42]. Neben den Offenbarungsmitteln kennt das AT auch Offenbarungsmittler, also Männer, Engel, Propheten, Priester, die ursprünglich von Fall zu Fall erwählt werden, später aber berufsmäßig den Gotteswillen proklamieren. Das ganze Volk wird kaum direkt von Gott angesprochen; in der Regel spricht Gott zu einzelnen Erwählten[43].

Das *rabbinische Judentum* rechnet im allgemeinen für die Gegenwart nicht mehr mit direkter Offenbarung Gottes. Es engt den Kreis derer, die Offenbarung empfangen können, immer mehr ein und konzentriert schließlich das Offenbarungsgeschehen auf Moses: Dieser hat die ganze Offenbarung empfangen, daneben gibt es keine gültige und verbindliche Offenbarung, sie ist für alle Zeiten maßgebend, Israel besitzt sie in der Thora[44]. Auch hier macht sich deutlich die Tendenz bemerkbar, die Offenbarung als abgeschlossen und endgültig zu deklarieren[45]. Wenn nach den Rabbinen auch die Propheten

---

[36] Vgl. Is 6, 3; Ps 19, 2; 29, 9; 57, 6; 97, 7; Is 42, 8.
[37] Vgl. Ex 20, 2; 3, 6; Os 12, 10; 13, 4; Is 48, 12; 45, 7.
[38] Ex 14, 31; 1 Kö 18, 39.
[39] *J. R. Geiselmann,* Art. Offenbarung, a. a. O., 245–249; *G. von Rad,* a. a. O., I, 252 f.
[40] *A. Sand,* Die biblischen Aussagen über die Offenbarung, a. a. O., 3.
[41] Ex 20, 22; 3, 1–4, 16; Gn 15, 1.
[42] Is 1, 10; Jer 2, 4; Am 7, 16; vgl. *H. Niebecker,* a. a. O., 3.
[43] *H. Haag,* a. a. O., 1245 f.; *A. Sand,* Die biblischen Aussagen über die Offenbarung, a. a. O., 4 f.
[44] *A. Oepke,* a. a. O., 580.
[45] *R. Meyer,* Art. προφήτης, in: ThW VI, Stuttgart 1965, 817.

Offenbarung empfangen haben, so doch in weit geringerem Grad als Moses. Oder anders gesagt: Im Grunde interpretieren die Propheten nur die in der Thora des Moses festgehaltene Offenbarung. Seit der Zerstörung des Tempels geht der feste Inhalt der Offenbarung zur Verwaltung und Auslegung an die Schriftkundigen über. Offenbarung wird nicht mehr als unmittelbar erlebte Selbstmitteilung Jahwes gesehen, sondern als in der Thora aufgeschriebene Sachmitteilung, die Recht und Ordnung durch sittliche Normen und Vorschriften regelt. Es kommt darauf an, daß Israel den Gotteswillen kennt und erfüllt. Damit wird das Offenbarungsverständnis für die Gegenwart intellektualistisch.

Für die zukünftige Endzeit wird im rabbinischen Judentum eine neue Offenbarung erwartet, jedoch nur in dem Sinn, daß man von der wiedererwachenden Prophetie oder dem Messias der Endzeit Unterweisung und Entscheidung in schwierigen Gesetzesfragen kasuistischer Art erwartet. Mit dem Gedanken, daß der Messias die Thora auslegen wird, kreuzt sich jener, daß es eine neue Thora geben wird[46].

Einen gewissen Ersatz für das Fehlen der lebendigen Offenbarung hat sich das Judentum in der Apokalyptik geschaffen. Dabei handelt es sich angeblich um eine Offenbarung an die Großen der Vorzeit, die bis an das „Ende der Tage" verborgen blieb und nun in der Gegenwart offenbar wird. Inhaltlich wird sie von folgenden Gedanken bestimmt: Diese unsere Welt ist durch das Überhandnehmen der Sünde dem Verderben verfallen. Gott hat aber nicht nur einen Äon geschaffen, sondern noch einen zweiten, einen neuen, der bereits in der oberen Welt existiert und machtvoll in diese Welt hereinbrechen wird, wenn das Verderben seinen äußersten Grad erreicht hat. Der Apokalyptiker aber, bzw. sein fingierter Gewährsmann, hat schon jetzt Einblick in die obere Welt; er kündigt in dieser Situation den bedrängten Gottesknechten baldige Erlösung an und ermuntert sie zum Ausharren. In der Apokalyptik wurde immerhin wenigstens in gewisser Weise das Verständnis für den Tatcharakter der göttlichen Selbstmitteilung wachgehalten[47].

In der *Qumran-Gemeinde* geschieht Offenbarung in der rechten Auslegung des dem Moses befohlenen Gesetzes. Zum Wortlaut der Thora, wie sie durch Moses bekannt geworden ist, ist noch eine Offenbarung notwendig, die auf die Thora bezogen ist. Demnach wird das Sondergut der Sekte, worauf der Anspruch beruht, wahre Thora-Gemeinde und alleinige Hüterin des Gottesbundes zu sein, als Offenbarung verstanden[48]. Die richtige Auslegung des Gesetzes ist nicht das Ergebnis menschlichen Forschens, sondern Offenbarung. Man könnte vielleicht von sekundärer Offenbarung sprechen. Sie geschieht abschließend und endgültig an alle, die das Studium der Thora betreiben und sie erfüllen. Die Offenbarungszeit ist nicht grundsätzlich

---

[46] A. *Oepke,* a. a. O., 580; A. *Sand,* Die biblischen Aussagen über die Offenbarung, a. a. O., 14 f.

[47] A. *Oepke,* a. a. O., 580 f.

[48] O. *Betz,* Offenbarung und Schriftforschung in der Qumransekte (Wissenschaftliche Untersuchungen zum NT 6), Tübingen 1960, 5.

begrenzt, aber die Qumrangemeinde versteht sich als endzeitliche Gemeinde[49].

Im rabbinischen Judentum wie auch in der Qumran-Gemeinde sind deutliche Parallelen zur neutestamentlichen Offenbarungsgemeinde zu erkennen.

Das NT übernimmt zunächst das alttestamentliche Offenbarungsverständnis. Es versteht sich in heilsgeschichtlicher Kontinuität zum AT und knüpft weithin über das Judentum hinweg erneut an das AT an, besonders an den Prophetismus. Aber auch die Apokalyptik wirkt von Anfang an sehr anregend auf das Christentum. Der eigentliche Sitz der Wortbedeutung von Offenbarung ist im NT in der Eschatologie zu suchen, was aber nicht heißt, daß das NT nichts von gegenwärtiger oder bereits verwirklichter Offenbarung weiß. „An dem Wechselverhältnis von Geschichte und Eschatologie erwächst die eigentümliche Dynamik des neutestamentlichen Offenbarungsverständnisses"[50].

Wie im AT bezeichnet Offenbarung im NT nicht die Mitteilung von Wissen, „sondern die aktuelle Entschleierung eines an sich verborgenen Tatbestandes", „die Manifestation der Transzendenz innerhalb der Immanenz"[51]. Die Offenbarung im engeren Sinne ist in einem bestimmten Inhalt gegeben, der nachträglich auch dem Erkennen zugänglich ist. Sie meint die „Zuwendung des heiligen und gnädigen Gottes zu der in Sünde und Tod verlorenen Menschheit, vorbereitet in der alttestamentlichen Heilsgeschichte, verwirklicht in der Erscheinung Jesu Christi, seinem Sterben und Auferstehen, der Vollendung bei der Parusie des Erhöhten harrend"[52]. Die Kunde davon, die diesen Inhalt an den Hörer heranträgt, ist auch Offenbarung, aber in abgeleiteter Weise. Sie wird jedoch nicht erst dadurch zur Offenbarung, daß sie aufgenommen wird. Von Anfang an tritt sie mit dem Anspruch auf, gehört zu werden, und schafft sich selbst das Organ zu ihrer Aufnahme, sofern der Mensch sich ihr nicht schuldhafterweise widersetzt[53]. „Offenbarung im neutestamentlichen Sinn ist, ganz kurz gesagt, die Selbstdarbietung des Vaters Jesu Christi zur Gemeinschaft"[54].

Das Offenbarungsverständnis des NT wird wie das alttestamentliche entscheidend durch die Taten bestimmt, in denen Gottes Hand aufleuchtet, wenngleich im NT das Sehen unverkennbar stärker betont wird als das Hören[55]. An die Stelle der alttestamentlichen Theophanie tritt im NT die Christophanie, eine neue Form der Theophanie. Sie bedarf der Auslegung durch das Pneuma, in dem der Kyrios präsent ist[56]. Jesu Verkündigung steht im Dienste der Ereignisse in seinem Leben sowie der künftigen Ereignisse des

---

[49] Ebd., 16 ff. 60. 88 ff. 141; A. Sand, Die biblischen Aussagen über die Offenbarung, a. a. O., 13 f.

[50] A. Oepke, a. a. O., 583 bzw. 582 f.

[51] Ebd., 595. [52] Ebd. [53] Ebd., 595 f. [54] Ebd., 596.

[55] H. Niebecker, a. a. O., 3; H. Haag, Art. Offenbarung, a. a. O., 1245 f.

[56] J. R. Geiselmann, Art. Offenbarung, a. a. O., 247 f.; G. Gloege, Offenbarung und Überlieferung, a. a. O., 224.

Gottesreiches. Das NT greift die schon im AT angesprochenen Themen wieder auf und führt sie einer höheren Erfüllung entgegen. Auch im NT erfolgt die Offenbarung in der Epiphanie Gottes (im Sohn!) z. B. mittels der Ich-bin-Formeln als Beschreibung der in Jesus inkarnierten Epiphanie Gottes, auch im NT ist der כָּבוֹד-Begriff, die δόζα, ein zentraler Begriff für das Offenbarwerden Gottes. Das Wort gibt Zeugnis von den Heilsereignissen, die in Christus Wirklichkeit geworden sind, und von den kommenden Gerichts- und Heilstaten Jahwes[57]. „Die Urgemeinde versteht die Geschichte des Christus als die überwältigende Offenbarung Gottes in der Geschichte"[58]. Das Erscheinen Gottes in Menschengestalt ist die höchste Offenbarung[59]. Die Verheißung Gottes im Alten Bund findet im Neuen Bund, in Christus, die Erfüllung[60]. In ihm wird den Menschen die definitive universale Offenbarung gegeben (Hebr 1, 2), die von der Kirche autoritativ bis zum Ende der Zeiten allen Völkern verkündet werden soll[61]. Rö 9 ff. verbindet Christus und die Geschichte Israels, Gal 3, 15 stellt die Glaubenden als Erben der Abrahams- verheißung hin. Jesus ist das Ziel der Heilsgeschichte. Sein Wort und sein Leben sind Offenbarung. Diese ist Ereignis in der Kirche. In der Offenbarung im Sohn ist alle frühere in endgültiger Einheit und Vollkommenheit zusammengefaßt. Der Sohn überragt alle früheren Offenbarer in unvergleichli- cher Weise, weil er aus der inneren göttlichen Lebensgemeinschaft hervorgeht. In ihm wurde die Welt geschaffen, in ihm wird sie vollendet (Hebr 1, 2). Ist auch die Offenbarung in Fülle geschehen, so ist sie noch nicht am Ende, denn die Christen erwarten die Offenbarung Jesu Christi (1 Kor 1, 7), die künftige und volle Offenbarung in seiner Parusie[62].

Bezeichnet Offenbarung im Neuen Testament zunächst das Ereignis der Enthüllung und Kundgabe, so blicken spätere Texte auf die Offenbarung als vergangen und abgeschlossen zurück[63]. In den Pastoralbriefen geht es um das richtige Verständnis der Überlieferung gegenüber den Irrlehren der eindrin- genden Gnosis. Aus dem Apostel als χῆρυξ wird der Lehrer der Völker (1 Tim 2, 7). Die Offenbarung hat in Jesus Christus ihren Höhepunkt er- reicht, ist mit den Aposteln, den Zeugen der Offenbarung, abgeschlossen und der Kirche als παραθήκη übergeben, die es zu verkünden und zu vermit- teln gilt[64].

---

[57] *J. R. Geiselmann*, Art. Offenbarung, a. a. O., 248 f.

[58] *K. H. Schelkle*, Theologie des Neuen Testamentes, a. a. O., II, 62.

[59] 1 Tim 3, 16; 2 Tim 1, 10; 1 Petr 1, 13; Rö 1, 17; 3, 21; 16, 25; Kol 1, 26.

[60] Eph 3, 6; 2 Kor 1, 20.

[61] *J. R. Geiselmann*, Art. Offenbarung, a. a. O., 247 f.; *A. Dulles*, a. a. O., 23 f. Dulles findet in Hebr 1, 1 f. „die beste, auf das Alte Testament bezogene Zusammenfassung des neutestamentli- chen Offenbarungsverständnisses" (24).

[62] *K. H. Schelkle*, Theologie des Neuen Testamentes, a. a. O., II, 62–66; *J. Ries*, a. a. O., 195; *W. Pannenberg*, Dogmatische Thesen zur Lehre von der Offenbarung, a. a. O., 105 f.

[63] 1 Tim 3, 16; 1 Petr 1, 20; Rö 16, 20; *K. H. Schelkle*, Theologie des Neuen Testamentes, a. a. O., II, 17 f.

[64] *J. R. Geiselmann*, Art. Offenbarung, a. a. O., 248 f.

Auf eine einfache Formel gebracht ist Offenbarung im biblischen Verständnis bei aller Verschiedenheit des Redens von Offenbarung die „Kundgabe des im Worte ergehenden dialogischen Verhältnisses zwischen rettendem Gott und verlorenem Menschen"[65], „die freie Kundgebung Gottes in einer Sache . . ., die jenseits der normalen Reichweite des menschlichen Forschungsvermögens liegt . . . die erste Handlung . . ., durch die Gott aus seiner Verborgenheit hervortritt, den Menschen anruft und ihn zu einem Leben im Bunde einlädt"[66]. Sie ist, wie W. Bulst es ausdrückt, „die gnadenhafte, personale, heilschaffende Selbsterschließung Gottes an den Menschen im Raum seiner Geschichte . . . in übernatürlichem göttlichem Tun, in sichtbarer Erscheinung und vor allem, jene interpretierend und umfassend, in seinem bezeugenden Wort". Sie ist „vorbereitend geschehen in Israel, endgültig in Christus Jesus, uns gegenwärtig im Wort und Wirken der Kirche; hienieden noch in vielfältiger Verhüllung (darum vom Menschen aufzunehmen im Glauben), aber hingeordnet auf die unmittelbare Gottesschau der Ewigkeit"[67]. Konkret ist die übernatürliche Offenbarung in ihrer endgültigen Gestalt Christus selber[68]. Sie ist Selbstmitteilung des verborgenen Gottes, Wahrheit und Gnade, Licht und Leben[69].

3. Offenbarung in der Tradition

In der altkirchlichen Theologie ist die Offenbarungsterminologie ungenau und wenig reflektiert. Der Inhalt göttlicher Taten und Reden wird meistens nicht mit dem Wort „Offenbarung" umschrieben. Zwar wird das alttestamentliche und das neutestamentliche Heilsgeschehen als Offenbarung verstanden, aber auch jede subjektive Erleuchtung, vor allem jene, die in der Glaubensgnade erfolgt. Offenbarung ist für die nachapostolische Kirche eine gegenwärtige und zukünftige Möglichkeit. Dennoch sind die Väter darum bemüht, Jesus als den Offenbarer schlechthin zu erweisen, und betonen sie die Verantwortung der Kirche hinsichtlich der unversehrten Weitergabe der biblischen Botschaft. Der Bereich der Offenbarung ist für sie demnach weiter als Christus und sein Kerygma, so daß zwischen Offenbarung und biblischem Heilsgeschehen keine durchgehende Kongruenz besteht[70].

Der mehrschichtige Offenbarungsbegriff der Väterzeit wirkt weiter bis zum Beginn der Neuzeit[71]. Dann tritt mehr und mehr die ausdrückliche Reflexion über Wesen, Möglichkeit und Tatsächlichkeit der Offenbarung hervor. Sie wird zum beherrschenden Thema im 19. Jahrhundert. Von der Reformation an setzt sich allmählich jene Präzision des Offenbarungsverständnisses durch, die schon bei Thomas v. Aquin beginnt. Die Offenbarung wird immer weniger als Akt und immer mehr vom Ergebnis her verstanden, ja mit der Hl. Schrift

---

[65] A. *Sand,* Die biblischen Aussagen über die Offenbarung, a. a. O., 26.
[66] A. *Dulles,* a. a. O., 10.
[67] W. *Bulst,* Offenbarung, biblischer und theologischer Begriff, Düsseldorf 1960, 111.
[68] Ebd., 113.   [69] 1 Kor 1, 24; H. *Niebecker,* a. a. O., 3 f. und 164.
[70] P. *Stockmeier,* a. a. O., 33–37.   [71] Vgl. unten 90 f. 93–106.

bzw. mit der Schrift und mit der Tradition identifiziert. Sie wird zur geoffenbarten Lehre. Dabei vergißt man vielfach, speziell im 19. Jahrhundert, ihren Tatcharakter, übersieht, daß sie primär Wirklichkeit ist, Selbstmitteilung Gottes, die mehr ist als die Kunde davon[72]. Erst am Beginn des 20. Jahrhunderts wird durch die Nouvelle Théologie eine umfassendere Sicht der Offenbarung eingeleitet, die dann durch das II. Vatikanische Konzil in der Dogmatischen Konstitution Dei Verbum ratifiziert wird[73].

Dieser Überblick mag hier genügen, da das Offenbarungsverständnis der Tradition im Zusammenhang mit der Frage des Abschlusses der Offenbarung in den verschiedenen geschichtlichen Epochen eingehender ins Gespräch kommt[74].

§ 2. Offenbarung ihrem dogmatischen Wesen nach

1. Der katholische Begriff der Offenbarung

Offenbarung bedeutet im biblisch-christlichen Verständnis nicht in erster Linie die Enthüllung verborgener gottbezüglicher Wahrheiten, sondern „die Selbsterschließung des Überwelthaften, Welttranszendenten"[1]. Sie zielt auf die personale Gemeinschaft Gottes mit der rationalen Kreatur. Nach der apostolischen Glaubensbotschaft vollzieht sie sich in einer Heilsgeschichte, die von Ewigkeit her in Gottes Ratschluß enthalten war. Sie hat zum Mittelpunkt Jesus Christus, den Heilbringer für alle Menschen[2].

Die Kirche faßt die Offenbarung klar und deutlich als historische Gegebenheit, die von Gott herkommt und in die Geistesgeschichte der Menschheit eintritt. Die christliche Heilsgeschichte konkretisiert sich in einem sozialen Faktum, in der Kirche, in der die Offenbarung Gemeinschaft wird, die alle annehmen müssen[3].

Der Vorgang der Offenbarung und die Belehrung darüber, die Offenbarung als Akt, die revelatio activa, ist zu unterscheiden von dem Inhalt der

---

[72] Die Hervorhebung des Objektes der Offenbarung erklärt sich nicht zuletzt aus der Gegnerstellung gegenüber dem Protestantismus, der den Schwerpunkt auf die innere Offenbarung legte.

[73] Hier sei verwiesen auf *M. Seybold* (Hrsg.), Die Offenbarung, Von der Schrift bis zum Ausgang der Scholastik (HDG I, 1a), Freiburg 1971; *H. Waldenfels – L. Scheffczyk,* Die Offenbarung, Von der Reformation bis zur Gegenwart (HDG I, 1b), Freiburg 1977; J. Ratzinger, Ein Versuch zur Frage des Traditionsbegriffs, in: *K. Rahner – J. Ratzinger,* Offenbarung und Überlieferung (QD 25), Freiburg 1965, 25–69; *R. Latourelle,* a. a. O., 85–257.

[74] Vgl. unten 83–140 (§§ 4 und 5).

[1] *A. Kolping,* Fundamentaltheologie I, a. a. O., 134.

[2] Vgl. *O. Karrer,* Offenbarung und inspiriertes Wort Gottes in der Hl. Schrift, in: Anima 12, 1957, 291–294.

[3] *R. Spiazzi,* Rivelazione compiuta con la morte degli apostoli, in: Gr 33, 1962, 35.

Offenbarung, der geoffenbarten Offenbarung, der revelatio passiva[4]. Auch vom Offenbarungsakt gilt, was Thomas vom Glaubensakt sagt: „. . . non terminatur ad enuntiabilia, sed ad rem"[5].

Revelatio ist begrifflich nicht gleich inspiratio, wie man im Mittelalter oft ungenau meinte[6]. Die Offenbarung vermittelt etwas Neues, nicht aber die Inspiration. Die Offenbarung läuft der Inspiration voraus. Sie ist nicht an die Niederschrift gebunden. Inspiration im Sinne der entwickelten Theologie besagt nur Empfang der Erleuchtung durch den menschlichen Empfänger mit dem Antrieb des Geistes zur Niederschrift und dem Schutz vor Irrtum. Gottes positiver Beistand begleitet die menschliche Rede oder Niederschrift, wobei die menschlichen Eigenschaften nicht ausgeschaltet oder eingeschränkt sind. Dabei braucht sich der Inspirierte nicht einmal der Tatsache der göttlichen Inspiration bewußt zu sein[7]. Das Faktum des Inspiriertseins erfahren wir durch das Glaubensbekenntnis der späteren Gemeinde[8]. Die Inspiration und ihr Ergebnis, die inspirierten Bücher, gehören in den Bereich der Aneignung der Offenbarung und der Heilswirklichkeit Gottes, nicht zur geschichtlichen Konstituierung von Offenbarung und Heil[9]. Die ganze Hl. Schrift ist inspiriert, aber nicht jeder Satz ist geoffenbart. Nicht jede Einzelheit enthält eine Offenbarung, die Glauben verlangt, sosehr sie auch inspiriert ist[10].

Die Offenbarung begegnet uns als revelatio naturalis und als revelatio supernaturalis. Von revelatio naturalis sprechen wir, sofern Gottes Existenz, sein Wesen und seine Eigenschaften durch die Spuren, die sein Wirken in der Schöpfung zurückläßt, erkannt werden können. Gott offenbart sich der rationalen Kreatur als Schöpfer und Herr. Die revelatio naturalis ist mit der Natur des Menschen gegeben. Sie ist Offenbarung nur im analogen, d. h. im uneigentlichen, im abgeleiteten Sinn[11]. Offenbarung im eigenlichen Sinn ist die revelatio supernaturalis. Sie ist ein über die natürliche Offenbarung hinausgehendes gnadenhaftes Geschenk an die rationale Kreatur. In ihr teilt Gott sich selbst und seine Geheimnisse dem Geschöpf mit. Sie begegnet uns als irdische Heilsoffenbarung und als Endoffenbarung.

---

[4] Vgl. *A. Kolping*, Fundamentaltheologie I, a. a. O., 134 f.

[5] STh I/II q. 1 a. 2 ad 2.

[6] *Y. Congar*, Die Tradition und die Traditionen I, Mainz 1965, 152–169, bes. 158; s. unten 277.

[7] *O. Karrer*, a. a. O., 294; *A. Bea*, Art. Inspiration, in: LThK V, Freiburg [2]1960, 705–708; *B. Walde*, Art. Inspiration, in: LThK V, Freiburg [1]1933, 423–429; *P. Benoit* OP, Inspiration und Offenbarung, in: Conc 1, 1965, 800 f.; *D. Arenhövel*, Was sagt das Konzil über die Offenbarung?, Mainz 1967, 58 f.; K. Rahner, Über die Schriftinspiration (QD I), Freiburg [4]1965, 18 ff. 86 ff. Rahner insistiert auf einem wenigstens einschlußweisen Wissen von der Inspiration.

[8] *D. Arenhövel*, a. a. O., 59.

[9] DV Art. 11; vgl. *A. Grillmeier SJ*, Kommentar zu Kap. III der Dogmatischen Konstitution Dei Verbum, in: LThK, Das Zweite Vatikanische Konzil II, Freiburg 1967, 545; *D. Arenhövel*, a. a. O., 59.

[10] *J. Backes*, Tradition und Schrift als Quellen der Offenbarung, in: TThZ 72, 1963, 329; *P. Benoit*, a. a. O., 803; vgl. DV, Art. 12 und 15.

[11] Das I. Vaticanum hat die Offenbarungswahrheit von der Erkennbarkeit Gottes als formelles Dogma gegenüber dem Agnostizismus definiert (DS 3004).

Die Ansätze zur Reflexion über die natürliche Offenbarung reichen zurück bis ins AT[12]. Paulus stellt fest, daß auch die Heiden Gott hinreichend erkennen können aus der Schöpfung (Rö 1, 18–20) und den Regungen des Gewissens (Rö 2, 14 f.), während man die christliche Offenbarung durch Gott, durch Christus und seinen Geist empfängt[13]. Augustinus kennt die Unterscheidung von natürlicher und übernatürlicher Offenbarung, und in der Scholastik ist sie unumstößlich[14]. Thomas von Aquin charakterisiert die natürliche Offenbarung als Aufstieg des menschlichen Verstandes, die übernatürliche als Herabsteigen der göttlichen Wahrheit. Das ist ein beliebter Gedanke in der späteren Theologie[15]. Der natürlichen Offenbarung entspricht die natürliche Theologie, die logisch der eigentlichen Theologie vorausgeht[16].

Problematisch ist es, wenn man die natürliche Offenbarung lediglich als Werkoffenbarung und die übernatürliche lediglich als Wortoffenbarung charakterisiert, denn auch die letztere ist Werkoffenbarung. Genauer gesagt, die natürliche Offenbarung ist nur Werkoffenbarung, die Endoffenbarung (revelatio gloriae) ist nur Schauoffenbarung, während die sogenannte Wortoffenbarung (revelatio fidei), die irdische Heilsoffenbarung, nicht einfach nur Wortoffenbarung, sondern auch Tatoffenbarung und, wenn auch in Verhüllung, Schauoffenbarung ist[17]. Selbstverständlich liegt das, was hier jeweils Tatoffenbarung genannt wird, auf verschiedenen Ebenen, insofern, als die übernatürliche Tatoffenbarung nur durch die Wortoffenbarung erkannt werden kann.

Eine andere Terminologie benutzt die protestantische Theologie. Sie bezeichnet die natürliche Offenbarung, soweit sie sie anerkennt, als allgemeine Offenbarung, die übernatürliche Offenbarung als besondere Offenbarung.

Die übernatürliche Offenbarung geschieht nach der Glaubenstradition der Kirche als revelatio in statu viae seu fidelium, die durch das Dunkel des Glaubens, und als revelatio in statu gloriae seu patriae, die durch das Schauen

---

[12] Weish. 13, 1 ff.

[13] Apg 17, 27; 1 Kor 2, 10 ff.; Eph 1, 17 ff.; 1 Kol 2, 2 f.; *A. Kolping,* Fundamentaltheologie I, a. a. O., 135; *H. Niebecker* (a. a. O., 4) unterstreicht die Uneigentlichkeit der natürlichen Offenbarung, da sie nicht den Charakter des Geheimnisvollen der übernatürlichen Offenbarung habe, da es sich hier strenggenommen um eine γνῶσις, nicht um eine ἀποκάλυψις handle. Der Vorschlag Schelkles, von Offenbarung und Theologie der Schöpfung zu sprechen (Theologie des Neuen Testaments, a. a. O., II, 26), möchte den uneigentlichen Charakter der revelatio naturalis deutlicher hervorheben.

[14] *B. Bartmann,* Lehrbuch der Dogmatik I, Freiburg [8]1932, 9.

[15] *Thomas von Aquin,* Summa contra gentiles IV, 1; *L. Bakker,* a. a. O., 10.

[16] Im Gegensatz zum I. Vaticanum, das diesen logischen Weg geht, entfaltet die Offenbarungs-konstitution des II. Vaticanum die Offenbarung von ihrer christologischen Mitte her und stellt dann die unaufhebbare Verantwortung der menschlichen Vernunft als einer Dimension des Ganzen heraus. Sie will damit deutlich machen, daß das menschliche Gottesverhältnis unteilbar ist und ein einziges darstellt. Vgl. *J. Ratzinger,* Einleitung und Kommentar zum Prooemium, zu Kap. I, II und VI der Dogmatischen Konstitution Dei Verbum, in: LThK, Das Zweite Vatikanische Konzil II, Freiburg 1967, 515.

[17] *W. Bulst,* a. a. O., 70 f. 78–81.

bestimmt ist. Gott hat die der geschaffenen Kreatur ungeschuldete Heilsordnung im Raum der Schöpfungsordnung begonnen. In dieser Heilsordnung erfolgt die Kommunikation des Menschen mit Gott nicht mehr im Verhältnis von Herr und Knecht, Gott bietet sich dem Menschen dar wie der Vater sich dem Kind darbietet, indem er ihm Anteil an seinem innersten trinitarischen Leben gibt. Sofern die Heilsordnung durch den Sündenfall gestört und durch Gottes Erlöserwillen wunderbar wiederhergestellt wurde, spricht man auch von Erlösungsordnung. Die Heils- und Erlösungsordnung wird uns dargeboten in einem ganzen Kosmos herrlicher und weisheitsvoller übernatürlicher Realitäten. Sie findet ihre Vollendung in der ewigen Gottesschau.

Die übernatürlichen Tatsachen erscheinen als Vorgänge nach Art dieses Raumes der Schöpfungsordnung, das Transzendente manifestiert sich innerhalb der Immanenz, das Göttliche erscheint in und durch das Menschliche. Dabei wird das Göttliche nicht in das Menschliche verwandelt, es bleibt in seiner Realität vollauf bestehen und bietet sich in dem Menschlichen und durch das Menschliche den Menschen zur Gemeinschaft an. In sich bleibt es dem natürlichen Auge unerkennbar, aber es wird, durch das Menschliche verhüllt, in seiner Gegenwart irgendwie (etwa in den Wundern) angezeigt. Wenn dem Menschen diese übernatürlichen Heilstatsachen kundwerden sollten, mußte Gott in der Weise zu Hilfe kommen, wie man im Raum der Schöpfungsordnung sich zu Hilfe kommt, wenn einer dem anderen etwas kundmachen will, wozu dieser selbst keinen erkennenden Zugang hat, nämlich in der Kommunikationsweise des Wortes. Die Göttliches bergenden Geschöpflichkeiten tragen Züge an sich, die auf höhere Ursachen als auf rein geschöpfliche hinweisen (motiva credibilitatis), aber erst das deutende Offenbarungswort erschließt die göttliche Tiefe, die sich in den Geschöpflichkeiten verhüllt. Logisch früher ist das Offenbarungsgeschehen, ihm folgt das offenbarende Wort darüber. Dabei nimmt das Wort Gottes teil an der Eigenart des Offenbarungsereignisses. Es ist selbst eine göttliche Realität innerhalb der übernatürlichen Heilsordnung und partizipiert damit an der gottmenschlichen Doppelheit der Heilsökonomie[18].

Wir dürfen den menschlichen Anteil des Wortes Gottes nicht verkürzen. Was wesentlich zu der menschlichen Aussage gehört, die Art, wie Wahrheiten als Erkenntnis von Wirklichkeiten in menschlicher Sprache ausgedrückt werden, ist auch dem Offenbarungswort eigen. Nur ein Unterschied waltet zwischen dem Offenbarungswort und dem bloßen Menschenwort: Das Offenbarungswort ist absolut und in jedem Fall frei von Irrtum in dem, was zur Aussage kommen soll und bei rechtem Verständnis auch aus dem Wort des Offenbarungsträgers verstanden werden kann. Immerhin kann sich das Wort Gottes grundsätzlich allen menschlichen Aussagemöglichkeiten anpassen.

---

[18] *J. Brinktrine* (Offenbarung und Kirche, a. a. O., I, 44) sieht mit Recht das formale Konstitutivum der Offenbarung in einem formalen Sprechen Gottes zu den Empfängern der Offenbarung, den Propheten, wobei dieses Sprechen selbstverständlich als ein analoges zu verstehen ist.

Zur menschlichen Aussageform gehört ein bestimmtes begriffliches Aussagesystem, wobei die der innerweltlichen Wirklichkeit entstammenden Vorstellungen und Begriffe in analoger Weise auf die übernatürlichen Wirklichkeiten angewandt werden. Entsprechend der Eigenart menschlicher Aussage haben die Offenbarungsaussagen auch eine Aussageenge, das heißt, die einzelne Aussage kann dem Hörer nie die ganze gemeinte Wirklichkeit vermitteln, wie etwa der Begriff „Baum" in der Aussage nicht auch zugleich die Artunterschiede vermittelt, noch weniger die individuellen Eigentümlichkeiten. Die Offenbarungsaussagen haben wie alle menschlichen Aussagen wesensmäßig eine gewisse Mehrdeutigkeit gegenüber tiefer gehenden Fragen, die oft erst im Laufe der Menschheitsgeschichte eine Antwort verlangen. Auch die Art und Weise, wie die Offenbarung psychologisch vor sich geht, ist den menschlichen Verhältnissen und Denkgewohnheiten angepaßt. Gott kann den Offenbarungsmittler die vorhandenen Volkstraditionen, Denkgebäude und Menschheitshoffnungen benutzen lassen.

Diese menschliche und durch unser Erkennen feststellbare Seite der Offenbarungsaussage wird aber getragen von Gott. Gott ist ihr grundlegender Urheber (auctor principalis). Die hier namhaft gemachten menschlichen Faktoren sind nur die werkzeuglichen Mittelursachen, durch die Gott dem Offenbarungsträger sein Wort vernehmlich macht. Die gnadenhafte Seite verbürgt die absolute Irrtumslosigkeit in dem, was durch die Offenbarungsmitteilung zum Ausdruck kommen soll, denn Irrtum oder Täuschung würden der Vollkommenheit des auctor principalis der Offenbarung widerstreiten[19].

Während sich Gott in der revelatio supernaturalis in statu fidelium dem Begnadigten nicht durch sich selbst, ohne Beteiligung kreatürlicher Mittel schenkt, offenbart er sich in der revelatio in statu gloriae unverhüllt (nude, clare et aperte), durch sich selbst (nulla creatura in ratione obiecti visi se habente)[20] und schenkt sich ihm zur innigsten Lebensgemeinschaft. Gerade dafür gebraucht die Schrift gern den Ausdruck „Offenbarung"[21]. In dieser Offenbarung werden die Mysterien aber nur ihrem Umfang (extensive), nicht ihrer Tiefe nach (intensive) erkannt, so daß die Inkomprehensibilität Gottes gewahrt bleibt[22].

Diese drei Arten der Offenbarung (revelatio naturalis, revelatio viae, revelatio gloriae) bilden nach Gottes Willen eine aufeinander bezogene Ordnung. Die revelatio viae knüpft an die revelatio naturalis an und hat zum Ziel die revelatio gloriae.

Offenbarung im Glauben ist immer zugleich Enthüllung und Verhüllung. Gott begegnet ja dem Menschen in geschöpflicher Weise: in seinem Wirken, in gestalthaften Phänomenen, in menschlichen Worten. Auch in der Theophanie

---

[19] Diese Zusammenfassung fußt im wesentlichen auf dem Vorlesungs-Manuskript von A. *Kolping,* vgl. auch A. *Kolping,* Fundamentaltheologie I, a. a. O., 152–160.
[20] DS 1000.
[21] Rö 8, 18 f.; 1 Petr 1, 5.
[22] A. *Kolping,* Fundamentaltheologie I, a. a. O., 135 f.; F. *Büchsel,* a. a. O., 75 f.

bleibt Gott der Verborgene. Diese Verborgenheit ist selbst in der Christuserscheinung nicht aufgehoben. Enthüllung und Verhüllung stehen in geheimnisvoller Spannung zueinander[23]. Über die Welt Gottes kann der Mensch sich nur in analoger Aussageweise, vermittels der geschöpflichen Wirklichkeit, verständigen. Dabei gilt der Grundsatz, daß die Unähnlichkeit zwischen Gott und der geschöpflichen Wirklichkeit immer größer ist als die Ähnlichkeit[24]. Von daher ist die Möglichkeit der Mißdeutung und des Ärgernisses gegeben. Die Offenbarung ist nicht so deutlich, daß ihr gegenüber keine Ausflüchte, Täuschungen und Irrtümer möglich wären. Deshalb muß sie mit Glaubwürdigkeitskriterien ausgestattet sein, an denen der Mensch die Berechtigung ihres Anspruches erkennen kann[25].

Das II. Vaticanum betont mit Nachdruck, daß die übernatürliche Offenbarung im Kern darin besteht, daß Gott sich selbst der Menschheit erschließt, und zwar in geschichtlichen Akten, gipfelnd in Christus, dem Vollender der Offenbarung[26]. Dieser erfüllt die Offenbarung, wie das Konzil ausführt[27], und schließt sie ab durch sein ganzes Dasein, durch Worte und Werke, Zeichen und Wunder, vor allem durch den Tod, die Auferstehung und die Sendung des Geistes. Er bekräftigt durch göttliche Zeichen, daß Gott mit uns ist und uns aus Sünde und Tod befreit[28].

Nach dem Konzil ist zwischen der Selbsterschließung Gottes durch sein Wort und Handeln in Israel und dem inspirierten Bericht darüber in den Schriften des Alten Bundes zu unterscheiden[29]. Damit soll der Begriff der Lehroffenbarung zugunsten eines Begriffes der Personenoffenbarung überwunden werden, nach G. Baum der Wendepunkt in der Entwicklung der Konstitution über die göttliche Offenbarung[30]. Es ist aber auch zu unterscheiden zwischen der Selbsterschließung Gottes in den von ihm geschaffenen übernatürlichen Realitäten und dem sie erschließenden Wort Gottes. Gott kommt auf uns zu in seiner Tat und in dem erklärenden Wort[31].

Das II. Vaticanum hebt den dialogischen Charakter der Offenbarung hervor, die Einheit von Wort und Werk in der Offenbarung, den Ereignischarakter (von Gott her gesehen) und den Entscheidungscharakter (auf den Menschen hin gesehen). Demnach ist die Offenbarung Lebensaustausch zwischen Gott und der Menschheit, die durch die Offenbarungsgemeinde repräsentiert wird, freie Selbsterschließung Gottes, Selbstmitteilung Gottes an den geschaffenen Geist, der als Antwort der Glaube als Hingabe, als neue Beziehung zwischen Gott und dem Menschen entspricht. Die Dogmati-

---

[23] Phil 2, 7; Joh 1, 14.   [24] DS 806.

[25] *W. Bulst,* a. a. O., 101–104; *R. Latourelle,* a. a. O., 460–463.

[26] DV Art. 3. In der Offenbarung wird Geschichte als Heilsgeschichte von Gott für die Menschheit thematisch gemacht (*E. Gutwenger,* Offenbarung und Geschichte, in: ZKTh 88, 1966, 401 f.).

[27] DV Art. 4.   [28] Vgl. *A. Kolping,* Fundamentaltheologie I, a. a. O., 134 f.

[29] Vgl. DV Art. 3.

[30] *G. Baum,* Die Konstitution De Divina Revelatione, in: Cath 20, 1966, 91.

[31] *A. Kolping,* Fundamentaltheologie I, a. a. O., 135.

sche Konstitution Dei Verbum denkt vom Akt, nicht vom Ergebnis der Offenbarung her. Der Akt wird gesehen als Geschehen zwischen zwei Personen, als Begegnung, die freilich immer auch ein Sprechen einschließt. Dieser Offenbarungsbegriff ist personalistisch, dynamisch und geschichtlich, konkret und biblisch, nicht mehr philosophisch, scholastisch und polemisch-lehrhaft. Das Ziel der Offenbarung ist nicht nur Einsicht, sondern die Kirche und das Leben in der Gnade[32]. Der Sinn der Überlieferung ist die Vergegenwärtigung des vergangenen Gotteshandelns. Diese geschieht in der Offenbarungsgemeinde, die durch die Offenbarung konstituiert wird[33].

Es geht in der Offenbarung also um die geoffenbarte Wirklichkeit selbst, nämlich Gott und was er zu unserem Heil ins Werk gesetzt hat, denn Gottes Offenbarungshandeln schafft Realitäten, und um das diese geoffenbarte Wirklichkeit erschließende Wort, konkretisiert in Schrift und Überlieferung und in der aktuellen Predigt der Kirche[34]. So ist Offenbarung eigentlich nicht etwas Vergangenes, denn die geoffenbarten Realitäten sind stets gegenwärtig, und was Gott in geschichtlichen Akten zu diesen Realitäten gesagt hat, sagt er, anders, als wenn Menschen etwas sagen, in actu secundo permanent.

Bei der übernatürlichen Offenbarung ist zu unterscheiden zwischen der allgemeinen nichtamtlichen übernatürlichen Offenbarung, die der allgemeinen Heilsgeschichte entspricht, und der besonderen öffentlich-amtlichen übernatürlichen Offenbarung, die der speziellen Heilsgeschichte entspricht, wovon primär die Schriften des AT und NT handeln. Man darf die allgemeine nichtamtliche übernatürliche Offenbarung nicht ohne weiteres begrifflich mit der revelatio naturalis, der sogenannten Werkoffenbarung, identifizieren. Sie erfolgt nämlich auf vielfache Weise. Die Notwendigkeit der allgemeinen nichtamtlichen übernatürlichen Offenbarung ist zu folgern aus den ersten Kapiteln der Genesis, die bezeugen, daß Gott irgendwie zur gesamten Menschheit gesprochen hat, aus dem zeitlich allgemeinen Heilswillen Gottes (1 Tim 2, 4) sowie aus der Unmöglichkeit, ohne Glauben Gott zu gefallen (Hebr. 11, 6). Der Heilsglaube kommt aber nach Rö 10, 17 aus dem Hören, setzt also irgendwie eine autoritativ offenbarende Ansprache Gottes an die Menschen voraus. Dementsprechend lehrt auch das II. Vaticanum, daß die göttliche Offenbarung nicht erst mit Abraham begonnen hat, daß Gott

---

[32] DV Art. 2. *H. Waldenfels,* Offenbarung, Das Zweite Vatikanische Konzil auf dem Hintergrund der neueren Theologie (Beiträge zur ökumenischen Theologie 3, hrsg. v. *H. Fries*), München 1969, 132 f. 317; *A. Dulles,* a. a. O., 182 f.; *E. Stakemeier,* Die Konzilskonstitution über die göttliche Offenbarung, Paderborn 1966, 51–97; *G. G. Blum,* Offenbarung und Überlieferung, Die dogmatische Konstitution Dei Verbum des II. Vaticanum im Lichte altkirchlicher und moderner Theologie, Göttingen 1971, 28 f.; *J. Ratzinger,* Einleitung und Kommentar . . ., a. a. O., 506. 516; *A. Kolping,* Fundamentaltheologie I, a. a. O., 317; *D. Arenhövel,* a. a. O., 24 f. 37–39; *H. Hammans,* Die neueren katholischen Erklärungen der Dogmenentwicklung, in: Conc 3, 1967, 51; *O. Karrer,* a. a. O., 294; *K. H. Schelkle,* Theologie des Neuen Testamentes, a. a. O., II, 19 f.
[33] *G. Gloege,* Offenbarung und Überlieferung, a. a. O., 220–222.
[34] *W. Bulst,* a. a. O., 108 f.; *K. Rahner,* Zur Frage der Dogmenentwicklung (1954), in: Schriften zur Theologie I, Einsiedeln 1962, 82.

von Anfang an die Menschen nie ohne ein Zeichen seiner selbst gelassen hat[35].

Die besondere öffentlich-amtliche übernatürliche Offenbarung begegnet uns als revelatio supernaturalis quoad modum tantum und als revelatio supernaturalis quoad modum et materiam, je nachdem, ob es sich dabei um Wirklichkeiten handelt, die an sich dem Menschen nicht unzugänglich sind, oder um solche, die dem Menschen völlig unzugänglich sind, also um Mysterien im engeren und weiteren Sinne.

Hinsichtlich der Verpflichtungsweite und des Personenkreises, mit der bzw. für den sich Gott kundtut, sind die revelatio publica und die revelatio privata zu unterscheiden. Die öffentliche Offenbarung ist an die ganze Menschheit gerichtet, direkt oder indirekt, und verpflichtet alle, die private ergeht an einzelne Personen, direkt oder indirekt, und verpflichtet auch diese nur bedingt[36].

Sofern die Vermittlung der Offenbarung über Gottgesandte (per legatum) erfolgt, sprechen wir von einer indirekten oder mittelbaren Offenbarung (revelatio mediata oder revelatio per legatum), sofern sie unmittelbar erfolgt, sprechen wir von einer direkten oder unmittelbaren Offenbarung (revelatio immediata oder revelatio ad legatum). Direkt oder unmittelbar heißt die übernatürliche Offenbarung, sofern sie an die Propheten und die Apostel ergangen ist, indirekt oder mittelbar, sofern sie durch die Apostel und die Kirche an die übrige Menschheit ergeht. Diejenigen, die unmittelbar die Offenbarung von Gott empfangen haben, sind Offenbarungsträger[37].

Der Offenbarung entspricht auf seiten des Menschen der Glaube. Die positive Antwort des Menschen auf die Offenbarung ist der Glaubensakt, nach der Überzeugung der Kirche die Quelle und Grundlage aller Rechtfertigung[38]. Der Glaube richtet sich auf Gott, sofern er sich selbst und die zum religiösen Leben gehörenden Dinge offenbart[39]. Offenbarung und Glaube sind korrelate

---

[35] *A. Kolping,* Fundamentaltheologie I, a. a. O., 136 f.; DV Art. 3. Die allgemeine nichtamtliche übernatürliche Offenbarung sollte man nicht mit der Uroffenbarung, die übrigens nicht offizielle Lehre der Kirche ist, oder mit der natürlichen Offenbarung identifizieren, aber Gott kann sich beider bedienen. Die Uroffenbarung darf nicht als übernatürliches Ansprechen der ersten Menschen von Gott her verstanden werden. Sie ist vielmehr, wenn nicht qua Akt, so doch qua Inhalt mit der natürlichen Offenbarung zu identifizieren. Guardini erklärt, die Uroffenbarung stehe neben der Schöpfungsordnung „als eine zweite Form natürlicher Offenbarung", die im Unterschied zur Werkoffenbarung eine Ansprache Gottes sei, die ihren Niederschlag in den Mythen, Sagen und Märchen gefunden habe (*R. Guardini,* Die Offenbarung, a. a. O., 39 ff.). *M. Schmaus* ist bezüglich der Frage ihrer Existenz jedoch skeptisch (*M. Schmaus,* Der Glaube der Kirche, Handbuch katholischer Dogmatik, München 1969, I, 73). Recht verstanden kann sie nicht als ein abstrakt gedachtes Ansprechen der ersten Menschen durch Gott angesehen werden, sondern als „das der menschlichen Geistesentwicklung angepaßte und der jeweiligen Entwicklungsstufe gemäße religiöse Nachdenken und Empfinden (wobei hier Nachdenken im weitesten Sinne zu verstehen ist, also z. B. auch das kultische Tun umfaßt)"(*A. Kolping,* Fundamentaltheologie II, a. a. O.,104; vgl. 100–104).
[36] Mit den Privatoffenbarungen befaßt sich eingehend der Exkurs, S. 73–77.
[37] *A. Kolping,* Fundamentaltheologie I, a. a.O., 137 f.; *H. Niebecker,* a. a. O., 4–6.
[38] DS 1532. 3008.   [39] *A. Dulles,* a. a. O., 10.

Begriffe. Ihre Strukturen entsprechen sich. Daher wird die Analyse des Glaubens zur Analyse der Offenbarung. Durch einen falschen Offenbarungsbegriff kommt man zu einem falschen Glaubensbegriff und umgekehrt[40].

Keine Definition kann der Offenbarung in ihrer Vielseitigkeit und ihrem Reichtum gerecht werden. Die Offenbarung kann, wie A. Dulles es formuliert, „als eine konkrete und geheimnisvolle Selbstmitteilung Gottes nicht mit irgendeiner Definition umschrieben werden", sie wird „gleichermaßen durch Hilfe bedeutsamer Ereignisse, Wertintuitionen und symbolischer Bilderwelt erfaßt wie durch klare und deutliche Ideen"[41]. Offenbarung ist ein spannungsgeladener Begriff. Sie ist Gottes Wort und doch menschlich, sie vollendet sich im Menschen und überschreitet doch alle menschlichen Möglichkeiten, sie ist „symbolisch und doch lehrhaft, geheimnisvoll und doch einsehbar, wirklich und doch im Wort begründet, gesellschaftlich und doch personal, jenseits aller Beweismöglichkeit und doch erkennbar, bereits gegeben, gegenwärtig aktuell und doch noch zu vervollständigen"[42]. Kurz, das Offenbarungsproblem hat an jener Dialektik teil, die ohnehin alle theologischen Aussagen charakterisiert[43].

Das Ziel der Offenbarung ist die Gemeinschaft des Menschen mit Gott. Aber die Theorie ist die Grundlage für die Praxis, nicht umgekehrt. Deshalb hängt viel davon ab, daß wir sachgemäß erfassen, wie Gott zu uns über seine Heilsgemeinschaft mit uns spricht. Wenn daher im folgenden noch ein Blick auf unzureichende Offenbarungsbegriffe geworfen wird, so geschieht das in der Absicht, dadurch den komplexen Offenbarungsbegriff noch besser als in den vorstehenden abstrakten Abgrenzungen zu erhellen.

2. Unzureichende Bestimmungen von Offenbarung in der katholischen Theologie

a) Der intellektualistische Offenbarungsbegriff

Mit besonderem Nachdruck wird gegenwärtig in der theologischen Literatur betont, die Offenbarung sei nicht nur Wort, sondern auch Tat Gottes, nicht nur Mitteilung über einen Sachverhalt oder Gedanken, sondern auch Hervortreten eines Willens.

Noch bis unmittelbar vor dem II. Vaticanum war in der Definition von Offenbarung weithin der Gedanke vorherrschend, daß Wahrheiten geoffenbart würden, nicht Personen, die Offenbarungs*lehre* hatte das Übergewicht, man sprach vorwiegend von Wahrheitsmitteilung statt von personaler Selbstmitteilung und dachte dabei vornehmlich an Sätze, nicht an die Realität,

---

[40] *R. Latourelle,* a. a. O., 253; *H. Niebecker,* a. a. O., 184; *H. Waldenfels,* Offenbarung, a. a. O., 287 f.

[41] *A. Dulles,* a. a. O., 12.

[42] Ebd., 212.

[43] Ebd., 210–213. *R. Latourelle,* a. a. O., 25: „. . . la révélation est à la fois action, événement, histoire, connaissance, témoignage, recontre, doctrine, dépôt immuable, parole intérieure".

hinter der die Aussage immer zurückbleibt[44], obwohl bereits das Vaticanum I beide Aspekte gekannt hatte[45]. Man verstand die Offenbarung als Einwirkung des Geistes Gottes auf den Geist des Menschen, wodurch Gott diesen zu einer Erkenntnis führt, die ihm selber zu eigen ist[46], als „locutio Dei docens et attestans"[47], als „locutio Dei auctoritative docentis"[48]. Diese intellektualistische Offenbarungsauffassung sieht die Offenbarung primär unter der Kategorie des begrifflichen Sprechens. Dabei werden u. U. die übernatürlichen Taten Gottes lediglich als Kriterien gewertet, die zur Offenbarung hinzukommen. Nicht selten werden sie ausdrücklich aus dem Begriff „Sprechen" und damit aus dem Begriff „Offenbarung" ausgenommen[49]. Die Betonung des Wortcharakters der Offenbarung ist nicht falsch, aber einseitig und ergänzungsbedürftig. Wie im vorhergehenden deutlich geworden ist, ist diese einseitige Betonung weniger an der Bibel orientiert. Sie führt zur Ineinssetzung von Gotteswort und Heiliger Schrift[50].

Man hat gesagt, der intellektualistische Offenbarungsbegriff liege auch dem Axiom vom Abschluß der Offenbarung zugrunde. Auch da werde Offenbarung als Mitteilung von Wahrheiten verstanden, als ein Wissen, das in einem System von Lehren darzustellen sei[51]. Das ist historisch richtig, sofern der Abschluß der Offenbarung besonders das 19. Jahrhundert beschäftigte und das Axiom in diesem Kontext gebildet wurde, kann aber nicht seine Berechtigung in Frage stellen, sofern es richtig verstanden wird, denn, wie sich in den Paragraphen 4 und 5 zeigen wird, wurde der Inhalt dieser Formel praktisch in allen Jahrhunderten geglaubt.

Das intellektualistische Offenbarungsverständnis war eine Einseitigkeit der Neuscholastik, die vor allem seit dem ausgehenden 19. und dem beginnenden

---

[44] *E. Stakemeier,* Die Konzilskonstitution über die göttliche Offenbarung, a. a. O., 11–50; *H. Fries,* Kirche und Offenbarung Gottes, in: J. Chr. Hampe (Hrsg.), Die Autorität der Freiheit, Gegenwart des Konzils und Zukunft der Kirche im ökumenischen Disput I, München 1967, 158 f.; *K. H. Schelkle,* Theologie des Neuen Testamentes, a. a. O., II, 18 f.

[45] DS 3004; *H. Waldenfels,* Offenbarung, a. a. O., 29 f. und 312 f.; *J. Ratzinger,* Einleitung und Kommentar zum Prooemium, zu Kap. I, II und VI der Dogmatischen Konstitution Dei Verbum, a. a. O., 507. Richtig verstanden führt das VAT II das TRID und das VAT I weiter (*H. Fries,* Kirche und Offenbarung Gottes, a. a. O., 162).

[46] *M. J. Scheeben,* a. a. O., Nr. 7.

[47] *N. Jung,* Art. Révélation, in: DThC XIII, Paris 1936, 2586.

[48] *S. Tromp SJ,* De Revelatione christiana, Rom ⁶1950, 70. R. Garrigou – Lagrange (De revelatione per ecclesiam catholicam proposita I, Rom ³1925, ¹1917, 138) definiert die Offenbarung als „actio divina veritatem antea occultam nobis manifestans praeter ordinem naturae".

[49] *W. Bulst,* a. a. O., 14.

[50] Zu dieser Ineinssetzung führt auch ein judaistisches Verständnis der Bibel. Daran ist nicht die Bibel selber schuld, denn sie versteht unter Offenbarung nicht übernatürlich mitgeteilte Lehre, nicht ein Buch oder Bücher, sondern Gottes Heilstaten. Vgl. *E. Brunner,* Offenbarung und Vernunft, Die Lehre von der christlichen Glaubenserkenntnis, Zürich ²1961, 137 f. Gott offenbart nicht eigentlich in der Schrift; diese enthält, was Gott geoffenbart hat. Nach Dei Verbum ist das Geoffenbarte die unter Gottes Leitung formulierte Einsicht in das Heilshandeln Gottes (DV Art. 7). Vgl. *D. Arenhövel,* a. a. O., 58.

[51] *K. H. Schelkle,* Theologie des Neuen Testamentes, a. a. O., II, 18 f.

20. Jahrhundert eine dominierende Stellung in der Theologie einnahm, einer Theologie, die sich nicht immer auf der Höhe des I. Vaticanum bewegte. In der evangelischen Theologie hat man bis heute den Eindruck, es gehe im katholischen Offenbarungsbegriff primär um neue Wahrheiten und um Zuwachs der Erkenntnis, um ein neutrales und unpersönliches Sachverhältnis, nicht um eine personale Begegnung von Ich und Du[52], obwohl sich bereits seit Jahrzehnten eine grundlegende Wandlung vollzogen hat. Schon um die Jahrhundertwende und vorher gab es Theologen, die andere Wege gingen. Abgesehen von der Tübinger Schule sei hier vor allem an J. H. Newman († 1890) erinnert, der betont, die Offenbarung sei nicht nur eine einfache Tatsachenwahrheit, die man mit dem Verstande aufnehmen könnte, sondern sie personale Selbsterschließung Gottes[53]; ihr Ziel sei nicht besseres Erkennen, sondern besseres Handeln[54]. H. Schell († 1906) erklärt, durch die Offenbarung trete die Persönlichkeit Gottes unmittelbar und in ihrer Eigenart hervor, in lebendiger, geschichtlicher Wirksamkeit, das Dasein Gottes gewinne durch die Offenbarung „die Kraft einer lebendigen Erfahrungstatsache"[55].

Aber eine Vertiefung des Offenbarungsbegriffs in Hinsicht auf den offenbarenden Gott und auf den die Offenbarung empfangenden Menschen wurde vor allem in der nachmodernistischen Theologie Frankreichs eingeleitet. Man verwertete die Ansätze der Tübinger Schule und nahm die positiven Anliegen des Traditionalismus und des Modernismus auf. Man wandte sich der Geschichte zu und beachtete die Beziehung von Leben Jesu und Offenbarung, man suchte eine mehr und mehr ganzheitliche Bestimmung des Offenbarungsvorgangs, wobei man das Schwergewicht von der Lehre auf den Begegnungsakt verlagerte und im Zusammenhang damit eine deutlichere Verbindung von Offenbarung und Glaubensakt und von theologischer Systematik und kirchlicher Praxis erhielt[56].

Etwa seit den fünfziger Jahren unseres Jahrhunderts erfolgte zunehmend ein intensiverer Problemaustausch zwischen dem französischen und dem deutschen Sprachraum. Die deutschsprachige Theologie bemühte sich primär um den anthropologischen Aspekt der Offenbarung und ihr personales Verständnis. Gleichzeitig gingen auch Anregungen von der Exegese aus, die die Selbstoffenbarung Gottes, die Christozentrik, die Verknüpfung der Christusoffenbarung mit der Trinitätslehre und dem Anspruchscharakter betonte[57]. R. Guardini hatte schon im Jahre 1940 die biblische Sicht im Offenbarungsverständnis stärker zur Geltung zu bringen gesucht, um das Ganze der Offenbarung mehr hervortreten zu lassen, wenn er mit Nachdruck betont

---

[52] *P. Althaus,* Die christliche Wahrheit, Gütersloh ⁶1962, 238. Für Althaus gibt es strenggenommen keine credenda, sondern nur den credendus (238 f.). Vgl. *W. Bulst,* a. a. O., 16 f. und 30.
[53] *G. Biemer,* Überlieferung und Offenbarung, Die Lehre von der Tradition nach *J. H. Newman* (Die Überlieferung in der neueren Theologie 4), Freiburg 1961, 185.
[54] *J. H. Newman,* Predigten I (Gesamtausgabe), Stuttgart 1948, 228 f. 258.
[55] *H. Schell,* Religion und Offenbarung, Paderborn 1901, 206; vgl. 194 ff.
[56] *H. Waldenfels,* Offenbarung, a. a. O., 68.
[57] Ebd., 75 ff. und 104 ff.

hatte, daß Gott sich in der Form des Handelns zeige, daß Offenbarung nicht ein abstraktes System, sondern immer geschehendes Leben sei, daß Offenbarung primär heiße: Gott handelt[58]. Er hatte erklärt, daß das göttliche Tun die erste und für immer grundlegende Offenbarung Gottes sei, daß die erste und alles tragende Grundform der Offenbarung die des offenbarenden Handelns Gottes sei (Ex 3, 1–14), der dadurch Geschichte schaffe[59], daß Gott sich in Israel nicht als religiöse Hypostase des Volkes geoffenbart habe, wie das bei den griechischen Göttern der Fall sei, die Ausdruck des griechischen Geistes und Weltgefühls seien, sondern vielmehr in der Geschichte, die maßgeblich nicht vom Menschen, sondern von Gott ausgehe[60].

Den geschichtlichen Charakter und den Tatcharakter der Offenbarung haben in der katholischen Theologie seither unter anderen M. Schmaus[61], G. Söhngen[62], W. Hillmann[63], J. R. Geiselmann[64], H. Schlier[65], K. H. Schelkle[66] und O. Semmelroth[67] sowie die neueren katholischen Bibelkommentare herausgestellt. Da ist die Rede von der durchgehenden Korrelation von Ereignis und Wort im Offenbarungsgeschehen[68], von der Tatsache, daß sich das geschichtlich ergangene Wort Gottes und dessen geschichtliches Handeln gegenseitig interpretieren[69], daß das Wort Fleisch und nicht Wort geworden ist[70], daß Jesus sich nicht nur durch seine Predigten, sondern auch durch seine Taten geoffenbart hat[71], daß das Wort nicht nur als begriffliche Aussage verstanden werden darf, daß es Heil und Gnade wirkt, daß es eine quasisakramentale Würde und Wirklichkeit hat[72], daß in der übernatürlichen Offenbarung nicht nur Wahrheiten vermittelt werden, sondern daß sie auch ein personales Geschehen ist[73].

---

[58] *R. Guardini*, Die Offenbarung, ihr Wesen und ihre Formen, a. a. O., 118 f.; vgl. 54 f., 61 und 71 f.

[59] Ebd., 54.

[60] Ebd., 55 f. und 74.

[61] *M. Schmaus*, Katholische Dogmatik, München [6]1960, I, 7–15.

[62] *G. Söhngen*, Überlieferung und apostolische Verkündigung (1949), in: Die Einheit in der Theologie, Gesammelte Abhandlungen, Aufsätze und Vorträge, München 1952, 316; vgl. auch 354 f. und 359.

[63] *W. Hillmann*, Grundzüge der urkirchlichen Glaubensverkündigung, in: WiWei 20, 1957, 163 ff.

[64] *J. R. Geiselmann*, Jesus der Christus, Die Urform des apostolischen Kerygmas als Norm der Verkündigung und Theologie von Jesus Christus (Bibelwissenschaftliche Reihe Nr. 5, hrsg. von KBW), Stuttgart 1951.

[65] *H. Schlier*, Kurze Rechenschaft, in: *K. Hardt (Hrsg.)*, Bekenntnis zur katholischen Kirche, Würzburg [3]1955, 169–195, bes. 176 ff.

[66] *K. H. Schelkle*, Das Wort Gottes in der Kirche, in: ThQ 133, 1953, 278–293.

[67] *O. Semmelroth*, Gott und Mensch in der Begegnung, Ein Durchblick durch die katholische Glaubenslehre, Frankfurt 1956.

[68] *W. Hillmann*, a. a. O., 165.

[69] Ebd., 166.

[70] *H. Schlier*, Kurze Rechenschaft, a. a. O., 181.

[71] *J. Schmid*, Das Evangelium nach Matthäus (RNT I), Regensburg [3]1956, 200.

[72] Ebd., 200 f.; *M. Schmaus*, Der Glaube der Kirche, a. a. O., I, 91–94.

[73] *O. Semmelroth*, a. a. O., 36–39; *W. Bulst*, a. a. O., 21–26.

Man darf nicht die eine Einseitigkeit durch eine andere ersetzen. Ist auch die rein intellektualistische Sicht der Offenbarung zu eng, „so kommt jede andere Art ihres Verstehens nicht daran vorbei, daß die Offenbarung zur Vernehmbarkeit drängt und der gemeinhistorischen Mittel des Ausdrucks bedarf"[74]. Bei aller Kritik am intellektualistischen Mißverständnis der Offenbarung darf ihr Erkenntnischarakter nicht ignoriert werden. Die Offenbarung ist an das Wort gebunden. Wird das nicht gesehen, so kann weder von Selbstmitteilung Gottes gesprochen, noch kann diese als abgeschlossen verstanden werden[75]. Das I. Vaticanum betont den kognitiven Charakter der Offenbarung nachdrücklich[76], ohne aber aus dem Auge zu verlieren, daß Gott sich selbst und die ewigen Ratschlüsse seines Willens geoffenbart hat[77]. Das II. Vaticanum hat ausdrücklich diese Lehre des I. Vaticanum wiederholt. Es weiß: Zur Offenbarung gehören wesentlich Einsichten, bei ihr ist notwendig die Vernunft engagiert, sie läßt sich in Sätzen artikulieren, aber sie ist zunächst Handeln Gottes in der Geschichte, Geschehen und Ereignis[78]. Logisch ist zuerst das Heilsgeschehen, dann erfolgt seine Deutung mittels des Wortes. Anders kann die geheimnisvolle Heils- und Erlösungsordnung nicht offenbar werden. Die Promulgation der Offenbarung ist aber ein Teil des Offenbarungsvorgangs. Die Offenbarung ist der Kirche im Wort anvertraut und wird im Wort weitergegeben[79], das aber zunächst nicht für abstrakte Wahrheiten, sondern für konkrete Wirklichkeiten steht.

Das Ziel der Offenbarung ist die Gemeinschaft mit Gott und damit die Erkenntnis der übernatürlichen Realitäten, in denen Gott diese Gemeinschaft mit den Menschen aktualisiert hat, nicht die Erkenntnis des einzelnen Satzes, in dem sich die Offenbarung ausspricht. In der Offenbarung werden uns die übernatürlichen Realitäten vermittelt in jener Fülle, in der Gott sie uns bestimmt hat und sie uns erschließen will, nicht in deren unmittelbarer Anschauung (heute würde man gern sagen: Erfahrung), sondern durch das Wort, analog, in Konzepte unserer Erfahrungswelt gekleidet. Diese enthalten die Wirklichkeiten in dem Maße, als Gott sie in diese analogen Konzepte hineingelegt hat. Infolge des analogen Charakters der einzelnen Aussage ergibt sich bei den übernatürlichen Realitäten nur eine sehr unvollkommene Erkenntnis, die weiterer Ergänzung durch andere Offenbarungsworte bedürftig ist[80].

---

[74] *G. Söll SDB,* Dogma und Dogmenentwicklung (HDG I, 5), Freiburg 1971, 231.
[75] *K. Rahner – K. Lehmann,* Geschichtlichkeit der Vermittlung, in: MS I (Die Grundlagen heilsgeschichtlicher Dogmatik), Einsiedeln 1965, 757–759. „Eine Offenbarung Gottes, die nicht Mitteilung der geoffenbarten Wirklichkeit an den Geist des Menschen wäre, könnte weder Selbstmitteilung Gottes genannt, noch als abgeschlossen verstanden werden" (758).
[76] DS 3005.   [77] DS 3004.
[78] *D. Arenhövel,* a. a. O., 37–39. 44; *J. Ratzinger,* Einleitung und Kommentar . . ., a. a. O., 516.
[79] *A. Kolping,* Fundamentaltheologie I, a. a. O., 127; vgl. DV Art. 3; *W. Bulst,* a. a. O., 108–110; *K. H. Schelkle,* Theologie des Neuen Testamentes, a. a. O., II, 19; *M. Schmaus,* Der Glaube der Kirche, a. a. O., I, 91–94.
[80] *A. Kolping,* Zur theologischen Erkenntnismethode anläßlich der Definition der leiblichen Aufnahme Mariens in den Himmel, in: DTh 29, 1951, 81 f.

Somit ist das Wort das entscheidende Vehikel der Offenbarung. Die Heilsgeschichte ist uns im Wort gegeben. Theophanie und Tatoffenbarung zielen auf Wortoffenbarung. Das Geschehen geht vorüber, während das Wort bleibt. Jesus tritt als Lehrer auf. Seine Sendung ist es, „von der Wahrheit Zeugnis abzulegen" (Joh 18, 37), wobei er selber der Inhalt seiner Botschaft und sein Wort wirksames Tun ist. Im Wort führen die Jünger das Heilsgeschehen weiter, im Wort der Apostel und der Kirche. Der Glaube kommt vom Hören[81]. Sichtbare Geschehnisse und Wirklichkeiten in unserer Welt können uns zwar auf göttliche Wirklichkeiten, die Gott uns in ihnen offenbaren will, aufmerksam machen, zumal wenn sie offensichtlich die Grenzen einer nur innerweltlichen Kausalität sprengen, aber sie bedürfen des hinzukommenden interpretierenden göttlichen Wortes. Heilshandeln und Wort sind in dem einen Offenbarungsbegriff untrennbar miteinander verbunden, sie sind wesentliche Bestandteile der einen Gottesoffenbarung. Das Offenbarungswort hat aber nicht nur auslegende, sondern auch handelnde Funktion. Es ist wirkendes Wort[82].

Wortoffenbarung, Theophanie (verhüllte Schauoffenbarung) und Tatoffenbarung gehören innerlich zusammen. Ihr Zusammenspiel in der Heilsgeschichte ist in der leib-seelischen Natur des Menschen begründet, der Gott sich anpaßt, es macht das „Sakramentalprinzip" der Offenbarung sichtbar, die Einheit von Zeichen und Wort[83]. W. Bulst bemerkt[84]: „Das ‚materielle' Offenbarungsgeschehen allein bleibt oft in einer gewissen Mehrdeutigkeit. Andererseits erschließt wiederum das göttliche Tun und Erscheinen uns die Bedeutungsfülle und Ernsthaftigkeit des göttlichen Wortes". Nur das Wort kann späteren Geschlechtern übermittelt werden. Tat- und Schauoffenbarung sind lediglich dem unmittelbar Erlebenden zugänglich. Der Unterschied zwischen dem ursprünglichen Offenbarungsgeschehen und der im Wort weitergegebenen Offenbarung wird bereits im NT deutlich, wenn das Tun der Apostel als Dienst am Wort bezeichnet wird. Ergänzend wird die Offenbarung aber immer in der Leibhaftigkeit der Kirche, in ihrem sakramentalen und kultischen Leben und nicht zuletzt in der religiösen Kunst erfahrbar.

Die Versuchung zum einseitig lehrhaften Verständnis der Offenbarung und zu einem einseitigen Intellektualismus ist deshalb stets gegeben, weil man das Nächstliegende gern allzu gewichtig nimmt[85]. Ist man sich dessen bewußt, so wird man sich immer um eine umfassende Sicht des Wirklichkeitscharakters der Offenbarung bemühen[86].

---

[81] Rö 10, 17; vgl. 1 Thess 1, 6; 1 Kor 14, 36; 2 Tim 4, 2.
[82] *W. Bulst,* a. a. O., 86–89; *E. Schillebeeckx,* Offenbarung und Theologie, a. a. O., 19; *M. Schmaus,* Der Glaube der Kirche, a. a. O., I, 91–94.
[83] *W. Bulst,* a. a. O., 26; *E. Schillebeeckx,* Sakramente als Organe der Gottesbegegnung, in: J. Feiner u. a., Fragen der Theologie heute, Einsiedeln 1957, 380.
[84] *W. Bulst,* a. a. O., 91; vgl. 90 f.
[85] Vgl. ebd., 91–95.
[86] *D. Arenhövel,* a. a. O., 37–39. 44; *J. Ratzinger,* Einleitung und Kommentar . . ., a. a. O., 516.

b) Das aktualistische Offenbarungsverständnis

Ungleich problematischer ist das aktualistische Offenbarungsverständnis. Dieses ist heute auch in der katholischen Theologie weit verbreitet und einflußreich. Es entstammt der dialektischen Theologie eines Karl Barth und eines Rudolf Bultmann[87]. Letztlich liegen ihm philosophische Entscheidungen zugrunde. Für eine umfassende Auseinandersetzung bedürfte es einer eigenen Monographie. Hier soll der aktualistische Offenbarungsbegriff in der katholischen Theologie nur in seiner Struktur und in seinen Konsequenzen aufgezeigt werden.

Nach L. Monden[88] wird „eine historische Offenbarung zwar in datierbaren und tatsächlichen Geschehnissen zur Sprache", aber sie wird „nur im gläubigen Hören und deutenden Aufnehmen des in der Geschehnis-Sprache Gesprochenen Offenbarung". Offenbarung darf demnach nicht als objektive Information verstanden werden; geschichtliche Offenbarung entsteht erst, wenn „das empfangende, deutende gläubige Hören und das ansprechende historische Geschehen . . . einander konkret begegnen"[89]. „Das glaubende Hören ist hierbei keine reine Rezeptivität eines bestehenden Gesprochenen, sondern das Gesprochene ist ‚Ansprechen', das *erst im Hören, in dem man sich mit-vollziehend* als angesprochen erkennt, zum *Offenbarungsgeschehen* wird"[90]. Nach Monden ist die Transzendenz, wie die Wirklichkeit überhaupt, nicht objektiv erfaßbar oder deutbar, wird das Dasein „als existentiell paradox, somit als Offenheit und Frage reflexiv erfahren"[91]. Monden will das Christusgeschehen nicht durch neue Offenbarungen relativieren und ergänzen. Dieses muß nach ihm definitiv bestimmend bleiben. Es muß das „letzte Wort" bleiben, das endgültige Ja zu allen je in der Geschichte verkündeten Verheißungen. Gerade in dem aktuellen Begreifen und Deuten muß die Kirche das unüberbietbar Definitive zur Sprache bringen. Darin entwickelt sich und reift das vergangene Christusgeschehen in Richtung auf die endgültige Verheißung[92].

Hier wird die Offenbarung primär vom empfangenden Subjekt her gesehen. Gewiß kann sie erst da, wo sie gläubig ergriffen wird, ihre gnadenhafte Wirksamkeit entfalten, aber nach dem Verständnis der Bibel und der Kirche ist sie objektive Kunde, bezieht sie sich auf objektive Realitäten, m. a. W. ist sie Offenbarung unabhängig vom Empfänger. Das folgt aus den bisherigen Darlegungen. Das Geschehen *wird* nicht Offenbarung, sondern *ist* sie. Hinter solcher Denkweise mag sich eine übergroße Skepsis gegenüber der Metaphysik und überhaupt gegenüber der Realität „an sich" verbergen. Von daher ist der Weg zum immanenten Offenbarungsbegriff der liberalen protestantischen Theologie des 19. Jahrhunderts[93], wo Offenbarung ein Produkt der rationalen oder emotionalen Fähigkeiten des Menschen ist, nicht mehr weit.

---

[87] S. unten 62–70.
[88] *L. Monden,* Wie können Christen noch glauben?, Salzburg 1971, 159. 143 ff.
[89] Ebd., 113.   [90] Ebd., 159 (Hervorhebung im Text).
[91] Ebd., 10 f.   [92] Ebd., 161. 122.   [93] S. unten 62 f. 118 f.

Auch bei dem kanadischen katholischen Philosophen Leslie Dewart[94] geht der Offenbarungsbegriff auf Aktualismus und aktuelle Erfahrung Gottes, wenn er die für den Menschen der Gegenwart besonders anstößige Bindung der Offenbarung an die Geschichte entschärfen will. Dewart erklärt, Offenbarung sei ein Ereignis, das durch Gottes gegenwärtige Selbstmitteilung auch heute geschehe. Die Offenbarung sei im 1. Jahrhundert durch die Einsetzung des neuen und ewigen Bundes in Christus erfüllt gewesen, aber die Selbstoffenbarung Gottes gehe im Zeitalter der Inkarnation weiter. Die Dogmen, in denen das menschliche Bewußtsein die Bedeutung der Offenbarung ausdrücke und formuliere, entwickelten sich fort. Wäre das nicht so, so wäre die Offenbarung keine Realität mehr, sondern nur Erinnerung an die Vergangenheit. Der Christ erfahre Gott im Glauben als gegenwärtig, wenn auch nicht als empirische Tatsache. Diese Erfahrung fasse er in Begriffe. Dabei brauche er nicht die Begriffe der Vergangenheit zu übernehmen. Wesentlich sei, daß der Mensch Gott als eine aufbrechende Kraft erfahre, die ihn zu großzügigem Dienen treibe[95].

Der nordamerikanische Theologe Gabriel Moran[96] legt in ähnlicher Weise den Akzent auf die personale Begegnung und tendiert zu einer aktualistischen Position. Die historischen und lehrhaften Aspekte der Offenbarung wertet er fast nur insofern, als sie beitragen zu einer existentiellen Vereinigung mit Gott. Er erklärt: „Der bestimmende Wesenszug jüdisch-christlicher Offenbarung ist, daß Gott uns keine Offenbarung hinterlassen hat"[97]. Daher müsse der Christ jeden Versuch, eine Botschaft zu verkünden, aufgeben. Er schreibt[98]: „Andere Religionen fordern vom Menschen, daß er dies und jenes anerkennt. Das Christentum lädt den Menschen lediglich ein, sich selbst und seine Freiheit innerhalb einer Gemeinschaft mit Gott anzunehmen". Sein Anliegen, ein Offenbarungsverständnis zurückzuweisen, nach dem der Mensch die Offenbarung besitzt oder zu seiner Verfügung hat, und daß Gott sich in der Offenbarung verbirgt[99], ist sicherlich anzuerkennen, aber man wird kaum sagen können, daß er es unmißverständlich vertritt.

Ähnliche Auffassungen vertritt Eugene Fontinell, ein weiterer nordamerikanischer zeitgenössischer Philosoph und Theologe[100]. Für ihn ist Glaube „eine ergänzende Erfahrung, die das menschliche Leben ordnet und erleuchtet, ihm Sinn und Richtung gibt". Religiöse Wahrheit besteht für ihn „nicht in der Übereinstimmung mit einer äußeren Realität, sondern darin, daß sie den Menschen befähigt, voller am realen Entwicklungsgeschehen, dem er zuge-

[94] *L. Dewart,* Die Zukunft des Glaubens, Einsiedeln 1968, 99 f. 79–121. 169–180. 201–207.
[95] Vgl. *A. Dulles,* a. a. O., 193 f.
[96] *G. Moran,* Theology of Revelation, New York 1966, 93.
[97] Ders., The God of Revelation, in: *D. Callahan (Hrsg.),* God, Jesus and Spirit, New York 1969, 12.
[98] Ders., in: National Catholic Reporter vom 13. April 1966.
[99] Ders., The God of Revelation, a. a. O., 12; vgl. *A. Dulles,* a. a. O., 195 f.
[100] Ebd., 197; vgl. *E. Fontinell,* Religious Truth in a Relational and Processive World, in: Cross Currents 17, 1967, 283–315.

hört, teilzunehmen". Glaubensbekenntnisse und -lehren will er danach einschätzen, „wie weit sie dem Menschen helfen können, seine relativ unangemessene Lage, in der er sich vorfindet, zu überschreiten und sein Leben innerhalb der menschlichen Gemeinschaft offen und weit zu machen"[101].

Richtig ist ohne Zweifel die Betonung der Offenbarung als Lebenskommunikation, die Abwehr eines einseitigen Intellektualismus, aber was bleibt noch von den übernatürlichen Realitäten? Da ist schließlich jede religiöse Erfahrung, ja, jede zu sozialer Aktion stimulierende Erkenntnis und Einsicht Offenbarung. Das ist eine Neuauflage der liberalen protestantischen Theologie des 19. Jahrhunderts[102].

c) Offenbarung in der politischen Theologie

In der politischen Theologie ist das Offenbarungswort zuerst und in seinem Grunde geschichtliches Verheißungswort[103], ist Offenbarung Verheißung als geschichtlicher Prozeß[104], sind Eschatologie und Verheißung nicht ein Aspekt der Offenbarung, sondern machen deren fundamentale Struktur aus[105]. Die Eschatologie wird zum „umgreifenden Horizont und Strukturprinzip christlichen Glaubens und christlicher Theologie überhaupt"[106]. Da sind die biblischen Aussagen zeit- und geschichtsbezogen in ihrer Gültigkeit, unterliegen sie der freien Aktualisierung und Neuinterpretation. Es gibt keinen „umgrenzten objektiven Bestand von Verheißungsinhalten"[107], es gibt keine in Jesus abgeschlossene Offenbarung, denn sonst fiele man „hinter das prophetische Verständnis von Überlieferung und Geschichte" zurück[108]. Die Offenbarung als Verheißung ist im fundamentalen Sinne welthaft-geschichtlich, damit auch der Glaube und die Sendung[109]. Daraus folgt, daß auch das Heil selbst „als solches weltbezogen und welthaft" ist, es betrifft die „eine Wirklichkeit . . ., die wir Welt nennen"[110]. Eine solche einseitige Betonung der Immanenz und der Zukunft bzw. des Verheißungselementes wird der neutestamentlichen Wirklichkeit des Christusgeschehens nicht gerecht. Mit dem „weltbezogenen und welthaften Heil" verschreibt man sich einem Naturalismus, der sich mehr auf die Erwartung unserer Zeit, denn auf die Botschaft Christi und der Urzeugen stützen kann. Kann aber das neuzeitliche

---

[101] *A. Dulles,* a. a. O., 197.

[102] S. unten 62 f. 118 f.

[103] *L. Rütti,* Zur Theologie der Mission, Kritische Analysen und neue Orientierungen (Gesellschaft und Theologie 9), München 1972, 81 f.

[104] Ebd., 88.

[105] Ebd., 87 und 96.

[106] Ebd., 63.

[107] Ebd., 96. 91–97; vgl. *J. Dörmann,* a. a. O., 354.

[108] *L. Rütti,* a. a. O., 97.

[109] Ebd., 154. 162.

[110] Ebd., 178. Nach der politischen Theologie geht es in der Heiligen Schrift primär um eine „welt-, d. h. geschichts- und gesellschaftsbezogene Verheißungsbotschaft" (13). Die Verheißung aber wird zum „geschichtlichen Prozeß" (88). „Sie bildet den universalen Zukunftshorizont der *einen* und *ganzen* geschichtlichen Weltwirklichkeit" (*J. Dörmann,* a. a. O., 353).

Weltverständnis der Maßstab für die Offenbarung sein? Muß sich nicht das neuzeitliche Weltverständnis an der Offenbarung messen lassen, wenn Offenbarung das ist, was sie sein will: Erschließung dessen, was dem Menschen grundsätzlich verborgen ist[111]?

3. Der Offenbarungsbegriff in der protestantischen Theologie

Da die Strömungen in der katholischen Theologie aufs engste mit jenen in der protestantischen Theologie zusammenhängen, soll hier ein Seitenblick auf das protestantische Offenbarungsverständnis in der Gegenwart geworfen werden.

Nach der Zersetzung der christlichen Substanz in der rationalistischen Aufklärung, in der kein Raum für die von „oben" kommende Offenbarung war[112], in der „Gefühlsreligion" Schleiermachers († 1834) und im protestantischen Idealismus, wo Offenbarung als ein subjektiver, immanenter Vorgang verstanden wurde, sowie im Ethizismus Ritschls († 1889) und im religionsgeschichtlichen Historismus wurde im Bereich der protestantischen Theologie die Frage nach dem Eigentlichen der Offenbarung neu gestellt und der Charakter der Theologie als reine Offenbarungstheologie hervorgehoben[112a]. Das wird besonders deutlich bei Karl Barth und Emil Brunner. Für den Protestantismus hat K. Barth die Erkenntnis, daß es die christliche Theologie entscheidend mit der Offenbarung zu tun hat, in unerbittlichem Kampf zum Bewußtsein gebracht und der protestantischen Theologie damit ihr Thema und ihre Sache zurückgegeben, wie E. Brunner mit Nachdruck feststellt[113]. Barth und Brunner betonen emphatisch den Offenbarungscharakter der Theologie. Sie polemisieren gegen die Intellektualisierung der Offenbarung und verstehen die Offenbarung ausschließlich als Tat Gottes. Im Gegensatz zum liberalen Protestantismus, der im Grunde nach allgemeingültigen Prinzipien fragte, die nach seiner Meinung im AT und in Christus lediglich erstmalig oder in besonderer Reinheit verwirklicht sind, wird nun die Geschichtlichkeit der Offenbarung herausgestellt. Offenbarung wird als Handeln Jahwes verstanden: Sie vollzieht sich von Gott her als tathaftes Geschehen; auf den Menschen hin gesehen geht sie ihn in einer bestimmten Lage an und begründet Geschichte im Sinne einer zusammenhängenden Historie. Offenbarung

---

[111] Vgl. *J. Dörmann*, a. a. O., 344 f.

[112] Für *E. Troeltsch († 1923)*, den man als den deutlichen Schlußpunkt innerhalb der Entwicklung der protestantischen Theologie im 19. Jahrhundert verstehen kann, ist die Offenbarung „nichts anderes als die jeweilige originale und spontane Ausprägung einer bestimmten religiösen Gefühls- und Vorstellungswelt" (*J. Fehr*, a. a. O., 13). Mit Recht konstatiert J. Fehr, daß dann die religiöse Erregung eines Brahmanen ebensogut Offenbarung sei wie die christlich-frommen Gemütszustände Schleiermachers. Solche Offenbarung habe in allen Religionen stattgefunden und gehe auch immer weiter (13). Wörtlich sagt Troeltsch: „Überall da, wo die Totalität eines ethisch-religiösen Lebensganzen mit dem Empfinden des Geschöpfseins aus Gott auftritt, da ist Offenbarung" (*E. Troeltsch*, Glaubenslehre, hrsg. von *M. Troeltsch*, München 1925, 41).

[112a] *W. Bulst*, a. a. O., 29.

[113] *E. Brunner*, Natur und Gnade, Zum Gespräch mit Karl Barth, Tübingen ²1935, 4; vgl. *J. Fehr*, a. a. O., 117.

geschieht nicht nur *in* Geschichte, sondern auch *als* Geschichte. Numinose Empfindungen und Mitteilung eines Wissens sind nicht Offenbarung; Wissen kann jedoch aus der Offenbarung erwachsen, und numinose Gefühle müssen sie begleiten. Offenbarung ist geschichtlich in ihrem Ereignischarakter, in ihrem Entscheidungscharakter und in ihrem historischen Charakter[114].

Dabei wird zunächst nicht die Wortoffenbarung geleugnet, die die Offenbarungstaten begleitet, die erst das richtige Verständnis ermöglicht und die Mehrdeutigkeit des Tuns in die Eindeutigkeit erhebt, so daß dem Menschen im göttlichen Tun der göttliche Wille aufleuchtet. Aber es wird die wesentliche Bezogenheit der Wortoffenbarung auf das Offenbarungstun betont. Das Wort Gottes wird, wenn es überhaupt als umfassende Bezeichnung für göttliche Offenbarung gebraucht wird, nie als reines Lehrwort verstanden, sondern in der Fülle der Bedeutung des hebräischen דָּבָר als Tatwort und als Anrede an den Menschen. Gottes Wort ist nicht „Es-Wahrheit", sondern „Du-Wahrheit", nicht geoffenbarte Lehre, sondern Personwahrheit, Selbstmitteilung[115].

Die überstarke Betonung des Anredecharakters führt konsequent zur aktualistischen Auffassung von Offenbarung. Damit wird das Gotteswort erst Offenbarung, wenn und indem es von den Menschen angenommen wird. Für Karl Barth und Rudolf Bultmann, die Repräsentanten der dialektischen Theologie, ist die Offenbarung „keine zeitlos gültige Wahrheit, Idee oder Lehre", meint sie „nicht ein irgendwie bestimmtes oder besonders geartetes ‚übernatürliches' Wesen oder Sein oder einen entsprechenden Sachverhalt", ist sie vielmehr „immer und je Akt, Tat und Handlung Gottes ... Ereignis, Geschehen von Gott her", ein jetzt mit mir geschehendes Ereignis[116]. Bultmann bezieht den Glauben in die Offenbarung ein. Das Offenbarungsgeschehen ist nicht „ein außerhalb unser sich vollziehender kosmischer Vorgang, von dem das Wort nur die Mitteilung brächte (so daß es nichts anderes als ein Mythos wäre). Die Offenbarung muß also ein uns unmittelbar betreffendes, an uns selbst sich vollziehendes Geschehen sein"[117]. „Außerhalb des Glaubens ist die Offenbarung nicht sichtbar, es wird nicht etwas geoffenbart, woraufhin man glaubt. Erst im Glauben erschließt sich der Gegenstand des Glaubens; deshalb gehört der Glaube zur Offenbarung selbst"[118].

---

[114] *A. Oepke,* a. a. O., 573; *W. Bulst,* a. a. O., 30–32; *G. Gloege,* Offenbarung und Überlieferung, a. a. O., 23 ff.; vgl. auch *W. Eichrodt,* Theologie des Alten Testamentes I, Stuttgart ⁸1968, 10; *E. Stauffer,* Theologie des Neuen Testamentes, Stuttgart ⁴1968, 83 ff.; *O. Cullmann,* Christus und die Zeit, Die urchristliche Zeit und Geschichtsauffassung, Zürich ³1962, 38 f.

[115] *W. Bulst,* a. a. O., 34 f.

[116] *H. Fries,* Bultmann, Barth und die katholische Theologie, Stuttgart 1955, 20 f. Vgl. *R. Bultmann,* Glauben und Verstehen III, Tübingen 1960, 19 f.; *K. Barth,* Offenbarung, Kirche, Theologie, München 1934, 14 ff. Dementsprechend ist das Sein Gottes nicht als bloßes objektiv konstatierbares Vorhandensein, sondern als ein Bedeutsam-Sein für den Menschen zu verstehen (*R. Bultmann,* Theologie des Neuen Testaments, Tübingen ⁴1961, 228 f.; ders., Glauben und Verstehen II, Tübingen ²1958, 258; *K. Barth,* Offenbarung, Kirche, Theologie, a. a. O., 14 ff.).

[117] *R. Bultmann,* Glauben und Verstehen III, a. a. O., 21.

[118] *J. Fehr,* a. a. O., 31.

Für Barth und Bultmann gibt es nirgendwo einen Anknüpfungspunkt für Akt und Ereignis von Glaube und Offenbarung. Es gibt keinen Punkt, an dem das Ereignis der Offenbarung im Sinne einer Vorbereitung, Ähnlichkeit oder Entsprechung anknüpfen könnte. Der Mensch kann nichts zum Ereignis der Offenbarung bzw. zu ihrer Ergreifung im Glaubensakt beitragen. Für Barth ist Offenbarung zwar wesentlich Gottes Wort an die Menschen, aber nur im uneigentlichen Sinn. Gott allein redet und hört, der Mensch ist der Schauplatz des göttlichen Redens und Handelns. Gott tritt für das endgültige Nicht-Hören-Können des Menschen ein. Offenbarung ist objektiv und subjektiv gleich Nicht-Offenbarung[119]. Ähnlich erklärt Bultmann[120]: „Gottes Offenbarung unterliegt nicht menschlichen Kriterien, sie ist kein innerweltliches Phänomen, sondern allein seine Tat". Die Tatsache, daß Offenbarung stattgefunden hat, „kann keinem Menschen andemonstriert werden". Gottes Handeln darf nicht „als ein Weltphänomen verstanden werden, das, abgesehen von der existentiellen Betroffenheit, wahrgenommen werden kann"[121]. Gott hat sich nicht „ausgewiesen ... durch die sogenannten Heilstatsachen"[122], sein Handeln ist „nicht ausweisbar", das Heilsgeschehen ist „kein feststellbarer Vorgang"[123]. Bultmann nähert sich aber E. Brunner, wenn er den Anknüpfungspunkt für Gottes Gnade, für das widersprechende Wort der Gnade, in der Sünde des Menschen sieht, in der Infrage-Stellung der alten Existenz[124].

Aus dem aktuellen Verständnis der Offenbarung ergibt sich das Grundgesetz für die christliche Wirklichkeit: „Esse sequitur agere, esse sequitur operari". Solche Umkehrung des bekannten philosophischen Axioms macht die Dialektik der Offenbarungswirklichkeit und der christlichen Existenz deutlich[125].

In engem Zusammenhang mit dem Charakter der Offenbarung als Ereignis steht „die existentielle Gewalt und Gestalt der Offenbarung, ihre appellative Kraft, ihr Entscheidungsmoment"[126]. „Tua res agitur", das ist die Devise. Offenbarung ist nicht theoretische Belehrung, sondern Botschaft, Appell. Der existentielle Charakter der Offenbarung ist für Bultmann die Voraussetzung für die Erkenntnis ihrer existentialen Bedeutsamkeit. Die Offenbarung ist nicht objektivierbar, sie ist unmittelbare Anrede Gottes je an mich, etwas je und je sich Ereignendes, das Wort, das Gott dem einzelnen zuspricht, um ihn

---

[119] *K. Barth,* Der Römerbrief, München ⁵1929, 332; im Gegensatz zu Thomas von Aquin, Quaestiones disputatae I De veritate q. 18 a. 3.
[120] *R. Bultmann,* Glauben und Verstehen II, a. a. O., 99.
[121] *H. W. Bartsch (Hrsg.),* Kerygma und Mythos II, Hamburg ²1954, 196 und 200; vgl. *R. Bultmann,* Glauben und Verstehen I, Tübingen ⁶1966, 177.
[122] *H. W. Bartsch (Hrsg.),* Kerygma und Mythos II, a. a. O., 200.
[123] Ebd.
[124] *R. Bultmann,* Glauben und Verstehen II, a. a. O., 120 f.; *H. Fries,* Bultmann, Barth und die katholische Theologie, a. a. O., 24–36.
[125] Ebd., 21.
[126] Ebd., 22.

dadurch zur eigentlichen Existenz zu führen[127]. Das Schlüsselwort der Theologie Bultmanns heißt „Kerygma"[128].

Mit dem Entscheidungscharakter solcher Theologie hängt ihre Christozentrik zusammen. Im menschgewordenen Wort kulminiert die Offenbarung. Barth entfaltet das christologische Prinzip immer deutlicher in seiner „Kirchlichen Dogmatik". Für Bultmann ist „das entscheidende Handeln Gottes in Christus" der „articulus stantis et cadentis theologiae et ecclesiae". Daran hält er auch in der Entmythologisierung fest. Es ist ja gerade der Sinn der Entmythologisierung, die Botschaft von der entscheidenden Tat Gottes in Christus, das Christusgeschehen, zu retten. Bultmann betont, daß Gott in Christus entscheidend gehandelt hat und daß dies alles „für mich" geschehen ist. Das ist die zentrale Botschaft des NT, wozu durch die existentiale Interpretation der Zugang eröffnet wird. „Die Offenbarung besteht . . . in nichts anderem als in dem Faktum Jesus Christus". Hinter dieses Kerygma kann nicht zurückgefragt werden[129].

Bei aller Übereinstimmung Bultmanns und Barths in den theologischen Prinzipien gibt es bei ihnen Differenzen in deren Anwendung und Durchführung. Bei Bultmann ist der Aktualismus intensiver und radikaler als bei Barth. Bei Bultmann sind vor dem Daß des Heilsgeschehens und des Christusgeschehens die Person und Geschichte Jesu und das Was seiner Botschaft völlig irrelevant, er setzt die Anrede absolut, wenn nach ihm Glaube nicht Überzeugtsein von etwas, sondern nur Antwort auf Anrede ist[130], während Barth neben der Formalstruktur der Offenbarung in seiner theologischen Entwicklung auch bald ihr Inhaltsein, neben dem fundamentalen Begriff der Aktualität den der Natur in den Blick nimmt und so über das Daß der Offenbarung nicht das Was vergißt und es in seiner Dogmatik immer reicher entfaltet[131]. Diese Wende „von der Dialektik zur Analogie" führte bei Barth zu entscheidenden Retraktationen in Punkten, die ursprünglich für ihn indiskutabel waren. Dennoch besteht sie nicht in einer Änderung des Prinzips, sondern in dessen Interpretation und Anwendung. Es bleibt das aktualistische

---

[127] *R. Bultmann*, Glauben und Verstehen III, a. a. O., 21. J. R. Geiselmann bemerkt, daß solche Interpretation kaum den Gegebenheiten der Schrift gerecht werde (*J. R. Geiselmann*, Art. Offenbarung, a. a. O., 249).

[128] *H. Fries*, Bultmann, Barth und die katholische Theologie, a. a. O., 23.

[129] Ebd., 24–26; *R. Bultmann*, Glauben und Verstehen III, a. a. O., 18; vgl. unten A 153.

[130] *H. Fries*, Bultmann, Barth und die katholische Theologie, a. a. O., 21 f.; *R. Bultmann*, Glauben und Verstehen I, a. a. O., 265; ders., Theologie des Neuen Testaments, a. a. O., 249–270; *W. Bulst*, a. a. O., 35 f.

[131] *H. Fries*, Bultmann, Barth und die katholische Theologie, a. a. O., 21. 36–43. Wenn Gott in Christus Mensch wird, so ist damit eine Anerkennung der Natur und der Schöpfung ausgesprochen, so ist die Schöpfung die Voraussetzung der Offenbarung (72). Damit wird die Positivität und Eigenwirklichkeit der Natur, der Welt und des Menschen erkannt. Die Vernunft und das Vernehmen, der Grundakt der Vernunft, erhalten nun eine den Glauben mitkonstituierende Bedeutung, sie ermöglichen die Bündnisfähigkeit und Partnerschaft des Menschen mit Gott (31).

Verständnis der Offenbarung und die sich daraus ergebende Bestimmung der Theologie als Theologie des Ereignens[132].

Bultmann reduziert in seinem christologischen Aktualismus die Christologie auf das Christusgeschehen. Person und Gestalt Jesu Christi treten in den Hintergrund. Die Christologie wird von der Soteriologie absorbiert. Auch Barth spricht von dem in Christus geschehenen Ereignis, aber Person und Werk Christi sind für ihn in gleicher Weise wichtig[133].

Nach Bultmann ist das Kerygma nicht nur die Form, wie das Wort und das entscheidende Handeln Gottes an die Menschen erging, sondern auch die Art und Weise, in der das Christusgeschehen gegenwärtig gemacht werden kann. Das Kerygma hat nicht nur Offenbarung zu vermitteln, sondern es ist selbst ein Bestandteil der Offenbarung. Barth ist dagegen mit einem Kerygma vom Christusgeschehen durchaus einverstanden, aber nicht mit einem Christusgeschehen im Kerygma und durch das Kerygma[134].

Nach Bultmann ereignet sich in der Offenbarung Existenz. In seinem radikalen Aktualismus kommt er zum Dynamismus der Existenz. Für ihn kann es sich bei der Offenbarung nicht um eine Offenbarung von an sich gültigen, objektiven Wirklichkeiten oder um ewige Wahrheiten handeln, sie ist vielmehr immer und wesentlich Offenbarung über Existenz, „in ihr wird Existenz in einem ganz bestimmten Sinn verstanden und vollzogen[135]. Offenbarung und Kerygma geben nicht nur ein umfassendes Existenzverständnis, „sie eröffnen auch die Möglichkeit der Existenzverwirklichung im eigentlichen Sinn"[136]. In dem existentialen Motiv ist die Theologie der Entmythologisierung grundgelegt. Sie meint die Befragung und Interpretation des als Offenbarung bezeichneten entscheidenden Handelns Gottes auf die Existenz des Menschen hin. In Gottes Handeln in Christus „eröffnet sich für uns . . . ein bestimmtes Existenzverständnis. Dabei wird das Dasein sowohl in seiner Verfallenheit wie in seiner Eigentlichkeit entdeckt. Zugleich wird die Existenz aus dem Zustand der Verfallenheit und des Todes in den der Eigentlichkeit und des Lebens überführt. Dies geschieht nicht durch des Menschen Wissen und Tun, es geschieht einzig durch Gottes liebendes Handeln, das in Christus offenbar geworden ist und das in der Verkündigung für uns gegenwärtig wird"[137]. Der Inbegriff der Offenbarung ist nach Bultmann die Tatsache, daß der Mensch aus sich nicht eigentlich, echt und wahr Mensch sein kann, sondern nur durch den Gott, der in Christus entscheidend für den Menschen gehandelt hat[138]. Der Ort der Offenbarung ist für Bultmann das menschliche Selbstverständnis, in dem der Mensch sich durch Gott beansprucht, geschenkt und verwirklicht erfährt. Das Heil ist nur das immer wieder im einzelnen wiederholte eschatologische Ereignis. Dadurch verflüchtigt Bultmann die historische Tatsache als Heilsgeschichte, wenngleich

---

[132] Ebd., 38 und 21.   [133] Ebd., 44–46.   [134] Ebd., 47–50.
[135] Ebd., 52 f.; vgl. *R. Bultmann,* Glauben und Verstehen II, a. a. O., 79 ff.
[136] *H. Fries,* Bultmann, Barth und die katholische Theologie, a. a. O., 58.
[137] Ebd.   [138] Ebd., 59.

er überraschenderweise an der einmal in Christus geschehenen Heilstat festhält und dem Kreuz Christi als Motiv einer neuen Haltung des Menschen gegenüber der Existenz entscheidende Bedeutung zuschreibt, offenbar aus dem unbewußten Bestreben heraus, die Bekenntnistradition weiterzuführen[139].

E. Brunner, ursprünglich der Weggefährte Barths, kritisiert dessen Offenbarungsbegriff. Auch für ihn kann es Offenbarung im letzten und vollen Sinn nur als Akt geben, als das hier und jetzt mit mir geschehende Reden Gottes[140], aber darin erkennt er nur die eine Seite des biblischen Offenbarungsbegriffs. Die andere meint das gerade Gegenteil, so erklärt Brunner, nämlich daß Gott mit mir hier und jetzt redet auf Grund dessen, daß er geredet hat. Dieses „hat" ist festgehalten im Begriff des Kanons. Die Bibel ist die Offenbartheit Gottes, also Geoffenbartes, die erst für den einzelnen Gottes Wort durch den Heiligen Geist wird, aber sie wird es auf Grund dessen, daß sie es schon ist[141].

Gegen die dialektische Theologie und ihren Offenbarungsbegriff sei auf folgendes kritisch hingewiesen: Im Gegensatz zum aktualistischen Offenbarungsverständnis betont das NT die Vollendung der Offenbarung in Christus und die Vermittlung des depositum fidei. Nach dem NT ist nicht jeder Mensch Offenbarungsempfänger[142]. Das NT ist zuerst Kerygma, das ist nicht zu leugnen, aber es ist auch Bericht. Das, wovon berichtet wird, ist objektives, geschehenes Ereignis, reale Wirklichkeit[143]. Mit Recht hebt Oscar Cullmann den Charakter der Einmaligkeit des zentralen Heilsereignisses hervor[144].

Das NT und die Tradition der Kirche setzen den Analogiegedanken, den die dialektische Theologie ablehnt, voraus. Wie bereits dargelegt[145], ist dieser Analogiegedanke die Voraussetzung für die Offenbarung überhaupt. Wird er aufgegeben, so wird der Offenbarungsbegriff aufgelöst und jede wahre Theologie zerstört, denn damit ist im Grunde eine Verständigung über die übernatürlichen Realitäten unmöglich geworden.

Mit der schrankenlosen Relativierung aller menschlichen Rede von Gott wird der Entscheidung und Gehorsam verlangende Charakter der Offenbarung unwirksam. Gerade darum geht es aber primär in der christlichen Offenbarung[146]. Wenn das übernatürliche Glaubenslicht (lumen fidei) als Voraussetzung für den Empfang der Offenbarung, die subjektive Befähigung zum Hören des Wortes Gottes, negiert wird, wie es in der dialektischen

---

[139] Ebd., 75 f.; vgl. *H. Bouillard,* Karl Barth, 2 Bde, Paris 1957; *H. M. Rumscheidt,* Revelation and Theology, An Analysis of the Barth – Harnack Correspondence of 1923, Cambridge 1972.

[140] *E. Brunner* bemerkt (Dogmatik, Stuttgart 1946, I, 23): „Ist kein Glaube da, ist auch die Offenbarung nicht vollzogen, so ist sie nicht wirklich geschehen, sondern sozusagen in conatu steckengeblieben".

[141] *E. Brunner,* Natur und Gnade, Tübingen 1934, 35 f. Demgegenüber ist darauf hinzuweisen, daß die Bibel das Wort Gottes enthält und die Inspiration nicht mit der Offenbarung Gottes zu identifizieren ist (*J. Brinktrine,* Offenbarung und Kirche, a. a. O., I, 42).

[142] Vgl. *G. Söll,* a. a. O., 58 f.

[143] *H. Fries,* Bultmann, Barth und die katholische Theologie, a. a. O., 130.

[144] *O. Cullmann,* Christus und die Zeit, a. a. O., 117 ff. 135 ff.

[145] *Thomas von Aquin,* Summa contra gentiles IV, 1; s. oben 48–50.

[146] *J. Fehr,* a. a. O., 116.

Theologie geschieht, so fehlt der Offenbarung das Gegenüber, der Partner im göttlichen Dialog[147].

Kann man Barth den Vorwurf einer „christologischen Engführung" machen, so kann man bei Bultmann von einer „anthropologischen Engführung" sprechen[148]. Bultmann macht den Menschen und sein Vorverständnis zum Maß allen Verstehens, auch des Verstehens von Gottes Wort, und wird damit dem NT nicht gerecht[149]. Er verkehrt die in der Bibel vorgegebene Reihenfolge, wenn er das „Für mich" vor das „An sich" rückt und dieses in Frage stellt[150]. Um die Offenbarung für den Menschen hörbar zu machen, muß nicht an der Offenbarung, sondern am Empfänger der Offenbarung gearbeitet werden, muß nicht die Botschaft abgestimmt werden, daß sie hörbar wird, sondern das Ohr des Hörers geschärft werden[151]. Theologie ist nicht Anthropologie, wie Bultmann meint, sie hat zwar einen anthropologischen Zug, aber darin erschöpft sie sich nicht nach der Schrift und dem Verständnis der Kirche[152].

Mit Recht wirft F. Buri Bultmann Inkonsequenz vor, sofern dieser an der Heilstat des Kreuzes festhält. In Anlehnung an A. Schweitzer und K. Jaspers glaubt er, Bultmanns Festhalten am Kerygma als Grund der Ermöglichung christlicher Existenz aufgeben zu können, und versteht das christliche Modell als eine unter vielen Möglichkeiten des Menschen, zur Eigentlichkeit zu kommen. Er erklärt: „Das Heilsgeschehen besteht nicht . . . in einer einmalig geschehenen Heilstat in Christus, sondern darin, daß es sich ereignen kann, daß Menschen sich in ihrer Eigentlichkeit so verstehen können, wie es im Christusmythos zum Ausdruck gekommen ist. Wenn die Verkündigung dieses Mythos auch bewirken kann, daß Menschen auf diese Heilsmöglichkeit aufmerksam werden . . ., so vollzieht sich doch das Heilsgeschehen eben in diesem Bereich jeweiligen Selbstverständnisses . . . Deshalb ist das Heilsgeschehen weder auf das Neue Testament oder die Bibel noch auf die christliche Gemeinde eingeschränkt. Nicht an *einem* Punkt in der Geschichte hängt das Heil. Soweit das Neue Testament es so sagt, ist es für uns nicht mehr vollziehbare mythologische Rede"[153].

Bei der Identifizierung der Verwirklichung der eigentlichen Existenz mit dem Christlichen kommt das Übernatürliche der Offenbarung nicht zum Ausdruck, eine entscheidende Komponente nach dem AT und dem NT[154].

---

[147] STh II/II q. 6 a. 1; I q. 12 a. 5; II/II q. 2 a. 3 ad 2; Summa contra gentiles IV, 1; vgl. *J. Fehr*, a. a. O., 120 f.

[148] *H. Waldenfels – L. Scheffczyk,* Die Offenbarung, a. a. O., 147 (mit Berufung auf *H. Zahrnt,* Die Sache mit Gott, München 1966, 313).

[149] *H. Fries,* Bultmann, Barth und die katholische Theologie, a. a. O., 129. Barth charakterisiert diese Grundhaltung Bultmanns als „vorkopernikanisches Gehabe" (129).

[150] Ebd., 135.   [151] Ebd., 136 f.   [152] Ebd., 140.

[153] *F. Buri,* Entmythologisierung oder Entkerygmatisierung der Theologie, in: *H. W. Bartsch (Hrsg.),* Kerygma und Mythos II (Theologische Forschung, Wissenschaftliche Beiträge zur kirchlich evangelischen Lehre 2), Hamburg ²1954, 97 f; vgl. *H. Fries,* Bultmann, Barth und die katholische Theologie, a. a. O., 147.

[154] Ebd., 149.

Statt des auf die personale Existenz bezogenen Offenbarungsbegriffs bei Bultmann und Buri hat Wolfhart Pannenberg einen Offenbarungsbegriff, der geschichtsgebunden geprägt ist. Der Ort der Offenbarung ist die Geschichte. In ihr vollzieht sich die Offenbarung als Universalgeschichte. Die Auferstehung Christi ist das vorweggenommene Ziel aller Geschichte. Darin hat sich das Ende aller Geschichte vorweg ereignet. Pannenberg versteht Offenbarung „als Geschichte in der Entsprechung zur Erfahrung des Menschen als Geschichte"[155], d. h. der Glaube liegt auf der Ebene historischer Einsicht, er ist die zu sich selbst gekommene Vernunft. Der entscheidende Gedanke Pannenbergs ist die „indirekte Selbstoffenbarung durch die Geschichte"[156]. Dabei besteht aber die Gefahr, „daß die zentrale Bedeutung der Geschichte Christi in einer allgemeinen Geschichtsanalyse nivelliert wird"[157]. Das Mehr des christlichen Vertrauens gegenüber allen anderen Hoffnungen ist bei Pannenberg ebenso wie sein die universale Wirklichkeit umspannender Anspruch erst im Rückgriff auf eine theologia crucis zu finden[158].

J. Moltmann versteht Offenbarung als Verheißung. Die Offenbarung wird in Ereignissen erwartet, die das erfüllen, was mit dem Christusgeschehen verheißen ist. Moltmann erklärt, die mit dem Auferstandenen in Erscheinung getretene Offenbarung sei nicht nur als „verborgen", sondern auch als „unabgeschlossen" zu bezeichnen und auf eine Wirklichkeit zu beziehen, die noch nicht da ist[159]. Die Auferweckung des Gekreuzigten, die das Ziel der Geschichte antizipiere, sei „ein Verheißungsgeschehen, das nicht nur die Wirklichkeit der Welt und des Menschseins" deute „und das Ende der Geschichte" herbeiführe, „indem es das Existieren in der ewigen Gegenwart Gottes" ermögliche. Bei dieser Verheißung gehe es „vielmehr um die ‚Eröffnung der Geschichte' und die Qualifikation der Gegenwart zur Geschichte durch das noch ausstehende Eschaton"[160]. Demgegenüber ist zu betonen, daß die konkret-geschichtliche Offenbarung zwar auch Verheißun-

---

[155] *W. Nierth,* Besprechung zu *F. Konrad, Das Offenbarungsverständnis in der evangelischen Theologie,* München 1971, in: ThLZ 98, 1973, 207.

[156] *W. Pannenberg* u. a., Offenbarung als Geschichte (KuD, Beiheft I), Göttingen 1961, 16–20 (Einleitung); vgl. *H. Waldenfels – L. Scheffczyk,* Die Offenbarung, a. a. O., 149.

[157] *W. Nierth,* a. a. O., 208.

[158] Ebd.; *F. Konrad,* Das Offenbarungsverständnis in der evangelischen Theologie, München 1971, 382 ff.; *H. Waldenfels – L. Scheffczyk,* Die Offenbarung, a. a. O., 149–151. Es bleibt die Frage, „wie eine unabgeschlossene Universalgeschichte trotz ihrer Unabgeschlossenheit schon jetzt in einer Weise beurteilt werden kann, daß die Besonderheit der Geschichte Jesu als ‚die endgültige (obwohl immer noch antizipatorische) Offenbarung Gottes in Jesus Christus' . . . angesprochen werden kann" (150 f.). Vgl. auch die Bibliographie zur protestantischen Offenbarungstheologie bei *H. Waldenfels,* Offenbarung, a. a. O., 105.

[159] *J. Moltmann,* Theologie der Hoffnung, Untersuchung zur Begründung und zu den Konsequenzen der christlichen Eschatologie, München [8]1969, 77 f. 208.

[160] *G. G. Blum,* Offenbarung und Überlieferung, a. a. O., 151, mit Bezug auf *J. Moltmann, Das Ende der Geschichte,* in: *J. Moltmann,* Perspektiven der Theologie, Gesammelte Aufsätze, München/Mainz 1968, 244–247; *H. Waldenfels – L. Scheffczyk,* Die Offenbarung, a. a. O., 152 f. Eine eingehendere Darstellung der verschiedenen Offenbarungsbegriffe dürfen wir uns vielleicht mit Berufung auf das unsere primäre Fragestellung ersparen.

gen zum Inhalt hat, daß sie aber wesentlich in den geschichtlichen Taten Gottes und der Kunde davon besteht, wenngleich sie insgesamt auf die revelatio gloriae hingeordnet ist.

4. Die Leugnung der übernatürlichen Offenbarung

Man kann die Übernatürlichkeit der Offenbarung entweder aufheben (oder wenigstens vermindern), indem man die Kräfte der Natur übersteigert, oder sie übertreiben[161], indem man die Kräfte der Natur unterschätzt. Das erstere geschieht im Naturalismus, das letztere im Pseudosupernaturalismus.

Der Pseudosupernaturalismus findet sich vor allem bei den älteren Protestanten, bei Baius, bei Jansenius sowie im Traditionalismus und Fideismus des 19. Jahrhunderts.

An die Stelle der unfehlbaren Vorlage der Glaubenswahrheiten durch die Kirche tritt bei den Reformatoren die Privatinspiration des Heiligen Geistes. Die Kirche tritt hier völlig zurück. Es ist nicht mehr die Rede vom Aufweis der Glaubwürdigkeit der Offenbarung mittels äußerer Zeichen. Dieser wird durch das testimonium Spiritus Sancti ersetzt. Dadurch scheint zunächst die Bedeutung der Offenbarung gehoben zu werden, aber nach Ausweis der Geschichte führt dieser Supernaturalismus tatsächlich zum Subjektivismus und weiter zum Rationalismus. Die reformatorische Auffassung lebt weiter in der dialektischen Theologie. K. Barth erklärt, im Menschen sei die Möglichkeit, Gottes Offenbarung zu empfangen, völlig zerstört[162]. Die potentia oboedientialis lehnt er a limine ab[163]. Offenbarung gibt es für ihn nur als Akt[164]. Hier ist die Privatinspiration zum eigentlichen Wesen der Offenbarung geworden[165].

Nach Michael Baius († 1589) und Cornelius Jansenius († 1638) ist die Erhöhung und Erhebung der menschlichen Natur zum consortium divinae naturae dem Menschen geschuldet. Darum ist sie natürlich, nicht übernatürlich[166]. Damit sind auch die geoffenbarten Mysterien nicht mehr im strikten Sinn übernatürlich.

Im Traditionalismus und Fideismus des 19. Jahrhunderts wird die Natur unterschätzt. Danach kann die bloße Vernunft nicht das Dasein Gottes und die Tatsache der Offenbarung beweisen. Diese Fakten können vielmehr mit Sicherheit nur aus dem Glauben erkannt werden.

Der Pseudosupernaturalismus ist nur ein scheinbarer Supernaturalismus, wie es der Begriff bereits zum Ausdruck bringt. Die besonders hohe Einschätzung des Übernatürlichen und der Gnade ist nur eine scheinbare. In

---

[161] Freilich nur materiell, nicht formell, denn wie Hoffnung und Liebe des Menschen im Hinblick auf Gott nie genügen, so kann auch die Tugend des Glaubens nie groß genug sein (vgl. STh I/II q. 64 a. 4).

[162] *K. Barth,* Nein! Antwort an Emil Brunner, München 1934, 17.

[163] Ebd., 63.   [164] Vgl. oben 63.

[165] *K. Barth,* Offenbarung, Kirche, Theologie, a. a. O., 14 ff.; vgl. *J. Brinktrine,* Offenbarung und Kirche, a. a. O., I, 40–42; s. oben 46.

[166] Vgl. DS 1901 f. 1921. 1979.

Wirklichkeit wird jedoch die Natur so sehr gemindert, daß die Gnade eine perfectio naturae debita wird. So führt der Pseudosupernaturalismus geradewegs zum Naturalismus[167].

Gegenüber den verschiedenen Spielarten des Pseudosupernaturalismus erklärt das I. Vaticanum die Möglichkeit der natürlichen Gotteserkenntnis[168] und hebt die Tätigkeit der vom Glauben erleuchteten Vernunft, die Ungeschuldetheit der übernatürlichen Offenbarung und die gegenseitige Hilfe, die Vernunft und Glaube einander leisten, ausdrücklich hervor[169].

Rationalismus und Naturalismus zerstören die übernatürliche Offenbarung, indem sie die Kräfte der Natur übersteigern. Der Naturalismus leugnet die Möglichkeit der Erhebung unserer Natur zur übernatürlichen Ordnung, weil es diese für ihn nicht gibt, der Rationalismus leugnet die Möglichkeit der Erhebung unserer Vernunft zur übernatürlichen Ordnung, ohne über deren Existenz etwas auszusagen. M. a. W., der Rationalismus leugnet entweder die übernatürlichen Realitäten und wird damit zum Naturalismus oder die Möglichkeit des Menschen, diese zu erkennen bzw. davon Kunde zu erhalten, und wird damit zum Agnostizismus. Während der absolute Rationalismus die Übernatürlichkeit der Offenbarung schlechthin leugnet, mindert der Semirationalismus sie wesentlich herab.

Der absolute Rationalismus begegnet uns als pantheistischer Evolutionismus und als Agnostizismus. Ersterer identifiziert Gott mit der Welt und bestreitet damit das Fundament der übernatürlichen Ordnung. Demgemäß ist die menschliche Natur nicht wesentlich von der göttlichen unterschieden, so daß alles auf rein natürliche Weise erkannt werden kann. So ist die Offenbarung für die Hegelianer nichts anderes als die fortschreitende Vervollkommnung unserer Vernunft und unserer natürlichen religiösen Anlage. Die höchste Richterin über wahr und falsch ist die Philosophie. Der Agnostizismus leugnet nicht die Existenz eines von der Welt verschiedenen Gottes und damit das Fundament der übernatürlichen Ordnung, aber nach ihm bleibt alles, was sich jenseits der Phänomene befindet, wenigstens für die theoretische Vernunft, unerkennbar. Damit kann es keine natürliche Theologie, keine Glaubwürdigkeitsmotive und keine äußere Offenbarung geben. Da nach Beseitigung der äußeren Offenbarung die Erklärung der religiösen Phänomene naturgemäß im Menschen selber zu suchen ist, führt der Agnostizismus von selbst zum Immanentismus. Von daher kamen die Modernisten zu der These: „Revelatio nihil aliud esse potuit quam acquisita ab homine suae ad Deum relationis conscientia"[170], eine These, die von Pius X. verworfen wurde[171].

Der Semirationalismus läßt zwar die äußere übernatürliche Offenbarung gelten, behauptet aber, daß nach geschehener Offenbarung alle Geheimnisse, auch das der Trinität, aus der Vernunft bewiesen werden können, m. a. W., er leugnet die übernatürliche Offenbarung quoad substantiam und konzediert

---

[167] *J. Brinktrine,* Offenbarung und Kirche, a. a. O., I, 42.
[168] DS 3004. 3026. [169] DS 3016. 3019. [170] DS 3420.
[171] Ebd.; *J. Brinktrine,* Offenbarung und Kirche, a. a. O., I, 42 f.

nur eine übernatürliche Offenbarung quoad modum. Auch glaubt er, die Tatsächlichkeit der übernatürlichen Offenbarung bzw. ihre Existenz stringent beweisen zu können, so daß sie vernunftnotwendig angenommen werden muß. Der Semirationalismus begegnet uns vor allem bei G. Hermes († 1831), A. Günther († 1863) und J. Frohschammer († 1893)[172].

Demgegenüber erklärt das I. Vaticanum, der Mensch sei einerseits fähig, die übernatürliche Offenbarung zu empfangen, aber andererseits nicht in der Lage, durch den steten Fortschritt von sich aus zum Besitz alles Wahren und Guten zu gelangen[173]. Im Hinblick auf die rationalistische oder semirationalistische Gleichung von Philosophie und Theologie betont es den duplex ordo cognitionis, der immer, auch nach erfolgter Offenbarung, gilt[174].

Rationalismus und Semirationalismus reduzieren praktisch die beiden Erkenntnisordnungen auf eine, nämlich die natürliche Erkenntnisordnung. Ihr entspricht die Reduzierung der Wirklichkeit auf die eine welthaft-geschichtliche Wirklichkeit, in der Zeit und Ewigkeit, Diesseits und Jenseits, Natur und Gnade, Gott und Welt ineinander verschwimmen, die Transzendenz durch die Immanenz aufgehoben wird und die welthafte Wirklichkeit dominiert. Nach diesem Monismus muß alles Erkennen von der freien, absolut empfundenen Menschenvernunft vollzogen und garantiert werden. Was diese nicht beweisen, begreifen oder rechtfertigen kann, wird abgelehnt, existiert nicht. Im Rationalismus ist der Monismus ein totaler, im Semirationalismus ein partieller. Aber jede Art von Monismus, gleich welchen Ausmaßes, zerstört letztlich den Offenbarungsbegriff; denn gibt es nur eine Wirklichkeit, die Wirklichkeit, in der wir leben, so ist kein Raum mehr für die übernatürliche Offenbarung.

Das monistische Denken begegnet uns nicht nur in einer naturalistischen, sondern auch in einer supernaturalistischen Ausprägung. Wie bereits gezeigt wurde, führt auch der Pseudosupernaturalismus, also der supernaturalistische Monismus, schließlich zu einem Monismus naturalistischer Prägung, bleibt am Ende nur die eine immanente Wirklichkeit.

Der Offenbarungsbegriff der Kirche hingegen baut auf der heute oft als Dualismus[175] geschmähten Unterscheidung von natürlichem und übernatürlichem Erkennen auf. Der monistische Offenbarungsbegriff, gleichgültig, ob er aus dem Naturalismus oder dem Supernaturalismus hervorgeht, leugnet letztlich immer bewußt oder unbewußt das Übernatürliche und erkennt die Natur allein als Quelle des Wahren und Guten an. Die Unterscheidung von natürlicher und übernatürlicher Wirklichkeit, und damit von natürlicher und übernatürlicher Erkenntnis, ist das erste große Wesensgesetz des katholischen Offenbarungsbegriffs. Diese Unterscheidung aber muß berücksichtigen, daß eine Trennung dieser Bereiche in der Praxis nicht möglich ist. Damit ist das zweite Wesensgesetz des katholischen Offenbarungsbegriffs angesprochen, die

---

[172] Ebd., 43 f; *H. Niebecker*, a. a. O., 183–191; s. unten 107 f.
[173] DS 3027. 3028.   [174] DS 3015.
[175] Vgl. *L. Rütti*, a. a. O., 185. 215.

organische Verbindung und Durchdringung, das Ineinander und Miteinander der beiden Bereiche des Natürlichen und des Übernatürlichen im ordo essendi und im ordo cognoscendi[176].

EXKURS

Privatoffenbarungen

Von der öffentlichen, allgemein verpflichtenden Offenbarung unterscheidet das Glaubensbewußtsein der Kirche die Privatoffenbarungen. Sie begegnen uns in der apostolischen Zeit wie auch nach dem Abschluß der öffentlichen, für alle Menschen verpflichtenden Offenbarung[1]. Ist auch diese maßgeblich, so heißt das nicht, daß Offenbarung nicht grundsätzlich auch zu jeder Zeit und an jedem Ort möglich ist[2]. Das AT wie das NT kennen die Privatoffenbarung[3]. Zu allen Zeiten hatte die Kirche die Überzeugung, daß Gott trotz der Vollendung der allgemein verpflichtenden Offenbarung weiterhin mit den Menschen in Verbindung trete und sich ihnen durch Offenbarungen manifestiere[4]. Gerade in der Gegenwart erregen sie das besondere Interesse der Theologie[5].

---

[176] H. Niebecker, a. a. O., 40. 191–201. 237; J. Dörmann, a. a. O., 342–361.

[1] STh II/II q. 174 a. 6.

[2] P. Lengsfeld, Tradition innerhalb der konstitutiven Zeit der Offenbarung, in: MS I, 254.

[3] Vgl. 1 Kö 19, 4–9; Num 22; Ri 13. In der Urkirche waren sie sehr häufig und bestimmend (vgl. Apg 10; 12, 7–9). Paulus empfing nicht wenige Privatoffenbarungen (vgl. Apg 20, 23; 18, 9; 2 Kor 12, 1–6), ebenso die übrigen Apostel und auch andere Personen (Apg 13, 1; 11, 27 f.; 1 Kor 14, 26; 14, 30; Phil 3, 15; 4, 15). So L. Volken, Die Offenbarungen in der Kirche, Innsbruck 1965, 32–37 und 216. Volken meint, die eigentliche Aufgabe der urchristlichen Propheten seien eben diese Privatoffenbarungen gewesen (38–41). Die charismatische Organisation sei aber nicht ein Privileg des apostolischen Zeitalters. Sie sei bei den Vätern auch nach dem konstantinischen Frieden bezeugt (74), besonders bei Augustinus (75).

[4] Ebd., 112. 74 ff. – Einen großen Eindruck haben in der Geschichte die Offenbarungen der hl. Birgitta von Schweden auf die Menschen gemacht. Das Konzil von Basel mußte einen Antrag zurückweisen, der sie der Hl. Schrift gleichstellen wollte. J. Gerson konnte die Väter des Konzils gut beraten. Er selber hatte in zwei Traktaten die Frage der Privatoffenbarungen behandelt („De probatione spirituum" und „De distinctione verarum visionum a falsis"). Gerson ist der Meinung, daß es kaum eine zerstörendere und ungesundere Seuche gibt als die Begierde nach Offenbarungen („vix est altera pestis vel efficacior ad nocendum et insanabilior", Joannis Gersoni Doctoris, Theologi et Cancellarii Pisiensis Opera Omnia, Antwerpiae 1706, t. I col 42), und er mahnt mit Nachdruck zur Zurückhaltung. Ein prominenter Verteidiger der Offenbarungen der hl. Birgitta war Johannes Torquemada. Während Luther die privaten Offenbarungen ablehnte, sprach sich das Tridentinum eindeutig dafür aus (DS 1566). Die Reformatoren waren besorgt um die Einzigartigkeit der Schrift. Im Blick auf die Mißbräuche unterschieden sie nicht zwischen echt und falsch (vgl. L. Volken, Die Offenbarungen in der Kirche, a. a. O., 81–101).

[5] L. Volken, Die Offenbarungen in der Kirche, a. a. O., 15 und 109; vgl. Y. Congar, La crédibilité des révélations privées, in: VS (Supplément) 53, 1937, 22–48; E. Ranwez, Révélations privées, in: Revue diocésaine de Namur 5, 1950, 165–178. 318–333; C. M. Stählin, Revelaciones, Madrid 1954; J. H. Nicolas, La foi et les signes, in: VS (Supplément) 25, 1953, 121–164; K. Rahner, Visionen und Prophezeiungen (QD 4), Freiburg ²1958 (¹1952); L. Lochet, Apparitions, Paris 1956.

Privatoffenbarungen können keine uns bisher unbekannte Lehre bringen, nicht das Dogma bereichern oder ergänzen, weder in bezug auf den Inhalt noch als Kriterium, wenngleich sie der Anstoß zu einem Dogma sein können und eine in Vergessenheit geratene oder nur ungenau bekannte christliche Lehre bewußt machen können[6]. Hier ist weder die Art der Mitteilung noch der Inhalt noch der Zweck der Offenbarung universell. Diese Offenbarungen beziehen sich auf das praktische Verhalten der Kirche, religiöser Gemeinschaften oder einzelner Menschen. Sie dienen der Anregung des religiösen Lebens, können aber dem in der Kirche niedergelegten Glaubensgut keine neue Glaubenswahrheit hinzufügen[7]. Sie sind göttliche Kundgebungen, die die verborgene Wahrheit Gottes in bezug auf eine besondere Situation der Kirche oder mehrerer ihrer Glieder enthüllen[8]. Sie finden ihre theologische Bestimmung darin, daß sie in einer bestimmten Situation angeben, was als Wille Gottes zu tun ist. Sie sind wesentlich ein Imperativ, „keine neue Behauptung, sondern ein neuer Befehl"[9]. Man könnte sie als Ausdruck göttlicher Seelsorge an den Menschen verstehen[10].

L. Volken[11] möchte eigentliche Privatoffenbarungen und spezielle Offenbarungen unterscheiden. Bei letzteren denkt er an solche Privatoffenbarungen, die eine gewisse Öffentlichkeit erhalten, etwa wenn sie, wie im Falle Lourdes, liturgisch sanktioniert werden, wenn sie also einen größeren Personenkreis oder die ganze Kirche ansprechen und daher eine gewisse soziale Natur haben, während er als eigentliche Privatoffenbarungen solche versteht, die nur auf das Heil eines einzelnen oder einer bestimmten Gruppe, eines privaten Personenkreises hinzielen. Man kann solche Unterscheidung einführen, aber der Klärung des Problems dient sie nicht, denn auch die speziellen Offenbarungen sind Privatoffenbarungen.

Die Privatoffenbarungen sind wohl zu unterscheiden von der Unfehlbarkeit und der Inspiration[12]. Im Gegensatz zur kirchlichen Lehre fehlt ihnen die absolute Gewißheit, sowohl bezüglich ihrer Herkunft von Gott als auch bezüglich ihrer Inhaltlichkeit. Der Empfänger einer Offenbarung hat immer die Pflicht, die Echtheit zu prüfen, und kann auch bei vernünftigen Gründen für die Echtheit sein Urteil suspendieren, bis er die moralische Gewißheit hat, daß es in einem bestimmten Fall sich um eine echte Offenbarung handelt.

---

[6] *L. Volken,* Die Offenbarungen in der Kirche, a. a. O., 102. 246 ff.; *E. Stakemeier,* Über Privatoffenbarungen, in: ThGL 44, 1954, 48.

[7] *Y. Congar,* Die Tradition und die Traditionen, a. a. O., I, 91; ders., Heilige Kirche, Stuttgart 1966, 389–408.

[8] *L. Volken,* Die Offenbarungen in der Kirche, a. a. O., 16.

[9] *K. Rahner,* Visionen und Prophezeiungen, a. a. O., 26 f.; *E. Stakemeier,* Über Privatoffenbarungen, a. a. O., 42.

[10] *L. Volken,* Um die theologische Bedeutung der Privatoffenbarungen, Zu einem Buch von K. Rahner, in: FZThPh 6, 1959, 438.

[11] *L. Volken,* Die Offenbarungen in der Kirche, a. a. O., 18–20. 229; *E. Stakemeier,* Über Privatoffenbarungen, a. a. O., 48.

[12] *J. Jeiler,* Art. Privatoffenbarungen, in: Wetzer-Welte X, Freiburg 1897, 421 f.; *L. Volken,* Die Offenbarungen in der Kirche, a. a. O., 172 ff.

Wird die Kirche mit den Privatoffenbarungen konfrontiert, so prüft sie diese nach den bewährten Regeln ihrer Tradition. Wenn sie sie approbiert, so verbürgt sie damit nicht ihre Echtheit und die absolute Wahrheit ihres Inhaltes, sondern bringt lediglich zum Ausdruck, daß sie nichts dem Glauben, der Sitte und der Frömmigkeit Widersprechendes enthalten, wenn sie vernünftig und bescheiden ausgelegt werden, und daß sie dem Nutzen und der Erbauung der Gläubigen dienen können. Selbst wenn die Kirche eine gewisse Bürgschaft für eine Privatoffenbarung übernimmt, so gibt sie damit immer nur die Erlaubnis, dieser Offenbarung Glauben zu schenken; niemals kann sie dazu verpflichten, denn dem Lehramt ist nur das depositum fidei zur unfehlbaren Verwaltung übergeben. Bei den Privatoffenbarungen ist daher nie eine Zustimmung fide catholica geboten, nur fide humana, nach den Regeln der Klugheit, nach denen diese Offenbarungen wahrscheinlich glaubhaft sind[13].

Die entscheidende Voraussetzung für die Echtheit von Privatoffenbarungen ist ihre Übereinstimmung mit der Lehre der Kirche. Ist sie gegeben, so ist es ein gewichtiges positives Kriterium, wenn ihr Inhalt in seinem Tiefsinn und in seiner Ausgewogenheit die Fähigkeiten des Subjektes überschreitet. Es sind aber auch die näheren Umstände der Person, des Subjekts der Offenbarung von Bedeutung. Die Privatoffenbarungen setzen im Empfänger nicht notwendig eine besondere Heiligkeit voraus, nicht einmal den Gnadenstand. Schwere moralische Mängel sind zwar ungünstige Voraussetzungen, aber nicht grundsätzlich ein negatives Kriterium, wohl aber Lüge und Unbescheidenheit. Positive Kriterien sind Demut, Gehorsam und Stärke[14]. Zu prüfen sind ferner die aus den Begleitumständen gewonnenen Kriterien, wie Ziel, Form, Modus, Mittel, Zeit und Ort der Offenbarungen. Zu diesen inneren Kriterien kommen noch die äußeren hinzu, wie Wunder und die Autorität der Kirche und die Unterscheidung der Offenbarungen[15].

Die Kirche ist selber zurückhaltend gegenüber den Privatoffenbarungen, besonders in den letzten Jahrhunderten, und empfiehlt Vorsicht und Zurückhaltung wegen der möglichen Täuschung, wegen der allzu großen Sucht nach dem Wunderbaren in bestimmten Kreisen und infolgedessen der Gefahr des Mißbrauchs. Zurückhaltung ist wenigstens so lange geboten, als die völlige Klarheit über die Echtheit einer Privatoffenbarung noch nicht gefunden ist, sei es durch persönliche Erfahrung oder durch die Approbation der Kirche[16].

Auffallend stark verbreitet ist die Sucht nach Privatoffenbarungen in der Gegenwart, wohl ein Zeichen für das Fehlen echter Gläubigkeit. A. Kard. Ottaviani hat sich am 2. Februar 1951 im Osservatore Romano gegen diese

---

[13] *Benedikt XIV.*, De servorum Dei beatificatione et beatorum canonisatione III, cap. ult. n. 15; STh II/II, q. 174 a. 6 ad 3; *L. Volken*, a. a. O., 172 ff.; *J. Jeiler*, a. a. O., 422–428; *E. Stakemeier*, Über Privatoffenbarungen, a. a. O., 42 und 46.

[14] *L. Volken*, Die Offenbarungen in der Kirche, a. a. O., 155 ff.

[15] Ebd., 167 ff.

[16] Ebd., 260; *A. Lang*, Fundamentaltheologie I, München ⁴1967, 212.

merkwürdige „Volksleidenschaft für das Wunderbare", die „Vorliebe der Massen für Erscheinungen auf Kosten der Sakramente und der Predigt"[17] gewandt. Wie die heute immer wieder auftretenden angeblichen Marienerscheinungen und die stets neu verbreiteten Privatoffenbarungen, die nicht selten mit abstoßenden Begleiterscheinungen verbunden sind, zeigen, führt diese Sucht zur Psychose und zum Sektierertum[18]. Dann werden immer neue Visionen erzeugt, denen urteilslose Begeisterung, Hysterie und die Macht der Halluzinationen folgen. Täuschung und Irrtum, Betrug und Dummheit spielen dabei eine nicht geringe Rolle. Solche Schwärmerei ist aber eine Gefahr für das christliche Leben, die es verständlich macht, wenn manche in übergroßer Skepsis alle Privatoffenbarungen als Schwindel, Illusion oder Anschläge der Menschen oder des Teufels zurückweisen.

Die ungesunde Begeisterung für Privatoffenbarungen und Visionen scheint eine spezifische Versuchung in Umbruchzeiten zu sein, die die Menschen unruhig und unbesonnen machen und sie auf die merkwürdigsten Ideen verfallen lassen[19]. Es genügt ihnen dann der Reichtum des Depositum der Kirche nicht mehr, und sie lassen sich von der gesunden Lehre religiös nicht mehr anregen. Schon Kardinal Kajetan mahnte zu seiner Zeit nicht ohne Grund: „Siste, prudens lector, in laudibus Beatae Mariae Virginis ratione fulcitis"[20].

Kaum irgendwo gibt es härtere Urteile gegen Privatoffenbarungen als bei Johannes vom Kreuz, dem „Doctor mysticus". Er sagt einmal: „Seitdem uns Gott seinen Sohn gegeben, der das Wort ist, hat er uns kein anderes Wort mehr zu geben: In diesem Wort hat er uns in einem zugleich alles gesagt; er hat uns nichts mehr zu sagen"[21]. Nach ihm ist es Sünde, Offenbarungen zu begehren[22].

Dennoch haben die Privatoffenbarungen ihre Bedeutung für die Kirche. Nicht sie sollten bekämpft werden, sondern ihr Mißbrauch. Für die Kirche gilt entsprechend 1 Thess 5, 19–20: „Löscht den Geist nicht aus! Rede aus Eingebung des Geistes verachtet nicht!" Die Prophetie ist ein dauerndes Charisma in der Kirche. Gerade durch die Zurückhaltung der Hierarchie gegenüber den Privatoffenbarungen und die Ausmerzung der falschen erhalten die echten um so größeres Gewicht[23]. Seit den Tagen der Urkirche haben die Charismatiker unter der Führung der Hierarchie zur Stärkung und Lebendig-

---

[17] *L. Volken*, Die Offenbarungen in der Kirche, a. a. O., 114 f. Volken erklärt, in der ganzen Kirchengeschichte habe die Kirche nicht so viele falsche Offenbarungen ausdrücklich verwerfen müssen wie im 20. Jahrhundert (115); vgl. oben A 4.

[18] Vgl. bes. Heroldsbach, am 25. Juli 1951 durch das Hl. Offizium verworfen; *E. Stakemeier*, Über Privatoffenbarungen, a. a. O., 45.

[19] *L. Volken*, Die Offenbarungen in der Kirche, a. a. O., 12–14.

[20] *E. Stakemeier*, Über Privatoffenbarungen, a. a. O., 45.

[21] Subida de Mónte Carmelo l. 2 c. 22 n. 3, Burgos 1931, 191; zit. nach *L. Volken*, Um die theologische Bedeutung der Privatoffenbarungen, a. a. O., 432.

[22] *L. Volken*, Die Offenbarungen in der Kirche, a. a. O., 260.

[23] Ebd., 237–241.

machung des von den Aposteln verkündigten Glaubens beigetragen[24]. Nach Thomas von Aquin müssen die Menschen zu jeder Zeit von Gott unterrichtet werden über das, was sie tun sollen, denn gemäß Spr 29, 18 ist das Volk Gottes ohne Leitung, wenn es keine Visionen und Offenbarungen mehr gibt[25]. Die Privatoffenbarungen liegen in der Konsequenz des Glaubens an die Kirche als eine geheimnisvolle, übernatürliche Realität, an den Herrn, der seine Kirche nicht verläßt, der ihr stets gegenwärtig ist, der sie auch auf außerordentliche Weise lenkt und ihr hilft, seinen Willen in der je besonderen Situation zu erkennen.

Die Reformatoren verwarfen die Privatoffenbarungen prinzipiell, nicht nur wegen des vielfältigen Mißbrauchs, sondern auch aus Mangel an Verständnis für die Kirche als den Leib Christi (Kol 1, 18), also aus ekklesiologischen Gründen. Erst wenn man die Kirche als den fortlebenden Christus versteht, erkennt man die Bedeutung des fortwährenden Eingreifens Gottes in die Geschichte mittels der Offenbarungen[26].

Unterscheidet man nicht begrifflich klar zwischen der öffentlichen, allgemein verpflichtenden Offenbarung und den Privatoffenbarungen, so mißversteht man die Glaubensüberzeugung vom Abschluß der Offenbarung. Trotz des Abschlusses der Offenbarung gibt es also recht verstanden weiterhin Offenbarungen in der Kirche.

[24] *K. Rahner,* Visionen und Prophezeiungen, a. a. O., 34; *E. Stakemeier,* Über Privatoffenbarungen, a. a. O., 48 f.
[25] STh II/II q. 174 a. 6.
[26] *L. Volken,* Die Offenbarungen in der Kirche, a. a. O., 270; vgl. oben A 4.

ZWEITER TEIL

Die Frage des Abschlusses
der konkret-geschichtlichen Offenbarung

Zweites Kapitel
Der Abschluß der Offenbarung im Neuen Testament und in der Geschichte des Glaubens

§ 3. Der Abschluß der Offenbarung im Neuen Testament

Jesus Christus wird im NT als Inhalt und Ziel aller Prophetie verstanden[1]. In der Predigt der Urkirche spielt der Gedanke, daß in ihm das AT sein Ziel und seine Erfüllung gefunden hat, eine große Rolle[2]. Er ist „das von Gott zu seinen Verheißungen gesprochene Amen"[3], wie an den verschiedensten Stellen des NT zum Ausdruck kommt[4]. Im Hebräerbrief ist die Erfüllung der Offenbarung Gottes in Jesus Christus das Thema schlechthin, wie es schon die ersten Verse deutlich machen: „Vielmals und auf mancherlei Weise hat Gott einst durch die Propheten zu den Vätern gesprochen, am Ende dieser Tage sprach er zu uns durch seinen Sohn, den er zum Erben des Alls eingesetzt hat, durch den er auch die Äonen geschaffen hat"[5]. Da wird die Einheit der Offenbarung Gottes im AT und NT aufgezeigt, die Einheit der Heilsgeschichte, die ihren krönenden Abschluß durch Jesus Christus erfährt[6]. Eng mit solcher Verkündigung hängt der universale Missionsbefehl zusammen[7]. Das ἅπαξ, in dem sich die Endgültigkeit der Christusoffenbarung ausdrückt, begegnet uns bei den verschiedenen neutestamentlichen Hagiographen[8]. „Obwohl der Begriff ἅπαξ die Endgültigkeit des Christenstandes und ἐφάπαξ die Endgültigkeit des Todes Christi und der Erlösung meint, ist darin der Gedanke eingeschlossen, daß die christliche Heilslehre ein für allemal ausreicht und inhaltlich unüberbietbar ist"[9]. Zu dieser Erkenntnis führt mit innerer Logik der Absolutheitsanspruch, mit dem Jesus seine Gottesherrschaftspredigt

---

[1] Lk 4, 21; 10, 24; Mt 11, 4–6; 12, 42; 24, 35; 24, 10–14. Wenn Jesus selbst auch wenig mit Schriftstellen argumentiert zu haben scheint (*A. Kolping*, Fundamentaltheologie II, a. a. O., 349), so begegnet uns in solcher Argumentation immerhin die Überzeugung der apostolischen Zeit. Man darf wohl im Bewußtsein Jesu vom heilsentscheidenden Charakter seiner Predigt (ebd. 696) die Überzeugung vom Abschluß der Offenbarung eingeschlossen sehen.
[2] Apg 2, 16–41; 3, 11–26; 10, 34–43; Gal 4, 4; Joh 1, 16–18; 17, 6; 1 Petr 1, 12.
[3] *H. Schlier*, Grundzüge einer neutestamentlichen Theologie des Wortes, in: Conc 4, 1968, 157.
[4] 2 Kor 1, 19 f.; Apk 3, 14; 19, 13.
[5] Hebr 1, 1 f.
[6] Vgl. DS 1334 ff. 1501 ff.; *J. R. Geiselmann*, Jesus der Christus, a. a. O., 170.
[7] Mt 28, 18 ff.; Mk 16, 15 f.; Lk 24, 46; Apg 1, 8; 4, 12. Vgl. auch Joh 8, 26; 15, 15; 12, 45–50; 17, 6–8; 3, 18. 36; 5, 24; 12, 48–50; 14, 26; 16, 13; 1 Tim 6, 20; 2 Tim 1, 14; Gal 1, 6–9.
[8] Hebr 9, 26–28; 1 Petr 3, 18; Jud 3.
[9] *G. Söll*, a. a. O., 58.

vorträgt und den die Apostel und die Kirche von Anfang an anerkennen[10]. Die Zeit des Moses, des größten Propheten in Israel, und seines Offenbarungswirkens[11] geht entsprechend der Q-Überlieferung bis zu Johannes dem Täufer[12] und wird durch Jesus überboten[13].

Nirgendwo ist im NT zu erkennen, daß die dort niedergelegte Fülle der Wahrheit später durch Lehrer oder Propheten ergänzt oder gar überboten werden könnte. Die Offenbarung Jesu ist „Telos der Offenbarung Gottes an Israel (und die Welt)"[14]. Jesus Christus ist nach Paulus der neue Stammvater der Menschen geworden[15]. Er ist der Höhepunkt und die Erfüllung. Das verkündigen alle neutestamentlichen Schriften. M. Schmaus[16] erklärt, wenn man die Zeit nach Christus noch als Heilsgeschichte bezeichnen wolle, so könne man das nur in einem analogen Sinn. Er möchte daher lieber von Heilszeit oder von heilshafter Geschichte reden. Die Erfüllung und Vollendung der Offenbarung ist die Seele des Epheser-, Kolosser- und Hebräerbriefes[17]. Der Blick der Apostel ist nach rückwärts gerichtet, auf Jesus Christus[18]. Nach Eph 2, 20 und 1 Kor 3, 11 ist er der Eckstein; deshalb kann niemand einen anderen Grund legen. Die Apostel haben ihre Wahrheit, die sie verkündigen, vom Herrn empfangen[19]. Aus der Endgültigkeit der Selbstschließung Gottes in Christus folgt ihre Universalität[20].

Nach dem NT hat die Kirche den Auftrag, das Depositum zu bewahren. Sie hat ein Wächteramt gegenüber der apostolischen Lehre[21]. Das ist verständlich, denn die christliche Predigt ist an Heilstatsachen gebunden, anders als die Mysterienreligionen, in denen die Offenbarung ständig herbeigeführt und wiederholt werden kann[22].

In enger Beziehung zur Vollendung der Offenbarung mit Christus stehen die Apostel. Ihre zentrale Rolle im Christusereignis ist in der Schrift wie auch in den ältesten außerneutestamentlichen Texten unübersehbar. Eine eingehende Untersuchung des Apostelbegriffs erfolgt in § 10[23]. Hier soll nur auf ihre einzigartige Stellung schon in ältester Zeit hingewiesen werden.

Sie stellen einen ersten und unwiederholbaren Stand in der Kirche dar[24]. Sie

---

[10] Mk 1, 15.   [11] Dt 34, 10–12.   [12] Mt 11, 12 f.; Lk 16, 16.   [13] Mt 11, 27; Lk 10, 22.
[14] *G. Gloege*, Art. Offenbarung, a. a. O., 1612.   [15] Rö 5.
[16] *M. Schmaus*, Der Glaube der Kirche, a. a. O., I, 24 f.
[17] *E. Stakemeier*, Über Privatoffenbarungen, a. a. O., 40.
[18] Mt 28, 19 f. und Apg 1, 8 weisen hin auf den Vollbesitz der Offenbarung.
[19] 1 Kor 11, 23.
[20] *M. Schmaus*, Der Glaube der Kirche, a. a. O., I, 125; vgl. *H. Schell*, Katholische Dogmatik I, Paderborn 1889, 191, s. unten 128.
[21] Mt 5, 19; Gal 1, 19; Apk 22, 18; Mt 7, 15; Apg 20, 29; 2 Petr 2, 1; 1 Tim 6, 20; 2 Tim 1, 14; Apk 3, 10; 2, 6; vgl. *G. Söll*, a. a. O., 59 f. Die treue Bewahrung und Verteidigung des depositum fidei ist Aufgabe der kirchlichen Lehramtes, eine in den Augen der Öffentlichkeit undankbare Aufgabe, die dem Lehramt leicht den Vorwurf des Immobilismus oder gar der Rückschrittlichkeit einbringt. Das Lehramt kann sich dieser Aufgabe nicht entziehen. Sie ist begründet in der Tatsache des Abschlusses der Offenbarung.
[22] *H. Niebecker*, a. a. O., 140.
[23] S. unten 198–227.   [24] 1 Kor 12, 28. 29; Eph 4, 11.

werden zusammen mit den Propheten genannt[25]. Auf sie ist die Kirche aufgebaut[26]. Sie haben den auferstandenen Herrn gesehen[27] und können Rechenschaft von seiner Auferstehung ablegen[28]. Sie sind das Fundament der Kirche und Organe der göttlichen Offenbarung[29]. Nach dem Johannes-Evangelium ist den Aposteln alle Heilswahrheit übergeben. Der Heilige Geist wird sie ihnen voll aufschließen[30]. Sie empfangen die Heilswahrheit für die ganze Kirche[31]. In ihnen setzt sich die Sendung Christi fort[32]. Die Glaubensunterweisung, die mit der Lehre der Apostel, der uranfänglichen Lehre, zusammenhängt, ist von der ganzen Kirche anzunehmen[33].

Fassen wir zusammen: Im Blick auf das NT liegt die entscheidende Begründung für den Abschluß der Offenbarung darin, daß Jesus sich selbst als das abschließende Wort Gottes an die Menschheit betrachtet[34] und seine bevollmächtigten Boten ihn so verkünden[35].

§ 4. Der Abschluß der Offenbarung in der Geschichte des Glaubens

1. Väterzeit

Die Väter und die Kirchenschriftsteller der ersten Jahrhunderte sprechen weniger ausdrücklich von der Vollendung der Offenbarung in Jesus Christus als von der vorrangigen Würde der Apostel und ihrer Verkündigung. Entscheidend ist, was diese gelehrt haben. Programmatisch ist 1 Tim 6, 20: „Bewahre das Depositum!"

Die Didache stellt sich offiziell vor als Lehre des Herrn, die den Völkern durch die 12 Apostel gepredigt wurde. Diese Lehre bildet ein Depositum, das man mit der Taufe empfängt[1]. Von ihr gilt: „Bewahre, was du empfangen hast, füge nichts hinzu und nimm nichts davon weg"[2].

Wenn auch der Übergang von der apostolischen Zeit zur Zeit der Kirchenväter nicht als scharfe Grenze empfunden wurde, vielmehr das

---

[25] Lk 11, 49; 2 Petr 3, 2. Hier ist an die alttestamentlichen Propheten zu denken. „. . . und Apostel" (Lk 11, 49) ist offenbar ein Zusatz des Lukas (vgl. *W. Grundmann,* Das Evangelium nach Lukas [Theologischer Handkommentar zum Neuen Testament III], Berlin 61971, 249). „. . . die Propheten, die im voraus verkündet haben" (2 Petr 3, 2), sind natürlich die Propheten Israels (vgl. *K. H. Schelkle,* Die Petrusbriefe, Der Judasbrief [HThK XIII, 2], Freiburg 21964, 222 f.).
[26] Eph 2, 20; Apk 18, 20 (vgl. oben A 25); gemeint sind hier wohl die urchristlichen Propheten (vgl. die Stellung), deren Wirken man als Wiederaufleben der alttestamentlichen Prophetie verstand (Apg 2, 17 ff.). Die Väter haben dabei jedoch wohl an die alttestamentlichen Propheten gedacht; Apk 21, 14.
[27] 1 Kor 9, 1; 15, 5. 8; 24, 28; Apg 1, 8.   [28] Apg 1, 21. 22. 23.
[29] Vgl. *R. Spiazzi,* a. a. O., 36 f.   [30] Joh 14, 26; 15, 15; 16, 12 f.
[31] Joh 17, 17; 17, 21–23.   [32] Joh 15, 26; 17, 17–20.
[33] 2 Tim 1, 13; 3, 10. 14; 1 Kor 11, 2; Kol 2, 7; 2 Thess 2, 15; Hebr 13, 7–9.
[34] Joh 14, 6. 10; Mt 28, 19.   [35] 1 Kor 3, 10 f.; Hebr 1, 1 f.; Eph 2, 20 f.

[1] Did 7, 1.   [2] Did 4. 14.

Ergebnis theologischer Reflexion ist[3], so war doch das Bewußtsein der Normativität der Lehre der Apostel immer vorhanden. Clemens von Rom[4] (um 96), Ignatius von Antiochien († um 110)[5], Pseudo-Barnabas (um 130)[6] und Polykarp von Smyrna († 156)[7] betrachten sich selbst als verschieden von den Aposteln, die ihrerseits das Evangelium verkündeten. Sie sind besorgt, daß der Offenbarungsschatz nicht verfälscht und vollständig bewahrt wird. Ignatius stellt in seinem Brief an die Gemeinde von Philadelphia fest, der aktuelle Glaube der Kirche binde sich an das Evangelium wie an das Fleisch Christi und an die Apostel wie an das Presbyterium der Kirche[8]. In seinem Epheserbrief möchte er es erreichen, unter den Gläubigen zu sein, die immer mit den Aposteln übereinstimmen[9]. In seinem Brief an die Magnesier mahnt er: „Gebt euch Mühe, in den Lehren des Herrn und der Apostel gefestigt zu werden"[10]. Polykarp empfiehlt den Gläubigen, einig zu gehen mit der Lehre, die sie von Anfang an empfangen haben[11], dem Depositum, das allgemein von den Aposteln kommt und für die Philipper insbesondere von Paulus[12].

Im Pastor Hermae (um 150) ist die Rede von den Gläubigen, die die Predigt der Apostel bewahren[13]. Papias (um 130) beschäftigt sich vorrangig damit, die Unterweisung der Alten zu erforschen, zu erfragen, wer mit ihnen gelebt hat, herauszubekommen, was Andreas, Petrus, Philippus, Thomas, Jakobus, Johannes, Matthäus oder andere Jünger des Herrn gesagt haben[14]. Nach Justin († um 165) empfingen die Christen die Lehre Christi und der Apostel[15].

Das Depositum ist in ältester Zeit noch nicht in Schrift und Tradition unterschieden. Die Schrift des NT existiert als solche erst seit der 2. Hälfte des 2. Jahrhunderts[16]. Um so eindeutiger wird die Existenz des Depositum unterstrichen, sein göttlicher Ursprung und seine Weitergabe durch die Apostel. Die einzelnen Kirchen müssen jenem Depositum die Treue halten[17].

In ihren Streitschriften, in der Auseinandersetzung mit dem Judentum, dem Heidentum und den Häresien, stützen die Väter des 2. und 3. Jahrhunderts die christliche Lehre auf die Offenbarung der Propheten, Christi und der Apostel. Sie sind bemüht, die Einzigartigkeit der in Christus erfolgten Offenbarung aufzuweisen, in der sich die jüdische Prophetie und die heidnische Frömmig-

---

[3] *P. Stockmeier,* a. a. O., 28.

[4] 1 Clem 42 und 43. Die Apostel haben die Botschaft von Jesus Christus empfangen, dieser aber ist von Gott gesandt. Christus kommt von Gott, die Apostel kommen von Christus. Die Apostel aber predigten und setzten Bischöfe ein (1 Clem 42). Der gleiche Gedanke findet sich bei Ignatius (Ad Magn 13; Ad Philad 2).

[5] Ad Rom 4.   [6] Barn 19.   [7] PhilPol 6.   [8] Ad Philad 5, 1.

[9] Ad Eph 11, 2; vgl. Ad Magn 13, 1; Ad Trall 7, 1; Ad Philad 7, 2; 8, 1; vgl. auch: *Eusebius,* Historia Eccl. III, 36.

[10] Ad Magn 13, 1.   [11] Ad Phil 7, 2.   [12] Ad Phil 3, 2; 11, 3.

[13] Vis I, 3, 4; vgl. Simil VIII, 6, 3; IX; XVI, 4, 5. Die literarische Form dieser Schrift beweist zwar, daß man in der Alten Kirche mit Offenbarungen rechnete, aber diese sind nicht als Ergänzung der normierenden Offenbarung in Christus, sondern eher als Privatoffenbarungen zu verstehen.

[14] Fragm. bei *Eusebius,* Historia Eccl. III, 39; vgl. unten 258 f.

[15] Apologia I, 14. 13. 45. vgl. 10. 12. 17. 21. 27. 46. 61. 66; II, 4; Dialogus 48. 133.

[16] S. unten 262 ff.   [17] *R. Spiazzi,* a. a. O., 38 f.

keit und Weisheit erfüllen[18]. Diese Offenbarung finden sie in den Büchern des AT und des NT und in der mündlichen Paradosis, die von den Aposteln weitergegeben wurde.

Die Häresien des 2. und 3. Jahrhunderts waren ein Angriff auf das orthodoxe Offenbarungsverständnis. Der Gnostizismus wollte das Christentum durch die Aufnahme der religiösen Mythen des Orients und der religiösen Philosophie der Griechen dem kulturellen Gefüge der damaligen Zeit anpassen und ließ der Offenbarung als dem Fundament allen theologischen Wissens nur eine geringe Rolle zukommen[19]. Die Marcioniten (Marcion † um 160) verwarfen die alttestamentliche Offenbarung und wählten auch im NT aus. Der Manichäismus beanspruchte, auf direkten Offenbarungen zu beruhen, die dem Begründer Mani († ca. 276) zuteil geworden seien. Der Montanismus behauptete, die Fülle des Geistes stamme von Montanus († spätestens 179) und seinen Gefährten, nicht von Christus und den Aposteln. Da betonten die Kirchenväter nun mit um so größerem Nachdruck die Bedeutung der Heiligen Schrift und der apostolischen Überlieferung[20] und die Verantwortung der Kirche gegenüber dem Depositum.

Die Lehre des Gottessohnes ist nach Irenäus († um 202) die Wahrheit schlechthin[21], denn durch das Wort ist alles offenbar geworden[22]. Jesus ist der entscheidende Offenbarer. Die offenbarende Tätigkeit des Wortes beginnt schon mit dem ersten Moment des Schöpfungsaktes. Das Geschehen der Offenbarung liegt der Schrift voraus und kulminiert in der Inkarnation des Wortes Gottes. Die Neuheit der Inkarnation besteht in der nicht mehr zu überbietenden heilsmächtigen Sichtbarkeit des ewigen Wortes, das durch seine Menschwerdung dieser Welt die Fülle aller Offenbarung gebracht hat[23]. Dieser Fülle aber begegnet Irenäus in der apostolischen Predigt, in der „traditio apostolorum"[24]. Der κανὼν τῆς ἀληθείας ist in der Bibel und in der kirchlichen Paradosis gegeben[25]. Das Evangelium ist mit der Predigt der Apostel überliefert worden und entweder in der Schrift oder in der apostolischen Tradition enthalten[26]. Die Berufung auf die Apostel durchzieht

---

[18] Tertullian, De praescriptione haer. 36; *P. Stockmeier,* a. a. O., 37 ff.

[19] *A. Dulles,* a. a. O., 35; vgl. *J. Quasten,* Patrology I, Westminster Md 1950, 254.

[20] *A. Dulles,* a. a. O., 35–37; vgl. den geschichtlichen Überblick über den Offenbarungsbegriff bei den Vätern und frühen kirchlichen Schriftstellern ebd. 35–43.

[21] Adversus haer. III, praef.

[22] Ebd., IV, 6, 3.

[23] *G. G. Blum,* Offenbarung und Überlieferung, Die dogmatische Konstitution Dei Verbum des II. Vaticanum im Lichte altkirchlicher und moderner Theologie, Göttingen 1971, 39 f., mit Hinweis auf Adversus haer. V, 18, 3; III, 16, 6; IV, 14, 2; II, 6, 1.

[24] Ebd., III, 24, 1; vgl. *A. Krömer,* Die Sedes Apostolica der Stadt Rom in ihrer theologischen Relevanz innerhalb der abendländischen Kirchengeschichte bis Leo I. (Diss. masch.), Freiburg 1972, 46.

[25] Adversus haer. III, 11, 1; 12, 6; 15, 1; IV, 35, 4; vgl. *P. Stockmeier,* a. a. O., 50 f.

[26] Adversus haer. III, 1, 1; II, 1–2. A. Bengsch unterstreicht die wichtige Stellung, die die Apostel mit ihrer Tradition im Rahmen der Theologie des Irenäus einnehmen: Der Heilsplan Gottes wird den Menschen nur durch die Vermittlung der Apostel zugänglich, denn sie sind im Besitz der

das Werk des Irenäus wie ein roter Faden[27]. Das Evangelium ist das Depositum, das die Kirche von den Aposteln empfing und treu bewahrte: „Die Kirche aber hat über die gesamte Welt hin ihren sichtbaren Ursprung von den Aposteln und verharrt in ein und derselben Lehre über Gott und seinen Sohn"[28]. Irenäus unterstreicht die einmalige Bedeutung der Apostel: „Sollte jedoch über eine unbedeutende Frage ein Zwiespalt entstehen, dann muß man auf die ältesten Kirchen zurückgehen, in denen die Apostel gewirkt haben, und von ihnen die klare und sichere Entscheidung über die strittige Frage annehmen"[29]. Dem Depositum darf weder etwas hinzugefügt noch etwas weggenommen werden[30].

Häufig finden wir bei Irenäus Ausdrücke wie τὸ κήρυγμα[31], τὸ κήρυγμα τῆς ἀληθείας[32], τὸ κήρυγμα τῶν ἀποστόλων[33], ὑπὸ ἀποστόλων μαθητευθείς[34], τῶν ἀποστόλων διδαχή[35], „doctrina apostolorum"[36], „praedicatio apostolorum"[37], die auf das abgeschlossene Depositum und gleichzeitig auf dessen Beziehung zu den Aposteln Bezug nehmen. So kann er in Abwehr der Gnosis schreiben: „In sie (sc. die Kirche) haben die Apostel wie in eine reiche Schatzkammer auf das vollständigste alles hineingetragen, was zur Wahrheit gehört, so daß jeder, der will, aus ihr den Trunk des Lebens schöpfen kann . . . alle übrigen sind ‚Räuber und Diebe'. Diese muß man deshalb meiden, alles aber, was zur Kirche gehört, auf das innigste lieben und die Überlieferung der Wahrheit umklammern . ."[38].

Irenäus hat in klassischer Weise die Norm des Apostolischen herausgebildet[39]. Die „traditio ab apostolis", die für ihn mit der in der Kirche überlieferten Offenbarung, der gegenwärtigen Verkündigung der Kirche, identisch ist, ist gleichsam das Grundthema bei ihm[40]. Das irenäische Traditionsprinzip hatte schon Hegesipp (um 180) angesprochen[41]. Es meint die Lehre, die von den

---

vollkommenen Gnosis (A. *Bengsch*, Heilsgeschichte und Heilswissen, Eine Untersuchung zur Struktur und Entfaltung des theologischen Denkens im Werk „Adversus haereses" des hl. Irenäus von Lyon [Erfurter theologische Studien 3], Leipzig 1957, 165 f.). Gnosis bedeutet für Irenäus Heilswissen, pneumatisches Wissen der historischen Heilstatsachen (G. G. *Blum*, Tradition und Sukzession, Studien zum Normbegriff des Apostolischen von Paulus bis Irenäus [Arbeiten zur Geschichte und Theologie des Luthertums 9], Berlin 1963, 184).

[27] G. G. *Blum*, Offenbarung und Überlieferung, a. a. O., 86 f.
[28] Adversus haer. III, 12, 7; BKV I, 254.
[29] Ebd., III, 4, 1; BKV I, 214.   [30] Ebd., IV, 33, 8.   [31] Ebd., I, 10, 2.
[32] Ebd. III, 3, 3; vgl. I, 20, 3.   [33] Ebd., III, 3, 3; vgl. III, 12, 3.   [34] Ebd., III, 3, 4.
[35] Ebd., IV, 33, 8.   [36] Ebd., III, 11, 9.   [37] Ebd., II, 35, 4; vgl. R. *Spiazzi*, a. a. O., 39 f.
[38] Adversus haer. III, 4, 1; vgl. BKV I, 214.
[39] G. G. *Blum*, Tradition und Sukzession, a. a. O., 161 ff.
[40] Adversus haer. I, 10, 2; II, 2, 2; IV, 26, 4. 5; IV, 33, 8.
[41] Hegesipp ist der geistige Vater der Bischofslisten. In der bischöflichen Sukzession sieht er ein Argument für die Überlieferungstreue der kirchlichen Lehrverkündigung, die im Gegensatz zu den gnostischen Geheimtraditionen öffentlich nachgewiesen werden kann. In der 2. Hälfte des 2. Jahrhunderts reist er von Gemeinde zu Gemeinde, stellt überall das Vorhandensein der gleichen, von den Aposteln herkommenden Tradition fest und sichert diese gegen ketzerische Verdächtigungen durch den Nachweis der ununterbrochenen Kontinuität der Überlieferung, die in der lückenlosen Reihe der monarchischen Bischöfe sichtbar wird.

Aposteln überliefert und in der Kirche lebendig ist, die Quelle und Norm des Glaubens. Dieses Prinzip hält Irenäus auch der gnostischen These von den geheimen Überlieferungen entgegen[42]. Die Garantie für die Überlieferung in den einzelnen Kirchen ist die ununterbrochene apostolische Sukzession der Bischöfe[43]. Der Weg der christlichen Wahrheit geht also von den Aposteln auf deren Schüler und von diesen auf die nachfolgenden Generationen von Christen über[44]. „Die von den Aposteln in der ganzen Welt verkündete Tradition kann in jeder Kirche jeder finden, der die Wahrheit sehen will"[45]. Die Schrift aber kann nur innerhalb der kirchlichen, von den Aposteln überkommenen Lehrüberlieferung recht verstanden werden[46].

Irenäus betont die vollendete Erkenntnis der Apostel in bezug auf die Wahrheit, die sie zu verkünden hatten[47]. Die Apostel sind es, die in der Kirche die wahre Unterweisung grundgelegt haben, und der apostolische Ursprung garantiert die göttliche Authentizität. Dabei kommt jenen Lokalkirchen, die durch ihre Bischöfe auf einen Apostel zurückgehen, eine besondere Autorität zu[48]. Die höchste Autorität aber besitzt die römische Kirche, die von Petrus und Paulus gegründet worden ist[49]. Ähnliche Gedanken finden wir bei Dionysius von Korinth (um 170)[50].

Für Tertullian († nach 220) ist die Kirche nichts anderes als die Entfaltung der apostolischen Wirklichkeit. Er stellt fest: „Et perinde ecclesias apud unamquamque civitatem condiderunt, a quibus traducem fidei et semina doctrinae ceterae exinde ecclesiae mutuatae sunt et cottidie mutuantur ut ecclesiae fiant . . . Omne genus ad originem suam censeatur necesse est. Itaque tot ac tantae ecclesiae una est illa ab apostolis prima, ex qua omnes[51]. In dem gleichen Werk sagt er: „Apostolos domini habemus auctores, qui nec ipsi quidquam de suo arbitrio, quod inducerent, elegerunt, sed acceptam a Christo disciplinam fideliter nationibus adsignarunt. Itaque etiam si angelus de coelis aliter evangelizaret, anathema diceretur a nobis"[52]. Die Apostel sind die Urheber des Evangeliums, sie sind von Christus mit seiner Verkündigung betraut „. . . evangelicum instrumentum apostolos auctores habere, quibus hoc munus Evangelii promulgandi ab ipso Domino sit impositum, si et apostolicos, non tamen solos, sed cum apostolis, et post apostolos . . ."[53]. Hinter den „apostolici" steht die Autorität ihrer Lehrer, der Apostel, und endlich Christi, der die Apostel zu Lehrern gemacht hat[54].

Tertullian bezeichnet die Apostel als Quelle der ganzen Glaubenslehre[55] und die Kirche als die Erbin der Apostel. Die Häretiker können ohne

---

[42] Adversus haer. I, 20, 3; vgl. III, 2, 1.   [43] Ebd., III, 2, 1.
[44] Ebd., I, 10, 1; II, 9, 1; III, 1, 1; III, 3, 2; III, 24, 1; vgl. *R. Spiazzi*, a. a. O., 40.
[45] Adversus haer. III, 3, 1; BKV I, 211.   [46] Ebd. II, 28, 2; III, 1–4.
[47] Ebd., III, 1, 1; 12, 9; 13, 1. 2; 15, 1; vgl. *R. Spiazzi*, a. a. O., 40.
[48] Adversus haer. III, 3, 1; III, 4, 1.
[49] Ebd., III, 3, 2.   [50] *Eusebius*, Historia Eccl. II, 24; IV, 23.
[51] Tertullian, De praescriptione haer. 20.   [52] Ebd., 6.
[53] Tertullian, Adversus Marcionem IV, 2.
[54] Ebd.   [55] Tertullian, De praescriptione haer. 27.

Zuhilfenahme der Heiligen Schrift schon dadurch des Irrtums überführt werden, daß ihre Lehre nicht mit der von den Aposteln, von Christus und von Gott stammenden übereinstimmt[56]. Das ist von den Aposteln überliefert, was immer die Kirchen der Apostel heilig gehalten haben[57]. Christus erfüllt das Gesetz und die Propheten. Was er begründet hat, das ist zu glauben[58], denn nach Mt 11, 27 kennt niemand den Vater außer dem Sohn und wem der Sohn es offenbaren will, der Sohn aber scheint es niemand anderem als den Aposteln offenbart zu haben, da er sie zur Verkündigung dessen, was er ihnen offenbarte, ausgesandt hat[59].

In der Auseinandersetzung mit den Montanisten stellt Tertullian fest, wenn man die Wahrheit finden wolle, müsse man sehen, wo die Lehre der Apostel herrsche[60]. Die Apostolizität ist das Kriterium der christlichen Wahrheit; die Kirche ist nur tradierend und bewahrend tätig. Das ist so selbstverständlich, daß sich auch teilweise die Gnostiker auf apostolische Überlieferungen, wenn auch geheime, berufen[61].

Origenes († um 254) erklärt, den ersten Höhepunkt erreiche die Offenbarung in der Inkarnation des Logos[62], die endgültige Offenbarung erfolge bei der Apokatastasis[63], die Verkündigung Jesu geschehe durch die Apostel. Er bemerkt: „Ich glaube aber, daß Jesus gerade deshalb seine Gebote durch solche Männer hat verkünden lassen (er denkt an die fehlende Bildung und die rhetorische Ungewandtheit der Apostel), damit der Argwohn, sie wendeten bestechende Kunstgriffe an, keinen Raum fände"[64]. „Nur jene Wahrheit ist zu glauben, die in nichts von der kirchlichen und apostolischen Tradition abweicht"[65].

Athanasius († 373) bemerkt, den Konzilien der Kirche sei es um nichts anderes gegangen als um die Verkündigung des von den Aposteln überkommenen Glaubens[66]. Er spricht von der von Anfang an gegebenen Lehre, die der Herr überliefert, die Apostel gepredigt und die Väter bewahrt haben, worauf

---

[56] Ebd., 37. Hier findet sich der schon seit dem 1. Clemensbrief vertraute Gedanke: „. . . in ea regula incedimus, quam Ecclesia ab apostolis, apostoli a Christo, Christus a Deo tradidit"; vgl. ebd., 34 u. oben A 4.

[57] Tertullian, Adversus Marcionem IV, 5: „. . . id esse ab apostolis traditum, quod apud ecclesias apostolorum fuerit sacrosanctum".

[58] Ebd. IV, 9. 7.

[59] Ebd. IV, 21; I, 21.

[60] De praescriptione haer. 19 ff. In der montanistischen Periode distanziert er sich praktisch von seinen früheren Aussagen. Hier zeigt sich das Nachwirken des charismatischen Offenbarungsbegriffes im Sinne 1 Kor 14, 30 (vgl. P. Stockmeier, a. a. O., 56). Aber aufschlußreich ist die Antwort der Kirche auf den Montanismus.

[61] J. Lortz, Geschichte der Kirche in ideengeschichtlicher Schau, Münster 1953, 49.

[62] Contra Celsum V, 39; VI, 47; VII, 17.

[63] Commentaria in Matthaeum XVII, 19.

[64] Contra Celsum III, 39; BKV II, 249.

[65] „. . . illa sola credenda est veritas, quae in nullo ab ecclesiastica et apostolica discordat traditione", De principiis I, praef. 2; vgl. In Ezech. hom. 2, 5.

[66] Ep. de Synod. n. 5 und 6; vgl. Ep. encycl. ad Episcopos 1: „Neque nunc fides incepit, sed a Domino per discipulos ad nos usque pervenit".

die Kirche gegründet ist[67]. Ähnlich hatte sich Clemens von Alexandrien († vor 215) geäußert[68]), ähnlich taten es Epiphanius .(† 403)[69] und Johannes Chrysostomus († 407)[70]. Wenn auch für Gregor von Nyssa († 394) die „Offenbarung" weitergeht bis zur Parusie, so ist doch das Evangelium bzw. die Lehre der Apostel die bestimmende Norm[71]. Basilius († 379) schreibt: „Denen, die auf Christus hoffen, gebieten wir, nichts anderes begierig zu suchen als den alten Glauben"[72]. Cyrill von Alexandrien († 444) erklärt: „Die heiligen Propheten, die Evangelisten und die Apostel nennen wir die Quellen des Heilandes; ganz vom Heiligen Geist erfüllt, sind sie wie Bäche, die das Wasser der heilsamen Lehre, die vom Himmel kommt, in dieser Welt verströmen, sie erquicken die Erde"[73]. Nach Augustinus († 430) hat Christus durch die Propheten, sich selbst und die Apostel so viel mitgeteilt, daß er es für genügend erachtet hat[74]. Wenn wir die Wahrheit finden wollen, müssen wir zur Quelle zurückkehren, zur Überlieferung der Apostel[75]. Alles zum Heil Notwendige und Nützliche ist in den biblischen Schriften enthalten. In Schwierigkeiten bezüglich der Auslegung soll man sich nach der allgemeinen Glaubensregel und nach dem Glauben der Gesamtkirche richten[76]. Eine besondere Stellung hat die römische Kirche, in der immer der Vorrang der apostolischen Cathedra wirksam war[77].

---

[67] „Verumtamen haud abs re fuerit veterem insuper traditionem, doctrinamque ac fidem catholicae Ecclesiae investigare, quam scilicet Dominus tradidit, apostoli praedicavere, et patres servavere. In ea enim Ecclesia fundata est, a qua si quis exciderit, is nec·esse, nec amplius dici Christianus ulla ratione poterit" (Epistula I ad Serapionem 1, 28).

[68] Clemens bemerkt, der Herr sei der Urgrund aller Lehre und vom Anfang bis zum Ende Führer in die Erkenntnis durch die Propheten, durch das Evangelium und durch die seligen Apostel (Stromata VII, 16 [95, 3]); vgl. Stromata I, 1 (11, 3); Protreptikos I, 1 (10, 3); Paidagogos I, 5 (20, 2); I, 7 (57, 2); Stromata VI, 7 (58, 2); VI, 7 (61, 1).

[69] Kritisch stellt er gegenüber dem Montanismus fest: „Der Herr besiegelte die Kirche, und in ihr endete er die Charismen" – Ἐσφράγισε γὰρ ὁ Κύριος τὴν Ἐκκλησίαν, καὶ ἐπλήρωσεν αὐτῇ (αὐτῇ) τὰ χαρίσματα – (Haereses 48, 3; PG 41, 857).

[70] In epistulam ad Romanos hom I, 3.

[71] *P. Stockmeier,* a. a. O., 73 f., mit Berufung auf Gregor von Nyssa, De vita Moysis und Contra Eunomium III. Die Überzeugung von der ständigen Möglichkeit, Offenbarungen zu empfangen, in Verbindung mit dem Gedanken der Erleuchtung von seiten des Heiligen Geistes, begegnet uns in gleicher Weise bei den beiden anderen Kappadoziern, Basilius † 379 (De Spiritu S. 39. 47. 55. 6; vgl. *P. Stockmeier,* a. a. O., 72) und Gregor von Nazianz † 390 (Orationes 31, 26; *P. Stockmeier,* a. a. O., 73, mit Berufung auf *F. X. Portmann,* Die göttliche Pädagogie bei Gregor von Nazianz, St. Ottilien 1954).

[72] Basilius, Ep. 175.

[73] Ad reginas de recta fide, Oratio altera, vgl. *Y. Congar,* Die Tradition und die Traditionen I, a. a. O., 66.

[74] De civitate Dei XI, 3; im vorhergehenden Abschnitt legt er dar, daß die Menschheit Jesu der einzige Mittler zwischen Gott und Mensch sei.

[75] *Augustinus,* De baptismo contra Donatistas V, 26: „Quod autem nos admonet (sc. Cyprianus, Ep. ad Pompeium), ut ad fontem recurramus, id est ad apostolicam traditionem, et inde canalem in nostra tempora dirigamus, optimum est et sine dubitatione faciendum"; ähnlich: De utilitate credendi VII, 19; XVII, 35.

[76] *Augustinus,* De doctrina christiana II, 42, 63; III, 2, 2.

[77] „. . . in qua semper apostolicae cathedrae viguit principatus"; Ep. 43 n. 7.

Vinzenz von Lerin († 450) betont, daß die Kirche die Aufgabe hat, das Depositum zu bewahren. Er bemerkt[78]: „Was ist das Depositum? Es ist das, was dir anvertraut ist, nicht, was du erfunden hast, was du empfangen hast, nicht, was du erdacht hast, nicht eine Angelegenheit der Phantasie, sondern der Lehre, nicht der privaten Aneignung, sondern der öffentlichen Überlieferung ... Was dir anvertraut ist, das bleibe bei dir, das werde von dir weitergegeben. Gold hast du empfangen, Gold mußt du zurückgeben ... Durch deine Erklärung soll das in hellerem Licht erkannt werden, was vorher dunkler geglaubt wurde ... Aber lehre dasselbe, was du gelernt hast, damit du, wenn du es neu sagst, nicht Neues sagst".

Solche Zeugnisse könnten um ein Vielfaches vermehrt werden: Beständig stützen und berufen sich die Väter auf die von den Propheten, von Christus und vor allem von den Aposteln herkommende Unterrichtung, die sie bewahren und verteidigen wollen. Sie verstehen die Kirche als apostolisch. Das Depositum der Offenbarung wird der Kirche durch die Apostel vermittelt. Dieses Depositum ist allein maßgebend. Die Väter betonen, daß Christus das AT erfüllt und die Wahrheit schlechthin, die Fülle gebracht hat. Daher ist die Lehre der Apostel, die die Wahrheit Christi verkünden, entscheidend. Was anders kommt darin zum Ausdruck als die Überzeugung vom Abschluß der Offenbarung? Wenn es den Vätern darauf ankommt, die Unterweisung, die sie von den Propheten, von Christus und den Aposteln erhalten haben, zu bewahren und zu verteidigen[79], so doch deshalb, weil das Christusereignis der Höhepunkt schlechthin ist und in ihm die Offenbarung ihren Abschluß gefunden hat. Daher kann es in der Kirche keine andere Lehre geben als die Lehre der Apostel, und bis zur Parusie ist keine neue Offenbarung zu erwarten.

So eindeutig in der Väterzeit die Überzeugung vom Abgeschlossensein der Offenbarung mit dem Christusgeschehen ist, so elastisch und ungenau ist der Offenbarungsbegriff. Er ist wenig reflektiert und unentwickelt[80]. Das ist wohl zu berücksichtigen. J. de Ghellinck[81] hat festgestellt, daß die Verwendung des Wortes „revelare" bzw. „revelatio" wie im NT so auch in den Schriften der Väter bis ins Mittelalter hinein vielschichtig ist. Von Offenbarung ist in verschiedenen Zusammenhängen die Rede. Oft ist die Grenze zwischen Privatoffenbarungen, erstmaliger Kundgabe der öffentlichen, allgemein verpflichtenden Offenbarung, der Annahme der Offenbarung im Glauben, dem nachträglichen Wirken des Heiligen Geistes zu ihrer Erhellung und Vertiefung oder einfacher göttlicher Erleuchtung, die bei jeder Erkenntnis, auch bei der

---

[78] Commonitorium 22.
[79] R. Spiazzi, a. a. O., 40 f.
[80] P. Stockmeier, a. a. O., 86 f.
[81] J. de Ghellinck, Pour l'histoire du mot „revelare", in: RSR 6, 1916, 149–157. Das Handbuch der Dogmengeschichte betont sehr stark, Offenbarung sei in der Väterzeit kein abgeschlossener Vorgang, sondern ständige Möglichkeit (P. Stockmeier, a. a. O., 36 f., 86 f.). Es darf aber nicht übersehen werden, daß für die Väter gleichzeitig die Schrift und die apostolische Überlieferung unbestritten das Fundament der Kirche sind.

rein natürlichen, mitwirkt, nicht klar gezogen. Jedes „auf Wahrheit und Heiligkeit gerichtete Streben im Leben der Kirche"[82] konnte man als Offenbarung verstehen.

Von besonderer Tragweite ist für die Spätpatristik und die Frühscholastik der weite Offenbarungsbegriff des heiligen Augustinus, der von der Illuminationstheorie, dem Gedanken der unmittelbaren Erleuchtung des Geistes im Erkenntnisvorgang, geprägt ist[83]. Für Augustinus ist jede göttliche Erleuchtung, die dem forschenden Geist durch das Gebet und die Betrachtung zuteil wird, Offenbarung. Demnach ist für ihn auch das Offenbarung, was als rein natürliche Erkenntnis anzusehen ist. Vor allem aber ist Offenbarung für ihn das innere Licht, das es dem Menschen ermöglicht, an das Evangelium zu glauben[84].

Noch bis zum Tridentinum wurden die Vokabeln revelare, inspirare, illuminare teilweise auf die Väter, die Konzilien und die Canones, ja, sogar auf Wahlen und Unternehmungen der weltlichen Mächte bezogen[85]. Ratzinger[86] bemerkt, in der patristischen und mittelalterlichen Überlieferung werde der Offenbarungsbegriff weniger material gefaßt als später in der Neuzeit. Daher sehe man die Offenbarung weniger als vergangene und abgeschlossene, denn als gegenwärtige. Die Offenbarung sei aber ihrem Materialprinzip nach abgeschlossen, während sie ihrer Wirklichkeit nach Präsens sei und bleibe.

Fassen wir zusammen: Der Abschluß der öffentlichen, allgemein verpflichtenden Offenbarung ist bei den Vätern keine Frage. Außer Tertullian – und dieser erst in seiner montanistischen Zeit – hat kein glaubwürdiger Traditionszeuge eine inhaltlich wesentliche Erweiterung der durch Christus vollendeten Offenbarung behauptet[87]. Wenn die Zeugen der Tradition nicht ausdrücklich den Abschluß und die Vollgenügsamkeit der in Christus ergangenen Offenbarung bekennen, tun sie es indirekt in der Überzeugung von der inhaltlichen Vollständigkeit des Glaubensgutes. Es ist für sie keine Frage, daß die „Offenbarungen" nicht über die Christusoffenbarung hinausführen[88].

Die Väter wissen: Christus ist die Fülle der Zeit, die Erfüllung der alttestamentlichen Offenbarung. Die Apostel verkünden die Christusoffenbarung. Sie stehen in engster Verbindung mit dem Christusereignis. Dabei liegt die Frage nach der Offenbarungsqualität der apostolischen Predigt außerhalb des Blickfeldes der Väter, da sie ja die erste Zeit der Kirche und die Schrift mit

---

[82] *K. Rahner – K. Lehmann,* Geschichtlichkeit der Vermittlung, a. a. O., 737; vgl. *Y. Congar,* Die Tradition und die Traditionen I, a. a. O., 152–169. 219.

[83] *J. de Ghellinck,* a. a. O., 156 f.

[84] M. Seybold, Die Offenbarungsthematik in der Spätscholastik, in: *M. Seybold* (Hrsg.), Die Offenbarung, Von der Schrift bis zum Ausgang der Scholastik (HDG I, 1a), 115; vgl. *P. Stockmeier,* a. a. O., I, 81–85.

[85] *Y. Congar,* Die Tradition und die Traditionen I, a. a. O., 152.

[86] *J. Ratzinger,* Ein Versuch zur Frage des Traditionsbegriffs, in: *K. Rahner – J. Ratzinger,* Offenbarung und Überlieferung (QD 25), Freiburg 1965, 67.

[87] *G. Söll,* a. a. O., 223.   [88] S. auch unten 148–153.

anderen Augen sehen als wir. Aber sie haben unbestreitbar das Bewußtsein, daß sich die Zeit der Apostel wesentlich von der folgenden unterscheidet. Die Kirche hat für sie die Aufgabe, die Christusoffenbarung, die sie durch die Apostel empfangen hat, zu bewahren und zu interpretieren.

Mit dem Zeugnis der Väter stimmt die Praxis der frühen Päpste und Konzilien überein, die sich immer auf die Lehre der Apostel berufen, sei es in der Definition der Dogmen oder bei den Stellungnahmen gegen die Häresien oder in der Ausübung des ordentlichen Lehramtes. Vom „Nihil innovetur nisi quod traditum est"[89] des Papstes Stephan (254–257) bis zu Papst Damasus (366–384), der konstatiert, daß der Glaube auf der Lehre der Apostel gegründet sei, und daran die Mahnung anknüpft, den von den Aposteln empfangenen Glauben zu bewahren und weiterzugeben[90], bis zu Papst Siricius (384–397), der erklärt, daß ein einziger Glaube bekannt werden müsse, nämlich jener, der von den Aposteln herkomme[91], ist der Tenor immer der gleiche. Papst Innozenz I. (401–417) beruft sich auf die „instituta ecclesiastica ut sunt a beatis Apostolis tradita", besonders auf die Praxis der römischen Kirche, die von den Apostelfürsten überliefert sei[92]. Ähnlich bezeugen Sixtus III. (432–440)[93], Leo der Große (440–461)[94], Pelagius II. (579–590)[95], Hormisdas (514–523)[96] und Agatho (678–681)[97], um nur einige aus der Reihe der Päpste zu nennen, die apostolische Verkündigung als Grundlage der Lehre und der Praxis der Kirche[98]. Sie betonen, daß das Objekt des Glaubens der Kirche keine Vermehrung oder Verminderung der Substanz duldet[99].

Nicht anders ist das Bild bei den Konzilien[100]. Wenn die Kirche ein Dogma definierte, befragte und erforschte sie das ihr von den Aposteln her überlieferte Depositum. Niemand dachte dabei an eine über das Depositum hinausgehende neue himmlische Offenbarung[101]. Es war ein selbstverständliches Prinzip, daß nur das zur Offenbarung gehört, was von den Aposteln her überkommen ist, und daß die Kirche nur über das ihr von den Aposteln anvertraute Gut

---

[89] DS 110.

[90] Epistula I ad Illyricos (um 372); vgl. Cavallera 126 a; Epistula VII (um 378); vgl. Cavallera 126 b.

[91] Epistula X; Epistula VI ad diversos Episcopos; Epistula VII ad diversos Episcopos de haeresia Joviniani; vgl. Cavallera 127 a, b, c.

[92] Epistula 25; vgl. Cavallera 341 (DS 215).

[93] In Epist. ad Joan. Antiochen; vgl. Cavallera 345.

[94] Epist. ad Episcop. Vien. Provinciae; vgl. Cavallera 347; Epist. ad Julianum; vgl. Cavallera 129.

[95] Epist. ad schismaticos Istriae; vgl. Cavallera 135.

[96] Professio fidei ad Episcop. Hispan; vgl. Cavallera 352.

[97] Conc. Romanum: Ep. Omnium; vgl. Cavallera 131.

[98] R. Spiazzi, a. a. O., 41 ff.

[99] DS 212. 265. 301. 343. 559. 596. 609. D 160. 212. 246 (diese drei Nummern fehlen in der Neubearbeitung durch A. Schönmetzer).

[100] Athanasius, Ep. de Synod. 6; Vinzenz von Lerin, Commonitorium n. 42; D 212.

[101] „Se invocava i lumi dello Spirito Santo ... era per leggere bene nei suoi archivi, per essere supernamente quidata nella esplicitazione e nella proclamazione di una dottrina che essa possedeva fin da principio perchè ricevuta dagli Apostoli", R. Spiazzi, a. a. O., 44; vgl. auch DS 265. 303. 652. 824. 2875–2880.

Aussagen machen kann. Dieses Prinzip war auch maßgebend für die theologische Beweisführung, wenngleich es durch terminologische Unklarheiten verdunkelt wurde[102].

2. Mittelalter

Für die Frage des Abschlusses der Offenbarung ist das Phänomen des Joachimismus von besonderer Bedeutung. Diese geistige Strömung des Mittelalters stellt den Abschluß der öffentlichen, allgemein verpflichtenden Offenbarung in Frage. Man darf die Bedeutung dieser Bewegung nicht unterschätzen[103]. Joachim von Fiore († 1202), ihr Initiator, hat einen neuen Wahrheitsbegriff geschaffen, wenn für ihn nicht mehr Christus als die Gestalt der Wahrheit selbst der einzige Bezugspunkt ist, sondern die Zukunft. „Nihil stabile est super terram" schreibt er. Er ist der sehr modern klingenden Meinung, jeder Weltstatus habe seine eigenen Normen und Gültigkeiten[104].

Joachim ordnet jeder der drei göttlichen Personen eine geschichtliche Epoche als Medium der göttlichen Selbstmitteilung zu, dem Vater das AT, dem Sohn das NT, dem Heiligen Geist das evangelium aeternum. Die letzte Epoche ist eine Zeit, in der die Offenbarung nicht mehr durch Vermittlung sinnenfälliger Bilder, Worte und Sakramente erfolgt, sondern in direkter „intelligentia spiritualis". Weil die vollkommene Gestalt der jeweiligen Heilszeit und der ihr entsprechenden Offenbarung erst an deren Endpunkt auftritt, deshalb ist auch in der 3. Heilszeit noch vor ihrer endgültigen Ausgestaltung die Vermittlung der 1. und 2. Heilszeit möglich und notwendig. Joachim vermindert die Schlüsselstellung der Inkarnation, sofern er erst für die 3. Heilszeit eine volle Offenbarung behauptet. Wenngleich er selbst das evangelium aeternum wohl nicht als neue objektive Offenbarung, sondern als letztmögliche Sinnerhellung der Christusoffenbarung verstanden hat – immerhin wurde die geschichtstheologische Konzeption Joachims nicht durch die Kirche verurteilt, das IV. Lateran-Konzil hat nur seine gegen Petrus Lombardus gerichtete Trinitätslehre zurückgewiesen[105] –, so geht die 3. Heilszeit jedoch für die späteren Kreise der Spiritualen und Fraticellen über die Christusoffenbarung hinaus.

Die Ideen Joachims stehen in enger Beziehung zum Mendikantenstreit. Hier geht es wesentlich um das rechte Verständnis von Schrift und Tradition, um

---

[102] Vgl. *G. Söll,* a. a. O., 223 f.

[103] *W. Schachten,* Intellectus Verbi, Die Erkenntnis im Mitvollzug des Wortes nach Bonaventura, Freiburg/München 1973, 170. Im Joachimismus lebte sehr heftig der altchristliche Montanismus wieder auf. Diese geistige Strömung wiederholte sich später in säkularisierter Form in den positivistischen und materialistischen Systemen von Comte und Marx (vgl. *A. Dulles,* a. a. O., 50 ff.).

[104] *W. Schachten,* a. a. O., 30 ff. 170 ff.; bes. 172; vgl. auch *J. Ratzinger,* Besprechung zu *W. Schachten,* Intellectus Verbi, Die Erkenntnis im Mitvollzug des Wortes nach Bonaventura, Freiburg/München 1973, in: ThRv 71, 1975, 328.

[105] DS 803–807; *M. Seybold,* a. a. O., 114 f.

den Sinn der Schrift und ihre Auslegung. Die Mendikanten weisen auf das Faktum der vita apostolica hin, wie es in Franziskus und auch in Dominikus Ereignis geworden ist, um damit ihr Verständnis der Heiligen Schrift gegenüber der zeitgenössischen Theologie, der patristischen Auslegungsüberlieferung, zu legitimieren. Den sichernden Hintergrund dafür sehen sie in der Heiligsprechung von Franziskus und Dominikus[106]. „Den klassischen ‚Heiligen‘ der Theologie, den Kirchenvätern, wird hier das ‚heilige Volk Gottes‘, die Kirche der Gegenwart, an die Seite gestellt als neues gleichberechtigtes Auslegungskriterium (der Schrift). Damit ist aber bereits die rein retrospektive Allegorie der Frühscholastik begrenzt durch einen Auslegungsgrundsatz von deutlich progressivem Charakter"[107]. Das heilige Volk Gottes der Gegenwart wird den Heiligen der Vergangenheit an die Seite gestellt, und Dominikus und Franziskus, deren Heiligkeit durch kirchliches Urteil begründet war, werden als Zeugen in den Traditionsbeweis aufgenommen. An diesem Punkte aber stellt sich fast von selbst als Erklärung Joachims Idee von der progressiven Kirchengeschichte ein. Und die Vorhersagen Joachims hinsichtlich des Franziskusereignisses sind noch heute für den Historiker verblüffend, so daß man das freudige Erstaunen der Franziskaner verstehen kann, die in dieser Übereinstimmung eine Bestätigung des heilsgeschichtlichen Charakters des Werkes des hl. Franziskus erkannten[108].

In franziskanischen Kreisen hoffte man, die Lebensform des hl. Franziskus werde einmal die der ganzen Kirche sein, der „simplex et idiota" werde dann über alle großen Gelehrten triumphieren, und die Kirche der Endzeit werde Geist von seinem Geiste atmen. In dieser kommenden höheren Stufe werde das spekulative Denken in der Philosophie wie in der Theologie, das jetzt noch seine Berechtigung habe, überwunden und überflüssig sein. Das werde das Ende der Vernunfttheologie sein. An die Stelle der Vernunfterkenntnis werde die Liebe treten. Diese aber bedeute eine tiefere Kenntnis. Franziskus habe kraft dieser Liebe mehr von Gott gewußt als alle Gelehrten seiner Zeit[109].

Joachims progressive Schriftauslegung fand in spezifischer Weise Eingang in das Werk Bonaventuras († 1274). Dieser erwartete eine neue Zeit, eine Zeit der contemplatio, des erfüllten Verständnisses der Schrift, eine Zeit des Heiligen Geistes, aber nicht als neue Offenbarung, sondern als Einführung in die alte Wahrheit Jesu Christi durch den Heiligen Geist[110]. Von den Gedanken Joachims übernahm er vor allem die Idee des novus ordo und eine Reihe zugehöriger allegorischer Umdeutungen der Schrift sowie die Erwartung einer innergeschichtlichen Heilszeit, eines noch ausstehenden Zustandes der Vollerlösung in der Geschichte[111], er lehnte aber die Begrenzung des NT und der Zeit Jesu Christi auf das zweite Zeitalter – für ihn war das NT eindeutig

---

[106] *J. Ratzinger,* Die Geschichtstheologie des hl. Bonaventura, München 1959, 84.
[107] Ebd. [108] Ebd., 84 f. [109] Ebd., 55 f. 155–161; vgl. auch 22–25. [110] Ebd., 55 f.
[111] Ebd., 107. Es ist zu beachten, daß Joachim diesbezüglich nicht die einzige Quelle ist, daß vielmehr auch an Zwischenglieder zu denken ist, die den Stoff der Gegenwart anpaßten und seine Anwendung auf das Franziskanertum vollzogen.

testamentum aeternum – und, jedenfalls teilweise, die trinitarische Einteilung der Geschichte ab[112]. Es ist aufschlußreich zu erkennen, daß für Bonaventura die Fülle der Zeit zugleich ihre Mitte ist[113]. Die endzeitliche Auffassung der Väterzeit ist übrigens auch schon bei Thomas aufgegeben[114].

Bonaventura setzt der Geschichtsspekulation des Joachim die Christozentrik entgegen; sie ist der Ausgang seiner Kritik an ihm. Er lehnt dabei nicht dessen geschichtsallegorische Auslegung ab, sondern nur den Gedanken eines Zeitalters des Heiligen Geistes, der bei Joachim die Mittelstellung Christi aufhebt. Wenngleich auch Bonaventura überzeugt ist, daß in der letzten Zeit der Geist besondere Macht gewinnt, so steht für ihn doch fest, daß die „septima aetas der bis ans Ende dauernden Christuszeit des Neuen Bundes"[115] bleiben wird[116].

Bonaventura kennt die Frage nach dem Wesen der Offenbarung im Sinne des heutigen fundamentaltheologischen Traktates über die Offenbarung nicht. Daher handelt er nicht über die Offenbarung, sondern über die Offenbarungen. Er weiß und handelt von den vielen einzelnen Offenbarungen, die im Laufe der Heilsgeschichte ergingen, fragt aber nicht nach der einen Offenbarung, die in diesen Offenbarungen geschah.

Ihm ist das dem Christentum wesentliche Element der Einmaligkeit und Dauer der Offenbarung durchaus bekannt. Das wird nicht nur in seiner Stellung zum Joachimismus deutlich. So sagt er lapidar: „Post novum testamentum non erit aliud, nec aliquod sacramentum novae legis substrahi potest, quia illud testamentum aeternum est"[117]. Aber andererseits können wir wieder bei ihm lesen, man könne sagen, mit einem Dogma werde Neues geschaffen. Dazu sei die römische Kirche berechtigt auf Grund der Tatsache, daß sie von den Apostelfürsten die Fülle der Gewalt empfangen habe. Die dem Dogma zugrunde liegende Erkenntnis setze eine neue „revelatio" voraus. Damit wird die apostolische Vollgewalt des Papstes zum Prinzip des Fortschritts in der Kirche erhoben[118]. Genauer gesagt wird die theologische Erkenntnis, die die Grundlage der Dogmatisierung ist, in ihrer Entstehung durch drei Faktoren bestimmt: scriptura, ratio und revelatio[119].

Die Terminologie ist zu berücksichtigen, wenn mit Bonaventura nicht wenige mittelalterliche Theologen die Meinung vertreten, die Offenbarung

---

[112] Ebd.   [113] Breviloq. p. 4 c. 4; p. 6 c. 4; Coll. in Hexaemeron I, 20.
[114] STh III q. 1 a. 6; *J. Ratzinger,* Die Geschichtstheologie des hl. Bonaventura, a. a. O., 111 f. S. unten 98–100.
[115] *J. Ratzinger,* Die Geschichtstheologie des hl. Bonaventura, a. a. O., 120.
[116] Ebd., 118–120.
[117] Coll. in Hexaemeron XVI, 2; Sermo Christus unus omnium magister 2–5; vgl. Coll. in Hexaemeron XIII, 17; XIX, 10; I Sent. dist. 11 a. un. q. 1 ad 5: „. . . si verba (in Scriptura) non reperiantur, reperitur tamen sensus".
[118] I Sent. dist. 11 a. un. q. 1; ebd. ad 5 u. 6; Dubia II (Quaracchi-Ausg. Bd. I S. 217); vgl. *J. Ratzinger,* Offenbarung – Schrift – Überlieferung, a. a. O., 14 ff.
[119] I Sent. dist. 11 a. un. q. 1: „Cognitio autem huius articuli fundamentum habet a scriptura, profectum vel incrementum a ratione, sed consummationem a revelatione." Vgl. *J. Ratzinger,* Offenbarung – Schrift – Überlieferung, a. a. O., 17.

gehe weiter im Leben der Kirche. Was die nachtridentinische Theologie als Offenbarung verstand, das depositum fidei, bezeichneten die mittelalterlichen Autoren hingegen oft als Glaube[120]. Wenn man den Terminus „revelatio" im prägnanten Sinn heutiger Theologie versteht, geht man daher in die Irre[121]. Erst die beginnende Systematisierung der Theologie im 13. Jahrhundert, speziell in den über Boëthius von Aristoteles beeinflußten Schulrichtungen mit ihrer empirischen Erkenntnislehre, präzisierte den Offenbarungsbegriff im Sinne des gegenwärtigen Verständnisses als übernatürliche und objektive offizielle Lehre der Kirche; der undifferenzierte, allgemeine Offenbarungsbegriff wurde jedoch noch lange gebraucht[122].

Um die Vielfalt des Begriffes „revelatio" im Mittelalter einmal exemplarisch aufzuzeigen, folgen wir J. Ratzinger[123], der sich eingehend mit der Bedeutung dieses Begriffes bei Bonaventura befaßt hat. Für Bonaventura bedeutet „revelatio" allgemein Enthüllung von Verborgenem, das heißt im einzelnen: a) Enthüllung von Zukünftigem, b) Enthüllung des verborgenen mystischen Sinnes, wodurch pneumatisches Verstehen der Heiligen Schrift bewirkt wird, und c) Entschleierung der göttlichen Wirklichkeit im mystischen Aufstieg. Bonaventura nennt die Schrift selbst nirgendwo Offenbarung, von „revelatio" spricht er erst, wo ein bestimmtes Schriftverständnis vorliegt, nämlich jene vielgestaltige Gottesweisheit, die in der Erfassung des dreifachen geistlichen Sinnes der Schrift besteht, des allegorischen, anagogischen und tropologischen. Ständig bringt er den Gedanken, daß wir das, was wir zu glauben haben, nicht durch den Buchstaben der Schrift erfahren, sondern durch die Allegorie erfassen. Bonaventura gebraucht auch die Begriffe „inspiratio" und „revela-

---

[120] A. Dulles, a. a. O., 44 f.
[121] J. de Ghellinck, a. a. O., 149–157. De Ghellinck meint, der Großteil jener Stellen bei den mittelalterlichen Autoren, die von Offenbarung reden, stehe in Abhängigkeit von Augustinus (Illuminationstheorie!) und der Offenbarungsbegriff erkläre sich hier von dessen Erkenntnislehre her. J. Ratzinger (Offenbarung – Schrift – Überlieferung, a. a. O., 21) warnt jedoch vor einer simplen Gleichsetzung von illuminatio und revelatio. Er erklärt, neben der Erkenntnislehre des Augustinus wirkten hier mit zwei Paulustexte (1 Kor 14, 30 und Phil 3, 15) und ein Wort aus der Regel des hl. Benedikt (Regula 3), das eine außergewöhnlich starke Nachwirkung gehabt habe, nämlich der Satz: „Ideo autem omnes ad concilium vocari diximus, quia saepe iuniori dominus revelat quod melius est". Eine Reihe von Stellen, auch bei Augustinus, sei nur als schlichte Anknüpfung an den charismatischen Offenbarungsbegriff des hl. Paulus, ohne dogmatische Reflexionen, zu erklären (21 f. und 26). Im Leben des hl. Franziskus habe dann die Offenbarung eine hervorragende Rolle gespielt, was die Franziskanertheologen besonders beeindruckt habe, die darin mehr als nur Privatoffenbarungen im heutigen Sinne gesehen hätten, nämlich „eine grundlegende Weisung des Herrn an die Kirche der Endzeit", womit freilich nicht ein Wachsen der Offenbarung gemeint sei (20 und 25 f.). In solchem Verständnis sei die Schrift nicht gleich der Offenbarung, sondern ihre Materialprinzip. Die Offenbarung bleibe hinter der Schrift, objektiviere sich in ihr nicht restlos. Die Schrift bedürfe der offenbarungsmäßigen Interpretation, um Offenbarung zu sein (27).
[122] J. Finkenzeller, Offenbarung und Theologie nach der Lehre Johannes Duns Scotus, a. a. O., 68 f.; J. Ratzinger, Die Geschichtstheologie des hl. Bonaventura, a. a. O., 58 ff.; M. Seybold, a. a. O., 115. 122; A. M. Landgraf, Dogmengeschichte der Frühscholastik I, Regensburg 1952, 31 f.; R. Latourelle, a. a. O., 403.
[123] J. Ratzinger, Die Geschichtstheologie des hl. Bonaventura, a. a. O., 58–70.

tio" ohne Unterschied. In solcher Sicht tritt der Mensch durch den Glauben in das lebendige Schriftverständnis der Kirche ein und empfängt so Offenbarung. „Revelatio" bezeichnet das steigerungsfähige Verständnis des Buchstabens. Die Erfassung der Heiligen Schrift wird in ihrer wahren Bedeutung im Rückgriff hinter den Buchstaben gewonnen. Das ist eine mystische Haltung, wenn auch bei schlichtem Glauben die unterste Stufe. Stufen des Glaubens erscheinen so als Stufen der Mystik und damit als Stufen der Offenbarung. Erstmals wird im Itinerarium mentis in Deum und wiederum im Hexaemeron der mystische Kontakt der Offenbarung bezeichnet[124]. Denkt man dann an ein Zeitalter, in dem die Fähigkeit zu eigentlicher mystischer Erhebung allen geschenkt wird, so kann eine solche Zeit eine neue Offenbarungszeit genannt werden. Gegenüber dieser neuen Zeit ist der eigentliche Sinn des neutestamentlichen Zeitalters, die Offenbarung, bisher nur erst in begrenztem Maß erfüllt.

Bonaventura sieht die zu erwartende endzeitliche „revelatio" nicht primitiv, wie etwa Gerard von Borgo San Donnino († 1276) in seinem 1254 in Paris veröffentlichten Werk „Liber introductorius in evangelium aeternum", in einer neuen Schrift, sondern schon eher im Sinn des originalen Joachim im neuen Verständnis der alten und bleibenden Schrift. Daher kann er gegen Gerard und Joachim trotz oder wegen seiner Offenbarungshoffnung die Endgültigkeit des NT betonen[125].

Also das geistliche Verständnis der Schrift wird bei Bonaventura als Offenbarung aufgefaßt. Die Mystik wird hier vergeschichtlicht. Die Offenbarung der Endzeit ist aber weder Aufhebung der Christusoffenbarung noch Überbietung des NT, sondern sie bedeutet das „Eintreten in die Erkenntnisform der Apostel und damit die wahre Vollendung der bisher nur unvollkommen begriffenen neutestamentlichen Offenbarung"[126].

Ratzinger[127] macht darauf aufmerksam, wie schon die starke Betonung der Väter in der Frühscholastik, die traditionelle Schriftauslegung, das Auftreten Joachims von Fiore verständlich macht, erst recht dann die durch das Franziskusereignis geschaffene neue Auslegungssituation. Er erinnert daran, daß für Hugo von St. Viktor († 1141) Schrift und Väter in einer einzigen großen Scriptura zusammenfließen, daß auch für Robert von Melun († 1167) die Väter noch unlöslich mit der Schrift verflochten sind.

Es zeigt sich, daß das undifferenzierte mittelalterliche Offenbarungsverständnis zeitlicher Fixierungen nicht fähig ist, wenngleich allgemein die Überzeugung von der Normativität von Schrift und Tradititon gilt. Eine andere Akzentuierung des Begriffes „revelatio" kann die grundlegende Überzeugung der Kirche vom Abschluß der Offenbarung in Christus verwischen. Aber auch jenen Theologen, die den weiten, aus der Väterzeit übernommenen Offenbarungsbegriff verwendeten, war im Grund klar, daß

---

[124] Itinerarium 7, 4; Coll. in Hexaemeron II, 30.
[125] *J. Ratzinger,* Die Geschichtstheologie des hl. Bonaventura, a. a. O., 58–70.
[126] Ebd., 94 f.   [127] Ebd., 80–84.

sich ihr allgemeines und undifferenziertes dynamisches Offenbarungsverständnis nur auf die Interpretation und Entfaltung des normierenden Depositum, wie es in der apostolischen Überlieferung der Kirche und der Theologie vorgegeben ist, beziehen konnte.

Mit Nachdruck stellt Thomas von Aquin († 1274) die Fülle der Christusoffenbarung heraus: „. . . ultima consummatio gratiae facta est per Christum: unde et tempus eius dicitur tempus plenitudinis"[128] Alle Heilsgeschichte bewegt sich auf Christus hin. Er ist der Höhepunkt, über ihn hinaus ist nichts wesentlich Neues zu erwarten.[129]. Wenn auch in Christus die letzte Heilszeit angebrochen ist, so ist doch die Gegenwart figürlich und unvollkommen im Blick auf die letzte Vollendung, denn „. . . triplex est hominum status. Primus veteris quidem legis; secundus novae legis; tertius status succedit non in hac vita sed in futura, scilicet in patria"[130].

Im Sentenzen-Kommentar erklärt Thomas: „. . . eins (sc. Christi) doctrinae quantum ad essentialia fidei nec addere nec diminuere licet"[131], in der Summa theologica: „. . . principia huius doctrinae per revelationem habentur, et sic oportet quod credatur auctoritati eorum quibus revelatio facta est . . . Innititur enim fides nostra revelationi apostolis et prophetis factae, qui canonicos libros scripserunt: non autem revelationi, si qua fuit aliis doctoribus facta"[132], denn „. . . super revelatione facta Apostolis . . . fundatur tota fides ecclesiastica"[133]. Die öffentliche Offenbarung ist abgeschlossen. Sie ist für ihn niedergelegt in der objektiven, offiziellen Lehre der Kirche, dem depositum fidei[134].

Thomas scheidet streng zwischen der natürlichen und der übernatürlichen Erkenntnis, zwischen Wissen und Glauben, zwei sich ergänzenden Erkenntnisarten. Die Offenbarungswahrheiten, die zu glauben sind, liegen ihrem Wesen nach oberhalb der Vernunftsphäre. Ihre Wahrheit kann man nicht beweisen, sie können aber durch Wunder und Prophetien (miraculorum, signorum operatio, donum prophetiae) bestätigt werden[135]. Wie schon sein

---

[128] STh II/II q. 1 a. 7 ad 4.
[129] STh I/II q. 106 a. 4; Ad Hebr c. 1 lect. 1 u. 10. Betont Bonaventura die Macht der Autorität der Kirche, um zu zeigen, daß sie Neues aussagen darf, ein neues Glaubensstadium herbeiführen darf, so ruft Thomas diese Autorität an, um die Einheit der christlichen Geschichte zu beweisen; er stellt sie als die Einheitsklammer hin, die alle Dogmenentfaltungen zusammenhält (*J. Ratzinger,* Offenbarung – Schrift – Überlieferung, a. a. O., 19 f.).
[130] STh I/II q. 106 a. 4 ad 1; vgl. *U. Horst,* Das Offenbarungsverständnis der Hochscholastik, in: M. Seybold (Hrsg.), Die Offenbarung, Von der Schrift bis zum Ausgang der Scholastik (HDG I, 1 a), Freiburg 1971, 131–134.
[131] III Sent. dist. 25 q. 2 a. 2 sol 1 ad 5.
[132] STh I q. 1 a. 8 ad 2.
[133] STh II/II q. 174 a. 6; vgl. I/II q. 106 a. 4 ad 2; II/II q. 1 a. 7.
[134] Thomas von Aquin hat sich bei aller Verehrung der Väter bemüht, ihre Autorität von der der Schrift zu unterscheiden und sie der Schrift unterzuordnen, diese für sie zum Maßstab zu machen. Er ordnet sie aber auch der Autorität der Kirche unter, sofern sie nur Geltung haben aufgrund der Approbation der Kirche und der Übereinstimmung mit ihrer Lehre (*Y. Congar,* „Traditio" und „Sacra Scriptura" bei Thomas von Aquin, a. a. O., 196–198; *Thomas von Aquin,* Quodlibeta II, 7; IX, 16; STh II/II q. 10 a. 12; q. 11 a. 2 ad 3; I q. 1 a. 8 ad 2).
[135] Summa contra gentiles III, 154; STh II/II q. 1 a. 1 und q. 5 a. 3; *A. Dulles,* a. a. O., 46 f.

Lehrer Albertus Magnus († 1280)[136], so betont auch er, während den Aposteln die Offenbarung unmittelbar zuteil geworden sei, komme sie zu allen anderen durch die Verkündigung[137]. Er spricht wenig von der Apostolizität des Amtes, aber er betont stark den apostolischen Charakter der Lehre, die Apostolizität des Glaubens[138]. Sosehr er einen quantitativen Fortschritt des objektiven Glaubensgutes verneint, so sehr bejaht er einen quantitativen Fortschritt der Glaubenserkenntnis.

In der Auseinandersetzung mit den Spiritualen macht Thomas nicht die geringste Konzession hinsichtlich des zeitlichen Abschlusses der Offenbarung. Das verstieße gegen die Überzeugung von der inhaltlichen Abgrenzung des allgemeinen und verbindlichen Glaubensgutes[139]. Im Zusammenhang mit dem Filioque-Streit stellt er fest, daß über Gott keine Aussage erlaubt sei, die nicht entweder wörtlich oder sinngemäß in der Schrift enthalten sei[140]. Das Erscheinen Christi stellt den Endpunkt der Prophetie dar[141]. Die Inkarnation brachte die plena participatio deitatis, deren Ziel die Seligkeit des Menschen ist[142]. Einst bediente sich der eingeborene Sohn in der Mitteilung der Erkenntnis Gottes der Propheten. Jetzt im Neuen Bund erschien die Botschaft in der Person Gottes[143].

Thomas hat das Bestreben, die ganze Offenbarung direkt auf Christus zurückzuführen, im Gegensatz zu Bonaventura. Während dieser etwa die

---

[136] III Sent. dist. 25 a. 4; I Sent. dist. 11 a. 7.

[137] STh II/II q. 6 a. 1; q. 1 a. 10 ad 1; I q. 1 a. 8 ad 2.

[138] *Y. Congar,* „Traditio" und „Sacra Scriptura" bei Thomas von Aquin, a. a. O., 190 f. Bei Thomas ist, wie überhaupt im nachpatristischen Zeitalter bis zur Reformation, wenig von der Apostolizität der Kirche die Rede. Im Zusammenhang mit den klassischen Eigenschaften der Kirche wird die Apostolizität nicht erwähnt. Der Grund dafür liegt vermutlich vor allem in der Absenz des Wörtchens „apostolisch" im sogenannten apostolischen Glaubensbekenntnis. Aber die Apostolizität dürfte in der „firmitas" zu suchen sein, wie sich aus den Untersuchungen von Y. Congar über Aegidius von Rom († 1316), Jakob von Viterbo († 1308), Petrus Venerabilis († 1156), Eckbert von Schönau († 1184) und Heinrich von Clairvaux († 1189) sowie aus seiner Analyse der „firmitas" bei Thomas von Aquin ergibt (Y. Congar, L'apostolicité de l'Eglise selon S. Thomas d'Aquin, in: RSPhTh 44, 1960, 209–213). Die Apostel sind das Fundament der Kirche, sofern sie Christi Lehre verkünden (Comm. in Eph 2, 20). Sie sind nicht ein Fundament per se. Aber ihre lehrende Aktivität hat die Kirche gepflanzt. Insofern ist der Inhalt dieser Lehre apostolisch (213 f.). Die Apostolizität der Kirche ist die ihres Glaubens; Christus ist das Fundament durch den Glauben (216). Die Festigkeit der Kirche besteht in der Festigkeit ihres Glaubens. Thomas und mit ihm das ganze Mittelalter verwenden oft firmitas synonym mit apostolicitas. Hier wird die Apostolizität mehr vertikal gesehen, wenngleich die horizontale Bedeutung der historischen Kontinuität durchaus nicht übersehen wird. Sie ist in der geschichtlichen Heilsordnung der Offenbarung der Rahmen, in dem sich die vertikale Bedeutung der Identität mit dem Glauben der Apostel realisiert, die freilich hier noch dominiert, denn die sichtbare Autorität, die horizontale Dimension der Apostolizität, war zunächst noch unbestritten (217–224); vgl. auch ders., „Traditio" und „Sacra Scriptura" bei Thomas von Aquin, a. a. O., 205.

[139] *G. Söll,* a. a. O., 113 ff.; *R. Spiazzi,* a. a. O., 56.

[140] STh I q. 36 a. 2 ad 1; vgl. *U. Horst,* a. a. O., 129 und 138.

[141] STh III q. 7 a. 7.

[142] STh III q. 1 a. 2; vgl. STh III q. 40 a. 1: „. . . venit autem in mundum (sc. Christus) . . . ut per ipsum accessum habeamus ad Deum".

[143] Super Joannem c. 1 lect. 11 n. 221 f.; c. 8 lect. 3 n. 1138; vgl. *U. Horst,* a. a. O., 134–137.

Firmung als vom Heiligen Geist nach Pfingsten eingesetzt versteht, führt jener ihre Einsetzung auf Christus zurück[144]. Dennoch sind die Apostel nach Thomas wie die Propheten Erben einer direkten Offenbarung Gottes[145]. Ihre Kenntnis geht aus einer doppelten Quelle hervor; sie wurden durch Christus und durch den Heiligen Geist belehrt. Daher sind sie die entscheidenden Lehrer des Glaubens für die ganze Kirche und für alle Jahrhunderte[146].

Nach Duns Scotus († 1308)[147] haben Propheten und Apostel die Offenbarung unmittelbar von Gott empfangen, um sie an die Gläubigen weiterzugeben. Eine Entwicklung ist für ihn nur möglich, sofern die einmal ergangene Offenbarung durch die Kirche und ihre Theologie im Laufe der Geschichte entfaltet wird. Die neutestamentliche Heilsökonomie ist die lex perfectissima, die Gott dem Menschen in statu viae zugedacht hat. Im Verlauf der Jahrhunderte aber ist die von Gott den Menschen mitgeteilte Wahrheit immer deutlicher und klarer festgestellt worden.

„Revelatio" ist für Scotus die prima traditio der übernatürlichen Wahrheit an die Menschen. Er unterscheidet klar zwischen der eigentlichen Offenbarung, die für jede Wahrheit nur einmal erfolgte, und der Weitergabe der übernatürlichen Wahrheiten durch die von Gott dazu berufenen Gemeinschaften. Das Wesen der Offenbarung ist für ihn eine locutio interior vel exterior oder einfach die Anwendung äußerer Zeichen, die hinreichend sind, um den Empfänger der Offenbarung zur Zustimmung zu bewegen[148].

Bei W. von Ockham († 1347)[149] scheint der von der Patristik her weitertradierte allgemeine und undifferenzierte Offenbarungsbegriff wirksam zu sein. Er führt bei der Aufzählung der „Quellen der Offenbarung" neben Schrift und Tradition auch die Möglichkeit einer revelatio vel inspiratio nova divina an, fügt aber hinzu, es finde sich zwar kein Beispiel, daß sich die Kirche bei der Verurteilung einer Häresie auf eine neue Offenbarung gestützt habe, aber es sei nicht unmöglich, daß Gott diese ergehen lasse. Wenn es sich nach ihm dann möglicherweise bei der Transsubstantiationslehre um eine neue Offenbarung handelt[150], weil ja die Schrift nicht davon spreche, in alter Zeit

---

[144] J. Finkenzeller, Offenbarung und Theologie nach der Lehre des Johannes Duns Scotus, a. a. O., 72 f.; vgl. Thomas, IV Sent. dist. 7 a. 1 q. 1 ad 1; Bonaventura, IV Sent. dist. 7 a. 1 q. 1 ad 1.

[145] Summa contra gentiles III, 154; STh III q. 42 a. 4 ad 1; vgl. Y. Congar, „Traditio" und „Sacra Scriptura" bei Thomas von Aquin, a. a. O., 189 f.

[146] A. Lemmonyer, Les Apôtres comme docteurs de la foi, in: Mélanges thomistes (Bibliothèque thom. 3), Le Saulchoir 1923, 167.

[147] Opus Oxoniense IV, dist. 5 q. 1 n. 6; IV, dist. 11 q. 3 n. 15; IV, dist. 2 q. 1 n. 2; vgl. J. Finkenzeller, a. a. O., 69.

[148] J. de Ghellinck, a. a. O., 149–157; J. Finkenzeller, a. a. O., 31 f.; Ord. prol. p. 1 q. un. n. 69; U. Horst, a. a. O., 141 f.

[149] Dialogus I l. 2 c. 25; vgl. J. Finkenzeller, Offenbarung und Theologie nach der Lehre des Johannes Duns Scotus, a. a. O., 70. 76.

[150] Quotlibeta 4 q. 35; De sacramento altaris c. 3; vgl. J. Finkenzeller, a. a. O., 70; P. R. Cren, Der Offenbarungsbegriff im Denken von Wilhelm von Ockham und Gabriel Biel, in: M. Seybold (Hrsg.), Die Offenbarung, Von der Schrift bis zum Ausgang des Mittelalters (HDG I, 1a), 151.

verschiedene Meinungen darüber geherrscht hätten und die Koexistenz plausibler wäre als die Transsubstantiation, so legt gerade dieses Beispiel nahe, die revelatio nova nicht im strikten Sinn als Offenbarung, sondern mit Finkenzeller im wesentlichen nur als eine „sollers et diligens inquisitio bibliae"[151] zu verstehen. Auch Ockham weiß, daß durch bedingungslosen Glauben an neue Offenbarungen einem schrankenlosen Subjektivismus Tür und Tor geöffnet wird. Deshalb fordert er, daß sich diese jeweils an der Schrift und der Erfahrung der Kirche als wahr erweisen[152].

Ende des 14. Jahrhunderts begegnet uns der Gedanke einer neuen Offenbarung bei Heinrich Totting von Oyta († 1397). Unter den „Quellen, aus denen die Glaubenswahrheiten fließen, an denen kein Christ zweifeln darf", erwähnt er an 5. Stelle auch solche Wahrheiten, die wir durch spätere Offenbarungen und Inspirationen kennen. Derartige Offenbarungen hält er auch in Zukunft für möglich[153].

Man könnte meinen, auch J. Gerson († 1429) habe die Lehre von göttlicher Offenbarung nach der apostolischen Zeit vertreten, wenn er unter den Wahrheiten, die zum Glauben verpflichten, an 3. Stelle die „veritates specialiter aliquibus revelatae" nennt. Er fügt aber sogleich hinzu, daß die Glaubenspflicht lediglich die betrifft, an die die Offenbarung ergangen ist, die übrigen jedoch nur, wenn sie durch ein Wunder oder die Heilige Schrift oder die Kirche Gewißheit über die entsprechende Lehre erhalten haben. Außerdem sagt er nicht, daß diese Offenbarungen über Schrift und Tradition hinausgehen[154].

Ende des 15. Jahrhunderts begegnet uns der Gedanke neuer Offenbarungen bei Gabriel Biel († 1495)[155].

---

[151] *J. Finkenzeller,* Offenbarung und Theologie nach der Lehre des Johannes Duns Scotus, a. a. O., 70. Die Meinung Crens im Handbuch der Dogmengeschichte (*P. R. Cren,* a. a. O., 151), Ockham denke hier an eine Offenbarung im eigentlichen Sinne, ist auf Grund der Texte (vgl. oben A 150) nicht überzeugend.

[152] *J. Finkenzeller,* Offenbarung und Theologie nach der Lehre des Johannes Duns Scotus, a. a. O., 70.

[153] *J. Finkenzeller* (ebd.) mit Berufung auf *P. de Vooght,* Les sources de la doctrine chrétienne d'après les théologiens du XIVᵉ siècle et début du XVᵉ avec le texte intégral des XII premières questions de la Summa inédite de Gérard de Bologna († 1317), Paris 1954, 214.

[154] Ebd., 70 f., wiederum mit Berufung auf *P. de Vooght,* a. a. O., 247.

[155] IV Sent. dist. 13, q. 2 D: „Multe varietates que in scriptura canonica non habentur nec ex eis solis deduci possunt in consequentia necessaria sunt catholice. Patet primum de his que ab apostolis ad nos per succedentium relationem, vel scripturas fidelium fide dignas ad nos pervenerunt . . . Patet et de his que ex premissis . . . certo deduci possunt. Patet enim tertio de his veritatibus que aliis fidelibus a deo revelate esse sufficienter ostenduntur . . ."; ebd., III dist. 37, q. un C: „Possunt autem in lege pure divina assignari quattuor gradus: In 1⁰ ponuntur leges immediate a deo pro tota communitate hominum aut principaliori parte, scripte in biblia . . . In 2⁰ gradu ponuntur leges divine que ex precedentibus solis deducuntur in consequentia evidenti. In 3⁰ gradu ponuntur leges divine ex predictis deducte per successivam relationem apostolorum et aliorum equivalentem scripture canonice . . . In 4⁰ gradu sunt leges specialiter inspirate et revelate quibusdam singularibus personis pro se aut pro paucis ad hoc electis". Vgl. *P. R. Cren,* a. a. O., 151.

Die bei den genannten Autoren auftauchende Lehre von den revelationes novae divinae zeigt kaum eine völlig neue Auffassung über die Offenbarung an und widerlegt nicht die allgemein gesicherte Lehre vom Abschluß der Offenbarung mit Christus und den Aposteln. In der Regel konkurriert sie mit der Überzeugung von der Vollgenügsamkeit des Depositum. Johannes Gerson und Heinrich Totting stimmen etwa durchaus der Lehre von der Suffizienz der Schrift zu, wenn sie auch für die nicht geschriebene Tradition sehr aufgeschlossen sind[156]. Die sogenannten neuen Offenbarungen, die über die Apostel hinausgehen, sind in vielen Fällen mit einer autoritativen Schriftinterpretation durch die Kirche gleichzusetzen. Oft wird an Privatoffenbarungen zu denken sein oder an den charismatischen Offenbarungsbegriff des hl. Paulus[157] oder einfach an eine besondere Version der augustinischen Illuminationstheorie[158]. Nach J. Ratzinger haben wir heute kein Wort, das mit dem Sinn des mittelalterlichen Terminus „revelatio" völlig übereinstimmt[159]. Darin dürfte letztlich der Grund für manche Mißverständnisse in unserer Frage liegen.

Es ist interessant, daß im Mittelalter bei bestimmten Quästionen mit einer gewissen Regelmäßigkeit die Frage nach einer von der Schrift unabhängigen Offenbarung gestellt wird, etwa bei der Behandlung der Erlaubtheit der Bilderverehrung[160], bei der Frage nach dem Hervorgang des Heiligen Geistes aus dem Vater und dem Sohn und bei einzelnen Fragen der Sakramentenlehre, die allein von der Schrift her nur schwer zu erklären waren. Ganz besondere Schwierigkeiten bereitete der Schriftbeweis für die Firmung[161]. Wollte man in diesen Fällen nicht zu einer von der Schrift unabhängigen mündlichen Überlieferung seine Zuflucht nehmen, so sah man in der Annahme neuer Offenbarungen eine plausible Erklärung, zumal der Offenbarungsbegriff schillernd war[162].

Die grundlegende Überzeugung vom Ende der Offenbarung bekundet im Mittelalter auch das Lehramt der Kirche. Auf dem IV. Laterankonzil (1215)

---

[156] Vgl. *J. Finkenzeller*, Offenbarung und Theologie nach der Lehre des Johannes Duns Scotus, a. a. O., 70 f.

[157] 1 Kor 14, 30; vgl. *J. Finkenzeller*, Offenbarung und Theologie nach der Lehre des Johannes Duns Scotus, a. a. O., 70 f. Wenn wirklich W. Ockham und G. Biel einerseits von eigentlichen nachapostolischen Offenbarungen reden, obwohl sie andererseits das Zeugnis der Apostel, ob schriftlich oder mündlich, für zureichend halten, so ist diese Position aus ihrem Bemühen zu verstehen, die Freiheit Gottes und seine Allmacht zu wahren. „Posset Deus, si sibi placeret, multas veritates catholicas noviter revelare vel inspirare", sagt Ockham (Dialogus I l. 2 c. 25). Man hatte das Bestreben, die Erkenntnis Gottes und seines Wesens „vor den ungezügelten Prätentionen der spekulativen Vernunft" (*P.-R. Cren*, a. a. O., 152) zu schützen (ebd., 151 f.).

[158] *J. de Ghellinck*, a. a. O., 155; vgl. oben 91.

[159] *J. Ratzinger*, Offenbarung – Schrift – Überlieferung, a. a. O., 26.

[160] STh III q. 25 a. 3 ad 4; Bonaventura, III Sent. dist. 9 a. 1 q. 2 ad 6.

[161] STh I q. 36 a. 2 ad 1; IV Sent. dist. 7 a. 1 q. 1 ad 1; *Bonaventura*, IV Sent. dist. 7 a. 1 q. 1 ad 1; STh III q. 64 a. 2 ad 2; *Duns Scotus*, Opus Oxoniense IV dist. 7 q. 1 n. 3; vgl. *J. Finkenzeller*, Offenbarung und Theologie nach der Lehre des Johannes Duns Scotus, a. a. O., 72 f.

[162] Ebd., 72–74.

bestimmt es, daß die Offenbarung durch Moses, die Propheten und Christus an die Menschheit ergangen ist[163], und Papst Johannes XXII. (1316–1334) weist in der Konstitution „Gloriosam Ecclesiam" vom 23. Januar 1318 die Irrtümer der Fraticellen zurück, die behaupteten, das Evangelium Jesu Christi komme erst bei ihnen voll zur Erfüllung, während es bisher verborgen bzw. ganz und gar ausgelöscht gewesen sei[164]. Am 14. Nov. 1459 werden einige Irrtümer des Kanonikus Zaninus von Solcia verurteilt, der im Anschluß an die christliche Heilsordnung eine neue erwartete[165].

3. Neuzeit

Am Beginn der Neuzeit bestätigen die Väter des Konzils von Trient die traditionelle Lehre vom Abschluß der Offenbarung und von ihrer endgültigen und verpflichtenden Fixierung, wenngleich sie den Terminus „revelatio" nicht gebrauchen. Sie verstehen die Offenbarung als die Botschaft des Heiles, von den Propheten versprochen, von Christus erfüllt, von den Aposteln verkündet und der Kirche übergeben, als eine Sammlung von Wahrheiten und Verheißungen, die sich in der Schrift und in der Tradition findet. In der Sessio IV vom 8. April 1546 legen sie den Grund für alle späteren Entscheidungen, wenn sie das Formalprinzip der Offenbarung, den Kanon der hl. Schriften und die apostolische Tradition, definieren: „ . . . hanc veritatem et disciplinam contineri in libris scriptis et sine scripto traditionibus, quae ab ipsius Christi ore ab Apostolis acceptae, aut ab ipsis Apostolis Spiritu Sancto dictante . . . ad nos usque pervenerunt . . ."[166]. Christus ließ die Wahrheit des Evangeliums, so sagt das Konzil[167], durch seine Apostel „tamquam fontem omnis et salutaris veritatis et morum disciplinae" aller Kreatur predigen. Sie ist enthalten in den geschriebenen Büchern und den ungeschriebenen Traditionen. Ob letztere über die in der Schrift enthaltenen Wahrheiten hinausgehen,

---

[163] DS 800 f. *R. Latourelle* (a. a. O., 261) charakterisiert diese Stelle mit folgenden Worten: „L'expression la plus complète, à l'époque mediévale, de la notion de révélation . . ."
[164] DS 915; vgl. oben 93.   [165] DS 1369.
[166] DS 1501, *H. Jedin,* Art. Trient II (Das Konzil von Trient), in: LThK X, Freiburg 1965, 344; ders., Geschichte des Konzils von Trient II, Freiburg 1957, 42–82. Vgl. DS 1526; *R. Latourelle,* a. a. O., 263–268; *H. Waldenfels – L. Scheffczyk,* Offenbarung, a. a. O., 20–26. Am 12. Februar 1546 stellte Kard. de Monte fest: Unser ganzer Glaube kommt von der göttlichen Offenbarung, die uns von der Kirche übergeben ist, die sie empfängt teils durch die Schriften des AT und NT, teils durch die Tradition. Deshalb müssen die Fragen um die Schrift und die Traditionen zunächst behandelt werden. Das geschah, wie das Dekret vom 8. April 1546 (DS 1501 ff.) zeigt (*R. Latourelle,* a. a. O., 264 f.; vgl. Concilium Tridentinum, Diariorum, actorum, epistolarum, tractatuum nova collectio, hrsg. v. d. Görres-Gesellschaft, Bd. V, Freiburg 1964, 7 f.). Seit dem Tridentinum richtet sich das Augenmerk mehr auf die mittelbare und objektive Offenbarung, bedingt durch den Protestantismus, der sich mehr und mehr exklusiv auf die Schrift und das innere Wort des Heiligen Geistes verlegte, um so die Begegnung mit der Bibel zu einem einzigartigen Ort einer unmittelbaren und individuellen Begegnung zu machen und das Magisterium der Kirche zu umgehen (*R. Latourelle,* a. a. O., 254; *H. Waldenfels – L. Scheffczyk,* Die Offenbarung, Von der Reformation bis zur Gegenwart [HDG I, 1b], Freiburg 1977, 13).
[167] DS 1501.

bleibt offen[168]. Die Überlieferungen haben die Apostel von Christus direkt (ab ipsius Christi ore) oder vom Heiligen Geist (Spiritu Sancto dictante) empfangen[169]. Man rechnet also auch mit Offenbarungstätigkeit des Heiligen Geistes nach Jesu Tod und Auferstehung in der Frühzeit der Kirche. Das ist nicht unbedeutsam. Weiter heißt es, daß alle Bücher des AT und des NT, deren Urheber der eine Gott ist, und die Traditionen, die den Glauben und die Sitte betreffen, die entweder mündlich von Christus oder vom Heiligen Geist empfangen und in der katholischen Kirche in ununterbrochener Amtsnachfolge bewahrt worden sind, mit gleicher Ehrfurcht und Achtung angenommen werden[170]. Auch hier wieder wird im Zusammenhang mit den Überlieferungen von der Offenbarertätigkeit des Heiligen Geistes gesprochen.

Im Prooemium des Rechtfertigungsdekretes wird der Gegenstand des Glaubens als Lehre verstanden, in der wir durch Christus unterrichtet wurden, die uns durch die Apostel übergeben ist und in der Kirche bewahrt und gegen allen Irrtum verteidigt wird[171]. In dem gleichen Dekret wird der Glaube als Zustimmung zu den von Gott geoffenbarten Wahrheiten und Verheißungen begriffen[172].

Den Vätern des Konzils kam es auf die Wahrung des Zusammenhangs mit den Aposteln an. Das gleiche Anliegen verfolgten die Reformatoren. Wollten die Protestanten die Reinheit des apostolischen Zeugnisses bewahren, so ging es dem Konzil um die Fülle des apostolischen Erbes. Die einen dachten an das geschriebene Wort, „das der Geschichte völlig transzendent bleibt", die anderen an die Gabe Gottes, „die wahrhaft in die Geschichte eingegangen" ist[173]. Jedenfalls verstand sich die Kirche des Konzils als die Kirche der Apostel, in der die Glaubenshinterlage lebendig bewahrt und stets tiefer erfaßt wird.

Demgemäß konstatiert Melchior Cano († 1560): „Id enim etiam atque etiam asserimus, nullas alias scripturas sacras Ecclesiam aut habere nunc aut deinceps habituram. Novas revelationes et scripturas sacras quaerere Judaeorum est"[174]. Er greift die nachösterliche Offenbarung durch den Heiligen Geist auf, wenn er sagt: „Nam dogmata fidei, sive Christus ipse per se Apostolis revelavit seu Spiritus Sanctus post Christi ascensionem in coelum, mutari non possunt, sed firma haec in veritate manent"[175]. Für Cano sind die Ecclesia catholica, die

---

[168] Ebd., s. unten 271–273.   [169] DS 1501.

[170] „. . . omnes libros tam Veteris quam Novi Testamenti . . . nec non traditiones ipsas, tum ad fidem tum ad mores pertinentes, tamquam vel oretenus a Christo vel a Spiritu Sancto dictatas et continua successione in Ecclesia catholica conservatas, pari pietatis affectu ac reverentia suscipit et veneratur" (DS 1501).

[171] DS 1520; vgl. *R. Latourelle,* a. a. O., 267.

[172] DS 1526. Ähnlich ist die Konzeption im Catechismus Romanus; vgl. *R. Latourelle,* a. a. O., 267; *H. Waldenfels – L. Scheffczyk,* a. a. O., 25.

[173] *Y. Congar,* Die Tradition und die Traditionen, a. a. O., I, 189; vgl. 180 u. 188.

[174] *M. Cano,* De locis theologicis V, 5.

[175] Ebd., III, 5. Die materiale Fassung des Offenbarungsbegriffes setzt sich noch nicht konsequent durch im Gefolge des Konzils. Ebenso wie auch Bañez († 1604) nennt Cano die Heilslehre, die die Kirche verkündet, nicht Offenbarung. Sein Hauptaugenmerk richtet sich auf die Glaubensgnade,

Concilia, die Ecclesia Romana, die Patres und die scholastici Theologi die eigentlichen theologischen Erkenntnismittel und Fundorte für die Interpretation der Offenbarung, die in Schrift und Tradition gegeben und ein für allemal abgeschlossen ist. In seiner antireformatorischen Tendenz legt er allerdings besonderes Gewicht auf die mündliche apostolische Tradition als einen neben der Heiligen Schrift verbindlichen Fundort der Offenbarung und auf die Autorität des kirchlichen Lehramtes[176]. – Die Hervorhebung der mündlichen apostolischen Tradition in der nachreformatorischen Zeit wird man wohl auch damit erklären müssen, daß man nun bei Schwierigkeiten bezüglich der Begründung einer aktuellen Lehre der Kirche nur noch auf die Tradition zurückgreifen konnte, nachdem man nicht mehr mit „Offenbarungen" arbeiten konnte.

Gregor von Valencia SJ († 1603), „der bedeutendste Theologe im nachtridentinischen Jahrhundert in Deutschland"[177], schreibt: „Illud vero nunc nego, ad Ecclesiam pertinere asseverare veritatem aliquam fidei, vel proponere revelationem aliquam, quae fuerit Apostolis penitus ignota[178]. Er nennt Thomas, Bonaventura, Albert, Scotus, Durandus und Richard als Gewährsmänner für die sententia communis, wonach im impliziten Glaubensakt alles, was heute geglaubt werde, schon immer in der Kirche geglaubt worden sei, und stützt sich damit auf nicht wenige Stellen der Scholastik[179]. Bei den Aposteln konstatiert Gregor mit Hinweis auf Apg 10 eine sukzessive Erkenntnis der Offenbarung[180].

Suárez († 1617) definiert die Offenbarung primär vom Objekt her. Sie ist für ihn die vollendete Vorlage der göttlichen Mysterien, der Heilslehre. Die Erleuchtung durch die Glaubensgnade versteht er nur im weiteren Sinne als Offenbarung. Er betont, daß es keine neuen Offenbarungen gibt[181].

---

in der die Offenbarung empfangen wird, die innere Erleuchtung, die die Seele öffnet für die übernatürliche Welt (*R. Latourelle*, a. a. O., 188–190. 257; *J. Ratzinger*, Ein Versuch zur Frage des Traditionsbegriffs, in: *K. Rahner – J. Ratzinger*, Offenbarung und Überlieferung [QD 25], Freiburg 1965, 67; *H. Waldenfels – L. Scheffczyk*, Die Offenbarung, a. a. O., 21. 35).

[176] Ebd., 34; *G. Söll*, a. a. O., 158. Auch Bañez weist den Gedanken neuer Offenbarungen zurück (In II/II q., 1 a. 7: „Ecclesia non indiget novis revelationibus neque eas habet . . ."; vgl. *H. Waldenfels – L. Scheffczyk*, Die Offenbarung, a. a. O., 36).

[177] *W. Hentrich*, Art. Gregor von Valencia, in: LThK IV, Freiburg ²1960, 1194.

[178] In II/II disp. 1 q. 1. Gregor unterscheidet zwischen „cognitio theologica" und „cognitio divinitus infusa, non acquisita", die letztere ist nach ihm bei den Aposteln größer gewesen als bei uns.

[179] Ebd.   [180] Ebd.

[181] De fide disp. III sect. 11 n. 5, n. 6, n. 7, n. 10. Der Vorgang der Verlagerung des Blickes vom Akt der Offenbarung auf ihr Ergebnis beginnt bereits im Mittelalter (vgl. *H. Waldenfels – L. Scheffczyk*, Die Offenbarung, a. a. O., 5; *R. Latourelle*, a. a. O., 190–195. 257). *G. Söll* (a. a. O., 166 f.) meint, Suárez sei nicht ganz konsequent in der Durchführung dieses Prinzips, was *J. Beumer* jedoch zurückweist mit Berufung auf die Untersuchungen von A. Vargas-Machuca, La toría del progreso dogmático en Suárez, Archivo teológico Granadino 36, 1973, 5–80 (*J. Beumer*, Besprechung zu G. Söll SDB, Dogma und Dogmenentwicklung [HDG I, 5], Freiburg 1971, in: Theologie und Philosophie 49, 1974, 629). Faktisch stellt Suárez die Definitionen der Kirche neuen Offenbarungen gleich. Für ihn ist die Offenbarung zwar abgeschlossen, aber die Unfehlbarkeit

Auch Robert Bellarmin († 1621) stellt mit Nachdruck den Abschluß der Offenbarung heraus, wenn er sagt: „Nihil est de fide nisi quod Deus per Apostolos aut Prophetas revelavit, aut quod evidenter inde deducitur. Non enim novis revelationibus nunc regitur Ecclesia, sed in iis permanet, quae tradiderunt illi, qui ministri fuerunt sermonis ... Igitur illa omnia, quae Ecclesia fide tenet, tradita sunt ab Apostolis aut Prophetis, aut scripto aut verbo"[182].

Johannes de Lugo († 1660) erklärt: „Existimo ea quae ab Ecclesia definiuntur, posse et debere credi de fide. Quod ultra argumenta a Suario adducta confirmant omnium praxis et usus (Confessio Tridentina). Addo tamen Ecclesiam non habere novam revelationem ad haec definienda, nec per hoc Deum revelare de novo aliquid, quod iam antea non revelasset saltem in confuso, sed nobis iam nunc constare magis distincte vel determinate, quid sit illud, quod antea magis confuse continebatur in revelatione divina"[183]. Also auch er wehrt den Gedanken neuer Offenbarungen in der Kirche ab. Kirchliche Definitionen bewirken lediglich die Erhellung und Klärung. Freilich bleibt das Wie des Enthaltenseins in der Offenbarung kontrovers[184].

Nicht anders ist die Position der Salmantizenser des 17. Jahrhunderts. Für sie gibt es keine neuen Offenbarungen im Sinne einer Erweiterung des depositum fidei[185].

Wie bei den früheren, so ist auch bei den nachtridentinischen Theologen nicht explizit vom „Abschluß der Offenbarung" die Rede. Sie verstehen die Offenbarung zunehmend vom Ergebnis her und erklären, daß die Apostel zwar noch Offenbarungen durch den Heiligen Geist empfangen haben, daß es aber nach den Aposteln „keine neuen Offenbarungen" mehr gibt. Damit bringen sie auf ihre Weise die Normativität und die Verbindlichkeit der apostolischen Verkündigung zum Ausdruck.

4. Neunzehntes Jahrhundert

Das Thema Offenbarung beschäftigte vordringlich das kirchliche Lehramt und die Theologie des 19. Jahrhunderts.

---

sichert der Kirche die Assistenz des Heiligen Geistes zu, und diese „aequivalet revelationi vel consumat illam ..." (De fide, disp. III sect. 2 n. 11; vgl. Y. Congar, Die Tradition und die Traditionen, a. a. O., II, 216 f.).
[182] Robert Bellarmin, De Verbo Dei non scripto IV c. 9 reg. 1.
[183] De virtute fidei divinae, disp. I sect. 13 n. 27, vgl. disp. III sect. 5 n. 69 ff.
[184] Vgl. G. Söll, a. a. O., 167 f. Für de Lugo ist das bestimmende Element der Offenbarung die locutio (H. Waldenfels – L. Scheffczyk, Die Offenbarung, a. a. O., 42 ff.).
[185] G. Söll, a. a. O., 169 ff. Die Salmantizenser unterscheiden aktive und passive Offenbarung, die geoffenbarten Mysterien und die Glaubensgnade, die revelatio ex parte obiecti und ex parte potentiae (R. Latourelle, a. a. O., 198 f. 257). Offenbarung ist für sie aber primär Mitteilung von Glaubenswahrheiten (H. Waldenfels – L. Scheffczyk, Die Offenbarung, a. a. O., 49–51). Die Mehrheit der Theologen reserviert jedoch im Anschluß an Suárez und de Lugo den Terminus „Offenbarung" für die Vorlage des Glaubensgegenstandes, die durch Christus und die Apostel gegeben ist (R. Latourelle, a. a. O., 403).

Aufklärung und Rationalismus lenkten den Blick unvermeidlich auf die Fragen um Offenbarung, Glaube und Vernunft. Im Namen des Anspruchs des denkenden Subjekts wurde die Möglichkeit einer übernatürlichen Offenbarung in Zweifel gezogen, wurde die Offenbarung auf die Erkenntnis und die allgemeine religiöse Erfahrung zurückgeführt[186]. Nicht wenige Theologen schlugen dabei einen Weg ein, der mit der Lehre der Kirche unvereinbar war, sei es, daß sie die Vernunft so sehr betonten, daß sie dem Glauben in seiner Übernatürlichkeit nicht mehr gerecht wurden, sei es, daß sie in Reaktion darauf der Vernunft den ihr gebührenden Platz versagten. Das erstere geschah im Semirationalismus G. Hermes' († 1831), A. Günthers († 1863) und J. Frohschammers († 1893), das letztere im Fideismus und Traditionalismus L. Bautains († 1867), L. de Bonalds († 1840), F. de Lamennais' († 1854) und A. Bonnettys († 1879), eines gemäßigten Vertreters des Traditionalismus, sowie im Ontologismus[187] Giobertis († 1852) und Rosminis († 1855). Die einen machten mehr spekulativ die Positivität vernünftig und so den Glauben zum Wissen, die anderen lösten mehr empirisch die Vernunft in Positivität auf[188]. Beide Richtungen wurden der Vernunft nicht gerecht, die nach der Überzeugung der Kirche den Weg zum Glauben und damit zur Offenbarung ebnet. Daher fühlte sich das Lehramt wiederholt zu Stellungnahmen zum Problem der Offenbarung herausgefordert.

Gegen G. Hermes, der den Versuch machte, die Theologie mit Kant und Fichte zu vereinen und in seiner Theologie mit dem radikalen Zweifel begann, um so zu innerer Einsicht in die Wahrheit mit den Kräften der Vernunft zu gelangen, wendet sich Gregor XVI. (1831–1846) in dem Breve „Dum acerbissimas" vom 26. September 1835. Er betont mit Nachdruck, daß nach katholischem Verständnis die Vernunft nicht die erste Norm und das einzige Medium für die Erkenntnis der übernatürlichen Wahrheiten ist[189].

Pius IX. (1846–1878) verurteilt in der Enzyklika „Qui pluribus" vom 9. November 1846[190] den Rationalismus, der den Fortschrittsglauben auf die Offenbarung überträgt, und stellt fest, die Religion sei nicht das Werk des Menschen, sondern das Werk Gottes[191]. Die Gedanken von „Qui pluribus" werden noch einmal im Jahre 1854 in der päpstlichen Allocutio „Singulari quadam"[192] mit Nachdruck herausgestellt.

Die Index-Kongregation weist 1857 die Lehre Anton Günthers mehr allgemein zurück. Diese Verurteilung wiederholt Pius IX. noch einmal differenzierter im Jahre 1860[193]. In dem Hegelschen Rationalismus Günthers[194] sah die Kirche die Gefahr, daß die Unterscheidung von Wissen und Glauben wie auch die Unveränderlichkeit des Glaubens verdunkelt werde[195]. Das Breve

---

[186] *J. Schumacher,* Der „Denzinger", Geschichte und Bedeutung eines Buches in der Praxis der neueren Theologie (Freiburger theologische Studien 95), Freiburg 1974, 11; vgl. *A. Dulles,* a. a. O., 35; *R. Latourelle,* a. a. O., 261 f.
[187] S. oben 71 f.   [188] *J. Schumacher,* a. a. O., 66.
[189] DS 2738; vgl. *J. Schumacher,* a. a. O., 66.   [190] DS 2775–2786.   [191] DS 2777. 2780.
[192] D 1642–1648.   [193] DS 2828 ff.
[194] *G. Söll,* a. a. O., 211; vgl. unten 109.   [195] DS 2829.

der Index-Kongregation betont die Besonderheit der Offenbarung gegenüber dem menschlichen Wissen, ihre absolute Unveränderlichkeit und Irrtumslosigkeit[196].

In dem Brief „Gravissimas inter" an den Erzbischof von München und Freising vom 11. Dezember 1862 wendet sich Pius IX. gegen die Irrtümer des J. Frohschammer, wenn er die Notwendigkeit der Unterscheidung von Glauben und Wissen, von natürlicher und übernatürlicher Theologie unterstreicht. Er erinnert daran, daß die Offenbarungsmysterien nicht nur die menschliche Philosophie, sondern auch die natürliche Erkenntniskraft der Engel übersteigen und auch im Glauben dunkel bleiben[197].

Ein Reflex des Ringens um diese fundamentalen Fragen ist der Syllabus Pius' IX. vom 8. Dezember 1864, eine Sammlung von 80 Sätzen aus Lehräußerungen des Papstes, die die verschiedensten Zeitirrtümer anprangern[198]. In dieser Zusammenstellung wird unter anderen Irrtümern bezüglich des Verhältnisses von Offenbarung und Vernunft auch der Evolutionismus im Offenbarungsverständnis zurückgewiesen: „Divina revelatio est imperfecta et idcirco subiecta continuo et indefinito progressui, qui humanae rationis progressui respondeat"[199].

Der Traditionalismus, das andere Extrem, wird bereits in den genannten Lehräußerungen ausdrücklich oder einschlußweise zurückgewiesen. Darüber hinaus verurteilt das kirchliche Lehramt noch einige Thesen Bautains[200], erklärt den Traditionalismus Bonnettys für unvereinbar mit dem Glauben der Kirche[201], prangert die Irrtümer des Ontologismus an[202] und stellt endlich die Bedeutung der Philosophie als Stütze für den Glauben heraus[203].

Grundsätzlich befaßt sich dann mit diesen Fragen das I. Vatikanische Konzil in seiner Dogmatischen Konstitution „Dei Filius". Darin hat sich das Konzil erstmalig umfassend zur Offenbarung im fundamentaltheologischen Sinn, d. h. im Sinne des Aufweises der Grundlagen der Theologie, geäußert, wie H. Fries festgestellt hat[204]. Das Konzil denkt ausschließlich an die Offenbarung im objektiven Sinn. Sie wird verstanden als Manifestation der Wahrheiten des Heiles, der Geheimnisse Gottes, seines Heilsplans[205].

Es wird hier eine Reihe von irrigen Auffassungen der Rationalisten über die Offenbarung zurückgewiesen. Da ist von dem übernatürlichen Faktum der Offenbarung, von ihrer Notwendigkeit, von ihren Fundorten und von der Kirche als ihrer authentischen Interpretin die Rede[206]. Das Konzil erklärt, die Offenbarung sei nicht wie eine philosophische Erfindung vom menschlichen Verstand her mit menschlichen Fähigkeiten zu vervollkommnen, sondern als göttliches Depositum der Kirche anvertraut[207]. Immer sei jener Sinn der

---

[196] Vgl. G. Söll, a. a. O., 211 ff.   [197] DS 2856.   [198] DS 2901–2980.
[199] DS 2905.   [200] DS 2751–2756. 2765–2769.   [201] DS 2811–2814.
[202] DS 2841–2847. 3201–3241.   [203] DS 3135–3138.
[204] H. Fries, Art. Offenbarung, in: LThK VII, Freiburg ²1962, 1109 f.
[205] R. Latourelle, a. a. O., 257.   [206] DS 3004–3007.
[207] „. . . tamquam divinum depositum Christi sponsae tradita, fideliter custodienda et infallibiliter declaranda" (DS 3020).

Dogmen zu bewahren, „quem semel declaravit sancta mater Ecclesia, nec umquam ab eo sensu altioris intellegentiae specie et nomine redendum"[208]. Wachstum gebe es nur in der Erkenntnis, während der Glaubensinhalt der gleiche bleibe[209]. Dem entspricht der Canon: „Si quis dixerit, fieri posse, ut dogmatibus ab Ecclesia propositis aliquando secundum progressum scientiae sensus tribuendus sit alius ab eo, quem intellexit et intellegit Ecclesia, a. s."[210].

Im Hintergrund solcher Formulierungen mögen Gedanken von A. Günther gestanden haben, der die Auffassung vertrat, daß die Offenbarung nur durch die Erbsünde ausgelöst und nur dem Modus nach übernatürlich sei, daß sie lediglich aus wenigen Grundanschauungen und Fakten bestünde, erst ihr völliges Verständnis durch die Philosophie erreiche und endlich durch die kirchliche Lehrtradition abgeschlossen werde. Nach ihm haben Jesus und die Apostel nur einige wenige Lehren verkündigt und es der Nachwelt überlassen, mit Hilfe der Philosophie ein Lehrgebäude daraus zu errichten. Die Dogmen sind im einzelnen das Produkt des menschlichen Fortschritts, daher abhängig von der Wissenschaft und ihrem Fortschreiten. Sie können durch ein höheres Verständnis überhöht werden und einen neuen Sinn erhalten[211]. Das aber widerstreitet der katholischen Glaubensüberzeugung von dem übernatürlichen Charakter der Offenbarung und ihrem Abschluß sowie dem Bewußtsein der Kirche vom Vollbesitz des christlichen Glaubensgutes durch die Apostel und von der definitiven Gültigkeit der dogmatischen Lehrentscheidungen der Kirche[212].

Die falschen Auffassungen des Rationalismus und des Traditionalismus über die Offenbarung sind der eine Grund für die klärenden Äußerungen des I. Vatikanischen Konzils. Ein weiterer sind die neuen Dogmen von 1854 und 1870[213]. Sie provozierten geradezu eine Stellungnahme zur Frage des Abschlusses der Offenbarung.

Die Definitionsbulle von 1854 erklärte ausdrücklich, die Wahrheit der Immaculata Conceptio BMV sei von Gott geoffenbart. Aber schon J. Perrone

---

[208] Ebd.

[209] „Crescat igitur . . . et multum vehementerque proficiat, tam singulorum quam omnium, tam unius hominis quam totius Ecclesiae, aetatum ac saeculorum gradibus, intelligentia, scientia, sapientia: sed in suo dumtaxat genere, in eodem scilicet dogmate, eodem sensu eademque sententia" (DS 3020).

[210] DS 3043.

[211] *G. Söll*, a. a. O., 211–213.

[212] Das 4. Kapitel der Dogmatischen Konstitution De fide catholica ist die erste feierliche Äußerung des Lehramtes zur Frage der Dogmenentwicklung. Entsprechend den geschichtlichen Möglichkeiten bestätigte man damals die klassische Formulierung des Vinzenz von Lerin. Darauf berief man sich, obwohl sich noch bei der Dogmatisierung von 1854 gezeigt hatte, daß dieser Satz eigentlich nicht mehr zur Begründung der Dogmenentfaltung genügte. Aber es kommt hier auf den Sinn der Aussage an. Es ging um die Bekräftigung der alten Überzeugung vom Abschluß der Offenbarung. Man wollte aufs neue festlegen, daß es nur einen akzidentellen Fortschritt gebe, der in der Sinnerhellung der Offenbarungswahrheiten bestehe (vgl. *G. Söll*, a. a. O., 211–213).

[213] Ebd.

(† 1876), eines der bedeutendsten Mitglieder der zur Vorbereitung der Definition eingesetzten Theologenkommission, hatte zum Ausdruck gebracht, daß die Schrifttexte für die Begründung dieser Wahrheit nicht ausreichten. Das ist bis heute die Meinung der meisten Theologen. Er schlug daher vor, in der Definitionsformel die Unbefleckte Empfängnis als eine beständige Lehre der Kirche zu charakterisieren, die in der Schrift und in der ältesten Tradition der Kirche keimhaft angelegt sei. Dagegen erhob sich aber entschiedene Kritik. Andere wollten das Dogma in anderen zentralen Glaubenswahrheiten verankert sehen. Endlich wurden die theologischen Vorstellungen von C. Passaglia († 1887) hinsichtlich der Tradition akzeptiert, nämlich: Die Tradition ist a) nicht gleich der Summe von übereinstimmenden Lehren der Väter und b) vollzieht sie sich nicht nur in der Form des Testimonium, sondern auch in der Form der aktuellen Lehre der Kirche, die sich freilich auf das Zeugnis der Vergangenheit stützt. Im Lichte des gegenwärtigen Glaubens der Kirche haben die Zeugnisse der Schrift und der Väter Beweiskraft und dienen als Illustration und Bekräftigung. Es tritt damit das „Factum Ecclesiae" als dogmenbegründend in die theologische Diskussion, das will sagen, die Begründung eines Dogmas mittels der Schrift- und Väterbeweise erhält seine Kraft primär aus Tradition, Lehre und Praxis der gegenwärtigen Kirche. Klar und deutlich wird dabei der Abschluß der Offenbarung bezeugt. „Die Kirche Christi ist nämlich nur Bewahrerin und Verteidigerin . . .", heißt es in der Bulle „Ineffabilis Deus" vom 8. Dezember 1854[214].

Ähnlich ist die Begründung bei den Dogmen von 1870 und 1950. Geht man auf das „Factum Ecclesiae" zurück, dann wird die Kirche bzw. das vom Heiligen Geist gelenkte Lehramt der Kirche der entscheidende Faktor der Dogmenentwicklung bzw. der Entfaltung der Offenbarungserkenntnis. Neu gegenüber 1854 ist 1950 die Betonung des Glaubenssinnes des christlichen Volkes, die Anführung der Väterzeugnisse und die klärende Feststellung, daß die Liturgie nicht dogmenerzeugend, sondern nur dogmenbezeugend sein kann.

Bei solcher Darstellung der Dogmenentfaltung wird deutlich, daß das I. Vatikanische Konzil, wenn es im 4. Kapitel der „Constitutio de fide catholica" einen Dogmenfortschritt nur im Sinne der berühmten Sentenz des Vinzenz von Lerin bestimmt[215], nicht diese Theorie kanonisieren will, sich vielmehr zunächst nur absolut gegen die Evolutionstheorie des 19. Jahrhunderts wendet, die man auf keine Weise mit dem Glauben der Kirche an den Abschluß der Offenbarung zu vereinbaren wußte[216].

Auch die Einleitung zur Definition der Infallibilität im Jahre 1870[217] hebt den Abschluß der Offenbarung hervor. Sie erinnert daran, daß die römischen

---

[214] DS 2802; *G. Söll*, a. a. O., 213–216, vgl. oben A 212.
[215] DS 3020.
[216] *G. Söll*, a. a. O., 211–213, vgl. oben A 212.
[217] DS 3069 f.

Bischöfe immer bemüht waren, die „salutaris Christi doctrina" auszubreiten und rein zu bewahren. In den von ihnen einberufenen Konzilien oder durch Erkundung der Meinung der ganzen Kirche, durch Partikularsynoden oder andere Mittel seien sie immer darauf bedacht gewesen, das festzuhalten, was sie mit Gottes Hilfe als den heiligen Schriften und den apostolischen Traditionen entsprechend erkannt hätten[218]. Des weiteren schärft sie den Päpsten die Verpflichtung ein, die apostolische Tradition zu bewahren. Die unter dem Beistand des Heiligen Geistes den Aposteln übergebene Offenbarung sollen sie „heilig bewahren und getreu auslegen"[219].

In der Enzyklika „Satis cognitum" vom 29. Juni 1896 hebt Leo XIII. (1878–1903) wiederum die Übernatürlichkeit der Offenbarung hervor, die daher anderen Gesetzen unterliegt als das natürliche Denken der Vernunft[220].

In dem dramatischen Ringen des 19. Jahrhunderts um den rechten Offenbarungsbegriff, das im Spannungsfeld von Glaube und Wissen steht, weist das Lehramt einen Weg zwischen Rationalismus und Fideismus. Sind auch die Stellungnahmen zum Teil sehr restriktiv, so bewahren sie doch die Grundüberzeugung der Kirche vom Abschluß der übernatürlichen, öffentlichen, allgemein verpflichtenden Offenbarung und wehren dem Mißverständnis eines substantiellen Wachstums des Glaubens, ohne jedoch einem tieferen Eindringen in das Phänomen der Dogmenentwicklung den Weg zu versperren. Gleichzeitig werden diese Gedanken weitergeführt durch die Definition zweier Dogmen, die das Bewußtsein der Kirche vom Abschluß der Offenbarung und ihrer Entwicklung der formalen Seite nach praktisch demonstrieren.

Für die großen Theologen des 19. Jahrhunderts, die Theologen der Tübinger Schule wie der Neuscholastik, ist es selbstverständlich, daß die Offenbarung mit dem Christusereignis abgeschlossen ist, bzw. daß es nach Christus und den Aposteln keine neuen Offenbarungen mehr gibt[221]. Das betonen sie in der Auseinandersetzung mit den geistigen Strömungen ihrer Zeit[222]. Sprach man in der nachtridentinischen Theologie davon, daß es nach Christus und den Aposteln keine neuen Offenbarungen mehr geben werde, so bildet sich nun mehr und mehr die bis heute gebräuchliche Terminologie vom Abschluß der Offenbarung heraus[223].

---

[218] „Huic pastorali muneri ut satisfacerent, praedecessores Nostri indefessam semper operam dederunt, ut salutaris Christi doctrina apud omnes terrae populos propagaretur ... et pura conservaretur ... Romani autem Pontifices ... nunc convocatis oecumenicis Conciliis aut explorata Ecclesiae per orbem dispersae sententia, nunc per Synodos particulares, nunc aliis, quae divina suppeditabat providentia, adhibitis auxiliis, ea tenenda definiverunt, quae sacris Scripturis et apostolicis traditionibus consentanea, Deo adiutore, cognoverant" (DS 3069).

[219] „... ut ... eo (sc. Spiritu Sancto) assistente, traditam per Apostolos revelationem seu fidei depositum sancte custodirent et fideliter exponerent" (DS 3070).

[220] D 1958. Seit der von A. Schönmetzer bearbeiteten 32. Auflage fehlt diese Stelle (vgl. *J. Schumacher*, a. a. O., 208 f.).

[221] S. unten 121–127.

[222] Vgl. *G. Söll*, a. a. O., 173 ff. 209 ff.

[223] S. unten 181 f.

In charakteristischer Weise wendet sich Kardinal J. H. Newman († 1890) verschiedentlich gegen einen rationalistischen und evolutionistischen Offenbarungsbegriff sowie gegen ein Weitergehen der Offenbarung über das Christusereignis hinaus. Er erklärt[224], der Geist Gottes bringe keine neuen Offenbarungen, da Christus seinen Aposteln die Fülle und damit den Abschluß der Offenbarung gebracht habe, der Geist Gottes bewirke aber das wachsende Erkennen dieser Wahrheiten. Für Newman ist die Kirche die Gemeinschaft, der das geoffenbarte Gotteswort übergeben ist, damit sie es verkünde. Ihr obliegt es, die in Christus abgeschlossene und erfüllte Offenbarung für alle Zeiten an alle Menschen weiterzugeben, denn Gott hat sie für die Überlieferung der Offenbarung geschaffen. Nur das kann echtes Glaubensgut sein, was von den Aposteln kommt. Nach ihnen gibt es keine neue Offenbarung mehr. Sie stehen am Anfang der Überlieferungskette, die auf Christus zurückgeht, und sind die ersten Gründer der Kirche. Sie sind inspirierte Lehrer und unfehlbare Träger der Offenbarung. Sie hatten die Fähigkeit, jede Streitfrage über Jesu Lehre sofort, absolut sicher und verbindlich zu entscheiden. Mit ihnen schließt die Offenbarung Gottes ab. Seit dem Tod des letzten Apostels hat die geoffenbarte Lehre keinen äußeren Zuwachs mehr erfahren[225].

Wiederum bemerkt Newman, die Gotteswahrheit lebe seit den Tagen Christi und der Apostel durch die Päpste, Bischöfe, Priester und Laien in der Kirche weiter[226]. Er betont, die Überlieferung der endgültig abgeschlossenen, vollständigen Offenbarung beginne „nach dem Ende der Inspiration nach dem Tode des letzten Apostels"[227]. Bis dahin präsentiere sich Offenbarung im Neuen Bund in der Form der Inspiration und könne sich darin ausweisen. Danach beginne die Zeit der Tradition[228]. Newman denkt auch an die Entstehung der einzelnen neutestamentlichen Schriften in der apostolischen Zeit, also in der Offenbarungszeit. Er sagt: „Das geoffenbarte Gotteswort ist jenes Geschenk evangelischer Wahrheit oder das Depositum des Glaubens, das treu und vollständig von Christus den Aposteln und von diesen der Kirche überliefert wird, an alle Jahrhunderte, ganz und unversehrt, bis die Vollendung kommt"[229]. Newman verließ ja deswegen die anglikanische Kirche, weil sie nach seiner Meinung nicht die Kirche der Apostel war[230]. Er bemerkt, gerade die Bewahrung und Reinheit der Lehre sei einer der wichtigeren Gründe für die Stiftung der neutestamentlichen Kirche gewesen. Der von Christus gestiftete Bund seiner Kirche sei geeignet, nach dem Abschluß der Offenbarung das innere Wachstum in rechtmäßiger und unverfälschter Form zu garantieren[231].

---

[224] Fragmentarische Nachschrift einer Predigt über den Heiligen Geist; vgl. *G. Biemer, Überlieferung und Offenbarung, Die Lehre von der Tradition nach J. H. Newman* (Die Überlieferung in der neueren Theologie 4), Freiburg 1961, 164.
[225] Ebd., 172–176.   [226] Ebd., 184.   [227] Ebd., 198.
[228] Ebd., 199.   [229] Ebd., 109.   [230] Ebd., 108.
[231] Ebd., 171. Im Jahre 1875 schreibt Newman (in einer guten Zusammenfassung seiner diesbezüglichen Gedanken): „. . . neither Pope nor Council are on a level with the Apostles. To

Hier findet sich wiederholt der Gedanke vom Abschluß der Offenbarung mit dem Tode des letzten Apostels[232], der uns aber schon früher bei J. E. Kuhn, J. Perrone und anderen Theologen des 19. Jahrhunderts begegnet[233], ein Gedanke, der dann in dieser Formulierung mehr und mehr an Bedeutung gewinnt[234].

Die geistigen Strömungen des 19. Jahrhunderts wurden für die Kirche, speziell im Hinblick auf den Offenbarungsbegriff, noch einmal äußerst bedrohlich in der modernistischen Krise.

5. Modernismus

Der Modernismus ist im Grunde ein Vielerlei von theologischen und philosophischen Anschauungen. Seine Wurzeln sind in unbewältigten Problemen der Theologie des 19. Jahrhunderts zu suchen, die gegenüber einem feindseligen Zeitgeist nicht befriedigend gelöst werden konnten. Enge und Starre des philosophischen Denkens, Formalismus in der Darbietung der Scholastik, Mangel an historischer Bildung in den Seminarien zur Ausbildung des Klerus bestimmten weithin die Situation in der Kirche am Ende des 19. und am Beginn des 20. Jahrhunderts, wenngleich man wiederholt versuchte, die Kluft zwischen dem christlichen Geist und dem Geist der Zeit zu überbrücken. Im Zusammenhang solcher reformistischer Strömungen, die in den einzelnen Ländern unterschiedlich ausgeprägt waren, ist der Modernismus zu sehen, der dann mehr und mehr sein spezifisches Gepräge annahm und in unzureichender Weise die Theologie und den Glauben der Kirche mit dem Geist der Zeit zu versöhnen suchte. Bestimmend sind für ihn der Rationalismus, der deutlich wird in seiner naturalistischen und immanentistischen Grundhaltung, in seinem Agnostizismus und seinem evolutionären Pantheismus, sowie die liberale protestantische Theologie mit ihrer einseitigen Verwendung der historischen Forschung in bezug auf die Heilige Schrift, wodurch die christliche Offenbarung prinzipiell und faktisch nivelliert wird[235]. Gleichzeitig ist der Modernismus aber geprägt von der „Erlebnistheologie"

---

the Apostles the whole revelation was given, by the Church it is transmitted; no simply new truth has been given to us since St. John's death; the one office of the Church is to guard ,that noble deposit' of truth, as St. Paul speaks of Timothy, which the Apostles bequeathed to her in its fullness and integrity" (Certain Difficulties felt by the Anglicans in Catholic Teaching II, 327, ed. 1875; vgl. *J. Stern*, Bible et Tradition chez Newman, Aux origines de la théorie du développement [Théologie 72], Montaigne 1967, 217).

[232] Vgl. bes. oben A 231: „. . . since St. John's death . . .".

[233] S. unten 135.

[234] S. unten 117.

[235] *H. Niebecker*, a. a. O., 46; *B. Faupel*, Die Religionsphilosophie Georg Tyrrells (Freiburger theologische Studien 99), Freiburg o. J., 11–24; *A. Dulles*, a. a. O., 96 f.; *R. Latourelle*, a. a. O., 304; *E. Poulat*, Histoire, dogme et critique dans la crise moderniste, Paris 1962, 8; *N. Trippen*, Theologie und Lehramt im Konflikt, Die kirchlichen Maßnahmen gegen den Modernismus im Jahre 1907 und ihre Auswirkungen in Deutschland, Freiburg 1977, 17–45. 405–407 (18 f. die wichtigste Literatur!).

F. Schleiermachers († 1834), die als eine Reaktion auf die überstarke Betonung der Vernunft in der Vergangenheit zu verstehen ist. Schleiermacher hebt den Wert des Gefühls und der religiösen Erfahrung hervor. Für ihn ist Offenbarung primär ein Gemütserlebnis. Das Rationale in der Theologie versteht er als „die Reflexion über das Erlebnis, die dieses beschreibt". Für ihn kann sich das Erlebnis aber immer ereignen, und zwar dadurch, „daß Natur und Geschichte das Gemüt ansprechen"[236].

Demgemäß behauptet der Modernismus, alle Offenbarung und Religion sei aus dem Innersten des Menschen zu erklären. Quelle der Offenbarung sei das im Unterbewußtsein liegende Bedürfnis nach Gott und das sich daraus entwickelnde religiöse Gefühl, in dem die Seele mit dem Göttlichen in unmittelbarer Berührung stehe, Gott erlebe und von ihm ergriffen werde. Wenn das Gefühl zum Bewußtsein komme, werde es zur Offenbarung und zum Glauben. Das sei der Anfang und der Keim jeder Religion. Der Verstand bilde daraus Formeln und Sätze, die dann durch das Lehramt zu Dogmen würden. Sie seien nicht unumstößlich in ihrer Geltung, sondern nur Symbole. Ihr Wert reiche nur so weit, wie sie dem religiösen Gefühl entsprächen. Das Göttliche könne aber in unendlich vielen Formen erlebt werden. Mit dem religiösen Gefühl wechseln für den Modernismus auch die Dogmen. Damit wird der übernatürliche Charakter von Glaube, Dogma und Kirche aufgehoben zugunsten ausschließlich innerer Erfahrung, die zum Wesen des Menschen gehört. An seine Stelle tritt der Erlebnisglaube als eine Art natürlicher Religion. Die Art und Weise, Gott zu erleben, ist in solchem Verständnis in der Abfolge der Zeiten variabel. Endlich relativiert der Historismus die Offenbarung noch von der Geschichte her[237].

Es wäre einseitig, wollte man den Modernismus in Bausch und Bogen verurteilen. Er irrt nicht, sofern er die psychologische Seite des Offenbarungsvorganges beschreibt. Diese tritt ja weithin in historischen Zeugnissen klar zutage. Vielmehr irrt er darin, daß er, überwältigt von der Verwickeltheit, Vielfalt und Augenscheinlichkeit der psychologischen Seite der Offenbarung, die gnadenhafte, übernatürliche Seite in ihrer die psychologischen Faktoren anregenden, in Bewegung setzenden, vor Irrtum bewahrenden und auf die Bewußtmachung bestimmter übernatürlicher Wahrheiten zielenden Funktion rundweg leugnet und die Besonderheit der christlichen Offenbarung letztlich zurückweist[238].

Gewiß gibt es auch eine legitime Verwendung der Erlebnistheologie im katholischen Raum. Wenn Schleiermacher das Gefühl der schlechthinnigen Abhängigkeit zum Angelpunkt des Glaubens und der Frömmigkeit gemacht

---

[236] *J. R. Geiselmann*, Art. Offenbarung, a. a. O., 249; *R. Latourelle*, a. a. O., 285–291.

[237] *F. Diekamp*, Katholische Dogmatik nach den Grundsätzen des hl. Thomas, Münster ⁶1930, I, 15 f.; *R. Scherer*, Art. Modernismus, in: LThK VII, Freiburg ²1962, 513 f.; vgl. Enzyklika „Pascendi dominici gregis" (DS 3475–3500) und Antimodernisteneid (DS 3537–3550).

[238] S. DS 3420: „Revelatio nihil aliud esse potuit quam acquisita ab homine suae ad Deum relationis conscientia". Vgl. *A. Kolping*, Fundamentaltheologie I, a. a. O., 138–151.

und die christlichen Glaubenssätze als in der Rede dargestellte „Auffassungen der christlich frommen Gemütszustände" verstanden hatte[239], so kam diese Einstellung im katholischen Raum denen entgegen, die der Bevorzugung des Rationalen überdrüssig waren und in der Wertung des Affektiven und des Intuitiven neue Möglichkeiten für die christliche Offenbarung wähnten. Kein Geringerer als J. A. Möhler († 1838) hat diese Gedanken geschätzt und für seine Theologie fruchtbar gemacht, wenn er die arationalen Lebensfaktoren und Lebensfunktionen in der Kirche und das Wirken des Heiligen Geistes an und in den Gläubigen hervorgehoben hat. Aber Möhler hat in seinem Bemühen um den Erlebnischarakter des Glaubens trotz seiner offensichtlichen Aversion gegen ein *rein* rationales Verständnis der Dogmen dem intellektualistischen Moment im Dogma sein Recht belassen und die Objektivität des Glaubens nicht in Frage gestellt. Solche Gedanken hat später J. H. Newman († 1890) aufgegriffen[240].

Der Modernismus weist das traditionelle kirchliche Verständnis der Offenbarung als eines von außen kommenden Eingriffs Gottes zurück. An die Stelle eines solchen „Extrinsezismus" will er den „Immanentismus" setzen[241]. Dann kann aber von einer übernatürlichen Offenbarung keine Rede mehr sein. Er degradiert das Dogma zum bloßen Symbol und gibt damit den objektiven, absolut gültigen Wert der christlichen Glaubenssätze preis. Er übernimmt den biologischen Evolutionsbegriff des 19. Jahrhunderts und kommt wie die liberale protestantische Dogmenhistoriographie zur Annahme einer substantiellen Dogmenentfaltung, also einer Negierung des Abschlusses der Offenbarung, sofern man hier überhaupt noch von Offenbarung reden kann. In dieser Sicht kommen und verschwinden Dogmen und treten völlig neue an ihre Stelle.

Die Initiation der modernistischen Bewegung erfolgte durch Alfred Loisy (1857–1940)[242]. Für ihn hat das Christentum kein fixiertes Wesen; es ist vielmehr in ständiger Evolution begriffen. Seine Wahrheit ist wie alle Wahrheit relativ und progressiv. Latourelle charakterisiert das Offenbarungsverständnis Loisys mit folgenden Worten: „En bref, pour Loisy, la révélation n'est pas une doctrine offerte à notre foi, un dépôt immuable de vérités, mais une perception intuitive et expérimentale, toujours en devenir, de nos relations avec Dieu. La

---

[239] *F. Schleiermacher,* Der christliche Glaube, hrsg. von M. Redeker, Berlin [7]1960, I, 105.

[240] *G. Söll,* a. a. O., 40 f.; vgl. unten 118–120.

[241] *K. Rahner,* Überlegungen zur Frage der Dogmenentwicklung (1957), in: Schriften zur Theologie IV, Einsiedeln 1960, 11.

[242] *Alfred Loisy,* Bibelwissenschaftler am Institut Catholique in Paris von 1884–1893, gilt als der „Vater des katholischen Modernismus" (*F. Heiler,* Der Vater des katholischen Modernismus, Alfred Loisy (1857–1940), München 1947). Seine kleine Schrift „L'Evangile et l'Eglise (Paris 1902), nach seiner Intention die katholische Antwort auf *Harnacks* „Wesen des Christentums", ist besonders charakteristisch für sein Denken und für den Modernismus überhaupt. Vgl. *A. Dulles,* a. a. O., 96 f.; *R. Latourelle,* a. a. O., 292–294; *D. Bader,* Der Weg Loisys zur Erforschung der christlichen Wahrheit (Freiburger theologische Studien 96), Freiburg 1974, 65–172.

révélation, comme le dogme et la théologie, évolue toujours; elle est toujours en train de se faire"[243].

Bei George Tyrrell (1861–1909) ist das Mißtrauen gegen das begriffliche Element der Offenbarung grenzenlos. Er versteht die Offenbarung als Erfahrung des Göttlichen, die sich zuerst einen symbolischen, dann einen intellektuell-begrifflichen und endlich einen in Formeln bestehenden Ausdruck verschafft. Für ihn entwickelt sich nicht die Offenbarung, sondern die in Form der Dogmen von der Theologie vollzogene Interpretation der Offenbarung. Aber das Dogma hat nur eine relative Geltung. Das Credo ist das Symbol des Eindrucks, den das Unendliche von sich selbst im Bewußtsein eines großen und bedeutenden Teils der Menschheit hinterlassen hat. Tyrrell versteht jede Religion als Offenbarung und unterscheidet die christliche Offenbarung nicht wesentlich von den anderen „Offenbarungen". Das Christentum ist für ihn ein Stück des allgemeinen religiösen Prozesses der Geschichte. Er begreift die Offenbarung als immer wiederkehrendes Phänomen, wenngleich er der apostolischen Offenbarung eine Sonderstellung zuschreibt, sofern sie für ihn klassisch und normativ ist. Tyrrell bezeichnet auch die Aneignung der äußeren Offenbarung im Glauben als Offenbarung. In dieser Offenbarung wird die Erfahrung des Propheten zur persönlichen Erfahrung. Persönliche Erfahrung und prophetische Erfahrung sind für ihn von der gleichen Struktur und vom gleichen Inhalt[244].

Edouard Le Roy (1870–1954) schreibt dem Dogma nur ästhetisch-praktischen Wert zu und betrachtet es als ein der Veränderung unterworfenes Produkt der religiösen Erfahrung[245], erachtet damit Offenbarung als stete Möglichkeit.

Joseph Turmel (1859–1943) erklärt unzweideutig, in der katholischen Kirche sei Dogmenentwicklung durch Rekurs auf neue Offenbarungen erfolgt und zu verstehen[246].

Da der Modernismus vor allem in seinem Naturalismus und philosophischen Monismus die Kirche in ihren Fundamenten bedrohte, rief er das Lehramt der Kirche auf den Plan. Wenn es auch keine Antwort auf die echten Fragen der Zeit hatte, so unterstrich es doch in verschiedenen bedeutenden Lehräußerungen den traditionellen Glauben der Kirche und erfüllte damit seine primäre Aufgabe, seine bewahrende und schützende Funktion gegenüber dem Glauben[247]. Dabei lag der Schwerpunkt auf der Betonung der Übernatürlichkeit der Offenbarung und ihres lehrhaften Charakters, wobei aber nicht die anderen Aspekte geleugnet wurden[248].

---

[243] R. Latourelle, a. a. O., 294; D. Bader, a. a. O., 107–118. 141–159. Diese Auffassung verurteilt das Dekret „Lamentabili" ausdrücklich (DS 3420).

[244] B. Faupel, a. a. O., 120–186. 206–211. 385–389; G. Söll, a. a. O., 43 und 210; A. Dulles a. a. O., 99; R. Latourelle, a. a. O., 294–300.

[245] G. Söll, a. a. O., 44.

[246] J. Turmel, Chronique d'histoire ecclésiastique, in: RCF 37, 1904, 89.

[247] Vgl. DS 3070.

[248] R. Latourelle, a. a. O., 300 f.

In dem Dekret „Lamentabili sane exitu" vom 3. Juli 1907 verurteilte das Hl. Offizium 65 aus den verschiedensten Werken der Modernisten herausgezogene Sätze[249]. Pius X. (1903–1914) wies dann in der Enzyklika „Pascendi dominici gregis" vom 8. September 1907 die grundlegenden Irrtümer des Modernismus in der Religionsphilosophie, der Apologetik, der Bibelwissenschaft, der Dogmengeschichte, der Kirchendisziplin und der politischen und sozialen Aktion zurück. Zwar wurden diese Gedanken von keinem Modernisten so in ihrer Gesamtheit vertreten, aber irgendwie kamen sie alle im modernistischen Schrifttum vor[250]. Wenngleich sich das Dekret „Lamentabili" und die Enzyklika „Pascendi" allgemein gegen den Modernismus wenden, so befinden sich unter den verurteilten Irrtümern hauptsächlich pointiert wiedergegebene Sätze aus den beiden Werken von A. Loisy „L'Evangile et l'Eglise" (Paris 1902) und „Autour d'un petit livre" (Paris 1903)[251]. Noch einmal wurden die wichtigsten modernistischen Irrtümer zusammengefaßt im Antimodernisteneid vom 1. September 1910[252].

Außer diesen grundlegenden Lehräußerungen zum Modernismus gibt es noch weitere zum Schutz der Glaubenswahrheiten vor einer Relativierung und Nivellierung[253]. Die inkriminierten Irrtümer liefen stets darauf hinaus, daß sie der Übernatürlichkeit der Offenbarung, ihrer substantiellen Unveränderlichkeit und damit ihrer Abgeschlossenheit nicht gerecht wurden.

Fünf Thesen des Dekretes „Lamentabili" sind für die uns hier beschäftigende Frage des Abschlusses der Offenbarung von besonderer Bedeutung. These 21 lautet: „Revelatio, obiectum fidei catholicae constituens, non fuit cum Apostolis completa[254]. Positiv formuliert, ist der Inhalt der Aussage in der Glaubensüberzeugung der Kirche nicht neu, nicht in der Theologie des 19. Jahrhunderts und auch nicht in der Tradition, wie sich in den voraufgehenden Untersuchungen bereits gezeigt hat. Inhaltlich wie auch formell begegnen uns gleiche und ähnliche Zeugnisse, speziell im 19. Jahrhundert, wenngleich vielleicht gerade diese Formulierung den Abschluß der Offenbarung für die Zukunft besonders reflex bewußt machte. These 22 hängt eng mit dieser ihr voraufgehenden zusammen. Sie lautet: „Dogmata, quae Ecclesia perhibet tamquam revelata, non sunt veritates e caelo delapsae, sed sunt interpretatio quaedam factorum religiosorum, quam humana mens

---

[249] DS 3401–3466; vgl. *F. Heiner,* Der neue Syllabus Pius' X. oder das Dekret des Hl. Offiziums „Lamentabili" vom 3. Juli 1907, Mainz ²1908.

[250] DS 3475–3500; vgl. auch *R. Scherer,* a. a. O., 513; *G. Söll,* a. a. O., 43; *B. Faupel,* a. a. O., 22 f.

[251] *D. Bader,* a. a. O., 162. 13.

[252] DS 3537–3550.

[253] Das Bemühen, den übernatürlichen Charakter der Offenbarung zu retten, spiegeln die Ergänzungen des „Denzinger" in den Auflagen 10–13, vgl. *J. Schumacher,* a. a. O., 139 ff., bes. 147 f. 163. 165.

[254] DS 3421; vgl. *A. Loisy,* L'Evangile et l'Eglise, Paris ²1903, 202 f.; ders., Autour d'un petit livre, Paris 1903, 189. *H. Waldenfels* erklärt, man dürfe den Satz nicht umkehren, also positiv formulieren, weil dadurch die Gefahr neuer Einseitigkeit heraufbeschworen werde (*H. Waldenfels – L. Scheffczyk,* Die Offenbarung, a. a. O., 119).

laborioso conatu sibi comparavit"[255]. Diese These macht das immanentistische Verständnis der Offenbarung deutlich, die ihrerseits relativiert wird durch das menschliche Bemühen, das allein relevant ist[256]. Da kann man natürlich nicht mehr vom Abschluß der Offenbarung reden. These 54 stellt fest, Dogmen, Sakramente und Hierarchie seien nur Interpretationen und Evolutionen des christlichen Verständnisses, denen nur ein ganz kleiner, im Evangelium verborgener Keim zugrundeliege[257]. Damit ist ein substantielles Wachstum der Offenbarung ausgesprochen, wodurch das NT überboten wird. Gibt es das Wachstum in der Vergangenheit, dann auch in der Zukunft. Ähnlich behauptet These 59, Christus habe nicht ein fest abgegrenztes, für alle Zeiten und für alle Menschen verbindliches Lehrcorpus gegeben, sondern nur eine gewisse, für die verschiedenen Zeiten und Orte angepaßte oder auch anzupassende religiöse Bewegung begonnen[258]. Wenn das Christusereignis nur ganz vage eine religiöse Bewegung initiiert hat, was soll dann noch die Rede vom Abschluß der Offenbarung? These 64 fordert eine Reform der christlichen Lehre über Gott, die Schöpfung, die Offenbarung, die Person des menschgewordenen Wortes und die Erlösung entsprechend dem Fortschritt der Wissenschaft[259]. Das ist, richtig verstanden, berechtigt, sofern das Verständnis der Offenbarung immer auch seine natürlichen Komponenten hat und jede Zeit mit ihrem geistigen Rüstzeug und mit ihren Fragen an die Offenbarung herangehen muß, aber – und das wird offenbar im Modernismus nicht oder nicht genügend gesehen – die Offenbarung ist übernatürlich und vorgegeben; deshalb kann es sich hier nur um ein tieferes Verständnis eines der Kirche überantworteten Depositum handeln.

6. Nach der modernistischen Krise

In Reaktion auf den Modernismus wurden die Übernatürlichkeit, die Unwandelbarkeit und die Transzendenz der Offenbarung in der 1. Hälfte des 20. Jahrhunderts mit besonderem Nachdruck betont, desgleichen der Vorrang der Kirche gegenüber der Wissenschaft in Fragen des Glaubens, die Dauer und Stabilität der geoffenbarten Wahrheit, die Verpflichtung des Menschen, sich dem Worte Gottes, das von außen kommt und mit wunderbaren Garantien

---

[255] DS 3422; vgl. A. Loisy, Autour d'un petit livre, a. a. O., 207; R. Latourelle, a. a. O., 300 f.

[256] Richtig ist die Erkenntnis der menschlichen Komponente im Offenbarungsvorgang und in der Vermittlung der Offenbarung, die jedoch nicht an die Stelle des übernatürlichen, im Glauben erkennbaren Wirkens Gottes treten darf (vgl. oben 47–50).

[257] DS 3454: „Dogmata, sacramenta, hierarchia, tum quod ad notionem tum quod ad realitatem attinet, non sunt nisi intelligentiae christianae interpretationes evolutionesque, quae exiguum germen in Evangelio latens externis incrementis auxerunt perfeceruntque".

[258] „Christus determinatum doctrinae corpus omnibus temporibus cunctisque hominibus applicabile non docuit, sed potius inchoavit motum quendam religiosum diversis temporibus ac locis adaptatum vel adaptandum" (DS 3459).

[259] „Progressus scientiarum postulat, ut reformentur conceptus doctrinae christianae de Deo, de creatione, de revelatione, de persona Verbi Incarnati, de redemptione" (DS 3464).

besiegelt ist, zu unterwerfen[260]. Für gewöhnlich lag das Schwergewicht nun auf der rationalen Analyse des Offenbarungsbegriffs. Dabei spielten die Schrifttexte nur eine Rolle als Ausgangspunkte dieser Analyse oder als dicta probantia[261]. Der Inhalt der Offenbarung wurde weniger personal als intellektuell gesehen. Es ging primär um Wahrheiten, um Satzwahrheiten, nicht um Gottes Handeln in der Geschichte und das Zeugnis darüber, nicht um die Selbstmitteilung des überwelthaften Gottes. Im Vordergrund stand der lehrhafte Charakter der Offenbarungsgutes[262].

Die Ideen des Modernismus aber lebten weiter im Liberalprotestantismus. Dieser vertrat die Meinung, das Christentum sei nicht durch Intervention von oben entstanden, es sei vielmehr ein synkretistischer Zusammenschluß von jüdischen, hellenistischen und orientalischen Religionen und Philosophien. Damit wurde das Christentum relativiert und seine Absolutheitsanspruch negiert. Der Liberalprotestantismus betonte nachdrücklich die religiöse Erfahrung und verwies darauf, daß das Christentum die Erfüllung oder gar die höchste Erfüllung des menschlichen Strebens sei. Im Grunde hatten die protestantischen Theologen sich schon seit I. Kant († 1804) bemüht, die Religion auf das Fundament der inneren Neigungen und Meinungen zu gründen, und damit die Offenbarung praktisch auf die natürliche Ordnung eingeschränkt und in die Grenzen der vorgängigen menschlichen Fähigkeit zur religiösen Erfahrung verwiesen[263].

Die berechtigten Anliegen des Modernismus, den Protest gegen den exklusiven Rationalismus in der Glaubensbegründung und Dogmenfindung, die Berücksichtigung der arationalen Faktoren und Kräfte sowie der affektiven Momente in der Dogmenbildung bzw. in der Entfaltung der Offenbarungserkenntnis und in der Verkündigung und die Anerkennung des formalen Unterschiedes zwischen impliziten Offenbarungsaussagen und späteren dogmatischen Formulierungen, suchte M. Blondel (1861–1949) zu würdigen, ohne die sachlich unvertretbaren philosophischen und historischen Voraussetzungen zu übernehmen. Er schlug dabei eine via media zwischen dem modernistischen Immanentismus und einem ultramontanen Extrinsezismus ein. Damit lockerte er die Abwehrhaltung und Polemik auf seiten der katholischen Theologie ein wenig und ermöglichte eine allseitigere Sicht des Fragepunktes. Er setzt voraus, daß Offenbarungserkenntnis einerseits im menschlichen Intellekt angelegt ist, andererseits aber vom Verstand empfangen

---

[260] Beispielhaft sind hier: *Ch. Pesch SJ*, Institutiones propaedeuticae ad sacram theologiam, Freiburg ⁷1924, bes. Nr. 112 f. und Nr. 151; *H. Dieckmann SJ*, De revelatione christiana, Freiburg 1930, Nr. 193–220; vgl. *A. Dulles*, a. a. O., 158.

[261] *W. Bulst*, a. a. O., 16 f.; *H. Waldenfels – L. Scheffczyk*, Die Offenbarung, a. a. O., 109.

[262] *R. Latourelle*, a. a. O., 215–222; s. oben 53–55.

[263] Gegenüber dem liberalen Protestantismus führt Karl Barth eine revolutionäre Wende herbei mit der Betonung des zentralen Gegensatzes zwischen den Religionen und der christlichen Offenbarung. Mit Emil Brunner und Rudolf Bultmann verbindet ihn der Blick auf die Einzigartigkeit und Transzendenz Gottes und seines geoffenbarten Wortes. S. oben 62 f.

119

werden muß. In seinen „Lettres sur les exigences de la pensée contemporaine en matière d'apologétique"[264] erklärt er, nichts könne in den menschlichen Verstand eintreten, was nicht bereits aus ihm herauskomme und was nicht auf irgendeine Weise seinem Bedürfnis nach Weiterentwicklung entspreche[265].

Mit Blondel begann eine vertiefte und allseitige Sicht der Offenbarung. Eine gründliche Analyse des biblischen Zeugnisses sowie die stärkere Orientierung an den Vätern führte allmählich zu einem mehr dynamischen, konkreten und persönlichen Offenbarungsbegriff. Man lernte, Offenbarung als dynamische Selbsterschließung Gottes durch seine aktuellen Taten zu verstehen und der Offenbarung durch Ereignisse Raum zu geben. Man begnügte sich nicht mehr damit, das Ergebnis des Offenbarungshandelns, das depositum fidei, zu kennen, man wollte auch seine Geschichte verstehen. Nicht ohne Einfluß auf diese Neuorientierung waren die geistigen Strömungen des Existentialismus und des Personalismus. Darauf konnte das II. Vaticanum aufbauen. Nur einige Namen seien hier genannt: M.-D. Chenu OP, L. Charlier, P. Rousselot SJ, J. Maréchal SJ, E. Mersch SJ, R. Guardini, H. de Lubac SJ, J. Daniélou SJ, H. Bouillard. Nun wird die Kontingenz der Begriffe, mit denen wir die göttliche Wahrheit zu erreichen suchen, differenzierter erkannt. Man warnt vor der Meinung, man könne die Offenbarung vollständig mit dogmatischen Formeln beschreiben. Man unterstreicht das konkrete Festhalten an der Person Jesu Christi als die ursprüngliche Grundlage der Offenbarung und erkennt, daß das Mysterium Christi weniger Gegenstand intellektueller Zustimmung als neue Schöpfung ist, Einladung in das Reich Gottes, die die Bekehrung voraussetzt[266]. An die Stelle des von der Neuscholastik und dem kämpferischen Antimodernismus geprägten intellektuellen Offenbarungsbegriffs tritt so allmählich ein ganzheitlicher, in den die verschiedenen Elemente besser integriert werden[267]. Dabei übersieht das Lehramt der Kirche nicht die weiterhin bestehenden Gefahren des dogmatischen Relativismus, des Naturalismus und des Evolutionismus. Mit Nachdruck weist Pius XII. (1939–1959) noch einmal darauf hin in der Enzyklika „Humani generis" vom 12. August 1950[268].

Die Fragen um Offenbarung und Abschluß der Offenbarung erhielten in jüngster Zeit weitere Impulse im Zusammenhang mit der Definition der Assumptio BMV vom 1. November 1950[268a].

---

[264] Paris 1956, 34.
[265] Vgl. G. Söll, a. a. O., 44 u. 210 f.; A. Dulles, a. a. O., 101–103; s. unten 184 f.
[266] A. Dulles, a. a. O., 161–180; H. Waldenfels – L. Scheffczyk, Die Offenbarung, a. a. O., 122–132; R. Latourelle, a. a. O., 222–253. 255–257.
[267] Ebd. S. oben 53–58.
[268] DS 3875–3899.
[268a] Vgl. oben 110 und unten 183–188.

7. Dogmatische Lehrbücher des 19. und 20. Jahrhunderts

Der Blick in einige dogmatische Lehrbücher des 19. und 20. Jahrhunderts soll den Überblick über die jüngere Entwicklung des Problems des Abschlusses der revelatio publica rekapitulieren und vertiefen. Dabei erhalten wir zugleich Auskunft über Bedeutung und Stellenwert unserer Frage im theologischen Unterricht dieses Zeitraums. Von besonderem Interesse ist dabei, wie jeweils das Problem formuliert wird.

Die „Institutiones theologicae" von F. L. B. Liebermann[269], die im 19. Jahrhundert eine Reihe von Auflagen erlebten, behandeln den Abschluß der Offenbarung nicht ausdrücklich, aber unübersehbar ist die Überzeugung des Autors, daß die Offenbarung, die von Christus gegeben und von den Aposteln promulgiert ist, maßgeblich und abgeschlossen ist. Im übrigen betont er die Göttlichkeit der christlichen Religion, die sich in Wundern und Prophetien erweist.

In der Dogmatik von H. Klee[270] heißt es, das Christentum sei der Schluß der Offenbarung, der Gipfel und die höchste Form der Menschenentwicklung[271], „die Erscheinung der göttlichen Wahrheit und Gnade in Christo zur Redintegration und Vollendung des Menschengeschlechtes"[272]. Es sei so von Gott in Christus gesetzt und durch die Apostel verkündet worden, wie die Kirche es von Anfang an besessen und weitergegeben habe[273]. Stets faßt Klee Christus und die Apostel zusammen. Sie bilden gewissermaßen eine Einheit im Heilsplan Gottes.

J. E. Kuhn stellt in der 1. Auflage seiner Dogmatik[274] fest, die Offenbarung sei von Anfang an auf Christus hin ausgerichtet. Alles Frühere sei Vorbereitung auf ihn. Nach dem selbstverständlichen Bewußtsein der Christen sei die christliche Offenbarung ein Letztes, Höchstes und in sich Abgeschlossenes, die Spitze aller göttlichen Offenbarung. Christus sie die Erfüllung. Daher könne alles Weitere nur subjektiver Fortschritt sein in der Aneignung des durch Christus Dargebotenen[275]. In der 2. Auflage stellt er fest, die Offenbarung sei in Christus abgeschlossen und durch seine Apostel „vollständig und rein ausgesprochen und verkündet"[276], weil die Offenbarung Gottes in Christus die Summe der göttlichen Offenbarungen und zugleich das Summum sei, weil keine weiteren Offenbarungen mehr zu erwarten seien. Deshalb komme „der Verkündigung des Wortes Christi durch seine Apostel eine principielle Geltung für alle folgende (die kirchliche) Verkündigung, bzw. ihrem Schriftwort eine normative Geltung für alle Zeiten"[277] zu. „Die

---

[269] *F. L. B. Liebermann,* Institutiones theologicae, 2 Bde., Mainz ⁹1861 (¹1820, 5 Bde), bes. Bd I, 90 f. L. rechnet mit der Abfassung sämtlicher neutestamentlicher Schriften vor dem Tod des letzten Zwölferapostels. Ähnlich: *F. X. Schouppé SJ,* Elementa theologiae dogmaticae I, Brüssel ³1865.

[270] *H. Klee,* Katholische Dogmatik, Mainz ⁴1861 (¹1835).

[271] Ebd., 37.   [272] Ebd., 33.   [273] Ebd., 36.

[274] *J. E. Kuhn,* Katholische Dogmatik I, Tübingen 1846.   [275] Ebd., 99 f.

[276] *J. E. Kuhn,* Katholische Dogmatik I, 1, Tübingen ²1859, 12 f.   [277] Ebd., 130.

ursprünglichen Empfänger, die unmittelbaren, von dem Geiste Christi inspirierten Organe seiner Offenbarung" seien „gleichsam die Producenten der Wahrheit und wohl zu unterscheiden von allen folgenden (den kirchlichen) Organen derselben, die sie zu verwerthen, die das, was Christus durch seine Apostel ein- für allemal und als *die* göttliche Wahrheit der Welt geoffenbart" habe, „umzusetzen, für die einzelnen Völker und Individuen im Fortgang der Zeit wirksam zu machen berufen" seien[278]. Kuhn erklärt, Christus habe die göttliche Wahrheit für alle Zeiten geoffenbart und die Apostel hätten sie für alle Zeiten verkündet.

Aber die Apostel sprechen nach Kuhn die Wahrheit so aus, daß sie zugleich den Zweck für ihre Zeit am besten erfüllen. Es handelt sich hier nicht um eine einfache Wiederholung der Worte Jesu[279]. Die Dogmenentwicklung geht, so Kuhn, davon aus, daß die Wahrheit ein für allemal im Worte Christi bzw. seiner Apostel gegeben ist. Entwicklung bedeutet reichere Entfaltung, damit die Offenbarung alle erreichen und an allen ihre Kraft erweisen kann[280]. An anderer Stelle erklärt er: „... zu der Offenbarung Gottes in Christo gehört auch die Offenbarung Gottes durch den Geist Christi, der seinem Worte zur Seite steht, der seine Apostel inspiriert und den er seiner Kirche zum Beistande gegeben hat, welche das Wort seiner Apostel verkündigt und allen Geschlechtern und Völkern anpaßt..."[281].

Nach Kuhn gehören die Apostel in den Offenbarungsvorgang, gehören die Apostel und Christus zusammen. Er konstatiert, es sei untheologisch, die Lehre Christi und die der Apostel voneinander zu trennen. Die Lehre der Apostel sei nicht nur das Prinzip der dadurch hervorgerufenen geistigen Bewegung, sondern auch erste Gestalt, erstes Glied dieser Bewegung und Entwicklung, erstes Glied der Dogmengeschichte.

Die Lehre der Apostel darf nicht zur Lehre der Kirche gerechnet und so von der Lehre Christi abgerückt werden, wie Kuhn feststellt. In den Aposteln sind unmittelbare Organe der göttlichen Offenbarung zu sehen. Es ist zu unterscheiden zwischen der außerordentlichen Geistmitteilung der Apostel und dem ordentlichen Beistand des Heiligen Geistes in der Kirche. Die Lehre Christi und der Apostel ist der Inbegriff aller Wahrheiten, die im Fortgang der kirchlichen Dogmenentwicklung herausgestellt wird und die lebendige Quelle und das Prinzip der ganzen Dogmenentwicklung ist[282].

Die Apostel sind Offenbarungsträger. Sie sind aber nicht einfach rein passive Empfänger der göttlichen Wahrheiten, sondern kleiden diese selbsttätig in menschliche Vorstellungen, Begriffe und Worte[283].

---

[278] Ebd., 130 f.; vgl. 13.
[279] Ebd., 131.   [280] Ebd., 134.
[281] Ebd., 136.   [282] Ebd., 176–179.
[283] *J. E. Kuhn,* Abhandlung über die formalen Prinzipien des Katholizismus, in: ThQ 40, 1858, 3–62. 185–251. 385–442, hier 37; vgl. *J. R. Geiselmann,* Die lebendige Überlieferung als Norm des christlichen Glaubens, Die apostolische Tradition in der Form der kirchlichen Verkündigung – das Formalprinzip des Katholizismus, dargestellt im Geiste der Traditionslehre von *Joh. Ev. Kuhn,* Freiburg 1959, 171. 115. 195.

Bei Kuhn wird das Problem des Abschlusses der Offenbarung mit den Aposteln in erstaunlicher Ausführlichkeit abgehandelt. Die Apostel gehören eindeutig in den Offenbarungsvorgang. Durch den Geist Christi empfangen sie noch Offenbarung. Die entscheidende Zäsur liegt am Ende der Apostelzeit. Das Lehrbuch der katholischen Dogmatik von F. X. Dieringer[284] konstatiert, der Inhalt des religiösen Bewußtseins der Apostel sei die ursprünglichste und allgemeinste Quelle der Lehre. Es läßt das Verhältnis der Apostel zu Christus offen. Um so mehr interessiert es sich für das Depositum der Kirche. Quelle aller kirchlichen Lehre ist das Offenbarungsbewußtsein der Kirche, das der Heilige Geist rein und lebendig bewahrt. Christus erhält die Offenbarung in den ersten Vorstehern der Kirche, die als Erben der früheren, nun vollendeten Offenbarung eingesetzt, durch den Heiligen Geist gefestigt, im vollen und reinen Besitz der Wahrheit sind[285].

Der bedeutende und gefeierte Vertreter der römischen Theologie des 19. Jahrhunderts, J. Perrone, erkennt im 1. Band seines neunbändigen dogmatischen Werkes[286] die Wunder und die Prophetien als sicherste Zeichen der Göttlichkeit und der Übernatürlichkeit der christlichen Offenbarung und die Kirche als deren alleinige Interpretin und unfehlbare Bewahrerin. In Christus sind, so stellt er fest, die alttestamentlichen Weissagungen erfüllt. Er ist die Erfüllung des Gesetzes[287]. Die Apostel haben die abgeschlossene, besser: die vollendete göttliche Offenbarung von Christus und vom Heiligen Geist empfangen[288]. Da die Offenbarung erfolgt ist, gehört das Materialobjekt der Kirche der Geschichte an[289]. Die Offenbarung ist mit dem Tode der Apostel abgeschlossen: „Exploratum quippe est ecclesiam dogmata sua non cudere, aut de novo proferre, cum apostolorum obitu omnis in ea cessarit revelatio, quae ad fidei depositum spectet"[290]. Die Kirche hat alle Glaubenswahrheiten von ihrem göttlichen Stifter und durch den Heiligen Geist empfangen[291]. Diese Formulierung erinnert an das Decretum de Libris sacris et de traditionibus recipiendis des Konzils von Trient[292], worauf sich Perrone aber nicht beruft.

Bei Perrone deutet sich, soweit wir sehen, erstmalig die sich vor allem seit dem Beginn des 20. Jahrhunderts mehr und mehr in der Dogmatik durchsetzende Formel vom Abschluß der Offenbarung mit dem Tode des letzten Apostels an.

J. Kleutgen[293] betont das allmähliche Fortschreiten der Offenbarung im Alten Bund bis hin zur Vollendung in der Fülle der Zeit. Im letzten Zeitraum,

---

[284] *F. X. Dieringer*, Lehrbuch der katholischen Dogmatik, Mainz 1847, 565.
[285] Ebd.
[286] *J. Perrone*, Praelectiones theologicae I (Ed. XXI, Ratisbonensis I), Regensburg 1854.
[287] Ebd., 81.
[288] Ebd., 164: „Jam vero episcopatus in apostolis, qui primi episcopi fuerunt, eorumque capite ac principe Petro, divinam revelationem eamdemque completam immediate a Christo et Spiritu Sancto accepit".
[289] Ebd., III, 393.   [290] Ebd., III, 394.   [291] Ebd., III, 5.
[292] DS 1501; vgl. auch *J. Perrone*, a. a. O., I, 164.
[293] *J. Kleutgen SJ*, Die Theologie der Vorzeit I, Münster 1867, Nr. 537 u. 552.

von der Predigt der Apostel an bis zur Wiederkunft des Herrn, sind wegen der Vollendung der Offenbarung in Christus keine neuen Offenbarungen mehr zu erwarten. Wenn Gott auch im Neuen Bund zu manchen auserwählten Seelen unmittelbar redet, so Kleutgen, wird dadurch der Inhalt des Glaubens, den die Kirche öffentlich bekennt, nicht erweitert, denn alle spätere Offenbarung erkennt die Kirche nicht als Norm ihres Glaubens an. Sie legt sich selbst keine andere Lehrmacht bei als die, die Hinterlage der apostolischen Predigt unversehrt und unverfälscht zu bewahren[294]. Kleutgen spricht von der Vollendung der Offenbarung mit dem Christusereignis. Das ist eine Formulierung, die wir auch bereits bei Perrone finden.

Die zehnbändige Dogmatik von J. B. Heinrich[295] artikuliert im 1. Band den vollendeten und definitiven Abschluß der Offenbarung mit Christus und den Aposteln[296]. Wie Heinrich bemerkt, ist die Offenbarung von den Aposteln der Kirche übergeben. Christus hat vor seinem Abschied von der Welt alles mitgeteilt, der Geist aber führt in das tiefere Verständnis dieser Offenbarung ein. Wenn er auch nicht eine neue Lehre offenbart, so haben doch die Aussprüche der Apostel über Lehre und Gesetz Christi Offenbarungsqualität, und die Apostel waren mit persönlicher Vollgewalt und Unfehlbarkeit ausgestattet, mit Inspiration und Revelation begnadet. Die Väter und die Kirche stellten die Lehren Christi und der Apostel nebeneinander. Daher halten wir an beiden in gleicher Weise fest, wenn auch die Lehre Christi nicht durch die Lehren der Apostel ergänzt oder vervollkommnet wird[297]. Hier wird die Offenbarungsqualität der apostolischen Verkündigung noch reflexer herausgestellt als bei Kuhn und Perrone.

Lapidar bemerkt die einbändige Dogmatik von F. Friedhoff[298], entscheidend sei der von Christus und den Aposteln überlieferte Glaube.

Ausführlicher befaßt sich M. J. Scheeben mit unserer Frage im 1. Band seiner Dogmatik[299]. Er erklärt: „Die göttlicher Offenbarung ist, obgleich für alle Menschen aller Orten und Zeiten bestimmt, so doch nicht allen unmittelbar zuteil geworden; in Christus resp. den Aposteln ist sie abgeschlossen"[300]. Scheeben betont: Die übernatürliche Offenbarung ist sukzessive erfolgt, bis hin zu ihrer ganzen Fülle in Christus[301]. Sie ist durch Christus deshalb erfüllt, weil er das ewige Wort des Vaters ist, weil in ihm Gott unmittelbar sprechend aufgetreten ist. Die äußere Vermittlung der Offenbarung durch Christus wurde ergänzt und vollendet durch die innere Ausgießung des Heiligen Geistes über die Apostel. Die Offenbarung in Christus ist nicht nur höher und voller als die vorhergehende, vorbereitende des AT, sondern in vielfacher Hinsicht auch der paradiesischen überlegen. Die

---

[294] Nr. 552. K. vergleicht den Alten Bund mit dem Stadium des Kindes; vgl. auch Nr. 550.
[295] *J. B. Heinrich*, Dogmatische Theologie, 10 Bde, Mainz 1873 ff.
[296] Ebd., I, 685–690.   [297] Ebd.
[298] *F. Friedhoff*, Katholische Dogmatik, Münster ²1871 (¹1855), 13.
[299] *M. J. Scheeben*, Handbuch der katholischen Dogmatik I, Freiburg 1878.
[300] Ebd., Nr. 56.   [301] Ebd., Nr. 46.

letzte öffentliche und konstitutive Offenbarung ergeht durch das Wort Gottes[302]. Die Ansprachen Gottes an die Menschen nach Christus bedeuten nicht eine höhere konstitutive Offenbarung, das heißt eine Offenbarung, „durch welche die Menschen auf eine wesentlich höhere Stufe der Erkenntniß erhoben und eine höhere, vollkommenere Ordnung der Dinge eingeführt werden sollte"[303]. Das fordern schon die Würde und Vollkommenheit der durch Christus gegebenen Offenbarung. Wohl gibt es möglicherweise spätere Offenbarungen subsidiärer Natur zur Klärung von schon in der Offenbarung enthaltenen Wahrheiten. Enthalten diese Neues, so können sie nur „mit moralischer und historischer Gewißheit zu einer mehr oder minder allgemeinen Anerkennung gelangen"[304]. Scheeben denkt hier wohl an Privatoffenbarungen.

Im einzelnen weist er darauf hin, daß keine konstitutive Offenbarung mehr erfolgen könne und solle, weil die christliche Offenbarung nicht wie die alttestamentliche auf eine solche hinweise, sich vielmehr als das unvergängliche Testament[305], als unbewegliches Reich[306], als die vollkommene, absolut genügende Offenbarung[307], als das lebendige Bild[308] erkläre. Christus habe ausdrücklich verheißen, seine Lehre werde bis zum Ende der Welt verkündet[309]. Er habe erklärt, er habe den Aposteln alles gesagt, was er von seinem Vater gehört habe[310], und der Heilige Geist solle sie alle Wahrheit lehren[311]. Darüber hinaus ermahnten die Apostel mit Christus, unbedingt bei der von ihnen überlieferten Wahrheit zu beharren und niemanden außer der Kirche zu hören[312]. Endlich habe die Kirche stets alle Irrlehrer, die höhere Offenbarungen empfangen zu haben beanspruchten, zurückgewiesen, von den Montanisten und Manichäern über die Fraticellen und Wiedertäufer bis hin zu den Irvingianern. Es gebe überhaupt keine weitere öffentliche Offenbarung mehr, wohl aber Privatoffenbarungen, etwa zur Klarstellung und Ermittlung der öffentlichen Offenbarung, wie das etwa im Zusammenhang mit dem Fronleichnamsfest und der Herz-Jesu-Verehrung der Fall sei[313].

Scheeben greift ein für die mittelalterliche Theologie wichtiges Anliegen auf, wenn er erklärt: Die Substanz der Offenbarung ist von Anfang an nicht objektiv gewachsen, sondern nur immer vollständiger und deutlicher vorgelegt worden. Gewachsen ist nur die Summe der geoffenbarten Wahrheiten. Wenn man unter der Substanz der Offenbarung ihren Gesamtinhalt versteht, in dem die einzelnen geoffenbarten Wahrheiten implizit oder in confuso enthalten sind, so stellt die spätere Offenbarung nur eine Explikation, eine Entwicklung und Entfaltung des in der früheren Offenbarung mehr oder weniger implizierten Inhaltes dar. Diese Implikation darf aber nicht nach dem Modell von Schlußfolge und Prämissen verstanden werden, auch nicht nach dem

---

[302] Ebd., Nr. 52.   [303] Ebd., Nr. 53.   [304] Ebd.
[305] 2 Kor 3, 11; Rö 10, 3; Gal 3, 23 ff.
[306] Hebr 12, 28.   [307] Hebr 7, 11 f.   [308] Hebr 10, 1.   [309] Mt 28, 20.
[310] Joh 15, 15.   [311] Joh 16, 13.   [312] 1 Tim 2, 1. 3–14.
[313] *M. J. Scheeben*, a. a. O., Nr. 53.

Modell des bestimmten Sinnes in einem nicht so ganz bestimmten Ausdruck, so daß der Empfänger der Offenbarungen diese Explikation selber hätte vornehmen können. Eine solche Explikation findet nur für die schon objektiv fertige Offenbarung in der Kirche statt. Das ist jedoch nicht ein eigentlicher Fortschritt der Offenbarung selbst, weder substantiell noch akzidentell. Der Lehrfortschritt besteht hier vielmehr nur in der Lehrverkündigung der kirchlichen Autorität und im Lehrverständnis der Gläubigen[314].

Scheeben schreibt an anderer Stelle: „Nach dem Tode der Apostel, oder vielmehr nach Abschließung der ersten, grundlegenden Ausbreitung und Promulgation des Evangeliums, also nach dem Wegfall des speziellen Zweckes, welcher die ursprüngliche, spezielle Verstärkung und Vollkommenheit des Lehrkörpers im Haupte und in den Gliedern bedingte, mußte die letztere von selbst wegfallen"[315]. Der ursprüngliche Lehrkörper erhielt dann seine Fortsetzung im episkopalen, der in Organisation und Beschaffenheit von diesem seinem Fundament teilweise verschieden ist, aus ihm organisch hervorgeht, aber doch dem ursprünglichen Apostolat in seiner Organisation und Beschaffenheit homogen bleibt und dessen wesentliche Vollmacht bewahrt[316].

Wenngleich Scheeben Christus und die Apostel eng zusammenrückt, so wird nicht klar, ob er auch bei den Aposteln noch mit neuen Offenbarungen, mit einem Wachsen des depositum fidei rechnet oder ob er ihnen lediglich die Promulgation der Christusoffenbarung zuschreibt.

Sehr eingehend behandelt J. B. Franzelin[317] unsere Frage. Seine These lautet: „Revelatio catholica in plenitudine temporis a Christo Dei Filio per ipsum et per Spiritum Sanctum in Apostolis completa censeri debet, ita ut non solum nova oeconomia perfectioris ordinis et amplioris revelationis Dei ... excludatur, sed etiam in oeconomia praesenti nullum obiectivum incrementum depositi fidei catholicae ... post Apostolos aut factum aut in Ecclesia militante adhuc expectandum sit"[318]. Dieser Formulierung erinnert deutlich an die 21. These des Dekretes „Lamentabili[319].

Franzelin erwähnt auch die zahlreichen Sekten, die sich in der Geschichte der Kirche gegen diesen Glaubensgrundsatz erhoben und vom Lehramt zurückgewiesen wurden[320]. Die gegenwärtige Heilsökonomie wird von ihm deshalb als die letzte und höchste Form der Offenbarung angesehen, weil das NT sich als die Vollendung des AT versteht. Als weitere Vervollkommnung wird im NT nur noch die visio beatifica erwartet, wie vor allem im Hebräerbrief deutlich wird[321]. Hinzu kommt, daß die Schrift konstant von der Fülle der Zeit spricht, wenn sie die von Christus errichtete Heilsordnung

---

[314] Ebd., Nr. 55. 167.   [315] Ebd., Nr. 138.   [316] Ebd., Nr. 139.
[317] J. B. Franzelin SJ, Tractatus de divina Traditione et Scriptura, Rom 1875.
[318] Ebd., Nr. 268.   [319] DS 3421; s. oben 117.   [320] J. B. Franzelin, a. a. O., Nr. 268.
[321] Bes. Hebr 7, 11; vgl. J. B. Franzelin, a. a. O., Nr. 269. S. auch Hebr 8, 5–13; 12, 27 f.; 2 Kor 3, 11; Rö 10, 4; Gal 3, 23 f.; 4, 3. 4. Franzelin (Nr. 270): „Habet se igitur vetus oeconomia ad Ecclesiam Christi in terris sicut Ecclesia in terris se habet ad Ecclesiam coelestem atque ita Ecclesia Christi est media inter veterem umbram et consummatam promissionum possessionem".

charakterisiert[322], daß die Christusoffenbarung in der letzten Zeit geschieht[323] und daß Jesus den Aposteln persönlich die Offenbarung der gesamten Heilswahrheit verspricht[324].

Wie Franzelin hervorhebt, ist die ganze Wahrheit des Glaubens den Aposteln geoffenbart worden. Sie haben diese der Kirche übermittelt, die ihrerseits darüber hinaus keine andere Wahrheit erhält[325]. Der Grundtenor bei den Vätern ist die Warnung der Gemeinden vor der Irrlehre und die Mahnung, der Lehre der Apostel anzuhangen. In der Einheit der Kirchen unter sich und mit der römischen Kirche geht es um die Integrität des apostolischen Glaubens. Die Frage der apostolischen Sukzession ist bei den Vätern eine Frage der apostolischen Sukzession der Bewahrer des Glaubens[326].

Es ist zu beachten, daß auch Franzelin ausdrücklich der nachösterlichen Leitung der Apostel durch den Heiligen Geist Offenbarungsqualität zuspricht.

Diesen Gedanken bringt in gleicher Weise das Kirchenlexikon von Wetzer und Welte[327]. Wie es darlegt, ist die Lehre Christi die letzte und höchste Offenbarung auf Erden, haben die Apostel ihre Aufgabe darin gesehen, daß sie Organe der Offenbarung gewesen sind, daß sie den Heiligen Geist erhalten haben, um in die Geheimnisse Gottes eingeweiht zu werden und diese den Menschen mitteilen zu können.

Die Dogmatik von J. Bautz[328] konstatiert, seit den Zeiten Christi und der Apostel sei die Offenbarung abgeschlossen. In nachapostolischer Zeit könne es daher keine inhaltliche Vermehrung des Glaubens mehr geben, Christus sei ja die Fülle der Zeiten, nur noch eine Zunahme des Verständnisses des Offenbarungsinhaltes in der Kirche bezüglich der Tiefe und des Umfanges. Falsch sei es anzunehmen, die älteste Kirche habe nur einige Grundwahrheiten explizit, alles andere aber implizit geglaubt. Die Apostel hätten vielmehr nach der allgemeinen Lehre der Theologen eine vollendete Erkenntnis besessen, wie sie später nie ein Theologe erreicht habe, und zwar nicht als scientia acquisita, sondern als scientia infusa. Davon hätten sie einen großen Teil schriftlich und mündlich der Nachwelt überliefert.

Wie Bautz schreibt auch Herman Schell[329], die Offenbarung sei in Christus und in den Aposteln abgeschlossen, so daß ein Fortschritt nur in der Aneignung der in Christus beschlossenen Wahrheit und Gnade möglich sei, nicht in der Wahrheit und in der Gnade selbst, nicht in der wesentlichen Form, sondern ihrer Aneignung durch Glaubensgehorsam und Sakrament. Nach Schell wird die Abgeschlossenheit der Offenbarung am besten in Verbindung

---

[322] Gal 4, 4; Eph 1, 10.
[323] Hebr 1, 1 f.; Apg 2, 17; 1 Petr 1, 20; *J. B. Franzelin,* a. a. O., Nr. 271.
[324] Joh 16, 12–15; Joh 15, 26 f.; 17, 17–20; Mt 28, 20; Mk 16, 15; Apg 1, 8; Gal 1, 6–9; *J. B. Franzelin,* a. a. O., Nr. 271–274.
[325] Ebd., Nr. 274–276.   [326] Ebd., Nr. 73.
[327] *P. Schanz,* Art. Offenbarung, in: Wetzer – Welte IX, Freiburg 1895, 772.
[328] *J. Bautz,* Grundzüge der katholischen Dogmatik I, Mainz 1889 ([1]1888), 56 f. Bautz beruft sich auf *J. Kleutgen SJ,* Theologie der Vorzeit V, Münster 1874, Nr. 586 ff.
[329] *H. Schell,* Katholische Dogmatik I, Paderborn 1889, 183 f.

mit der Tradition behandelt[330]. Die Abgeschlossenheit der Offenbarung in Christus und in den Aposteln wird für ihn durch das Merkmal der Apostolizität zum Ausdruck gebracht. Die biblische Begründung dieser Wahrheit ist darin zu sehen, daß Christus erschienen ist, um das Gesetz und die Propheten im vollkommensten Sinne zu erfüllen[331]. Die Abgeschlossenheit der Offenbarung mit Christus ergibt sich aber auch als Notwendigkeit daraus, „daß ihre ganze Fülle an Wahrheit und Gnade in der wahren und vollkommenen Gotteserkenntnis und Gottesgemeinschaft bestehen will: in den zwei Formen, wie Gott von dem menschlichen Geist in Vernunft und Wille erfaßt werden kann". Die Erfüllung folgt aus dem hypostatischen Erscheinen Gottes im menschgewordenen Logos und in der wirksamen Herabrufung seines Gnadengeistes und in seiner Sendung in die Herzen, also in der Theophanie und in der Inhabitation. Theophanie erfolgt in der Erscheinung des Logos als objektive Wahrheit und Gnade, Inhabitation in der tröstlichen Einwohnung des Heiligen Geistes als des Geistes der Wahrheit und Gnade. Schell nennt ihn das „Prinzip ihrer subjektiven Verinnerlichung und Aneignung"[332]. Daher ist also der Höhepunkt der Offenbarung mit der Erscheinung des Logos und der Mitteilung des Heiligen Geistes erreicht, soweit das die Offenbarung des „status viatoris" angeht. Einen Fortschritt kann es nur in Christus geben, nicht über ihn hinaus[333].

Bemerkenswert ist die Feststellung Schells, die Kehrseite der abgeschlossenen Offenbarung, der abgeschlossenen Vollendung von Gnade und Wahrheit, sei die Allgemeinheit des Christentums. Der Gedanke ist in dieser Formulierung wohl neu, wenngleich er sachlich ganz im Sinne der Väter ist. Einleuchtend erklärt Schell: „. . . das Christentum kann nur die allgemeine Religion sein, wenn es die abgeschlossene Offenbarung ist"[334].

Die Abgeschlossenheit der Offenbarung findet nach Schell ihren stärksten Ausdruck in der Lehre von Eph 3, 10, wo es heißt, die apostolische Verkündigung sei auch für den Geisterhimmel eine staunenerregende Enthüllung des von Ewigkeit her verborgenen Geheimnisses[335].

Schell sieht zwar das Erscheinen des Logos in enger Verbindung mit der Sendung des Geistes, er läßt aber die Frage offen, ob und inwieweit das Wirken des Geistes an den Aposteln noch Offenbarungscharakter hat. Er war wohl zu wenig Historiker und zu sehr spekulativer Theologe, um dieses Problem zu sehen.

· In seinem Lehrbuch der Dogmatik schreibt B. Bartmann im Jahre 1911[336], Christus habe den Anspruch erhoben, eine neue Offenbarung zu bringen, er erkläre, die Zeit der Erfüllung sei gekommen, er wolle einen neuen Bund in Kontinuität zum AT stiften. Die Neuheit und Vollendung liege in folgenden Elementen: Christus selbst, der Träger dieser Offenbarung, sei nach seiner und der Apostel Überzeugung der Sohn Gottes, er zerstöre in bezug auf Gott allen

---

[330] Ebd.   [331] Ebd., 184.   [332] Ebd., 187.   [333] Ebd., 187 u. 191.   [334] Ebd., 191.
[335] Vgl. 1 Petr 1, 12; H. Schell, a. a. O., 191.
[336] B. Bartmann, Lehrbuch der Dogmatik, Freiburg ²1911, 16 f.

heidnischen Aberglauben, allen jüdischen Partikularismus, er zeige ein geläutertes Gottesbild, er offenbare dem Menschen sein innerstes Wesen, seine ewige Bestimmung, er regle sein Verhältnis zu Gott und zu den Menschen durch das neue Gesetz der Liebe, er vernichte die Sünde durch die Erlösung, die er in der Hingabe seines Lebens bewirke und vollende, und er sei das letzte Wort Gottes an die Welt[337].

In der 3. Auflage (1917) heißt es genauer, die göttliche Offenbarung habe ihren Abschluß mit den Aposteln oder mit dem Tod der Apostel gefunden, darüber hinaus sei keine neue öffentliche Offenbarung mehr zu erwarten[338]. Der Abschluß der Offenbarung mit den Aposteln entspreche der traditionellen Lehre der Kirche und habe besonders Gewicht durch die Verurteilung der modernistischen Irrlehre erhalten[339]. Man kann auch, so bemerkt Bartmann, einfach Christus ganz allgemein als den Abschluß der Offenbarung bezeichnen und sagen, die in ihm geschehene Offenbarung sei die letzte und vollkommenste für die Welt und deshalb von unveränderlicher Dauer und Geltung. Der Beweis dafür ist nach ihm klar und deutlich in der Schrift zu finden, wenn Christus sich als das abschließende und letztentscheidende Wort Gottes an die Welt betrachtet. Das einzige, was die Menschheit noch zu erwarten hat, ist Christi Wiederkunft zum Gericht. Dasselbe haben auch seine Schüler, die Apostel und Paulus gelehrt. Bartmann findet einen Kongruenzgrund darin, daß im Gott-Logos und seinem Heiligen Geist die höchsten Faktoren der göttlichen Offenbarung in Wirksamkeit getreten sind und damit auch die letzten, weshalb das Christentum in seiner echten Darstellung die absolute und unüberbietbare Religion ist[340].

Bartmann kommt darauf zu sprechen, daß bisweilen bei den Vätern Wendungen zu finden sind, die wie eine Fortdauer von Offenbarung und Inspiration klingen, ähnlich wie auch in der Scholastik. Diese Äußerungen sind aber, wie er bemerkt, nicht im strikten Sinne gemeint, sondern als göttliche Erleuchtung besonders frommer Väter und Theologen, die über religiöse, theologische, ethische und kultische Dinge schrieben[341]. Und weiter erklärt er in der 8. Auflage (1932), wenn auch die allgemeine kirchliche Offenbarung mit dem Tode der Apostel abgeschlossen sei, so sei damit ihre Zuwendung an den einzelnen nicht abgeschlossen. Diese gehe weiter bis zum Ende der Zeiten. Darüber hinaus habe Gott die Offenbarung mit Dunkelheiten und Lücken gegeben, die erst in der Gottanschauung schwinden würden, bis dahin aber im Glauben ertragen und überwunden werden müßten. Eine Fortbildung der Offenbarungsreligion aus eigenen und natürlichen Kräften sei aussichtslos und ungöttlich[342].

Im Grundriß der Dogmatik von B. Bartmann, der im Jahre 1923 in der 1. Auflage erscheint, heißt es, im Unterschied zur großen Dogmatik zeitlich

---

[337] Ebd.   [338] *B. Bartmann*, Lehrbuch der Dogmatik I, Freiburg ³1917, 11 f.; vgl. DS 3421.
[339] DS 3026. 3420. 3477.
[340] *B. Bartmann*, a. a. O., 11 f. Möglicherweise zeigt sich in solchen Gedanken der Einfluß Schells.
[341] Ebd.   [342] *B. Bartmann*, Lehrbuch der Dogmatik I, Freiburg ⁸1932, 12.

genauer fixiert, die übernatürliche Offenbarung habe mit dem Tode der Apostel ca. 100 nach Christus ihren Abschluß gefunden. Dafür zeuge klar die Schrift in den Worten Christi[343]. Diese Terminierung des Abschlusses der Offenbarung bringt Bartmann aber nicht in den späteren Auflagen seiner großen Dogmatik. Hier hält er sich im Anschluß an den 21. Satz des Dekretes „Lamentabili"[344] an die allgemeinere Formulierung, die Offenbarung sei mit den Aposteln bzw. mit dem Tode der Apostel abgeschlossen.

W. Koch[345] begründet die Vollendung der übernatürlichen Offenbarung in Christus damit, daß sie die höchste Offenbarung sei wegen der Art ihrer Vermittlung, wegen ihres Zweckes und vor allem wegen ihres Inhaltes. Die Absolutheit des Christentums bedeute, daß eine wesentliche Erweiterung der übernatürlichen Offenbarung nach Christus nicht mehr erfolge[346].

Der bedeutende römische Theologe R. Garrigou-Lagrange OP[347] schreibt 1917, die Offenbarung sei mit den Aposteln abgeschlossen. Nach den Aposteln gebe es keine neuen Offenbarungen. Vorher werde die Glaubenslehre immer ausdrücklicher geoffenbart, nachher werde sie immer ausdrücklicher von der Kirche vorgelegt.

S. Tromp SJ[348], sein etwas jüngerer Zeitgenosse, beschäftigt sich in seinem Werk über die christliche Offenbarung nicht ausdrücklich mit der Frage ihres Abschlusses. Er behandelt nur Christus als die Erfüllung der alttestamentlichen Prophetie und den alle Völker verpflichtenden Charakter seiner Lehre.

T. Zapelena SJ, ein weiterer Vertreter der römischen Theologie in unserem Jahrhundert, kommt in seinem Werk über die Kirche wiederholt auf die Frage des Abschlusses der Offenbarung zu sprechen. Im 1. Band spricht er außer von der Universalität der Evangeliums[349] und der Fortdauer der Kirche[350] von der Vollendung der Offenbarung mit der Zeit der Apostel[351]. Im 2. Band sagt er von den Aposteln: „Fuerunt quoque organa novae revelationis, qua in eis et per eos crescebat ac dilatabatur"[352].

F. Diekamp betont[353], eine substantielle Vermehrung der Offenbarungswahrheit sei nicht möglich. Von seiten Gottes sei keine Ergänzung zu erwarten. In Christus und den Aposteln habe die Offenbarung Gottes an die Menschheit ihre Vollendung gefunden. Damit sei sie unwandelbar und für

---

[343] Mt 5, 17 f.; 28, 19; Joh 14, 16; 1 Kor 3, 11 u. a. *B. Bartmann,* Grundriß der Dogmatik, Freiburg 1923, 3.
[344] DS 3421.
[345] *W. Koch,* Dogmatik, Tübingen 1907, 8.
[346] Ebd.
[347] *R. Garrigou-Lagrange OP,* De revelatione per ecclesiam catholicam proposita, Rom ³1925 (¹1917), 82–84. Die Formel vom Abschluß der Offenbarung „mit dem Tode des letzten Apostels" begegnet uns nicht explizit, aber immerhin klingt sie an (82).
[348] *S. Tromp SJ,* De Revelatione christiana, Rom ⁶1950, 209 f.
[349] *T. Zapelena SJ,* De Ecclesia Christi I, Pars apologetica, Rom ⁶1955, 98 ff.
[350] Ebd., 210 ff.   [351] Ebd., 494.
[352] Ders., De Ecclesia Christi II, Pars apologetico – dogmatica, Rom 1954, 9.
[353] *F. Diekamp,* Katholische Dogmatik nach den Grundsätzen des hl. Thomas, 3 Bde, Münster ⁶1930 (¹1912).

immer abgeschlossen[354]. Eine vollkommenere Offenbarung als die, die der Sohn gebracht habe, und eine vollkommenere Erleuchtung als die Erleuchtung des Heiligen Geistes, die die Apostel empfangen hätten, sei nicht zu erwarten[355].

H. Straubinger[356] geht in der Erklärung unserer Frage von der vorbereitenden Aufgabe des AT in bezug auf das Christentum aus. Die christliche Offenbarung übertreffe das AT in religiöser und sittlicher Hinsicht wesentlich, wenn sie auch geschichtlich und sachlich darauf fuße. Der entscheidende Grund für den Abschluß der Offenbarung im NT liege darin, daß in Christus Gott selbst in Menschengestalt erschienen sei. Diese Offenbarung werde nunmehr den Menschen durch die Kirche vermittelt; ihre Lehre sei maßgeblich für das Verständnis der Schrift[357].

Konsequent begegnet uns die Formel vom Abschluß der Offenbarung mit den Aposteln in den neueren dogmatischen Lehrbüchern, d. h. nach dem 2. Weltkrieg. Nun wird aber auch mit größerer Klarheit und Bestimmtheit das Weitergehen der Offenbarung über den Tod Jesu hinaus reflektiert.

Bei L. Ott[358] heißt es, bis die Offenbarung ihren Höhepunkt und Abschluß gemäß Hebr 1, 1f in Christus erreicht habe, habe ein substantielles Wachstum in der Mitteilung der Offenbarungswahrheiten an die Menschen stattgefunden[359]. Das gebe es aber nicht mehr seit der Christusoffenbarung. Christus betrachte sich als die Erfüllung des alttestamentlichen Gesetzes, als den absoluten Lehrer der Menschheit[360]. Die Christusoffenbarung sei mit den Aposteln abgeschlossen. Diese Wahrheit sei als sententia theologice certa zu qualifizieren. Das folge aus der gegen den Modernismus und den Liberalprotestantismus gerichteten Verwerfung des 21. Satzes des Dekretes „Lamentabili"[361]. Daher sei nach den Aposteln keine Ergänzung der Offenbarung mehr zu erwarten. Einen Fortschritt gebe es nur nach der formellen Seite des Dogmas, als akzidentelle Dogmenentwicklung[362].

---

[354] Ebd., I, 15. *K. Jüssen* ergänzt an dieser Stelle in der 13. Auflage (1957), die modernistische These D 2021 (= DS 3421) sei von Pius X. verurteilt worden. Jüssen fügt auch ein, daß die Offenbarung ihre Vollendung in Christus „und in den Aposteln" gefunden habe (I, 17). So hatte es nämlich ursprünglich bei Diekamp geheißen, während seit der 6. Auflage (1930) nur noch von einer inhaltlichen Vollendung der Offenbarung in Christus die Rede war (15).

[355] *F. Diekamp*, a. a. O., I, 16. Möglicherweise begegnet uns auch hier indirekt der Einfluß Schells, s. oben A 335. Ein direkter Bezug darauf war nicht geraten wegen der Indizierung der Hauptwerke dieses Theologen.

[356] *H. Straubinger*, Art. Offenbarung, in: LThK VII, Freiburg ¹1935, 682–685.

[357] Ebd., 684.

[358] *L. Ott*, Grundriß der katholischen Dogmatik, Freiburg ⁸1970 (¹1952).

[359] Ott (8) verweist darauf, daß schon Gregor der Große (In Ezechielem lib. 2, hom. 4, 12) festgestellt habe, mit dem Fortschritt der Zeiten sei die Kenntnis der geistlichen Väter gewachsen, denn Moses sei mehr als Abraham, die Propheten seien mehr als Moses und die Apostel mehr als die Propheten in der Wissenschaft des allmächtigen Gottes unterrichtet gewesen.

[360] Ott differenziert nicht zwischen Christus und Jesus!

[361] DS 3421; *L. Ott*, a. a. O., 8.

[362] Ebd.

M. Premm[363] stellt mit Berufung auf Hebr 1, 1f fest, die übernatürliche Offenbarung habe im Paradies begonnen und sei „mit dem Tode des letzten Apostels" abgeschlossen.

Das „Lehrbuch der Dogmatik" von J. Pohle[364], in der Bearbeitung von J. Gummersbach im Jahre 1952 erschienen, betont den Abschluß der Offenbarung mit den Aposteln, ebenso die „Einleitung in die Dogmatik" von J. Brinktrine[365].

M. Schmaus[366] begründet in seiner umfangreichen Dogmatik den Abschluß der Offenbarung damit, daß in Christus die endgültige Existenzform des Menschen Gestalt gewonnen hat, nämlich die Auferstehungsexistenz, woran alle Menschen Anteil gewinnen sollen. Über das hinaus ist keine Lebenssteigerung mehr möglich, wohl aber kann Gott dem geschaffenen Geist neue Enthüllungen über sich geben. Nach Schmaus ist die Offenbarung also nur faktisch, gemäß dem Willen Gottes, nicht aber in sich notwendig abgeschlossen. Über diese Frage wurde in den früheren dogmatischen Lehrbüchern nicht reflektiert.

Wie Schmaus erklärt, wächst seit dem Abschluß der Offenbarung zwar nicht mehr die Offenbarung in den Gläubigen, wohl aber wachsen die Gläubigen in das Verständnis der Offenbarung hinein. Dieser Wachstumsvorgang ist endlos, er kommt nie zum Abschluß, und zwar deshalb, weil die Offenbarung das im letzten undurchdringliche Geheimnis Gottes aufdeckt[367].

Schmaus weist auch darauf hin, daß in der Schrift die Zeit Christi als die Fülle der Zeit angesehen wird, daß Christus die Erleuchtung und die Einführung in das Verständnis seiner Predigt in Aussicht stellt und seine Jünger zur Vorbereitung der Menschen auf das definitive Ende in alle Welt aussendet, daß er bei ihnen bleiben will bis an das Ende, daß sich die Apostel als verantwortliche Hüter der Lehre betrachten und ein Gleiches ihren Nachfolgern einschärfen. Entsprechend Eph 4, 11–16 ist, so bemerkt Schmaus, kein Hinauswachsen über Christus möglich, sondern immer nur ein stärkeres Hineinwachsen in Christus[368].

---

[363] M. Premm, Katholische Glaubenskunde, Ein Lehrbuch der Dogmatik I, Wien 1951, 18.

[364] J. Pohle – J. Gummersbach, Lehrbuch der Dogmatik I, Paderborn [10]1952, 79. Das Lehrbuch erschien in erster Auflage 1902–1905 in 3 Bänden; hier wird das Problem nicht angesprochen, da das Werk sich sogleich den einzelnen dogmatischen Traktaten zuwendet. Nur einmal sagt es in der Christologie (I, 297), die Kirche, die das Prophetenamt Christi fortsetze, vermittle als Hüterin des depositum fidei der Welt die ganze Wahrheit, über die hinaus keine höhere Stufe denkbar sei; das Christentum sei eben die absolute Religion.

[365] J. Brinktrine, Einleitung in die Dogmatik, Paderborn 1951. Brinktrine erinnert an die Feststellung des Lateinamerikanischen Plenarkonzils: „Progressus in scientia revelationis, non in obiecto ipso" (Acta et decreta, Romae 1906, n. 26, pg. 27). Bezüglich der Frage, ob es noch neue Offenbarungen in apostolischer Zeit gab, enthält er sich der Stellungnahme, bemerkt aber, Bañez, de Lugo und Franzelin hätten diese Frage bejaht (28. 54. 56). An anderer Stelle (Offenbarung und Kirche, a. a. O., I, 41) erklärt er in Ablehnung des Pseudosupernaturalismus lapidar: „. . . nach katholischer Lehre ist die Offenbarung mit Christus und den Aposteln abgeschlossen (vgl. Hebr 1, 1 f.) . . ."

[366] M. Schmaus, Katholische Dogmatik I, a. a. O., 84.   [367] Ebd.   [368] Ebd., 84–86.

In seinem Werk „Der Glaube der Kirche"[369] räumt Schmaus den Aposteln ausdrücklich offenbarende Funktion ein. Die Endgültigkeit der Christusoffenbarung schließe nicht aus, daß die Apostel im Heiligen Geist Christus auslegen könnten und müßten und daher auch mehr sagten, als er gesagt habe. Wie Christus das AT auf sich hin ausgelegt habe, so daß dessen Sinn bis zu seinem Kommen offengeblieben und erst durch ihn eindeutig festgestellt worden sei, so hätten die Apostel im Heiligen Geist das Christusgeschehen ausgelegt. Deshalb könne man in der Tat sagen: Erst mit dem Ende des apostolischen Zeitalters geht die von Gott allen Menschen zugeordnete Offenbarung endgültig zu Ende, seitdem wird keine allgemein verbindliche göttliche Selbsterschließung mehr geleistet[370]. Die apostolische Zeit sei als Offenbarungszeit einmalig gegenüber der späteren Zeit. Schmaus bemerkt[371]: „Wenn der Heilige Geist den Aposteln Jesus als den Christus auslegte, so war dies nicht eine über Christus hinausführende, sondern eine in sein Verständnis hineinführende Offenbarung. Aber diese Auslegung war am Ende des apostolischen Zeitalters vollendet". An anderer Stelle[372] sagt er: „Was Jesus selbst sagt, ist unmittelbare göttliche Offenbarung. Aber auch die Auslegung der Apostel hat Offenbarungscharakter, weil die Deutung Jesu durch die Apostel unter der erleuchtenden Einwirkung Gottes geschieht. Auch die Apostel sind Offenbarungsträger, nicht nur Offenbarungsempfänger"[373].

Die Apostel werden schon bei J. E. Kuhn und J. Perrone als Offenbarungsträger verstanden. Auch sonst ist diese Aussage den Autoren des 19. und 20. Jahrhunderts nicht fremd, aber in der Gegenwart tritt sie unter dem Einfluß der intensiveren Beschäftigung mit der Heiligen Schrift deutlicher zutage.

Wenngleich Schmaus der apostolischen Zeit nach Offenbarungsqualität zuerkennt, betont er nicht weniger die entscheidende Bedeutung des Christusereignisses für den Abschluß der Offenbarung. Er erklärt: „In Jesus Christus ist das Wort Gottes nicht mehr bloß als geschichtswirkende Macht bezeugt, sondern als personhafte Wirklichkeit in der Geschichte. Wenn das Neue Testament Christus das Wort nennt, so denkt es zunächst nicht an die innergöttliche Selbstaussage des Vaters, sondern an die Selbstaussage Gottes gegenüber der Welt"[374]. Nach Schmaus wird die Endgültigkeit und Definitivität der Offenbarung in Christus deutlich in der Bezeichnung Jesu als des Wortes, wie sie uns bei Johannes begegnet[375]. Er erklärt, in Jesus erfolge die unlösliche Einheit von Tat- und Wortoffenbarung, „die Aufgipfelung alles dessen . . ., was dem Menschen in Gottes Selbsterschließung gewährt werden" solle[376]. Über ihn hinaus werde Gott innerhalb der Geschichte keine neuen

---

[369] *M. Schmaus,* Der Glaube der Kirche, Handbuch katholischer Dogmatik I, München 1969, 125.
[370] Ebd.   [371] Ebd., 137.   [372] Ebd., 538.
[373] Statt von „unmittelbarer göttlicher Offenbarung" sollte man lieber, um diese von der Offenbarung der apostolischen Zeit zu unterscheiden, von primärer Offenbarung sprechen, denn Gottes Offenbarung erfolgt immer mittelbar, mediante natura!
[374] *M. Schmaus,* Der Glaube der Kirche, a. a. O., I, 99.
[375] Ebd., 99 ff.   [376] Ebd., 40.

Weisen der Selbstmitteilung für die gesamte Menschheit vollbringen. Jesus sei in der Totalität seiner Existenz Offenbarer und Offenbarung Gottes[377]. In solchen Gedanken wird das Bemühen erkennbar, entsprechend den Aussagen des II. Vaticanum einer Verengung des Offenbarungsbegriffs auf die Wortoffenbarung entgegenzuwirken.

H. Lais[378] qualifiziert die Lehre vom Abschluß der Offenbarung wie L. Ott[379] mit Berufung auf die Verurteilung des entsprechenden Satzes des Modernismus durch das Dekret „Lamentabili"[380] als eine sententia theologice certa. Während im AT immer deutlichere und umfassendere Offenbarungen über Gott und das Heil der Menschen ergangen seien, habe Jesus Christus das Heilsgeschehen und die lehrhaften Offenbarungen zu ihrer Vollendung geführt, wie es in Hebr 1, 1f deutlich zum Ausdruck komme. Die Apostel betonten, in Christus sei die Fülle der Zeiten gekommen. Sie wüßten um ihre Pflicht, die ihnen anvertraute Glaubenshinterlage zu bewahren. Sie würden zusammen mit den Propheten[381] Offenbarungsempfänger genannt und nähmen in dieser Hinsicht den ersten unwiederholbaren Rang in der Kirche ein. Auf ihnen sei die Kirche wie auf einem Fundament aufgebaut[382].

Lais erinnert an die feste Überzeugung der Väter vom endgültigen Abschluß der Offenbarung. Das Christentum sei für sie die Lehre der 12 Apostel, die auf der Offenbarung der Propheten, Christi und der Apostel beruhe. Die Väter hätten den Anspruch der Häretiker, neue, inhaltlich über die Lehre der Apostel hinausgehende Offenbarungen erhalten zu haben, verworfen. Zwar sei eine neue Offenbarung theoretisch denkbar, aber die traditionelle Lehre der Kirche bezeuge, daß nach dem freien Ratschluß Gottes keine inhaltlichen Ergänzungen des abgeschlossenen Offenbarungsgutes zu erwarten seien[383]. Im Gegensatz zu den anderen Autoren, die über die Modalität des Abschlusses der Offenbarung nicht reflektieren, erklärt Lais wie auch Schmaus, der Abschluß der Offenbarung sei letztlich ein faktischer Abschluß, der im positiven Willen Gottes begründet ist[384].

In den sechziger Jahren erschien in Amerika die „Theologia dogmatica" von E. Doronzo[385]. Da heißt es: „... revelatio publica ..., prout dirigitur immediate ad totam religiosam communitatem et in commune bonum (talis est revelatio prophetarum, Christi et apostolorum, quae absoluta est per mortem ultimi apostoli ...)"[386]. Und weiter sagt Doronzo: „Post mortem autem ultimi apostoli (adeoque circa finem saec. 1, cum mortuus est Joannes) clausa est

---

[377] Ebd., 43.
[378] H. Lais, Dogmatik I (Berckers Theologische Grundrisse IV, 1), Kevelaer 1965, 27.
[379] L. Ott, a. a. O., 8.
[380] DS 3421; vgl. auch DS 3069 f.
[381] Lais denkt hier wohl an die alttestamentlichen Propheten (vgl. auch oben 83, A 25 und 26).
[382] H. Lais, a. a. O., I, 27.
[383] Ebd., 27 f.
[384] Vgl. oben A 367.
[385] E. Doronzo, Theologia dogmatica, 2 Bde, Washington 1966 ff.
[386] Ebd., I, 129 (Nr. 102).

publica revelatio, quae sola est obiectum fidei, ac sigillati sunt duo revelationis fontes, Scriptura nempe et traditio. Haec propositio saltem ut theologice certa habenda est"[387].

Der voraufgehende Überblick über die dogmatischen Lehrbücher des 19. und 20. Jahrhunderts macht deutlich: Der Abschluß der Offenbarung ist eine selbstverständliche Glaubenswahrheit. Dennoch wird er z. T. sorgfältig erörtert. Mehr und mehr setzt sich die uns geläufige Formel vom Abschluß der Offenbarung mit den Aposteln durch. Wird sie theologisch qualifiziert, wie das teilweise in jüngster Zeit geschieht, so erscheint sie als sententia theologice certa. Auffallend ist, daß sich die Lehrbücher nicht auf das Tridentinum berufen, wohl aber seit 1907 auf das Dekret „Lamentabili"[388].

Zunächst steht in den Lehrbüchern das Christusereignis als Abschluß der Offenbarung im Vordergrund. Dabei bleiben aber die Apostel nicht unerwähnt. Sie gehören zur Christusoffenbarung. Die Frage, wieweit sie Offenbarungsträger sind, bleibt nicht selten offen. Die Apostel begegnen vor allem als jene, die die Christusoffenbarung verkündet oder promulgiert haben. Es wird aber auch schon über ihre Rolle im Offenbarungsvorgang reflektiert, etwa bei J. E. Kuhn, J. Perrone und J. B. Franzelin, wenn sie die Zeit der Apostel in den Offenbarungsvorgang hineinnehmen und den Aposteln ausdrücklich kraft des ihnen am Pfingstfest verliehenen Heiligen Geistes offenbarende Funktion zuschreiben. Das Weitergehen der Offenbarung über den Tod Jesu hinaus und ihr Abschluß mit der Zeit der Apostel kommt in den Lehrbüchern, besonders seit dem 2. Weltkrieg, immer klarer zum Ausdruck, wohl unter dem Einfluß einer intensiveren Beschäftigung mit der Heiligen Schrift und den Ergebnissen der exegetischen Forschung. Erst im 20. Jahrhundert setzt sich mehr und mehr die Formel vom Abschluß der Offenbarung mit dem Tode des letzten Apostels durch, die sich bei Perrone, Bartmann und anderen andeutet bzw. schon in ähnlichem Wortlaut findet. Eine bedeutende Rolle spielt sie bei J. H. Newman[389]. Gegenwärtig spricht man wohl treffender vom Abschluß der Offenbarung mit der apostolischen Zeit.

Bei den Aposteln denken die Autoren der Lehrbücher im allgemeinen an die Zwölfer-Apostel und Paulus. Wenn sie die Offenbarungszeit terminieren, so geben sie das Jahr 100 n. Chr. als ungefähres Datum an.

Den Grund für den Abschluß der Offenbarung im Christusereignis sehen sie vor allem in der Unüberbietbarkeit der Inkarnation und in der Erfüllung der alttestamentlichen Prophetie durch Christus. Bartmann spricht davon, daß Christus sich als das letztentscheidende und abschließende Wort Gottes an die Menschheit verstanden habe, L. Ott erinnert daran, daß er sich als den absoluten Lehrer der Menschheit betrachtet habe. Ob der Abschluß der Offenbarung ein notwendiger oder ein faktischer ist, darüber wird im allgemeinen nicht reflektiert. Aufgenommen wird dieses Problem erst in der

---

[387] Ebd., 499 (Nr. 452). Auffallend ist, daß hier, wie auch in Nr. 102, nicht die gebräuchliche lateinische Formulierung „completa (sc. revelatio) est" verwandt wird.
[388] DS 3421.   [389] S. oben 112 f.

Gegenwart durch M. Schmaus und H. Lais, die sich für einen faktischen Abschluß gemäß dem Ratschluß Gottes entscheiden.

Statt vom Abschluß der Offenbarung ist in den lateinischen Lehrbüchern oft, wenn auch nicht immer, die Rede von der Vollendung der Offenbarung.

§ 5. Die Lehre des II. Vatikanischen Konzils über den Abschluß der Offenbarung

Das II. Vatikanische Konzil hat das Offenbarungsproblem in einem eigenen Dokument behandelt, in der Dogmatischen Konstitution Dei Verbum. Diese ist, wie E. Stakemeier es formuliert hat[1], das theologisch bedeutsamste Dokument des Konzils. Darin werden die Aussagen des I. Vaticanum über die Offenbarung gewissermaßen ergänzt und vervollständigt. Gegenüber dem neuscholastischen Intellektualismus, für den die Offenbarung hauptsächlich die Vorlage geheimnisvoller übernatürlicher Lehren bedeutet und Glaube weithin auf Zustimmung zu diesen übernatürlichen Erkenntnissen reduziert ist – dieses Verständnis bestimmt teilweise auch das I. Vaticanum –, betont das II. Vaticanum den Totalitätscharakter der Offenbarung und versteht sie als Realdialog, als Wort und Ereignis, nicht als zeitlose Idee, sondern als geschichtliches Handeln Gottes, in dem Gott dem Menschen begegnet[2]. Demgemäß wird der Glaube nicht mehr aufgespalten in eine intellektuelle Beipflichtung zum Dogma der Kirche und die Hingabe des Herzens, er umgreift jetzt die ganze menschliche Person mit Wille und Verstand als totales Ja zu Jesus Christus als dem geoffenbarten Wort Gottes[3].

Das Konzil reflektiert nicht ausdrücklich das zeitliche Ende der Offenbarung, sondern nur den Grund dieses Endes, Jesus Christus, und nimmt damit keine Stellung zu dem traditionellen Axiom vom Abschluß der Offenbarung mit den Aposteln bzw. mit der apostolischen Zeit[3a].

Während schon in Art. 2 von Dei Verbum der Gedanke anklingt, daß Jesus der Mittler, die Fülle der ganzen Offenbarung ist, wird dieser Gedanke ausdrücklich in Art. 4 behandelt. Da heißt es: „Nachdem Gott viele Male und auf viele Weisen durch die Propheten gesprochen hatte, ‚hat er zuletzt in diesen Tagen zu uns gesprochen im Sohn' (Hebr 1, 1–2). Er hat seinen Sohn, das ewige Wort, das Licht aller Menschen, gesandt, damit er unter den Menschen wohne und ihnen vom Innern Gottes Kunde bringe (vgl. Jo 1,

---

[1] E. Stakemeier, Die Konzilskonstitution über die göttliche Offenbarung, Paderborn 1966, 23.
[2] J. Ratzinger, Einleitung und Kommentar zum Prooemium, zu Kap. 1 und 2 der Dogmatischen Konstitution Dei Verbum, a. a. O., 506–508.
[3] Vgl. G. G. Blum, Offenbarung und Überlieferung, a. a. O., 35; J. Ratzinger, Einleitung und Kommentar zum Prooemium, zu Kap. 1 und 2 der Dogmatischen Konstitution Dei Verbum, a. a. O., 512–514; G. Baum, a. a. O., 107; A. Dulles, a. a. O., 182 f.
[3a] K. Rahner, Der Tod Jesu und die Abgeschlossenheit der Offenbarung, in: Pluralisme et Oecuménisme en Recherches Théologiques, Mélanges offerts au R. P. Dockx OP, Paris-Gembloux 1976, 263.

1–18). Jesus Christus, das fleischgewordene Wort, als ,Mensch zu den Menschen' gesandt, ,redet die Worte Gottes' (Jo 3, 34) und vollendet das Heilswerk, dessen Durchführung der Vater ihm aufgetragen hat . . . Er ist es, der durch sein ganzes Dasein und seine ganze Erscheinung, durch Worte und Werke, durch Zeichen und Wunder, vor allem aber durch seinen Tod und seine herrliche Auferstehung von den Toten, schließlich durch die Sendung des Geistes der Wahrheit die Offenbarung erfüllt und abschließt und durch göttliches Zeugnis bekräftigt, daß Gott mit uns ist . . . Daher ist die christliche Heilsordnung, nämlich der neue und endgültige Bund, unüberholbar, und es ist keine neue öffentliche Offenbarung mehr zu erwarten vor der Erscheinung unseres Herrn Jesus Christus in Herrlichkeit . . ."[4]

Das Konzil vermeidet den Terminus „Abschluß der Offenbarung". Es heißt da: „Jesus Christus . . . opus salutare consummat . . ." bzw. „. . . Ipse . . . revelationem complendo perficit . . .". Alle drei hier verwandten Verben „consummare", „complere" und „perficere" bringen die Vollendung zum Ausdruck. Das Konzil knüpft damit an die gute Tradition der Neuscholastik an, in der man den Terminus „Abschluß" im allgemeinen gemieden hatte[5]. In der Tat kann dieser Terminus dem Mißverständnis Vorschub leisten, als gehe es bei der Offenbarung nur um die Mitteilung geheimnisvoller Lehren, und so den ganzheitlichen Charakter der Offenbarung als Handeln und Reden Gottes verdunkeln. Das muß aber nicht der Fall sein. Auch die Rede vom Abschluß der Offenbarung hat einen guten Sinn, sofern sie das definitive Ende der Offenbarung Gottes an die Menschheit insgesamt zum Ausdruck bringt.

Der Grund für die Vollendung der Offenbarung liegt nach Art. 4 in der Tatsache, daß Gott seinen Sohn gesandt hat, das fleischgewordene Wort. Durch sein Dasein und seine Erscheinung, durch Worte und Taten hat er die Offenbarung erfüllt und vollendet.

Die Christusoffenbarung wird nie übertroffen, und vor dem Jüngsten Tag gibt es keine neue öffentliche Offenbarung mehr[6]. Durch den letzten Satz des Art. 4 wird der definitive Charakter der Christusoffenbarung noch einmal unterstrichen, damit auch klar ist, daß Vollendung zugleich Abschluß bedeutet. Wenn Ratzinger[7] an dieser Stelle in seinem Kommentar anmerkt, die „Dimension von Hoffnung und Verheißung" hätte vielleicht noch deutlicher herausgestellt werden müssen, als es hier geschehe, weil erst sie die Möglichkeit biete, „den Sinn des christlichen Endgültigkeitsanspruchs gegen-

---

[4] DV Art. 4 (Übersetzung nach LThK, Das Zweite Vatikanische Konzil II, Freiburg 1967, 511–513).
[5] S. oben 136.
[6] Die deutsche Übersetzung von: „Oeconomia ergo christiana . . . numquam praeteribit" mit: „Daher ist die christliche Heilsordnung . . . unüberholbar" sagt mehr, als da steht, der lateinische Text bringt nur zum Ausdruck, daß die christliche Heilsordnung faktisch nie vorübergehen (vorbeigehen) oder überholt wird.
[7] *J. Ratzinger,* Einleitung und Kommentar zum Prooemium, zu Kap.1 und 2 der Dogmatischen Konstitution Dei Verbum, a. a. O., 512 f.

über dem Fragen unserer auf Fortschritt und Veränderung gestimmten Zeit sachgerecht auszusagen und ihn von romantisch-restaurativem, bloß rückwärts gewandtem Denken abzuheben", so vermögen wir dieser Kritik nicht zuzustimmen. Ratzinger schreibt: „In einer Situation, die immer mehr vom Menschen als dem noch werdenden Wesen her denkt und kaum noch einen Zugang zu Wesensaussagen und dem ihnen innewohnenden Anspruch hat, wird eine sachgerechte Bestimmung der Endgültigkeit des Christlichen, das zu allen Zeiten den Anspruch erhebt, ‚Neues‘ Testament zu sein, grundlegende Bedeutung gewinnen ... Der Glaube ... trägt ... die unendliche Offenheit des Menschen ebenso in sich wie die Endgültigkeit der den Menschen nicht abschließenden, sondern ihn erst zu seiner wahren Unendlichkeit eröffnenden göttlichen Antwort"[8]. Solche Gedanken sind sicherlich im Inhalt der Offenbarung gegeben, es ist jedoch unerfindlich, warum sie den Offenbarungsbegriff modifizieren sollen. Sie zu berücksichtigen, ist Sache der Glaubensbegründung und der Pastoraltheologie. Der Gedanke, daß noch eine neue öffentliche Offenbarung aussteht, die revelatio gloriae, hat seine Berechtigung. Das bringt auch Art. 4 zum Ausdruck. Aber dieser Gedanke darf nicht die Vollendung der Christusoffenbarung relativieren. Bis zur Endoffenbarung ist die Zeit der Kirche, in der keine Tat Gottes zu erwarten ist, die die Kirche überbietet und entbehrlich macht. Die Kirche hat die Aufgabe, die vollendete Offenbarung den Menschen zuzuwenden, sie mit den geschichtlichen Taten Gottes und seinem Wort darüber zu konfrontieren und dadurch zu Gott zu führen. Das heißt freilich nicht, daß Gottes Handeln in der Geschichte aufhört, sein Heilschaffen, sein Erleuchten und Lehren[9].

Auch Art. 7 erwähnt die Vollendung der Offenbarung in Christus. Weil Gott wollte, daß das, was er geoffenbart hatte, für alle Zeiten erhalten bleibe und allen Geschlechtern weitergegeben werde, deshalb hat Christus, „in dem die ganze Offenbarung ... sich vollendet", den Aposteln den Auftrag gegeben, „das Evangelium, das er als die Erfüllung der früher ergangenen prophetischen Verheißung selbst gebracht und persönlich öffentlich verkündet hat, allen zu predigen als die Quelle jeglicher Heilswahrheit und Sittenlehre und ihnen so göttliche Gaben mitzuteilen"[10]. Diesen Auftrag haben die Apostel ausgeführt, indem sie durch mündliche Predigt, durch Beispiel und Einrichtungen weitergaben, „was sie aus Christi Mund, im Umgang mit ihm und durch seine Werke empfangen oder was sie unter Eingebung des Heiligen Geistes gelernt hatten"[11]. An der Ausführung dieses Auftrags sind aber auch „jene Apostel und apostolischen Männer" beteiligt, „die unter der Inspiration des gleichen Heiligen Geistes die Botschaft vom Heil niederschrieben"[12]. Es ist auch hier das Bemühen spürbar, den Realitäts- und Heilscharakter des Wortes Christi herauszustellen und den gesetzlichen und lehrhaften Aspekt zugunsten

---

[8] Ebd.
[9] Vgl. *D. Arenhövel OP*, Was sagt das Konzil über die Offenbarung?, Mainz 1967, 33–35.
[10] DV Art. 7; zit. nach LThK, Das Zweite Vatikanische Konzil II, a. a. O., 515–517.
[11] Ebd.   [12] Ebd.

eines geschichtlich-sakramentalen Verständnisses der christlichen Wirklichkeit zu reduzieren[13].

Die Apostel haben die Offenbarung durch Christus und den Heiligen Geist empfangen. Damit wird ein Gedanke des Tridentinum und des I. Vaticanum[14] wieder aufgenommen. Hier allerdings wird die mündliche Predigt der Apostel zusammen mit dem Beispiel und den Einrichtungen, die sie vermittelten, dem schriftlichen Niederschlag als das Umfassendere vorangestellt. In der Erwähnung des Heiligen Geistes kommt wohl die Überzeugung zum Ausdruck, daß nach Ostern noch neue übernatürliche Realitäten geoffenbart werden.

Wenn bei der schriftlichen Fassung der Heilsbotschaft von Aposteln und apostolischen Männern die Rede ist, wird man kaum an Zwölfer-Apostel denken können.

Den Gedanken der offenbarenden Tätigkeit des Heiligen Geistes nimmt Art. 9 wieder auf. Der Artikel rückt die heilige Überlieferung und die Heilige Schrift eng zusammen. Sie entspringen der gleichen göttlichen Quelle, fließen gewissermaßen in eins zusammen und streben demselben Ziele entgegen. Die Heilige Schrift ist dabei Gottes Rede, unter dem Anhauch des Heiligen Geistes schriftlich aufgezeichnet. Die heilige Überlieferung übermittelt das von Christus und dem Heiligen Geist den Aposteln anvertraute Wort Gottes unversehrt deren Nachfolgern, damit sie es im Lichte des Geistes der Wahrheit treu bewahren, erklären und ausbreiten[15].

Art. 9 hebt auch deutlich die konstituierende Tradition der apostolischen Zeit von der weitergebenden der nachapostolischen Zeit ab. Klar wird das Amt der Apostel gegenüber dem Bischofsamt abgegrenzt. Es wird unterschieden zwischen der Konstituierung des Depositum durch die Apostel und seiner Interpretation durch die Autorität des Lehramtes[16]. Will das Konzil das apostolische und das nachapostolische Zeitalter auch voneinander unterscheiden, so will es sie doch nicht trennen. Das Wirken des Heiligen Geistes ist in der Kirche kontinuierlich[17].

Art. 17 befaßt sich mit der Kulmination der Offenbarung in Jesus Christus mit Bezug auf Gal 4, 4.

Art. 19 unterscheidet bei der Bildung der Evangelien drei Schichten: 1) Die Entstehung der Tradition in den Taten und Worten Jesu, 2) das Stadium der apostolischen Verkündigung und 3) die Redigierung der Evangelien. Die Apostel aber haben das, was der Herr gesagt und getan hatte, „ihren Hörern mit jenem volleren Verständnis überliefert, das ihnen aus der Erfahrung der

---

[13] *J. Ratzinger,* Einleitung und Kommentar zum Prooemium, zu Kap. 1 und 2 der Dogmatischen Konstitution Dei Verbum, a. a. O., 516.

[14] DS 1501. 3006.

[15] „. . . Sacra Scriptura est locutio Dei quatenus divino afflante Spiritu scripto consignatur; Sacra autem Traditio verbum Dei, a Christo Domino et a Spiritu Sancto Apostolis concreditum, successoribus eorum integre transmittit . . ." (Art. 9).

[16] Vgl. auch Art. 10 und *E. Stakemeier,* Die Konzilskonstitution über die göttliche Offenbarung, a. a. O., 135–143.

[17] Vgl. Art. 8 und *E. Stakemeier,* a. a. O., 132 f.

Verherrlichung Christi und aus dem Licht des Geistes der Wahrheit zufloß"[18]. Solche Formulierung ist ein Hinweis darauf, daß die nachösterliche Verkündigung Offenbarungsqualität hat, zumal, wenn dann in Art. 20 von dem nachösterlichen Wirken Christi, von den Anfängen der Kirche und von ihrer wunderbaren Ausbreitung als Gegenstand des neutestamentlichen Zeugnisses die Rede ist.

Art. 25 der Kirchenkonstitution erklärt in Anlehnung an das I. Vaticanum[19], die Unfehlbarkeit der Kirche reiche nur so weit wie die Hinterlage der göttlichen Offenbarung, die rein bewahrt und getreulich ausgelegt werden müsse, und es gebe keine neue, zum depositum fidei hinzukommende öffentliche Offenbarung[20].

In der Erklärung über die Religionsfreiheit endlich heißt es, Christus habe in der Erfüllung seines Erlösungswerkes am Kreuz seine Offenbarung vollendet[21].

Das II. Vatikanische Konzil schärft praktisch noch einmal die alte Lehre der Kirche über den Abschluß der Offenbarung ein und stellt sie in den Kontext der zeitgenössischen Theologie, die in der Vergangenheit vernachlässigte oder vergessene Schwerpunkte hervorgehoben hat. Dabei bedient es sich solcher Termini, die den umfassenden Wirklichkeitscharakter der Offenbarung deutlich machen und einem doktrinellen Offenbarungsverständnis wehren. Wenngleich es die zeitliche Fixierung des Endes der Offenbarung nicht ausdrücklich reflektiert, scheint es doch mit einem Weitergehen der Christusoffenbarung in die Zeit der werdenden Kirche hinein zu rechnen und ihr noch Offenbarungsqualität zuzuerkennen.

---

[18] Zit. nach LThK, Das Zweite Vatikanische Konzil II, a. a. O., 569. „Apostoli quidem post ascensionem Domini, illa quae Ipse dixerat et fecerat, auditoribus ea pleniore intelligentia tradiderunt, qua ipsi, eventibus gloriosis Christi instructi et lumine Spiritus veritatis edocti fruebantur" (Art. 19); vgl. *B. Rigaux*, Kommentar zu Kap. 4 und 5 der Dogmatischen Konstitution Dei Verbum, in: LThK, Das Zweite Vatikanische Konzil II, a. a. O., 569.

[19] DS 3070.

[20] „. . . tantum patet (sc. infallibilitas) quantum divinae revelationis patet depositum, sancte custodiendum et fideliter exponendum". Weiter heißt es da: „Cum autem sive Romanus Pontifex sive Corpus Episcoporum cum eo sententiam definiunt, eam proferunt secundum ipsam Revelationem, cui omnes stare et conformari tenentur et quae scripta vel tradita per legitimam Episcoporum successionem et imprimis ipsius Romani Pontificis cura integre transmittitur, atque praelucente Spiritu veritatis in Ecclesia sancte servatur et fideliter exponitur. Ad quam rite indagandam et apte enuntiandam, Romanus Pontifex et Episcopi, pro officio suo et rei gravitate, per media apta, sedulo operam navant; novam vero revelationem publicam tamquam ad divinum fidei depositum pertinentem non accipiunt."

[21] „Tandem in opere redemptionis in cruce complendo quo salutem et veram libertatem hominibus acquireret, revelationem suam perfecit" (Dignitatis humanae Art. 11).

Drittes Kapitel
Der Abschluß der Offenbarung als theologisches Problem

§ 6. Der Abschluß der Offenbarung im Widerstreit der Meinungen

Die Lehre vom Abschluß der Offenbarung findet nicht die ungeteilte Zustimmung der Theologen, besonders nicht in der traditionellen Formulierung. Dafür nur einige Beispiele im folgenden.

E. Schillebeeckx möchte in seinem Jesusbuch[1] die Anliegen der jeweiligen Zeit als Teil der Offenbarung verstehen. Er erklärt, die immer wieder neue Gegenwart sei mit-konstitutiv für die Artikulierung des Inhaltes des Glaubens an Jesus als den Christus[2]. Dem könnte man zustimmen, wenn er dabei an die revelatio in actu secundo, an ihre Zuwendung, an die je neue Verkündigung durch die Kirche, denken würde. Aber gerade das scheint nicht der Fall zu sein. Nach Schillebeeckx macht Jesus den Menschen in seinen Worten und Werken nur ein „Wirklichkeitsangebot"[3]. Dann ist es aber konsequent, wenn man dieses Angebot noch nicht als die volle Heilsoffenbarung versteht. Er bemerkt[4]: „Zusammen mit dem Wirklichkeitsangebot Jesu, wie es in und durch Jesus in der Gemeinde mit ihrer lebendigen Erinnerung an Jesus von Nazareth lebendig ist, ist auch die Interpretation aus der heutigen Situation mit ein konstitutives Element für das, was wir Gottes Heilsoffenbarung in Jesus Christus nennen". Für Schillebeeckx ist also jede Zeit mit ihren besonderen Anliegen und mit ihrem Verstehenshorizont konstitutiv mitbestimmend für den Jesusglauben und geht in ihn ein; „der kritische Bezug zur konkreten Gegenwart" bildet „einen Bestandteil der christologischen Antwort auf Jesus"[5]. Hier ist das Interesse am Menschen der jeweiligen geschichtlichen Stunde so stark, daß man ihn mit in den Offenbarungsvorgang hineinnimmt. Dann kann aber, da der Mensch geschichtlich-wandelbar ist, die Offenbarung nichts endgültig Festes und Unwandelbares sein. Schillebeeckx schreibt: „Deshalb gibt es auch keine absolute Identität des christlichen Glaubens mit besonderen, sogar mit den offiziellsten Glaubensartikulationen"[6].

---

[1] E. Schillebeeckx, Jesus, Die Geschichte von einem Lebenden, Freiburg 1975.
[2] Ebd., 509.   [3] Ebd., 53.   [4] Ebd., 54.   [5] Ebd., 52.
[6] Ebd., 42. Zum Ganzen vgl. *L. Scheffczyk,* Jesus für Philanthropen, Zum Jesusbuch von E. Schillebeeckx, in: Entscheidung 69, 1976, II, 3 u. 9. Scheffczyk stellt mit Verwunderung fest, daß Schillebeeckx den Grundsatz, daß jede Zeit mit ihren besonderen Anliegen und ihrem Verstehenshorizont konstitutiv in den Jesusglauben eingehe, widersprüchlicherweise für die nachneutestamentliche Zeit, angefangen beim Johannes-Evangelium, nicht gelten lasse, wenn er

Eine Offenbarung, die auch teilhat am Wandel der Zeit und fortschreitet, kommt dem Empfinden des modernen Menschen entgegen. Damit wird sie aber ein Teil dieser natürlichen Wirklichkeit und letztlich eine Funktion der jeweiligen Erwartungen und Nöte der Menschen. Es fragt sich, ob bei diesem Konzept nicht das Bedürfnis Pate gestanden hat, das Ärgernis einer geschichtlichen Offenbarung zu beseitigen.

P. Stockmeier[7] stellt im Handbuch der Dogmengeschichte fest, geschichtlich erscheine der Übergang von den Aposteln als Zeugen des Heilsgeschehens in Christus auf die Zeit der Kirchenväter nicht als Abschluß der Offenbarung. Eine Grenze zwischen der Zeit der Apostel und der Zeit danach sei erst verhältnismäßig spät im Laufe der theologischen Reflexion gezogen worden. Das frühe Christentum habe die Überzeugung gehegt, daß sich auch in der Gegenwart Offenbarung ereigne. Die Formel von 1907[8] setze ein satzhaftes Verständnis von Offenbarung voraus. Zwar hätte man in früher Zeit entsprechend den biblischen Aussagen geglaubt, daß Gottes Heilshandeln in Jesus von Nazareth kulminiert, aber gerade dieser Glaube sei als Ergebnis ständiger Offenbarung betrachtet worden. Aus diesem Tatbestand ergeben sich nach Stockmeier methodische Schwierigkeiten für die dogmengeschichtliche Bearbeitung des Offenbarungskomplexes[9].

Wie in § 4 dargelegt wurde, hatte die Kirche von Anfang an das Bewußtsein, für das ihr anvertraute Depositum Verantwortung zu tragen, war für die Predigt der Kirche trotz des weiten und undifferenzierten Offenbarungsbegriffs von Anfang an die Verkündigung der Apostel maßgebend[10]. Darin wird aber eine Grenze zwischen der Zeit der Apostel und der darauf folgenden anerkannt, so wenig reflektiert sie auch sein mag.

K. Rahner möchte mit Rücksicht auf den modernen Menschen, der sich „als Existenz in Geschichte" versteht, „die nach vorne unbegrenzt offen ist", das Axiom vom Abschluß der Offenbarung relativieren und lieber von der irreversiblen und sieghaften Selbstzusage Gottes an die Welt im Christusereignis sprechen, die nicht ab-, sondern aufschließt in eine unendliche Zukunft und insofern unüberholbar ist. Eine solche Sicht mache es aber möglich, die Glaubensgeschichte wenigstens in einem weiteren Sinne als Geschichte des letzten Wortes Gottes Offenbarungsgeschichte zu nennen[11].

---

von da an alle nachweislich auch am NT ausgerichteten Jesusbilder wegen ihres anders gearteten griechischen Verstehenshorizontes als beliebig und unverbindlich ansehe und diesen Grundsatz erst für die moderne Zeit wieder hervorhole (9 f.).

[7] *P. Stockmeier*, a. a. O., 27.

[8] DS 3421. Diese Formel kennt die Theologie nicht erst seit 1907. Diese Auffassung scheint auch *G. G. Blum* fälschlicherweise zu vertreten (Offenbarung und Überlieferung, a. a. O., 135). Verbreitet waren die Formel und die Rede vom Abschluß der Offenbarung mit den Aposteln bereits im 19. Jahrhundert (vgl. oben § 4). Darauf weist auch *J. Ratzinger* (Das Problem der Dogmengeschichte in der katholischen Theologie, a. a. O., 10) hin. Er bemerkt, daß Axiom sei bereits seit langem als selbstverständlich angesehen worden, als es im Dekret „Lamentabili" (DS 3421) amtlich formuliert worden sei. Zum satzhaften Verständnis s. oben 53–58.

[9] *P. Stockmeier*, a. a. O., 27 f. 72, vgl. oben 117.   [10] S. oben 83–93.

[11] *K. Rahner*, Tod Jesu und Abgeschlossenheit der Offenbarung, a. a. O., 264. 264–266. 271.

J. Ratzinger[12] erklärt, das Axiom vom Abschluß der Offenbarung sei innerhalb der katholischen Theologie eines der Haupthindernisse auf dem Wege zu einem positiven Verständnis des Christlichen. Das sei besonders beklagenswert, da es in dieser Gestalt nicht zu den ursprünglichen Gegebenheiten des christlichen Bewußtseins gehöre. Im Altertum habe man unbedenklich von der Inspiration der ökumenischen Konzilien gesprochen und im Mittelalter von Offenbarungen des Heiligen Geistes, „durch welche die Kirche in Erkenntnisse eindringe, die ihr früher verschlossen"[13] gewesen seien. In diesem Axiom werde Offenbarung der Sache nach als eine Summe von Lehren aufgefaßt, die Gott der Menschheit mitgeteilt habe und deren Mitteilung eines Tages abgeschlossen worden sei, so daß dann alles Weitere nur noch entweder Schlußfolgerung aus diesen Lehren oder Abfall davon sein könnte. Eine solche Auffassung stehe dem sinnvollen Verständnis der geschichtlichen Entfaltung des Christlichen im Wege und widerspreche auch dem biblischen Zeugnis. Paulus habe sein Kerygma entfaltet, „ohne auf die Worte des historischen Jesus zurückzugreifen, allein als Explikation des Glaubens an die Auferstehung des Herrn"[14]. Die „Rückbeugung auf die Worte Jesu . . . bei den Synoptikern"[15] sei bereits, wenn man so wolle, ein weiteres Stadium dogmengeschichtlicher Entwicklung, eine Ausweitung des Offenbarungshorizontes nach rückwärts, die indes den Auferstehungsglauben als entscheidenden Inhalt der Botschaft durchaus beibehalte. Im biblischen Bereich sei die Offenbarung nicht als ein System von Sätzen, sondern „als das geschehene und im Glauben immer noch geschehende Ereignis einer neuen Relation zwischen Gott und Menschen"[16] begriffen worden. Dieses Ereignis sei vergangen, insofern als in Jesus Christus die Relation Gott – Mensch ihre höchste, nicht mehr überbietbare Möglichkeit erlange, aber gegenwärtig sei es, insofern es immer neu zum Vollzug kommen solle[17].

Und weiter heißt es da, die Formeln, in denen dieses Ereignis sich lehrmäßig ausdrücke, seien nicht mehr eigentlich die Offenbarung, sondern „ihre Explikation in menschliche Rede hinein"[18]. Hier gebe es ebenfalls das Moment des Abschließenden, des Exemplarischen. Die Kirche habe sich im Kanon der heiligen Schriften und in der regula fidei einer bleibenden Norm der Explikationen unterstellt. Er resümiert: „Diese kann indes nicht eine abschließende und abgeschlossene Quantität von feststehenden Offenbarungssätzen meinen, sondern bildet eine gestaltgebende Norm für die unerläßlich bleibende, weitergehende Geschichte des Glaubens"[19].

Ratzinger will ein satzhaftes Mißverständnis der Offenbarung, ein einseitiges intellektualistisches Offenbarungsverständnis, eine Reduzierung der Offenbarung auf Sätze, überwinden. Aber seine Überlegungen dienen kaum der Klärung des Problems. Abgeschlossen ist die Offenbarung als Realitätsübergabe. Die übernatürlichen Realitäten, in denen Gott sich selbst der

---

[12] *J. Ratzinger,* Das Problem der Dogmengeschichte in der katholischen Theologie, a. a. O., 18.
[13] Ebd.   [14] Ebd.   [15] Ebd.
[16] Ebd., 19.   [17] Ebd., 18 f.   [18] Ebd., 19.   [19] Ebd.

Menschheit mitgeteilt hat, sind in der Vergangenheit ins Werk gesetzt worden, bleiben aber stets gegenwärtig. Ebenso bleibt das diese Realitäten erschließende Wort Gottes im Gegensatz zum menschlichen Wort gegenwärtig. Aber die revelatio in actu primo ist von der revelatio in actu secundo zu unterscheiden, das Ins-Werk-Setzen der übernatürlichen Realitäten und ihre Übermittlung an die Menschen von ihrer Zuwendung durch die Kirche. Die Explikation der Offenbarung in menschliche Rede hinein ist ein Teil der Offenbarung. Ich kann die Offenbarung nicht reduzieren auf das „Ereignis". Die „Explikation des Glaubens an die Auferstehung des Herrn" etwa bei Paulus und die „dogmengeschichtliche Entwicklung bei den Synoptikern" sind nach der Überzeugung der Kirche etwas kategorisch anderes als die spätere Dogmengeschichte[20]. Ratzinger spricht vom Ereignis der Offenbarung, das sich immer neu ereignet. Das ist unzulänglich. Ob Ratzinger nicht aus der Sorge um das intellektualistische Mißverständnis der Offenbarung in das aktualistische hinübergleitet?

Wie sehr er sachlich doch an dem Axiom vom Abschluß der Offenbarung festhält, wird deutlich, wenn er entschieden die Rückbindung des Christlichen an das Einmalige einer vergangenen Geschichte wegen des Glaubens an den menschgewordenen Sohn Gottes und Erlöser betont, weshalb nicht „die Umprägung durch die eigenmächtige Erfindung des menschliches Geistes" möglich sei, sondern nur „das Bewahren des einmal für immer Übergebenen"[21]. Und er fügt hinzu, darin seien sich mit verschiedenen Akzentsetzungen die christlichen Konfessionen einig. Das sei auch der unüberschreitbare Kern der lehramtlichen Bestimmungen über die Unveränderlichkeit des christlichen Glaubens.

Ratzinger will darauf aufmerksam machen, daß Jesus Christus nicht bloß eine Gestalt der Vergangenheit ist, sondern immer auch wirksame Macht der Gegenwart und Verheißung des Kommenden. Er erklärt, die Christusgestalt sei zugleich präsentisch und futurisch zu verstehen. Er weist mit G. Bornkamm[22] darauf hin, daß die Jesusworte als Worte des Auferstandenen überliefert wurden, der hier und jetzt zu seiner Kirche spricht und dessen Worte daher durch das Hier und Jetzt eine je neue Beleuchtung erfahren, auch wenn sie in ihrem Kern unangetastet die gleichen bleiben müssen. Von solchem Verständnis her gibt es nach Ratzinger einen Zugang zur Idee des Geschichtlichen und die Möglichkeit legitimen geschichtlichen Werdens vom ursprünglich Christlichen her. Er erklärt, weil für den Glauben Christus nicht nur der historische Jesus, sondern auch der wiederkommende Herr sei, deshalb sei der Prozeß des Christlichen nicht mit dem Ursprungsgeschehen beendet, wenngleich er von ihm seine maßgebenden und bleibenden Normen empfange[23]. – Es sei hier nur die Frage gestellt, ob Ratzinger den Unterschied

---

[20] S. oben A 14 u. 15.
[21] *J. Ratzinger,* Das Problem der Dogmengeschichte in der katholischen Theologie, a. a. O., 15.
[22] *G. Bornkamm,* Jesus von Nazareth, a. a. O., 15.
[23] *J. Ratzinger,* Das Problem der Dogmengeschichte in der katholischen Theologie, a. a. O., 15–17.

zwischen der Zeit der Apostel und ihrer kirchengründenden Tätigkeit und der späteren Zeit der Kirche genügend deutlich macht.

Ratzinger hat diese Gedanken in einem Referat in Düsseldorf am 15. Dezember 1965 vorgetragen, dem sich eine Aussprache in einem Kreis von Fachgelehrten anschloß. Die Gedanken fanden nicht ungeteilte Zustimmung. Joseph Pieper äußerte die Befürchtung, daß bei solcher Betonung des Nicht-abgeschlossen-Seins der Offenbarung und ihres Werdens nicht genügend die Identität der Überlieferung der Offenbarung in der Geschichte gewahrt sei. Er fragt, ob nicht die sogenannte Identitätstheologie zum Wesen der Überlieferung und der Weitergabe der Offenbarung gehöre. Sich erinnern heiße nichts vergessen und nichts dazu tun[24]. Die Aufgabe der Neuformulierung und Neuinterpretation müsse darauf gerichtet sein, das ursprünglich Gegebene und Mitgeteilte identisch präsent zu halten, eben nicht als „eine irgendwie von Zeitimpulsen beschwingte Neufassung des religiösen Erlebnisses"[25]. Klärend ist in diesem Gespräch der Beitrag von A. Diemer, der die absolute Wahrheit als das letztlich beim Dogma Intendierte von der Vorstellung darüber unterscheidet, also von der Interpretation, und von der Formulierung in einer bestimmten Sprache. Wandel bzw. Geschichte gibt es dann nur in den beiden letzten Stufen, bei der Vorstellung und der Formulierung des Dogmas. Dem stimmt auch Ratzinger zu[26]. Nichts anderes meint aber das Axiom vom Abschluß der Offenbarung, das sich ja gerade auf das letztlich beim Dogma Intendierte bezieht. Schon lange hat sich die Invarianz des Dogmas nicht mehr an die Formulierung geheftet, die freilich ihrerseits immer zur Kontrolle die Grundlage bleiben muß. Ähnliches gilt auch von der Vorstellung bzw. von der Interpretation. Die Schwierigkeit liegt hier jedoch in der Abgrenzung des letztlich Intendierten. Uns erschiene es klarer, die bleibende Gegenwart der übernatürlichen Realitäten, die Gott in der Offenbarung ins Werk gesetzt und uns mitgeteilt hat, herauszustellen, deren sukzessive und zugleich immer neue Erkenntnis in der Geschichte erfolgt.

Für mißverständlich hält auch H. U. von Balthasar[27] die Rede vom Abschluß der Offenbarung. Er meint, wenn auch in den Propheten des Neuen Bundes der Geist weiterwirke[28], wenn Paulus sie neben den Aposteln zu den Grundmauern der Kirche rechne[29], so würden ihre Schriften nicht heilige Schriften im Sinne der Bibel, weil mit dem Herrn und seinen Augenzeugen die Fülle der Offenbarung erreicht sei[30]. Aber die erreichte Fülle sei nicht das

---

[24] Ebd., 35–37. 42 f.
[25] Ebd., 43. Wörtlich sagt Pieper: „Sie akzentuieren, scheint mir, die Identität anders als ich; irgend etwas ist da in der Sache auch unklar". Das läßt Ratzinger nicht gelten. Dennoch scheint er unter dem Eindruck solcher Kritik weithin seine ursprüngliche These abzuschwächen (vgl. bes. ebd. 37–39 u. 43 f.).
[26] Ebd., 41 f.   [27] *H. U. v. Balthasar,* Verbum Caro, Skizzen zur Theologie I, Einsiedeln 1960.
[28] Joh 16, 13.   [29] Eph 2, 20; 3, 5; 4, 11.
[30] *H. U. v. Balthasar,* Verbum Caro, a. a. O., 27. Man kann allerdings fragen, ob nicht auch Propheten in neutestamentlicher Zeit Offenbarungsträger waren und folglich auch deren Offenbarungen einen Platz in der neutestamentlichen Verkündigung gefunden haben. Die zitierten Stellen legen das jedenfalls nahe.

Ende, sondern ein Anfang, „der Anfang der unendlichen Auswirkungen der Fülle Christi in die Fülle der Kirche hinein, das Wachstum von Kirche und Welt in die Fülle Christi und Gottes hinein, wie der Epheserbrief es beschreibt"[31].

Das Anliegen von Balthasars, das sich teilweise mit dem Rahners und Ratzingers deckt, ist zweifellos zu würdigen. Die Fülle ist der Grund des Abschlusses. Sie ist zugleich ein Anfang. Abschluß oder Fülle und Anfang, beides hat seine Berechtigung und muß zusammen gesehen werden. Die geschichtliche Entfaltung des Christlichen hat den Abschluß bzw. die Fülle der Offenbarung zur Voraussetzung. Hier ist die Unterscheidung zwischen der Offenbarung in actu primo und in actu secundo hilfreich.

Vielleicht sollte man richtiger von der „Fülle" oder der „Vollendung" der Offenbarung sprechen. „Revelatio completa est", heißt es in der lateinischen Version. Darin kommt besser zum Ausdruck, daß die abgeschlossene Offenbarung nicht starr und unbeweglich, sondern in höchstem Maße lebendig und wirksam ist. Aber auch diese Formulierung kann mißverstanden werden[32].

Das gleiche Problem spricht J. Feiner an, wenn er die Rede vom Abschluß der Offenbarung für mißverständlich und Abschluß für ein dem Christentum nicht adäquates Wort hält. Wenn auch das Christusgeschehen einmalig sei, so sei doch die erreichte Fülle eher als Anfang zu verstehen, was jedoch nicht heiße, daß es nach Christus eine inhaltliche Ergänzung der Offenbarung gebe, ein Weitergehen des Offenbarungsvorgangs[33].

Eine klare begriffliche Unterscheidung, wie wir sie in § 2[34] versucht haben, dürfte dem Problem „Abschluß – Anfang" dienlich sein.

Wenn H. Schlier erklärt, für Paulus sei die Offenbarung Gottes in Jesus Christus nicht abgeschlossen, sie setze sich vielmehr fort im apostolischen Evangelium und im Herrenmahl[35], so meint er damit unausgesprochen die geheimnisvolle Begegnung mit Christus, die Zuwendung der Offenbarung. Demgemäß kann K. H. Schelkle daran erinnern, wenn es im NT Texte gebe, die besagten, daß Offenbarung in der Kirche weitergeschehe[36], so werde man die Aussagen mit der Erklärung ausgleichen dürfen, daß die dauernde Offenbarung innerhalb der mit Christus endgültigen geschehe[37], daß sie also nicht inhaltlich Neues bringe, sondern die eine Offenbarung zuwende und erhelle.

K. Rahner und K. Lehmann[38] wollen die Berechtigung der Rede vom

---

[31] Ebd.
[32] S. oben 136; vgl. R. Spiazzi, a. a. O., 55; frz. „achevée" (R. Latourelle, a. a. O., 435. 386. 478).
[33] J. Feiner, Offenbarung und Kirche – Kirche und Offenbarung, in: MS I, 525 f.
[34] S. oben 45–53.
[35] H. Schlier, Das Herrenmahl bei Paulus, in: Das Ende der Zeit, Exegetische Aufsätze und Vorträge III, Freiburg 1971, 201; vgl. O. Merk, Besprechung zu obigem Werk, in: ThLZ 99, 1974, 437.
[36] K. H. Schelkle, Theologie des Neuen Testamentes, a. a. O., II, 6 f.
[37] 1 Kor 14, 26; Phil 3, 15; Joh 14, 26.
[38] K. Rahner–K. Lehmann, Geschichtlichkeit der Vermittlung, a. a. O., 737 f.

Abschluß der Offenbarung nicht bestreiten, wohl aber um des lebendigen Heute der Offenbarung willen differenzieren. Sie sind der Meinung, wenn man den Offenbarungsbegriff im Verständnis der Väter und des Mittelalters fasse, weniger material eingeengt, so sei einmal eine engere Zusammengehörigkeit von Offenbarung und Überlieferung, zum anderen die fundamentale Möglichkeit gegeben, „das unbestreitbare ‚offenbarende' Wirken des Heiligen Geistes in der Kirche besser zu verstehen", dann sei Offenbarung nicht mehr nur vergangen, sondern auch gegenwärtig und zukünftig.

Solche Überlegungen dienen nicht der Klärung. Rahner und Lehmann gebrauchen hier das Wort „Offenbarung" im analogen Sinn. Das aber führt leicht zu Mißverständnissen. Offenbarung in actu primo ist die einmal ergangene konkret-geschichtliche Offenbarung, die abgeschlossen ist, Offenbarung in actu secundo ist die stete Zuwendung der Offenbarung, die fortdauert bis zum Jüngsten Tag. Warum will man das Wirken des Heiligen Geistes in der Kirche, abgesehen von den Privatoffenbarungen, als offenbarendes Wirken verstehen? Die Gegenwart der Offenbarung ist in der Gegenwart Gottes, in den von ihm ins Werk gesetzten übernatürlichen Realitäten und in seinem Wort gegeben[39].

Zusammenfassend läßt sich sagen: Der Abschluß der Offenbarung mit den Aposteln gehört unbestreitbar zum Glaubensgut der Kirche, wie bereits aus den Paragraphen 3 und 4 hervorgeht. Die Offenbarung kann auch nicht durch die jeweilige geschichtliche Stunde ergänzt werden. Das traditionelle Axiom vom Abschluß der Offenbarung kann jedoch im Sinne einer einseitigen intellektualistischen Sicht der Offenbarung mißverstanden werden, wenn man es isoliert betrachtet. Der Sache ist aber wenig gedient, wenn man es durch mißverständlichere Ausdrücke ersetzt, etwa, wenn man vom Ereignis der Offenbarung spricht, das sich immer neu ereignet. Zwar handelt Gott weiter in der Geschichte, aber dieses Handeln besteht nun darin, daß er sich in der abgeschlossenen Offenbarung, in den von ihm geschaffenen übernatürlichen Realitäten der Menschheit mitteilt. Diese Realitäten sind bleibende Gegenwart, ebenso wie das diese Realitäten erschließende Wort Gottes. Der Abschluß oder die Vollendung der Offenbarung ist zugleich ein Anfang, genauer gesagt, der Abschluß der revelatio in actu primo ist der Anfang der revelatio in actu secundo. Die abgeschlossene Offenbarung wird den Menschen durch die Kirche zugewendet bis zum Jüngsten Tag. Sie wird in der Kirche immer neu zu lebendiger Wirksamkeit und Erfahrung gebracht. Die objektive Abgeschlossenheit der Offenbarung ist der Anfang einer realen Bewegung der subjektiven Assimilation seitens der Gläubigen und der Kirche. Diese durchdringt immer mehr das Depositum, das Gott ihr anvertraut hat, nicht wie eine Schatzkiste mit wertvollen Steinen, die aber leblos sind, sondern wie eine lebendige und fruchtbare Wirklichkeit[40]. So ist die Offenbarung, die der Vergangenheit angehört, zugleich stete Gegenwart. Darüber hinaus verheißt sie die Endoffenbarung, die revelatio gloriae.

---

[39] S. oben 51.   [40] *R. Spiazzi*, a. a. O., 57.

§ 7. Grundlage und Wesen des Abschlusses der Offenbarung

Die Lehre vom Abschluß der Offenbarung stellt sich für die Theologie seit dem 19. Jahrhundert, vor allem in den letzten Jahrzehnten, im allgemeinen in dem Axiom vom Abschluß der Offenbarung mit dem Tode des letzten Apostels oder mit dem Ende der apostolischen Zeit dar. Das II. Vaticanum übernimmt diese Formel nicht, wie wir gesehen haben, wenngleich es sachlich selbstverständlich die darin gemeinte Lehre vertritt[1].

Das Axiom vom Abschluß der Offenbarung mit dem Ende der apostolischen Zeit wird für gewöhnlich als „sententia theologice certa" qualifiziert[2]. K. Rahner sieht in der in diesem Axiom zum Ausdruck kommenden Überzeugung zwar nicht eine definierte Lehre im strengen Sinn, aber dennoch eine eindeutig kirchliche Lehre[3]. Das bestätigt auch unsere bisherige Untersuchung. E. Schillebeeckx spricht einmal genauer von einer Lehre des allgemeinen ordentlichen Lehramtes. Sie stehe in engem Zusammenhang mit jener von der Unveränderlichkeit des Dogmas[4]. Nimmt man auch frühere Lehräußerungen der Kirche in den Blick, so wird man gar sagen können, daß diese Lehre wiederholt einschlußweise definiert worden ist, nicht zuletzt durch das Tridentinum und das I. Vatikanische Konzil[5].

Der Abschluß der Offenbarung wird in der Vergangenheit durch den Montanismus, den Manichäismus, den Islam, die mittelalterlichen Sekten der Fraticellen und Joachimiten, die neueren der Wiedertäufer, Swedenborgianer und Irvingianer und viele andere pfingstliche Sekten sowie verschiedene geistige Bewegungen unserer Zeit, denen das evolutionistische Denken zugrunde liegt, geleugnet. Den genannten Richtungen ist gemeinsam, daß für sie das gegenwärtige Christentum oder das Christentum überhaupt provisorisch oder unvollständig und daher durch neue Offenbarungen zu vervollkommnen ist. Eine zweite Gruppe von Gegnern der Lehre vom Abschluß der Offenbarung bilden jene, die einen substantiellen Zuwachs des depositum fidei durch Eindringen menschlicher Zutaten, entweder durch neue Verständnisse von Offenbarung oder durch neue religiöse Erfahrung erwarten. Das erstere ist der Fall beim Semirationalismus, beim Idealismus und beim Liberalprotestantismus des 19. Jahrhunderts[6], das letztere beim Modernismus[7]. Sie erwarten so

---

[1] S. oben 136–140.
[2] L. Ott, a. a. O., 8; H. Lais, a. a. O., I, 27; H. Bacht, Art. Apostel (fundamentaltheologisch-ekklesiologisch), in: LThK I, Freiburg ²1957, 738 (Bacht qualifiziert diese Überzeugung „zumindest" als „s. theologice certa"); E. Doronzo, a. a. O., I, 499; vgl. DS 3421.
[3] K. Rahner SJ, Zur Frage der Dogmenentwicklung (1954), in: Schriften zur Theologie I, Einsiedeln 1962, 58.
[4] E. Schillebeeckx OP, Offenbarung und Theologie, a. a. O., 55. Sch. verweist auf DS 3421. 3020. 3459; D 2080.
[5] E. Stakemeier, Über Privatoffenbarungen, a. a. O., 40.
[6] Vgl. DS 2777. 2829. 2856. 3020.
[7] Vgl. DS 3420. 3421. 3422. 3423 ff. 3454. 3459. 3483. 3493. 3884–3886. Hier ist auch der Kanoniker Zaninus von Solcia zu nennen (DS 1361–1369).

ein immer vollkommeneres Bewußtsein der Beziehung des Menschen zu Gott, ein höheres Christentum[8].

Die Rede vom Abschluß der Offenbarung kann satzhaft, im Sinne einer abstrakten Lehre, mißverstanden werden. Abschluß würde dann bedeuten, daß von einem bestimmten Zeitpunkt an diese Lehre in ihren wesentlichen Punkten mitgeteilt war. Um diesem Mißverständnis nicht Vorschub zu leisten, entscheidet sich wohl das II. Vatikanische Konzil für eine andere Terminologie[9]. Daher waren wir bemüht um ein umfassendes Offenbarungsverständnis. Offenbarung ist nicht gleich Übermittlung einer Lehre. Sie ist auch nicht einfach Selbstmitteilung oder Handeln Gottes, denn die Selbstmitteilung Gottes geht weiter, und sein Handeln in der Geschichte ist nicht zu Ende trotz des Abschlusses der Offenbarung. In der Offenbarung teilt sich Gott vielmehr der Menschheit insgesamt mit, indem er neue übernatürliche Realitäten ins Werk setzt und davon Kunde gibt. Das aber ist abgeschlossen. Seither teilt sich Gott dem Menschen in diesen von ihm geschaffenen Realitäten und in seinem Wort darüber mit.

K. Rahner reflektiert über die Abgeschlossenheit der Offenbarung und stellt mit Recht fest, es sei falsch, dabei an „eine fixe Summe von fest umrissenen Sätzen" zu denken, die wie in einem Gesetzbuch mit klar umrissenen Paragraphen beim Tode des letzten Apostels vorgelegen habe. Eine solche Vorstellung werde nicht der Daseinsweise einer geistigen Erkenntnis und nicht der göttlichen Lebendigkeit des Glaubens und des Glaubensinhaltes gerecht. Offenbarung sei nicht zunächst die Mitteilung einer bestimmten Anzahl von Sätzen, eine endliche Summe von endlichen Sätzen, die beliebig vermehrbar oder plötzlich oder willkürlich als begrenzt zu denken wären, sondern ein geschichtlicher Dialog zwischen Gott und dem Menschen. Dabei geschehe etwas, und die Mitteilung beziehe sich auf das Handeln Gottes. Dieser Dialog steuere auf einen ganz bestimmten Endpunkt hin, in welchem das Geschehen und darum die Mitteilung zu ihrem nicht mehr überbietbaren Höhepunkt und so zu ihrem Abschluß komme. Offenbarung sei zunächst ein Heilsgeschehen und deshalb und diesbezüglich sei es Mitteilung von Wahrheiten. Der endgültige und unüberbietbare Höhepunkt des Geschehens der Heilsgeschichte sei in Jesus Christus erreicht. Gott selbst habe sich endgültig der Welt in seinem eigenen Sohn geschenkt[10].

Vom ἐφάπαξ des heilsgeschichtlichen Ereignisses her kann man die Theologie überhaupt verstehen, so erklärt Rahner. Gäbe es das nicht und wäre dauernd Offenbarung, dann bedürfte es keiner Theologie. Theologie ist auf ein lokalisiertes Heilsereignis bezogen, das mit ihr nicht identisch ist. Weil es

---

[8] *R. Spiazzi,* a. a. O., 25–30; vgl. *H. Lais,* a. a. O., I, 27.
[9] S. oben 136–140.
[10] *K. Rahner,* Zur Frage der Dogmenentwicklung, a. a. O., 58 ff.; ders., Überlegungen zur Dogmenentwicklung (1957), in: Schriften zur Theologie IV, Einsiedeln 1960, 18; *J. Ratzinger,* Einführung in das Christentum, München ⁷1968, 214 f.; ders., Einleitung und Kommentar zum Prooemium, zu Kap. 1 und 2 der Dogmatischen Konstitution Dei Verbum, a. a. O., 510.

149

Theologie gibt, deswegen kann die einmalige Heilsgeschichte die späteren Menschen wirklich heilschaffend erreichen, anderenfalls zumindest nicht in ihrer ganzen Breite und Weite. Theologie soll ja „die Konkretheit des Glaubens in einer neuen geistigen Situation" sein, das „Bleiben einer Offenbarung"[11]. Die ursprünglichen Aussagen, die zu dem einmaligen geschichtlichen Heilsereignis gehören, sind der bleibende Grund aller Theologie und Verkündigung[12].

Während vor Christus eine Epoche auf die andere, ein Äon auf den anderen folgte, ist nun die endgültige Antwort gegeben, hat Gott nun die endgültige Wirklichkeit gesetzt, wie Rahner bemerkt[13], „. . . die unauflösliche, unwiderrufliche Gegenwart Gottes in der Welt als Heil, Liebe und Vergebung, als Mitteilung der innersten göttlichen Wirklichkeit selbst und seines trinitarischen Lebens an die Welt: Christus"[14]. Er ist der unüberbietbare Höhepunkt. „Jetzt kann nichts mehr kommen: Keine neue Zeit, kein anderer Äon, kein anderer Heilsplan, sondern nur die Enthüllung dessen, was schon ‚da ist' als Gegenwart Gottes über der zerdehnten Zeit des Menschen, der Jüngste Tag, der ewig jung bleibt"[15]. „Weil die endgültige Wirklichkeit, die die eigentliche Geschichte aufhebt, schon da ist, darum ist die Offenbarung ‚abgeschlossen'. Abgeschlossen, weil aufgeschlossen auf die verhüllt gegenwärtige Fülle in Christus"[16].

Nun wird nichts Neues mehr gesagt, nicht, obwohl noch viel zu sagen wäre, sondern weil in Jesus Christus, dem Sohn Gottes, alles gesagt und alles gegeben ist. Eine rein dekretorische oder willkürliche Verfügung Gottes, er rede nicht mehr weiter, ist nach Rahner eine anthropomorphe Vorstellung von Gott, eine Vorstellung, die die offene Geschichte des Menschen, wie er sie heute versteht, verneinen und die Offenbarung letztlich zu einem heute unglaubwürdigen Mythologem depravieren würde[17]. Abgeschlossenheit besagt etwas Positives, „die umfassende Fülle, die schon erfüllte Gegenwart ist"[18].

Mit Christus ist, so Rahner, die letzte Zeit da, so wesentlich, „daß wir im Äon Christi nichts mehr erwarten dürfen, was unsere Heilssituation wesentlich verändern könnte"[19]. Es gibt nur noch die Erwartung der Enthüllung „der in Christus schon geschehenen Endgültigkeit des dialogischen Dramas zwischen Gott und Mensch"[20] am Jüngsten Tag, „die Erwartung der Offenbarung Gottes *in* der Geschichte ist abgelöst durch die Erwartung der Offenbarung Gottes, die die Geschichte aufhebt"[21].

---

[11] *K. Rahner,* Was ist eine dogmatische Aussage (1961), in: Schriften zur Theologie V, Einsiedeln 1962, 66.
[12] Ebd., 78 f.
[13] *K. Rahner,* Zur Frage der Dogmenentwicklung, a. a. O., 59.
[14] Ebd. 60.   [15] Ebd.   [16] Ebd.
[17] *K. Rahner,* Überlegungen zur Dogmenentwicklung, a. a. O., 19; ders. Tod Jesu und Abgeschlossenheit der Offenbarung, a. a. O., 267. 265.
[18] Ders., Zur Frage der Dogmenentwicklung, a. a. O., 60.
[19] Ders., Visionen und Prophezeiungen, a. a. O., 25.
[20] Ebd., 25 f.   [21] Ebd., 26.

Rahner bemüht sich unverkennbar, den personalen Charakter der Offenbarung herauszustellen und ihren Abschluß vom Christusereignis her zu erklären. In der Tat dürfte darin der tiefste Grund für den Abschluß der Offenbarung liegen. Aber es wird dabei nicht deutlich, daß der Abschluß der Offenbarung von Gott her ein faktischer, nicht ein notwendiger ist, daß die Aussage von der Endgültigkeit der Offenbarung Gottes in Christus immer nur von dem faktischen Heilsplan Gottes ausgeht. Kontingent ist die Inkarnation als solche, kontingent ist aber auch der Abschluß der Offenbarung mit dem Christusereignis. Nicht wir können darüber entscheiden, ob die letzte Phase der Selbstmitteilung Gottes gekommen ist. Diese Frage muß Gott beantworten. Wohl können wir sagen, daß die Inkarnation Gottes der unüberbietbare Höhepunkt ist – aber muß der Höhepunkt zugleich der Abschluß sein? Hier können wir uns nur auf die Konvenienz berufen bzw. auf den faktischen Willen Gottes. Wir können die Vollendung der Offenbarung in Christus auf die Unüberbietbarkeit der Inkarnation gründen, aber wir werden dann doch wieder in das Geheimnis des Ratschlusses Gottes verwiesen[22].

Wohl hat die Offenbarung mit innerer Notwendigkeit in der Inkarnation des Logos ihren unüberbietbaren Höhepunkt erreicht. Darum ist das Christentum nicht nur die höchste Offenbarungsreligion, sondern auch die vollkommenste und höchste Verwirklichung der Religion. Die Einzigartigkeit des Offenbarungsmittlers verbürgt die Einzigartigkeit der Offenbarung. Dem Menschen fehlt nun nichts mehr zum Heil. Dennoch ist es nicht innerlich unmöglich, daß der Inhalt der Heilsbotschaft Christi vermehrt wird. Es ist nicht einzusehen, weshalb Gott sich nicht grundsätzlich durch neue übernatürliche Realitäten der Menschheit insgesamt mitteilen könnte oder in weiteren, die übernatürliche Gottesgemeinschaft aufschließenden Einzelaussagen. Aber er hat sich entsprechend dem NT und dem Glauben der Kirche dazu bestimmt, keine neuen allgemein verpflichtenden öffentlichen Offenbarungen mehr an die Menschheit ergehen zu lassen[23]. Das ist nicht willkürlich geschehen, sondern nach dem geheimnisvollen Ratschluß Gottes.

Abschluß der Offenbarung bedeutet, daß nun die Kirche die übernatürlichen Realitäten, die Gott geschaffen hat, und das diese erschließende Wort Gottes besitzt[24], um sie immer tiefer zu erfassen und der Menschheit zuzuwenden.

Mit Rücksicht auf das Lebensgefühl des modernen Menschen, der zukunftsorientiert ist, ist J. Ratzinger[25] bemüht, die Zukunftsperspektive der kirchlichen Lehre vom Abschluß der Offenbarung hervorzuheben, wie bereits dargelegt wurde[26]. Daher bedeutet für ihn Abschluß der Offenbarung, daß in

---

[22] *G. Söll,* a. a. O., 224; vgl. *H. Lais,* a. a. O., I, 28; *M. Schmaus,* Katholische Dogmatik a. a. O., I, 84; *A. Lang,* a. a. O., II, 214–219; *O. Kuss,* Der Brief an die Hebräer (RNT 8, 1), Regensburg ²1966, 29; *J. Pritz,* Offenbarung, Eine philosophisch-theologische Analyse nach Anton Günther, in: ZKTh 95, 1973, 261.

[23] Vgl. *A. Lang,* a. a. O., II, 212 f.; *A. Kolping,* Fundamentaltheologie I, a. a. O., 134 f.

[24] *K. Rahner,* Zur Frage der Dogmenentwicklung, a. a. O., 60 f.

[25] *J. Ratzinger,* Einführung in das Christentum, a. a. O., 215.   [26] S. oben 144 f.

Christus die wahre Zukunft des Menschen unwiderruflich begonnen hat, eine Zukunft, die auch schon irgendwie Teil unserer Gegenwart ist. Von Abschluß könne man insofern reden, als „der Dialog Gottes mit den Menschen, das Sicheinlassen Gottes auf die Menschheit in Jesus, dem Menschen, der Gott ist, sein Ziel erreicht" habe. Gewiß ist in Jesus Christus die letzte Zeit angebrochen, ist seine Auferstehungsexistenz das Ziel der Erlösten, aber diese Wahrheit charakterisiert nicht den Abschluß der Offenbarung als solchen. Und vom Dialog Gottes mit dem Menschen zu sprechen, erscheint uns mißverständlich, denn dieser geht doch weiter in der Zuwendung der Offenbarung an die Menschen.

Ratzinger betont nachdrücklich die Personoffenbarung. Nach ihm geht es nicht darum, „*etwas* und vielerlei zu sagen, sondern darum, im Wort sich selbst zu sagen"[27]. Daher ist Gottes Absicht nicht dann erfüllt, wenn eine größtmögliche Summe von Erkenntnissen übermittelt ist, sondern „wenn durch das Wort hindurch die Liebe sichtbar wird", „wenn im Wort sich Du und Du berühren". Der Sinn dieser Offenbarung liegt nicht in einem Dritten, in einem Sachwissen, „sondern in den Partnern selbst". Er heißt Vereinigung[28].

Mit Recht hebt Ratzinger die Priorität der Personoffenbarung vor der Wortoffenbarung hervor. Das Ziel der Offenbarung besteht nicht in Erkenntnissen, sondern in der Gemeinschaft des Menschen mit Gott. Aber die Personoffenbarung geschieht in den übernatürlichen Realitäten, die Gott ins Werk setzt, und in der Kunde davon. Nur so kann die Offenbarung geistig erfaßt und vermittelt werden. Die Begegnung des Menschen mit Gott muß sich nun immer neu vollziehen aufgrund der abgeschlossenen Offenbarung. Diese gehört nicht einfach der Vergangenheit an. Die übernatürlichen Realitäten und Gottes Wort sind stets gegenwärtig in der Kirche[29].

Vielleicht sind hier einige Gedanken Guardinis hilfreich, der die Kontingenz der Offenbarung und ihres Abschlusses herausstellt[30]. Nach ihm hat das Handeln Gottes seine entscheidende Form in Jesus Christus gefunden, in dem sich alles Voraufgegangene verdichtet und erfüllt. In ihm tut Gott den letzten Schritt in die Geschichte; nun ist Gott ganz bei den Menschen. Daher erhebt Jesus den Anspruch, mehr als ein Prophet zu sein, etwas anderes als die großen religiösen Geister der Menschheit, erhebt er den Anspruch, die Erfüllung und die Vollendung der Offenbarung zu sein[31].

Guardini fragt, ob aus der Unendlichkeit Gottes nicht folge, daß seine Selbstoffenbarung unendlich weitergehe, und kommt zu einer negativen Antwort. Die im unendlichen Fortgang sich offenbarende Göttlichkeit sei der numinose Charakter der Natur. Anders aber sei es bei jener Offenbarung, an der das persönliche Heil hänge. Christus sei nicht gekommen, um das Unendliche zu bringen, sondern das Unbedingte, nicht, um das immer Neue

---

[27] *J. Ratzinger*, Einführung in das Christentum, a. a. O., 215.
[28] Ebd.   [29] S. oben 51.
[30] *R. Guardini*, Die Offenbarung, ihr Wesen und ihre Formen, a. a. O., 74 f.
[31] Joh 10, 7–9; 14, 6.

zu bringen, sondern das Entscheidende[32]. Er ist, wie Guardini erklärt, nicht eine jener Gestalten der Menschheit, in denen sich immer neu die religiöse Erfahrung der Menschheit ausdrückt. Er bringt nicht ein Mehr oder Weniger, sondern etwas wesenhaft anderes. Er hat nicht alles, sondern Bestimmtes, nicht Unendliches, sondern Entscheidendes gesagt. Daher muß der Mensch sein Leben in Christi Gestalt verfassen[33].

Die Offenbarung geht nicht über Christus hinaus, so Guardini, aber mit ihm ist die Geschichte des göttlichen Handelns nicht zu Ende. Es besteht von nun an darin, „daß Christus in die Welt getragen, die Welt in ihn hereingeholt wird", daß der Mensch zur Begegnung mit Christus geführt wird[34]. Christus geht „in der Preisgegebenheit . . . geschichtlichen Weiterwirkens" und „als ein der Kirche Anvertrauter"[35] durch die Zeit. Kann er auch kommen, zu wem er will, so ist er jedoch in der Regel der Kirche anvertraut[36].

Fassen wir zusammen: Der Abschluß der Offenbarung ist uns durch die Offenbarung selbst mitgeteilt. Er bringt die Wahrheit zum Ausdruck, daß Gott über das Christusereignis hinaus keine weiteren heilsrelevanten übernatürlichen Realitäten mehr schafft und der Menschheit keine neuen Einzelaussagen mehr übergibt. Wie die Offenbarung überhaupt, so ist auch ihr Abschluß kontingent, bestimmt durch den positiven Willen Gottes, der nicht willkürlich, wenn auch letztlich geheimnisvoll für uns ist. Die abgeschlossene Offenbarung, die Christusoffenbarung, wird durch die Kirche als Gottes Wort und Gnade in die Welt getragen. Das ist seither die Weise der Kommunikation Gottes mit dem Menschen.

§ 8. Der Abschluß der Offenbarung „mit den Aposteln"

Nicht alle Theologen denken bei der Lehre vom Abschluß der Offenbarung daran, die Apostel in die Offenbarungszeit einzubeziehen, wie es die traditionelle Formel der Dogmatik eindeutig zum Ausdruck bringt. Manche sehen die Rolle der Apostel lediglich in der Bezeugung der Offenbarung, die sie zu Lebzeiten Jesu von Nazareth oder gar nach seiner Auferstehung in den vierzig Tagen bis zu seiner Himmelfahrt empfingen[1]. Ein Weitergehen der

---

[32] *R. Guardini*, a. a. O., 86 ff. „Nicht die Unendlichkeit des Göttlichen offenbart sich in Christus, sondern durch ihn tritt der souveräne und heilige Gott an den Menschen heran und stellt ‚das Zeichen' auf, ‚dem widersprochen', vor welchem Ja oder Nein gesprochen und ewiges Schicksal entschieden wird" (92).
[33] Ebd., 92 ff.   [34] Ebd., 119.   [35] Ebd., 124.   [36] Ebd., 125.

[1] *J. Feiner* spricht von der Himmelfahrt wie von einem historischen Ereignis und übersieht, daß die Himmelfahrt nach Auskunft der Exegeten kaum anders als von der Auferstehung her verstanden werden kann bzw. mit ihr identisch ist (Offenbarung und Kirche – Kirche und Offenbarung, a. a. O., 525). Ein ähnliches Mißverständnis scheint bei *J. Backes* (Tradition und Schrift als Quellen der Offenbarung, in: TThZ 72, 1963, 325 ff.) vorzuliegen (s. unten A 19). Vgl. *F. V. Filson* (Geschichte des Christentums in neutestamentlicher Zeit, übersetzt und für die deutsche Ausgabe bearbeitet von *F. J. Schierse,* Düsseldorf 1967, 183): „Es geht im Bericht . . .

Offenbarung in die Zeit der Urkirche hinein glauben sie um der Absolutheit des Christusereignisses willen ablehnen zu müssen.

J. Feiner[2] wendet sich ausdrücklich gegen die Annahme weiterer Offenbarung in apostolischer Zeit im Sinne einer „inhaltlichen Ergänzung" der in Christus geschehenen Offenbarung. Für ihn ist die Himmelfahrt[3] die absolute Grenze der Offenbarungszeit; was danach folgt, ist nichts anderes als das Zeugnis von dieser Offenbarung bzw. ihre ausdrücklichere und reflexere Erfassung und Entfaltung. Feiner erinnert zur Rechtfertigung seiner Behauptung an den Auftrag Christi an seine Jünger, alles zu verkünden, was er ihnen gesagt hat[4], und an die wiederholte Ankündigung und Verheißung des Parakleten, wo immer von „erinnern an" und „einführen in" die Wahrheit die Rede ist[5]. Er bemerkt, nach dem NT sei in Jesus „die Wahrheit Gottes selbst in ihrer Fülle in der Welt gegenwärtig"[6] geworden. Die Inkarnation sei das Offenbarungsereignis schlechthin, und Offenbarung über die Himmelfahrt hinaus entspreche schwerlich der Mittlerfunktion der Menschheit Jesu Christi[7].

Aber die Apostel kommen nach dem NT im Laufe von Jahrzehnten zu Aussagen, die in der Zeit Jesu ebensowenig wie in der ersten Zeit nach seinem Weggang möglich waren. Das weiß auch Feiner. Er versteht diese jedoch als deutlichere Artikulationen von Erkenntnissen, die durch das Christusgeschehen selbst und durch die Begegnungen mit dem Auferstandenen schon als Offenbarungswahrheit gegeben waren, die mit Hilfe des Heiligen Geistes und der Reflexion über das Christusereignis, also mit Hilfe der vom Heiligen Geist getragenen Reflexion, bewußt geworden sind. Diese Reflexion unterscheidet sich nach ihm wesentlich von jener der späteren Theologen, da bei den Aposteln Gott selbst in einzigartiger Weise die Bürgschaft für die Wahrheit wie auch für ihre Objektivation in den neutestamentlichen Schriften übernommen hat. Auch für die institutionellen Verfügungen der Apostel, wie Handauflegung zur Geistmitteilung (Firmung) und Kindertaufe, will er auf keine eigene Offenbarung rekurrieren, sondern sie als „vom Geist geleitete Konkretisierung dessen" verstehen, „was schon in der Offenbarung Christi enthalten ist"[8].

Wenn in der Tradition oft die Rede von Offenbarungen des Heiligen Geistes ist, so ist das nach Feiner kein Gegenargument, wenn man bedenkt, daß der

---

nicht um eine äußerlich wahrnehmbare Himmelsreise, sondern um das dem ganzen Neuen Testament gemeinsame Bekenntnis, Jesus sei durch die Auferstehung zur Rechten Gottes erhöht worden: Diese Erhöhung ist ihrem Wesen nach nur die innere, Gott zugewandte Seite der Auferstehung. Während andere neutestamentliche Stellen das Verhältnis von Kreuz und Erhöhung eindeutig theologisch bestimmen, hat Lukas in der Apostelgeschichte . . . den Erhöhungsvorgang, wenn auch sehr zurückhaltend, historisiert. Er tut dies, wie der unmittelbare Kontext zeigt, um das zu seiner Zeit akute Problem der Parusieverzögerung durch die Gewißheit der himmlischen Existenz Christi zu entschärfen".

[2] *J. Feiner,* a. a. O., 525 f.; vgl. oben A 1.
[3] Vgl. oben A 1.   [4] Mt 28, 19.
[5] Joh 14, 15 ff.; 16, 7 ff.; 15, 15; 17, 6; *J. Feiner,* a. a. O., 526.
[6] Ebd.   [7] Ebd.   [8] Ebd., 527 bzw. 526 f.

Offenbarungsbegriff in der ganzen Tradition oft im weiteren Sinn als geistgewirkte Führung verstanden wurde. Er will alle Offenbarung nach der Himmelfahrt des Herrn nur in diesem weiteren Sinne verstehen.

Nun unterscheidet aber das Tridentinum in der Sessio IV Traditionen „ab ipsius Christi ore acceptae" bzw. „oretenus a Christo" und solche, die die Apostel vom Heiligen Geiste empfingen, „Spiritu Sancto dictante" bzw. „a Spiritu Sancto dictatae"[9]. Doch diese Aussage macht, wie Feiner erklärt, nicht „den eigentlichen Gegenstand der tridentinischen Definition" aus, sondern sie ist vielmehr „nur im Zusammenhang der definierenden Aussagen über die Bedeutung von Schrift und Tradition" zu sehen. Er bemerkt, darüber hinaus sei die Aussage über den Heiligen Geist weiterer theologischer Interpretation fähig und bedürftig, weil sie so knapp und so allgemein sei. Es nehme ja auch heute niemand mehr das „dictatae" der Trienter Formulierung wörtlich. Demnach könne man sich mit jener Erklärung zufriedengeben, die die Tätigkeit des Geistes als besondere Leitung und Erleuchtung bei der tieferen und reflexeren Erfassung des Christusgeschehens deute[10]. Wenn aber eine ergänzende Offenbarung an die Apostel angenommen werde, so sei es einmal der erhöhte Christus, der nach dem NT den Aposteln den Geist sende[11], und zum anderen sei diese neue Geistoffenbarung der Substanz nach der im Christusereignis geschehenen Offenbarung untergeordnet und stehe im Dienste ihrer Erfassung und Entfaltung. Damit sei sie also nicht eine selbständige und schlechthin neue Offenbarung, sondern „Ausklang" und „Nachhall" des Offenbarungsereignisses schlechthin, des Christusereignisses[12].

Sosehr Feiner in den zuletzt referierten Gedanken zuzustimmen ist, sowenig überzeugen seine Hauptgedanken. Wir werden im folgenden sehen. Doch zuvor sei noch auf einige weitere Stimmen eingegangen, die Feiners Position teilen.

Auch Schierse[13] polemisiert gegen die Vorstellung, daß der Heilige Geist das Offenbarungswirken Jesu fortsetze, daß er Wahrheiten bringe, die der irdische Jesus nicht habe verkündigen können[14]. Er bemerkt, gerade Johannes betone gegenüber dem gnostischen Mißverständnis, das an eine Fortsetzung des Offenbarungswirkens Jesu durch den Geist gedacht habe, die grundsätzliche Abgeschlossenheit und Vollendetheit der durch Christus gebrachten Offenbarung[15]. Nach ihm gebe es nicht eine neue Offenbarung, nur ein Erinnern[16]. Im Erinnert-Werden und Sich-Erinnern der Kirche werde die Jesusüberlieferung weitergegeben, indem diese zugleich interpretiert und aktualisiert werde[17]. Der Beistand des Geistes diene nicht einer photographisch getreuen Reproduktion

---

[9] DS 1501.   [10] *J. Feiner*, a. a. O., 527.
[11] Joh 16, 7.   [12] *J. Feiner*, a. a. O., 527 f.
[13] *F. J. Schierse*, Die neutestamentliche Trinitätsoffenbarung, in: MS II, Einsiedeln 1967, 123 f.
[14] Joh 16, 12 f.
[15] Joh 17, 4; 15, 15; 17, 6. 26.   [16] Joh 14, 26.
[17] Wie Johannes das verstanden wissen will, folgt nach Schierse aus Joh 2, 22; 12, 16; 13, 7.

der Taten Jesu, vielmehr helfe er zu vertieftem theologischem Verständnis der Überlieferung Jesu im Licht des Osterglaubens und der Schrift[18].

Ähnlich stellt sich J. Backes[19] zu unserer Frage. Zur Offenbarung gehört nach ihm nur das, was der irdische Jesus bzw. der Auferstandene vom Gottesreich gesagt hat. Der absolute Endpunkt der Offenbarung ist die Himmelfahrt. Das ist, wie er feststellt, sehr wohl mit dem Axiom vom Abschluß der Offenbarung mit dem Tod des letzten Apostels zu vereinbaren, weil die Erscheinungen und Offenbarungen, die „nach der Himmelfahrt Jesu" Paulus und dem Apokalyptiker Johannes zuteil geworden sind, wie sich bei näherer Betrachtung zeigt, keine neuen Glaubenswahrheiten eröffnet haben, „die nicht schon damals irgendwie im geistigen Besitz der Jünger Christi waren". Diese Wahrheiten sind nach Backes schon in den Reden und Anordnungen Jesu vor seiner Himmelfahrt enthalten, bei diesen Ansprachen und Gesichten handelt es sich nur um die persönliche Eröffnung dieser Inhalte an die einzelnen und ihre Anwendung auf das einzelne. Dennoch sind die an Paulus und den Apokalyptiker ergangenen Wahrheiten, so Backes, keine Privatoffenbarungen, denn sie waren „unmittelbar darauf angelegt, in die Öffentlichkeit zu dringen"[20]. Mit der Himmelfahrt des Herrn sind die offenbarenden Reden im Sinne einer allgemein verpflichtenden, öffentlichen Offenbarung abgeschlossen, während in der mit Pfingsten begonnenen Heilsperiode der Heilige Geist in die ganze Wahrheit einführt, „indem er den überfließenden Schatz der Geheimnisse Christi ausbreitet, wobei wir unter diesen Geheimnissen nicht nur solche für das Denken, sondern auch und vor allem die Geheimnisse des christlichen Lebens und Betens zu verstehen haben". Mit dem Pfingstfest beginnt die Dogmengeschichte als Nachfolge der Offenbarungsgeschichte. Seit Pfingsten entfaltet sich das in den Offenbarungsreden der Propheten und Christi Eingefaltete[21].

Wer die Apostel als Offenbarungsträger ansieht, gefährdet damit nach Backes einen eindeutigen Begriff des NT, den des Kollegiums der Zwölf: Christus hat den Zwölfen, so legt er dar, seine Geheimnisse des Gottesreiches eröffnet. Sie waren Sendboten, die die Frohbotschaft Jesu als Augen- und Ohrenzeugen zu den Menschen zu tragen hatten, nicht als Propheten, die nach der Himmelfahrt des Herrn etwa neue Ansprachen und Offenbarungen empfangen hätten. Sie haben nur das, was Christus gesagt und getan hat, als kostbarsten Schatz gehütet, wenn sie auch den Reichtum dieses Schatzes bis zur Himmelfahrt des Herrn nicht erfaßt haben. Diesen Schatz haben sie als depositum fidei überliefert und weitergegeben. Sie haben diese Glaubenshinterlage nicht rein weitergegeben, sondern eingebettet in der Darbietung, die ein jeder nach seiner persönlichen Eigenart, nach seinen persönlichen Erlebnissen und den Teilzielen seines Apostolates geformt hat. Es ist also nach Backes

---

[18] F. J. Schierse, Die neutestamentliche Trinitätsoffenbarung, a. a. O., 123 f.
[19] J. Backes, a. a. O., 321–333.
[20] Ebd., 326 bzw. 325 f.
[21] Ebd., 326.

schon zu unterscheiden zwischen Glaubenshinterlage und apostolischer Überlieferung. Aber die Apostel haben das Evangelium nicht umgeformt, weil sie im Besitze des Heiligen Geistes waren[22].

Berechtigt ist das Anliegen von Feiner, Schierse und Backes, sofern sie die enge Verbindung der urchristlichen Verkündigung mit dem historischen Jesus sowie die Inkarnation als das Offenbarungsereignis schlechthin und die entscheidende Mittlerfunktion Jesu Christi betonen[23]. Aber problematisch ist ihr Offenbarungsbegriff. Sie unterscheiden nicht zwischen Offenbarung durch Ins-Werk-Setzen der Gemeinschaft mit Gott und ihrer unüberbietbaren Konkretisierung und Grundlage, der Menschwerdung, und den einzelnen, die übernatürliche Gottesgemeinschaft aufschließenden Einzelwirklichkeiten, zwischen den geoffenbarten Realitäten und den diese aufschließenden Worten, die doch zur Offenbarung dazugehören. Nicht nur die Wortwerdung der Offenbarungswirklichkeiten bzw. ihre Deutung erfolgte weithin in der apostolischen Zeit, auch die ins Werk gesetzte übernatürliche Realität „Gemeinschaft mit Gott" war zur Zeit der „Himmelfahrt" nicht vollständig durchgeführt, wie Gott es gewollt hat. So kamen unter anderem etwa die übernatürlichen Realitäten der inspirierten Schrift und der Kirche, gewissermaßen Teilmomente der Inkarnation, noch hinzu[24].

Feiner, Schierse und Backes beachten nicht die heutige Sicht der ersten urchristlichen Jahrzehnte in ihrer Komplexität. Es handelt sich ja nicht nur um einige Wahrheiten, die an Paulus und den Apokalyptiker ergangen sind, sondern darum, daß die nachösterliche, urchristliche Verkündigung überhaupt einen entscheidenden Fortschritt gegenüber der Predigt Jesu darstellt, wenn sie primär vom Geheimnis der Person des gekreuzigten und auferstandenen Kyrios beherrscht ist. Freilich geht es da um die Explikation des Christusereignisses, das die Offenbarung vollendet. Aber diese Explikation muß man als Offenbarung verstehen, auch sofern sie uns als Reflexion begegnet. Ist nicht des öfteren in der Offenbarungsgeschichte die Reflexion die natürliche Komponente des Offenbarungsvorgangs? Ist nicht die authentische Interpretation des Handelns Gottes und der übernatürlichen Realitäten das Wesen der prophetischen Offenbarung im AT? A. Kolping[25] sieht mit Recht in dem für den Gläubigen von Gott gelenkten Nachdenken über Gott und die Welt in Israel die natura medians, deren sich Gott in seiner Offenbarungsansprache bedient.

Die Position von Feiner, Schierse und Backes teilt G. Söll[26]. Auch er will das Geistwirken nur als Interpretation der in Christus bereits zum Abschluß gekommenen Offenbarung, nicht als wirkliche Offenbarung oder als Ergän-

---

[22] Ebd., 327 f..
[23] Vgl. *H. U. v. Balthasar*, Verbum Caro, a. a. O., 11 u. 25; Hebr 1, 3; Kol 1, 16 f.; Apk 1, 8.
[24] S. oben 50. *H. U. v. Balthasar* erklärt, die Offenbarung erfolge teils vor der Schrift, teils in der Schrift (Verbum Caro, a. a. O., 11–14).
[25] *A. Kolping*, Fundamentaltheologie II, a. a. O., 32 f.
[26] *G. Söll*, a. a. O., 226 f.

zung der Offenbarung verstehen. Er beruft sich dabei vor allem auf A. Kothgasser[27], der darlegt, daß die beiden Verben „erinnern" und „lehren" im Johannesevangelium[28] als synonym im Sinne von „erinnern" und „einführen" gebraucht zu betrachten seien. Also Joh 14, 26 meine nicht ein eigenständiges Offenbarungswirken des Heiligen Geistes. Die Autoren würden bis auf wenige Ausnahmen nicht müde zu betonen, der Heilige Geist bringe nicht etwas grundsätzlich Neues. Er wolle nicht die Offenbarung ergänzen oder als Konkurrent diese durch eine neue und bessere ersetzen; vielmehr vergegenwärtige er die Christusoffenbarung, lege sie aus und lasse sie so immer neu erfahren[29]. Das viele, das Jesus nach Joh 16, 12 seinen Jüngern noch zu sagen hat, das sie aber jetzt noch nicht tragen können, bedeute nach Ansicht der meisten Exegeten nicht eine neue Offenbarungsrede[30].

Daß es bei der nachösterlichen Offenbarung in der Urkirche um nichts anderes geht als um das Christusereignis, sei nicht bestritten. Der Heilige Geist bringt natürlich keine eigenständige Offenbarung, nicht etwas *grundsätzlich* Neues, aber er führt die Offenbarung weiter, die freilich nicht über Christus hinausführt. Es kommen einerseits noch übernatürliche Realitäten hinzu, andererseits sind sie bereits vorhanden und bedürfen noch der Wortwerdung. Hängt das Problem hier nicht am Offenbarungsbegriff?

Söll[31] verweist auf Art. 25 von LG: „. . . novam vero revelationem publicam ad divinum fidei depositum pertinentem non accipiunt". Er meint, diese Äußerung sei nicht nur bedeutsam als Stimme des Lehramtes, sondern auch als Ausdruck der katholischen Theologie der Gegenwart[32]. Die gleiche Auffassung werde in DV in Art. 3 und 4 bekräftigt. Wenn es in Art. 4 heiße: „. . . missio tandem Spiritus veritatis, revelationem complendo perficit ac testimonio divino confirmat", so könne man hier zunächst an eine abschließende Offenbarungsfunktion des Heiligen Geistes denken, aber die Geistsendung müsse im Zusammenhang des Textes als abschließende Bekräftigung der Gesamtoffenbarung durch Christus selbst betrachtet werden. Das ergebe sich daraus, daß die frühere Fassung: „In Christo et per Spiritum Christi, Apostolis promissum, ut illos omnia doceret, quaecumque ipse dixerat (cf. Jo 14, 26), publica revelatio ultima et integra facta est (cf. Hebr 1, 1)"[33] fallengelassen worden sei. Diese Fassung hat man aber deshalb fallenlassen, wie Söll[34] feststellt, weil sonst der Heilige Geist als Mitoffenbarer bzw. als Offen-

---

[27] A. *Kothgasser,* Das Problem der Dogmenentwicklung und die Lehrfunktion des johanneischen Geistparakleten, Zur patristischen Exegese von Joh 14, 26 und 16, 12–15 (Diss. masch.), Rom 1968.

[28] Joh 14, 26.

[29] A. *Kothgasser,* a. a. O., 47; G. *Söll,* a. a. O., 225.

[30] A. *Kothgasser,* a. a. O., 65; G. *Söll,* a. a. O., 226. Es wäre zu prüfen, wie weit diese Behauptung mit der Wirklichkeit übereinstimmt bzw. wie sie zu verstehen ist.

[31] G. *Söll,* a. a. O., 226 f.

[32] Hier ist allerdings von der nachapostolischen Kirche die Rede!

[33] Textform D der Offenbarungskonstitution.

[34] G. *Söll,* a. a. O., 226 f.

barungsvollender erschienen wäre, denn wenn die Geistsendung nicht als neue, in sich stehende Offenbarung erscheinen solle und die Offenbarung in Christus als vollendet gelte, dann sei auch die Geistsendung noch Offenbarungs- und Heilstat Christi[35].

Diese Deutung ist nicht überzeugend. Es ist nicht zu leugnen, daß die Geistsendung Offenbarungs- und Heilstat Christi ist. Das schließt nicht die Offenbarertätigkeit des Heiligen Geistes im Hinblick auf das Christusgeschehen aus, die freilich nicht eine neue in sich stehende ist. Sie schließt wirklich die Offenbarung ab. Christus und der Geist gehören auf das engste zusammen. Der erhöhte Christus offenbart in seiner Gemeinde durch den Heiligen Geist. Diese Offenbarung ist nur als eine Explikation des Christusereignisses zu verstehen, nicht anders. Eben diese innige Verbundenheit zwischen der vorösterlichen und der nachösterlichen Offenbarung, zwischen der Christusoffenbarung und der Geistesoffenbarung soll u. E. in der endgültigen Fassung des Art. 4 verdeutlicht werden.

Söll[36] weist mit Kothgasser [37] darauf hin, daß am Ende dieses Artikels nicht die Rede vom Abschluß der Offenbarung mit dem Tod des letzten Apostels ist, obwohl es im ursprünglichen Schema „De deposito" noch geheißen habe „postquam cum apostolis completus fuit, in seipso augeri amplius non possit"[38]. Der Vorschlag des Zusatzes, daß die Offenbarung mit dem Tod der Apostel abgeschlossen sei, sei mit der zweifachen Begründung abgelehnt worden, daß einmal diese nähere Erläuterung Gegenstand theologischer Diskussion sei und zum anderen im Text schon die Begründung vorliege, daß nämlich in der Offenbarungsvollendung in Christus bereits alles ausgesagt sei[39].

Es läßt sich nicht leugnen, das II. Vatikanische Konzil wollte offenbar das traditionelle Axiom nicht wiederholen, vielleicht um die fundamentale Bedeutung des Christusereignisses für den Abschluß der Offenbarung nicht zu verdunkeln oder um einem intellektualistischen Offenbarungsverständnis zu wehren oder einfach um die Deutung der Tätigkeit der Apostel dem theologischen Gespräch zu überlassen. Möglicherweise hatte es gar die Schwierigkeiten des Apostelbegriffs im Auge? Wie sich im § 5 gezeigt hat, rechnet die Offenbarungskonstitution jedenfalls mit der offenbarenden Tätigkeit des Heiligen Geistes[40]. Die abschließende Offenbarung in apostoli-

---

[35] *A. Kothgasser,* a. a. O., 169.

[36] *G. Söll,* a. a. O., 227.

[37] *A. Kothgasser,* a. a. O., 171.

[38] Form C, Zusatztext mit Berufung auf frühere kirchliche Dokumente: DS 1501. 3421. 2829. 2905. 3020, von denen aber nur die beiden erstgenannten Stellen auf die Grenze „mit den Aposteln" rekurrieren; *A. Kothgasser,* a. a. O., 171.

[39] *A. Kothgasser,* a. a. O., 171; *G. Söll,* a. a. O., 227; Söll beruft sich auch auf *F. Malmberg,* De Afsluiting van het „Depositum fidei", in: Bijdragen (Zeitschrift der holländischen Jesuiten) 13, 1952, 31–44, u. *H. Hammans,* Die neueren katholischen Erklärungen der Dogmenentwicklung (Beiträge zur neueren Geschichte der katholischen Theologie 7), Essen 1965, 108.

[40] S. oben 136–140.

scher Zeit tritt dabei selbstverständlich nicht in Konkurrenz zur Offenbarungsvollendung in Christus. Das muß festgehalten werden.

In den Überlegungen der Theologen zum Thema spielen die fünf Parakletsprüche des Johannes-Evangeliums[41] eine bedeutende Rolle. F. Mußner[42] widmet sich ihnen in einer eigenen Untersuchung. Er kommt zu folgendem Ergebnis: In Joh 14, 25 f hat die Vokabel διδάσκειν fast die Bedeutung von „offenbaren", wenngleich dabei nicht ganz klar ist, ob es sich hier nur um ein Festhalten des schon Gelehrten, um eine Ergänzung der Lehre oder nur um eine Interpretation handelt, während ὑπομιμνῄσκειν volle Offenbarung und vertiefte Einsicht in Werk und Wesen Jesu bedeutet. Μαρτυρεῖν (Joh 15, 26 f) meint das Zeugnis des Geistes, konkretisiert im Zeugnis der Apostel, wodurch dieses wesentlich mehr wird als nur historische Reproduktion; im geisterfüllten Zeugnis erkennt der Apostel, erkennt die Kirche, wer Jesus in Wirklichkeit ist[43]. Bei ὁδηγεῖν (Joh 16, 13) ist, wie aus Joh 16, 12 hervorgeht, an etwas additiv zur Unterweisung Jesu Hinzukommendes gedacht, denn Jesus sagt den Jüngern „noch vieles" nicht (V. 12), da sie es noch nicht ertragen können, wenngleich, wie aus dem weiteren Kontext hervorgeht, die ganze Wahrheit unlöslich mit Jesus bzw. mit dem erhöhten Herrn verbunden ist, denn „er wird von dem Meinigen nehmen" (V. 14). Die Wahrheit, um die es hier geht, wird nicht neben die Verkündigung Jesu als etwas von ihr völlig Unabhängiges treten. Der Geist bringt keine Überbietung oder Konkurrenz, die „ganze Wahrheit" ist an Jesus gebunden, der die personale Wahrheit ist[44]. Es ist demnach an die Erschließung der vollen und ganzen Christuswahrheit gedacht, die zur Botschaft des historischen Jesus hinzukommt. Die Begründung dafür, daß hier etwas Neues vorliegt, gibt Joh 16, 13 b: Der Geist ist befähigt, die Kirche in die ganze Christuswahrheit einzuführen, weil er nicht aus Eigenem nimmt. Wie aus Vers 15 hervorgeht, betrifft das Neue primär die Christologie, es ist die Explikation des Geheimnisses Jesu. Wir haben hier etwa an die Schriftgemäßheit des Todes Jesu und an die vertiefte Einsicht in das gesamte Erlösungswerk zu denken[45]. Mit der Offenbarungsfunktion des Parakleten hängt eng zusammen, daß er

---

[41] Joh 14, 16 f.; 14, 25 f.; 15, 26 f.; 16, 7 b–11; 16, 12–15.

[42] *F. Mußner*, Die johanneischen Parakletsprüche und die apostolische Tradition, in: BZ NF 5, 1961, 56–70.

[43] Ebd., 59–61.

[44] *F. Mußner*, a. a. O. 61, mit *W. Thüsing*, Die Erhöhung und Verherrlichung Jesu im Johannesevangelium (Neutestamentliche Abteilung XXI, 1/2), Münster 1959, 141–174, hier 147, und *G. Söhngen*, a. a. O., 319.

[45] *F. Mußner*, a. a. O., 61 f. Vgl. H. Schlier, Zum Begriff des Geistes nach dem Johannesevangelium, in: Neutestamentliche Aufsätze, FS für J. Schmid, hrsg. von J. Blinzler, O. Kuss, F. Mußner, Regensburg 1963, 235: „Im Geist kommt der in seine Doxa eingegangene Jesus in seinem gesamten Weg und Werk unverhüllt zur Sprache und Wirkung". Der Geist, Gabe des erhöhten Jesus, „legt das gesamte Werk des irdischen Jesus von seinem Ziel und Ende, von seiner Glorie her und also in seiner Wahrheit aus" (235). Er erschließt das fleischgewordene Wort in seinem Wort und Handeln (236 f.); *A. Wikenhauser*, Das Evangelium nach Johannes (RNT V), Regensburg ²1957, 295.

Jesus verherrlichen wird; δοξάσει heißt es hier (Joh 16, 14). Doxa weitergeben heißt sich offenbaren[46]. Der Heilige Geist wird also die Jünger erkennen lassen, wer Jesus ist. Die apostolische Christologie ist schon eine Enthüllung der verborgenen Doxa Jesu[47]. – Die Parakletsprüche wollen das gesamte nachösterliche, apostolische Christuszeugnis legitimieren, nicht nur die Interpretation von Geschichte und Gestalt Jesu im Johannes-Evangelium. Wie sich aus ihrem Wortlaut bzw. aus dem Kontext ergibt, sind sie in erster Linie an die apostolischen Zeugen gerichtet, d. h. an die, die von Anfang an bei ihm waren[48], um sie zum Christuszeugnis in der Welt zu befähigen. Der Paraklet schafft in der Kirche entscheidend mit an der apostolischen Tradition. Im konkreten apostolischen Zeugnis spricht der Geist[49]. Im Heiligen Geist wird die Christusoffenbarung, so resümiert Mußner, ergänzt und vervollständigt, und die Tätigkeit des Geistes in apostolischer Zeit hat Offenbarungscharakter.

Zu einem anderen Ergebnis kommt J. Blank[50]. Er erklärt, der so häufig bei Johannes begegnende Terminus „erinnern" besage ein Dreifaches. Er beziehe sich 1) auf das AT und meine die Erkenntnis der Schriftgemäßheit des Tuns Jesu, 2) auf Jesu eigenes Wort, sofern die Jünger sich daran erinnerten, daß Jesus das gesagt habe, was ihnen erst nach seiner Auferstehung aufgegangen sei, und 3) auf das Tun Jesu, sofern die Geschichte, die erzählt werde, in Verbindung mit der Schrift und der Auferstehung bzw. der Verherrlichung Jesu in ihrem vollen Sinngehalt erschlossen werde[51]. Blank ist besorgt, daß durch das Wirken des Geistes die Definitivität der Christusoffenbarung verdunkelt wird. Er versteht das „Erinnern" schwächer als Mußner. Aber Mußner steht nicht allein. O. Michel[52] erklärt bereits, wenn die Rede davon sei, daß der Geist an all das erinnere, was Jesus gesagt habe, dann sei es heute fast einhellige Meinung der Ausleger, daß es in dieser Erinnerung nicht um das Auffrischen vergangener Geschehnisse gehe, sondern daß die geisterfüllte Erinnerung Vergegenwärtigen, Auslegen, Erfahrenlassen bedeute. Die johanneische Erinnerung sei geradezu eine neue und wahre Erkenntnis. Neben vielen anderen Theologen betonen auch Rahner und Lehmann[53], im Werk des Geistes werde Jesu Werk sozusagen als Offenbarung fortgesetzt. Hier sei ein anderes Wort als das des irdischen Jesus, wenngleich der Paraklet nicht von dem Seinigen nehme.

Blank bemerkt weiter, wenn nach Joh 16, 12 ff. der Geist die Jünger in alle Wahrheit, das ist das Wahrheitsganze der Offenbarung, einführe, so setze das voraus, „daß dieses Wahrheitsganze mit der Christusoffenbarung ein für

---

[46] Joh 1, 14; 17, 22.   [47] *F. Mußner*, a. a. O., 63; vgl. oben A 45.
[48] Joh 15, 27.   [49] *F. Mußner*, a. a. O., 67 f.
[50] *J. Blank*, Krisis, Untersuchungen zur johanneischen Christologie und Eschatologie, Freiburg 1964.
[51] Ebd., 268.
[52] *O. Michel*, Art. μιμνήσκομαι . . ., in: ThW IV, Stuttgart 1966, 681; vgl. *H. Schlier*, Zum Begriff des Geistes nach dem Johannesevangelium, a. a. O., 235 ff.
[53] *K. Rahner–K. Lehmann*, Geschichtlichkeit der Vermittlung, a. a. O., 736 f., mit Hinweis auf *R. Bultmann*, Das Evangelium des Johannes, Göttingen [17]1962, 484; vgl. unten 163 ff.

allemal definitiv gegeben" sei, „daß darüber hinaus keine neue Offenbarung mehr" erfolge[54]. Daß der Geist noch neue Offenbarung bringe, werde durch Joh 16, 14 geradezu ausgeschlossen. Seine Aufgabe sei es eben, das Wahrheitsganze zu erschließen. Blank kritisiert Mußner, wenn dieser das ὁδηγεῖν (Joh 16, 13) als „die zur Botschaft des historischen Jesus hinzukommende Erschließung der vollen, ganzen Christuswahrheit"[55] versteht. Das sei zuwenig und zuviel, denn Johannes denke so nicht. Näher komme der Sache Thomas von Aquin, der auch der heutigen Exegese entgegenkomme, wenn nach ihm z. B. die Erkenntnis der wesenhaften Gottessohnschaft durch den Geist gelehrt sei[56]. Bei der tatsächlichen (kerygmatisch-aktualisierenden) Form des Evangeliums sei eine saubere Trennung zwischen dem „historischen Christus" und dem „sich durch den Geist erschließenden Christus" nicht mehr möglich. Der „historische Christus" sei der pneumatische und umgekehrt[57]. – Das soll nicht bestritten werden, aber wir müssen doch, tiefer reflektierend, den Erschließungsprozeß als Teil der Christus*offenbarung* betrachten. Solche grundlegende Interpretation, die zudem auch zu ganz neuen Wirklichkeiten führt, müßte man u. E. schon als Offenbarung verstehen, als eine Interpretation, die sich grundlegend und qualitativ von jener unterscheidet, die in der nachapostolischen Zeit durch die Kirche erfolgt. Die oben zitierte Thomas-Stelle spricht eher für unsere Lösung. Es ist immerhin beachtenswert, daß hier die revelatio gloriae in einer Linie mit der nachösterlichen Offenbarung gesehen wird.

Die Frage nach der Offenbarungsqualität der apostolischen Zeit hängt letztlich am Offenbarungsbegriff. Gehört die normative Entfaltung des Christusereignisses im Heiligen Geist nicht zur Offenbarung? Diese Frage muß man bejahen, wenn man den differenzierten katholischen Offenbarungsbegriff[58] zugrunde legt und die tatsächliche Unterschiedenheit der Worte des historischen Jesus und der apostolischen Predigt betrachtet. – So ist es nicht überraschend, wenn jene Stimmen in der gegenwärtigen Theologie, die den Abschluß der Offenbarung mit Christus *und* den Aposteln unterstreichen und die Offenbarung gewissermaßen in die Zeit der Apostel hineinreichen lassen,

---

[54] *J. Blank*, a. a. O., 331. Die ganze Christuswirklichkeit ist zweifellos gegeben, aber dennoch kann Gott um dieses Christusereignisses willen noch ergänzende übernatürliche Realitäten ins Werk setzen und erschließen.

[55] *F. Mußner*, a. a. O., 61.

[56] Thomas sagt zu dieser Stelle: „Non est ergo intelligendum quod aliqua secreta doctrinae taceantur fidelibus parvulis seorsum docenda maioribus . . . omnia ergo quae fidei erant Dominus proposuit eis, sed non eo modo quo postea revelavit, et praecipue in vita aeterna. Sic ergo quae portare non poterant, sunt plena cognitio divinorum, quam non habebant tunc, puta, aequalitatem Filii ad Patrem, et huiusmodi" (Super Evangelium S. Joannis lectura, cura P. Raphaelis Cai OP ed. V. revisa, Taurini-Romae 1952, 2101, zit. nach J. Blank, a. a. O., 331). Ähnlich sage es auch Augustinus, In Joannis Evangelium Tractatus CXXIV (ed. D. Radbodus Willem OSB, CCSL XXXVI, Turnholti 1954, 96 f.), so stellt Blank fest. Hier wird nach Blank (331) das Eigentliche der johanneischen Form des Evangeliums sichtbar.

[57] Ebd.

[58] S. oben 45–53.

durchaus zahlreicher sind. Zunächst sollen einige Systematiker zu Wort kommen.

A. Kolping schreibt[59]: „Die Gott offenbarende Geschichte Jesu von Nazareth ist mit dessen welthaftem Tod gemäß dem Glauben der Kirche nicht zu Ende. Das Offenbarende, das jene empirische Geschichte Jesu auf ihre göttliche Tiefe hin erschließt, reicht über den Tod Jesu hinaus. Die Kirche bekennt in ihrem Glaubensbewußtsein, daß die ‚Offenbarung durch Geschichte' abgeschlossen ist mit dem Tode des letzten Zwölfer-Apostels, allgemeiner gesprochen: mit dem Abschluß der apostolischen Zeit. Daher gehört auch die Zeit nach dem Tode Jesu, ihre theologisch so fruchtbare Explikation dessen, was in Jesus von Nazareth als Gipfel aller vorhergehenden Heilsakte Gottes geschehen ist, ebenfalls zur konkret-geschichtlichen Offenbarung". Nach A. Lang[60] wird durch das Axiom vom Abschluß der Offenbarung mit den Aposteln die zentrale Stellung der Inkarnation bzw. Christi in der Heilsökonomie durchaus nicht geschmälert, denn die Offenbarung, die durch die Apostel geschehen ist, so führt Lang aus, ist Promulgation und Weitergabe der Offenbarung, die ein für allemal in Person und Botschaft, im Leben und Sterben und Auferstehen Jesu an die Welt ergangen ist. Die Apostel gehören aber zum Ereignis der in Christus geschehenen Offenbarung, sie stehen im Offenbarungsvorgang. Daher wirkt Offenbarung weiter bis zum Tode der Apostel und entfaltet sich, geht aber mit dem Tod der Apostel zu Ende. Damit ist dann die unmittelbare Zeugenfunktion erloschen.

Für G. Söhngen[61] geht es in der apostolischen Verkündigung nicht um Verbreitung von Leben und Lehre Jesu; das hätten irgendwelche Jünger ebensogut vermocht. Der alles entscheidende Abschluß von Leben und Lehre Jesu liegt in dem, was danach geschehen ist, in der Auferstehung des Gekreuzigten und in der Geistsendung durch den Erhöhten. Darum war es notwendig, daß die Offenbarung Jesu Christi durch besondere Offenbarungszeugen zum alles erschließenden Abschluß gebracht wurde. Ohne die Apostel und ihre Predigt fehlt der Offenbarung Jesu Christi für unsere Kenntnisnahme der Abschluß. Der irdisch-geschichtliche Jesus wird erst vom erhöhten Herrn aus verstanden und von seinem Geist. Das wird besonders deutlich im 4. Evangelium. „Ohne die Apostel und vor allem ohne den Apostel Paulus würde sich die einzigartige Erlösergestalt Jesu Christi in die zwar überragende, aber allgemeine Gestalt eines Gesetzes- und Weisheitslehrers und Wundertäters, eines Religionsstifters totgelaufen haben; und seine ‚Jünger' hätten doch letzterdings mit den ‚Verkündern neuer Götter' verglichen werden dürfen. Das Verhältnis des ‚Apostels' zum ‚Herrn' ist nicht das religionsgeschichtliche des ‚Jüngers' zum ‚Meister'. Und der Unterschied liegt weniger in der Tatsächlichkeit als vielmehr in der Eigenart der Offenbarung Jesu Christi"[62].

---

[59] *A. Kolping*, Fundamentaltheologie II, a. a. O., 7 f.
[60] *A. Lang*, a. a. O., II, 212 ff. L. beruft sich auf folgende Schriftstellen: Joh 14, 25; 1 Kor 3, 11; 1 Kor 15, 2; Eph 2, 20; Gal 1, 8; Mt 28, 20; Lk 1, 33; Hebr 12, 28.
[61] *G. Söhngen*, Überlieferung und apostolische Verkündigung, a. a. O., 316. [62] Ebd.

Der Jünger bleibt außerhalb des Offenbarungsvorgangs, wie Söhngen ausführt; er überliefert die Offenbarung, die der Meister empfangen hat; der Apostel steht innerhalb des Offenbarungsvorgangs, er bringt ihn für uns zum Abschluß, er ist selber Offenbarungsempfänger und Offenbarungszeuge. Jesus aber ist nicht nur der Meister, der Offenbarung empfangen hat, er ist die Offenbarung schlechthin, der offenbarende Gott selbst. Das wird völlig offenbar in seiner Auferstehung[63].

Die Apostel gehören zur Gottesoffenbarung in Christus. Apostolische Verkündigungsgestalt und Gottesoffenbarung in Christus gehören zusammen. Eine Trennung dieser Komponenten bedeutet, daß man dem Schwärmertum einer revelatio continua, also einer stets neuen Christuserfahrung, oder dem Aufklärertum eines rein historischen Jesusbildes anheimfällt[64].

Daraus ergibt sich nach Söhngen das Ursprungsein der apostolischen Verkündigung als Ursprung in der Fülle, als einmaliger, unüberholbarer Ursprung der kirchlichen Lehrüberlieferung[65]. Am Uranfang der Kirche steht nicht die Überlieferung, wie Söhngen schematisierend sagt[66], sondern die apostolische Verkündigung, das Offenbarungszeugnis aus erster Hand. Was ein Lehrer aus eigener Erfahrung weiß und vorträgt, nennen wir nicht Überlieferung. Überlieferung heißt nur das, was er durch die Vermittlung anderer weiß und vorträgt. Die Schüler hingegen überliefern die Einsichten ihres Lehrers. Die Apostel aber sind Lehrer der Christusoffenbarung „nicht auf dem Grunde der Vermittlung, sondern eigener Erfahrung"[67].

E. Schillebeeckx erklärt[68], die Verkündigung der Apostel gehöre zur konstitutiven Phase der Offenbarung, weil Heilsgeschehen und Verkündigung zusammengehörten, weil die übernatürlichen Realitäten und das sie erschließende Wort Gottes zusammengehören, möchten wir klärend hinzufügen. Schillebeeckx bezeichnet die apostolische Verkündigung zusammen mit der Heilswirklichkeit, die sie an die Kirche weitergibt, als die bleibende Norm des ganzen kirchlichen Lebens[69].

A. Javierre bemerkt[70], die Offenbarung sei so lange noch nicht abgeschlossen gewesen, als es noch Augenzeugen gegeben habe. K. Rahner[71] spricht von der Überzeugung der Kirche, daß es zur Zeit der apostolischen Kirche noch Offenbarung gebe. Nach H. Fries[72] gehören die Apostel und ihr Dienst, ihre Verkündigung von Jesus, dem Christus, zum Ereignis der Offenbarung, zum Offenbarungsgeschehen, zum Werk der in Jesus zur Erfüllung gekommenen

---

[63] Ebd.   [64] Ebd., 316–318.   [65] Ebd., 318.   [66] S. unten 256.

[67] *G. Söhngen,* a. a. O., 320.

[68] *E. Schillebeeckx,* Offenbarung und Theologie, a. a. O., 31 (vgl. oben 141, wo eine weitere Entwicklung des Denkens dieses Theologen erkennbar ist).

[69] Ebd. Schillebeeckx stellt ausdrücklich ein Wachstum der Offenbarung zwischen dem Heimgang Christi und der Endphase der frühapostolischen Kirche fest (32).

[70] *A. Javierre,* Zur klassischen Lehre von der apostolischen Sukzession, in: Conc 4, 1968, 246.

[71] *K. Rahner,* Theologie im Neuen Testament (1962), in: Schriften zur Theologie V, Einsiedeln 1962, 37 f.

[72] *H. Fries,* Die Offenbarung, in: MS I, Einsiedeln 1965, 228.

Offenbarung. Die Apostel sind mit Christus Ursprung der Überlieferung. Mit ihnen ist die Offenbarung abgeschlossen. Dafür ist nach Fries keine Jahreszahl anzugeben, vielmehr nur eine sachliche Bestimmung zu treffen, nämlich die, „die mit der Grundunterscheidung von Offenbarung und Überlieferung, von Ursprung und Nachfolge, von Quelle und Strom, von normierender Konstituierung und Fortdauer, von Maßgebendem und Maßnehmendem"[73] gegeben ist.

Der Unterschied zwischen dem Zeugnis der Apostel und dem der nachapostolischen Kirche besteht darin, so führt H. Stirnimann[74] aus, daß durch das Zeugnis der Apostel in dem „lumen propheticum", einer besonderen und unmittelbaren inneren Erleuchtung, ein Verständnis erreicht wird, das qualitativ die ganze nachapostolische Zeit übertrifft. Demgegenüber beruht das Zeugnis der Kirche, sofern es überhaupt die Kraft einer Norm erreicht, auf dem äußeren Beistand des Heiligen Geistes. Die Apostel sind die letzten und unmittelbaren Träger der mit Christus zum Abschluß gekommenen Offenbarung. Ihr Zeugnis ist daher „‚end'-gültig, konstitutiv für die ganze folgende Zeit"[75]. Die Definitionen der Kirche stellen jedoch menschliche Geschichte dar. Sie gehören zur Zwischenzeit, sie stehen im Dienste der Abwehr der Irrlehre und der Erhaltung der geoffenbarten Lehre und sind am apostolischen Zeugnis orientiert. Sie sind normativ in einem abgeleiteten Sinne. Das Zeugnis der Apostel, sofern es in der Schrift vorliegt, ist nicht nur seinem Inhalt nach, sondern auch seinem Ausdruck nach Wort Gottes. Definitionen hingegen beziehen sich nur auf das Wort Gottes, sie vermitteln und schützen seinen authentischen Sinn. Mithin kann also ein normatives Zeugnis der Kirche nicht den sachlichen und heilsgeschichtlichen Vorrang der apostolischen Norm verdrängen[76].

Auch M. Schmaus[77] stellt die Bedeutsamkeit der apostolischen Zeit für die Offenbarung heraus. Die Urkirche ist nach Gottes Willen Quelle und Norm der Glaubensverkündigung für den ganzen Ablauf der Geschichte. Das Medium dafür ist „der schriftliche Niederschlag des Glaubensbewußtseins der Apostolischen Kirche". Die heiligen Bücher sind nach Gottes Willen „als Objektivierung des Glaubensbewußtseins der Apostolischen Kirche als der immerwährenden Grundlage des kirchlichen Lebens und Glaubens"[78] entstanden.

Die entscheidende Bedeutung der apostolischen Zeit vertritt auch die evangelische Theologie. Für E. Brunner ist der Apostel[79] „der Endpunkt der Offenbarungsgeschichte als einer einmaligen und Anfangspunkt der Kirchengeschichte als einer neuen auf Offenbarung gegründeten, kontinuierlichen

---

[73] Ebd.
[74] *H. Stirnimann*, Apostel-Amt und apostolische Überlieferung, Theologische Bemerkungen zur Diskussion mit Oscar Cullmann, in: FZThPh 4, 1957, 145. St. beruft sich auf STh Suppl. q. 77 a. 2 sed contra 2.
[75] *H. Stirnimann*, a. a. O., 146.   [76] Ebd., 145 f.   [77] S. oben 132–134.
[78] *M. Schmaus*, Der Glaube der Kirche, a. a. O., I, 149.
[79] *E. Brunner*, Offenbarung und Vernunft, a. a. O., 121 f.

Größe", sofern er aus seinem stillen Gespräch mit Gott heraustritt und sich den anderen zuwendet, indem er in der Er-Form der lehrenden Verkündigung wiedergibt, was ihm Gott selbst in der Du-Form ins Herz gegeben hat, und so Gemeinde begründet[80]. Er gehört zum Offenbarungsereignis[81].

Diese Position wird heute mit gewichtigen Argumenten auch von Exegeten vertreten.

So erklärt E. Haible[82], die neuere Forschung über den vorneutestamentlichen Ursprung der christlichen Botschaft lege es nahe, die apostolische Zeit noch als Offenbarungszeit zu verstehen. Wie er im einzelnen darlegt, hat die christliche Verkündigung, die uns in einer theologisch entfalteten Form in-den neutestamentlichen Schriften vorliegt, eine doppelte Quelle, die Worte Jesu und das Wort der Apostel über Jesus Christus. Bei diesem Prozeß aber ist das Wort über Jesus ausschlaggebender als seine Lehre. Das Wort der Verkündigung von Tod und Auferstehung und deren Schriftgemäßheit und Heilsbedeutung ist im Aufbau der Kirche nach Pfingsten älter und bis in fast alle Schichten des NT hinein auch ausschlaggebender als Jesu eigene Lehre. Nur im Jakobusbrief, der die galiläische Botschaft weiterentfaltet, findet man, ohne daß das ausdrücklich gesagt wird, viele Worte des Meisters, während der Brief nicht den Tod und die Auferstehung Jesu erwähnt. Das ist aber nicht überraschend, wenn man bedenkt, daß Jesus sich nicht einmal einen kleinen Kreis von Jüngern über das Kreuz hinaus erhalten hat. Das Osterereignis hat vielmehr eine neue Phase eingeleitet. Erst kraft des Osterereignisses sind die Elf zu einem rechten Verständnis der Heilsbedeutung Jesu gelangt, wie sie vorher noch nicht hatten. Das Osterereignis hat den Jüngern die Gewißheit gegeben, daß der Meister seinem Anspruch, der Messias und Gottessohn zu sein, entspricht. Die Begegnung mit dem Auferstandenen hat die Jünger zum Verständnis der Worte des Meisters geführt, worin er seine eigene Heilsbedeutung zum Ausdruck brachte und Gott anders seinen Vater nannte, als er das seinen Jüngern zubilligte. Darum haben sie auch nach Pfingsten nicht einfach die Lehre Jesu wiederholt. Gerade Paulus hat den Worten Jesu nur einen geringen und beiläufigen Raum gegeben. Johannes hat sich nicht gescheut, Jesu Worte nicht nur in eine andere Sprache, sondern auch in ein anderes (antignostisches) Denken zu übersetzen. Die Auferstehung hat eben ein neues Licht auf Jesus zurückfallen lassen. Daraus ergibt sich für die Apostel eine eigene Aufgabe, die es rechtfertigt, den Abschluß der Offenbarung mit dem Tode des letzten von ihnen zu verbinden, ohne dadurch Christus als das letzte Wort Gottes an die Menschheit in Frage zu stellen. Die Apostel hatten damit die Aufgabe, den Abschluß der Offenbarung zu leisten[83].

Haible stellt fest: Da Jesus Gottes Wort nicht nur sagt, sondern ist[84], und der Jude aus Wort immer auch Tat heraushört, ist die Deutung des Jesusgesche-

---

[80] Ebd., 121.   [81] Ebd., 122.
[82] E. Haible, Die Vergegenwärtigung des Apostelkollegiums, Eine Bemerkung zum Selbstverständnis und zur Aufgabe des Konzils, in: ZKTh 83, 1961, 81–86.
[83] Ebd., 81–83.   [84] Joh 1, 1.

hens durch die Apostel nichts anderes als die Tätigkeit der alttestamentlichen Propheten, nämlich Deutung des Heilsgeschehens. Wenngleich der Hebräerbrief am Anfang von dem Wort spricht, das Gott in diesen Tagen zu uns gesprochen hat[85], verkündigt er dennoch gerade die Taten, nicht die Worte Jesu. Daher kann man hinter dem Wort, das Gott zu uns gesprochen hat, das verstehen, was dieser auf Erden getan und erlitten hat. Die Apostel „sagen das Wort, das Jesus ist, und ergänzen und begründen dadurch das Wort, das Jesus sagt"[86]. Demgemäß kann man die kerygmatische Aufgabe der Apostel zunächst darin sehen, daß sie das Geschehen um Jesus und seine Worte bezeugen und deuten, wie es dem Verständnis der Hörer angemessen ist. Die Auslegung der Offenbarung ist vielen anvertraut, die Offenbarung hingegen ist nur an wenige ergangen. Unter diesen aber kommt den Zwölfen ein besonderer Rang zu[87].

Wie H. Schürmann[88] konstatiert, gibt es in der werdenden Kirche noch Offenbarungsgeschichte, da sie noch Offenbarungsempfängerin ist, während es in der gewordenen Kirche nur Erkenntnisgeschichte gibt, und zwar rückschauend auf die abgeschlossene Christusoffenbarung. In neutestamentlicher Zeit erfolgt entsprechend Eph 3, 18 die lebendige Entfaltung des Christusgeheimnisses.

Auch A. Vögtle[89] beschäftigt sich mit der Frage der nachösterlichen Offenbarung. Seine Überlegungen sind für unser Problem besonders instruktiv. Er kommt zu folgendem Ergebnis: Die Offenbarung Gottes, die durch und an Jesus erfolgte, geschah als echt geschichtlich fortschreitender Prozeß. Wenn auch die im Alten Bund eingeleitete Selbstmitteilung Gottes nach dem Zeugnis des NT in Christus zum Abschluß gekommen ist, so heißt das nicht, daß der irdische Jesus alles hat aussprechen müssen, was und wie es die Apostel nach Ostern verkündeten, als ob die Apostel nur wiederholt hätten, was Jesus bis zum Karfreitag bzw. abschließend als der Auferstandene gesprochen hat, denn man kann nicht an einer materiellen Identität der vorösterlichen Verkündigung Jesu und der nachösterlichen Heilsbotschaft im Sinne einer mechanischen, äußerlichen Wiederholung festhalten. Der echt geschichtlich fortschreitende Charakter der Christusoffenbarung muß als wesentlicher Gesichtspunkt in Rechnung gezogen werden, wenn man den Inhalt und die Bedeutung des offenbarenden Erdenwirkens Jesu ganz erfassen will[90]. Jesu Verkündigung der Metanoia und der gläubigen Aufnahme seiner Botschaft, die einzige Bedingung für das Eingehen in das Gottesreich nach den älteren drei Evangelien, sein Sterben, die entsühnende Kraft dieses Sterbens und ihre Aneignung in der Taufe, die Entstehung der Kirche, die Neukonstituierung der Heilsgemeinde in nachösterlicher Zeit, die Entwicklung der

---

[85] Hebr 1, 2. [86] *E. Haible,* a. a. O., 83. [87] Ebd., 83–86.
[88] *H. Schürmann,* Der proexistente Christus – die Mitte des Glaubens von morgen?, in: Diakonia/ Der Seelsorger 3, 1972, 149–152.
[89] *A. Vögtle,* Offenbarung und Geschichte im Neuen Testament, Ein Beitrag zur biblischen Hermeneutik, in: Conc 3, 1967, 18–23.
[90] Ebd., 19 f.

Heidenmission, die kritische Stimme und die missionarische Aktivität der Hellenisten und die Berufung des Paulus, das alles kann man nicht einfach als Zufall oder nachträglichen Notbehelf erklären, wenn man dem Begriff der Offenbarungs- und Heilsökonomie Gottes gerecht werden will[91].

Nach der Überzeugung der Apostel ging die Geschichte Jesu mit seinem Tod nicht zu Ende, vielmehr hob sie durch eine neue offenbarende Machttat Gottes auf einer anderen Ebene neu an. Sie ging weiter im Wirken des verklärten Herrn. Nach der einmütigen Auskunft der Schriften des NT hatte die Begegnung mit dem Auferweckten offenbarende Bedeutung. Darauf verweist auch Art. 19 der Offenbarungskonstitution des II. Vaticanum[92]. Der Auferweckung als Wende- und Höhepunkt der Christusoffenbarung kommt besondere Bedeutung in hermeneutischer Hinsicht zu. Von daher muß die Interpretation der Schrift neu ansetzen. Von daher erfolgt auch deutlich im NT die Interpretation und Explikation des Christusgeschehens sukzessiv, in Anlehnung an alttestamentliche Schriftstellen[93].

Die apostolische Gemeinde wußte um die lebendige und wirksame Gegenwart ihres Herrn, um seine lehrende, verheißende, mahnende, verpflichtende und lebenspendende Gegenwart in der Kraft des Geistes. Sie verstand das berichtende Reden über Jesus als vergegenwärtigende Anrede, als Wort des Erhöhten an die Gemeinde[94]. Verschiedentlich sagt das NT, daß der erhöhte Christus im Heiligen Geist präsent und wirksam ist[95]. Diese Präsenz und Wirksamkeit als Garantie der Ausfaltung des Christusgeschehens ist freilich, wie Vögtle ausführt, auf historisch-kritischem Wege nicht zu beweisen. Damit sind wir an der Grenze des geschichtswissenschaftlich Feststellbaren und Begründbaren angekommen. Aber das NT erhebt diesen Anspruch. Das kann nicht bestritten werden[96].

Wenn man den fortschreitenden Charakter der Christusoffenbarung anerkennt, ist auch, wie Vögtle betont, die starke Kerygmatisierung des Erdenwirkens Jesu nicht mehr anstößig, muß sie gerade „als entschiedene Ablehnung jeder Enthistorisierung, jeder gnostischen Verflüchtigung der Christusoffenbarung beurteilt werden"[97]. Durch die Einbeziehung des mit der Auferweckung erreichten Status Jesu in sein irdisches Leben soll deutlich werden, daß das ganze Christusgeschehen eine einheitliche, nach dem Plane Gottes fortschreitende Heilsveranstaltung ist[98].

Die Christusoffenbarung geschah als echt geschichtlich fortschreitender Prozeß. Sie entfaltete sich noch in der Zeit der Apostel, in der Urkirche, im

---

[91] Ebd., 20.   [92] S. oben 139 f.

[93] A. Vögtle, Offenbarung und Geschichte im Neuen Testament, a. a. O., 20 f.

[94] Ebd., 22. Das Sprechen des erhöhten Herrn im Hl. Geist in seiner Gemeinde stellt auch L. Goppelt heraus, wenngleich das tradierte Herrenwort unbedingte Autorität und Norm sei (L. Goppelt, Tradition nach Paulus, in: KuD 4, 1958, 223 f.).

[95] 1 Kor 2, 10 f.; 7, 40; 2 Kor 3, 17 f.; Lk 24, 48; Apg 1, 4; 2, 33; Joh 7, 39; 14, 15 ff. 26 f.; 16, 7. 13 ff.; 20, 21 f.; 28, 20; vgl. A. Vögtle, Offenbarung und Geschichte im Neuen Testament, a. a. O., 22.

[96] Ebd., 22 f.   [97] Ebd., 22.   [98] Ebd.

Wirken des verklärten Herrn durch die Apostel. Das Osterereignis leitet eine neue Phase ein. Das Entscheidende geschieht nach Jesu Tod. In der werdenden Kirche gibt es noch Offenbarungsgeschichte. Das meint die traditionelle Formel, wenn sie vom Abschluß der Offenbarung mit dem Tode des letzten Apostels oder mit der apostolischen Zeit spricht. Diese Überzeugung kündigt sich bereits bei den Vätern an, wenn sie die Apostel auf das engste mit Christus verbinden und die Zeit der Apostel und ihr Wirken besonders hervorheben. Später im Mittelalter reflektieren einzelne Theologen über die Rolle der Apostel im Offenbarungsvorgang und kommen zu dem Ergebnis, daß sie noch der Offenbarungszeit angehören. Ähnlich äußern sich das Tridentinum und das I. Vaticanum. Endlich scheint auch das II. Vaticanum diese Überzeugung zu vertreten. Somit reicht das Christusereignis in die erste Zeit der jungen Kirche hinein. Die Zeit der Apostel gehört zur konstitutiven Zeit der Offenbarung.

Bevor wir uns im 3. Teil dieser Untersuchung dem Problem der Zeit der Apostel zuwenden, soll ein Blick auf die Dogmenentwicklung geworfen werden, die dort beginnt, wo die Offenbarung vollendet ist, und das anvertraute Depositum der Offenbarung zur Grundlage hat. Die Dogmenentwicklung zeigt uns, wie die Kirche den Abschluß der Offenbarung versteht. Unter diesem Gesichtspunkt soll sie hier primär betrachtet werden.

§ 9. Die Dogmenentwicklung und ihre Bedeutung für den Offenbarungsabschluß

Die Dogmenentwicklung unterstreicht die Überzeugung der Kirche vom Abschluß der Offenbarung und zeigt uns, *wie* die Kirche den Offenbarungsabschluß versteht.

Als Dogma bezeichnet die katholische Theologie eine von Gott unmittelbar (formell) geoffenbarte Wahrheit, eine Wahrheit, die explizit oder implizit in der Offenbarung enthalten ist, die vom kirchlichen Lehramt als zu glauben vorgelegt wird. Die propositio Ecclesiae, die Vorlage durch die Kirche, kann auf zweifachem Wege erfolgen, auf außerordentliche Weise durch eine feierliche Glaubensentscheidung des Papstes oder eines allgemeinen Konzils und durch das ordentliche und allgemeine Lehramt der Kirche, wie es uns in der täglichen Lehrverkündigung begegnet[1]. Als Dogmenentwicklung bezeichnet die Theologie das Werden der einzelnen Dogmen und der Glaubenswahrheit insgesamt, ihre Entfaltung auf der Grundlage der Offenbarung, „die Explikation des in der Schrift bezeugten Christusgeschehens in der Geschichte des Glaubens der Kirche"[2]. Zwar kann der Begriff „Dogmenentwicklung"

---

[1] DS 3011; H. *Lais,* a. a. O., I, 22 f. Strittig ist die Frage, ob auch solche Wahrheiten Dogmen werden können, die nur mittelbar (virtuell) geoffenbart sind, d. h., die so in anderen Dogmen oder in Schrift und Tradition enthalten sind, daß sie nur mit Hilfe einer natürlichen Vernunftswahrheit erschlossen werden können. Vgl. unten A 111.

[2] *J. Ratzinger,* Das Problem der Dogmengeschichte in der katholischen Theologie, a. a. O., 21.

richtig verstanden werden, nämlich als Entwicklung auf der Grundlage der vorgegebenen Offenbarung, dennoch ist der Begriff „Dogmenentfaltung" vielleicht klarer und eindeutiger. Darin kommt besser zum Ausdruck, daß es sich hier um eine Auseinanderlegung des bereits durch den offenbarenden Gott selbst vorgegebenen Glaubensinhaltes handelt, daß die Dogmenentwicklung eben darin eine verbindliche Grundlage hat[3]. Wenn wir im folgenden in der Regel den Terminus Dogmenentwicklung verwenden, so geschieht das in Anlehnung an die gebräuchliche Sprechweise. – Die Dogmengeschichte beschreibt den komplizierten Prozeß der Dogmenentwicklung im einzelnen und insgesamt oder einfach das Werden des Glaubens der Kirche.

Die Dogmenentwicklung, „die Annahme der Dynamik, die Gottes Geist in die Kirche gelegt hat"[4], zeigt, daß auch die abgeschlossene Offenbarung irgendwie eine Geschichte hat, daß sie nicht in starrer Unbeweglichkeit verharrt, daß es in der Offenbarung ein beharrendes und ein fortschreitendes Element gibt. Man könnte ungenau sagen, die Offenbarung entwickelt sich, sofern sie in Verkündigung und Glaube weiterexistiert, aber diese Entwicklung ist anders als die vor Christus bzw. innerhalb der konstitutiven Offenbarungszeit. Sie ist ein tieferes Eindringen in die vorgegebene Offenbarung. K. Rahner[5] betont, es müsse in einer wirklichen Geschichte des Glaubens und der Offenbarung die Selbigkeit des Glaubens gewahrt bleiben. Die Theorien der Dogmenentwicklung haben die Aufgabe, die faktisch geschehene Dogmenentwicklung als legitime Geschichte des sich gleich bleibenden Glaubens zu rechtfertigen, eine Antwort auf die Frage zu geben, wie wirklich die neue Wahrheit die alte sein kann, die ja gerade die neue Gestalt erhält, um der alte Glaube bleiben zu können[6].

1. Das Wesen der Dogmenentwicklung

Wie sich aus den voraufgehenden Überlegungen ergibt, hat die Kirche ihre Lehre immer als die Lehre Christi und der Apostel vorgelegt. Sie hat die Überzeugung, daß ihre aktuelle Lehre in der in der apostolischen Zeit abgeschlossenen Offenbarung enthalten sein muß. Wenn sie neue Glaubenswahrheiten formuliert, so tut sie das in dem Bewußtsein, das ihr anvertraute depositum fidei auszulegen. Die Frage ist nur, in welcher Form die Lehre der Kirche in der Offenbarung enthalten sein muß.

---

[3] *H. Lais,* a. a. O., I, 28.
[4] *N. Appel,* Kanon und Kirche, Die Kanonkrise im heutigen Protestantismus als kontroverstheologisches Problem, Paderborn 1964, 182.
[5] *K. Rahner,* Art. Dogmenentwicklung, in: LThK III, Freiburg ²1959, 458. Zur zeitgenössischen Theologie zur Frage der Dogmenentwicklung vgl. *J. Finkenzeller,* Das Verständnis von Dogma und Dogmenentwicklung in der Theologie nach dem I. Vatikanischen Konzil, in: *G. Schwaiger* (Hrsg.), Hundert Jahre nach dem Ersten Vaticanum, Regensburg 1970, 175 f.
[6] *K. Rahner–K. Lehmann,* Geschichtlichkeit der Vermittlung, a. a. O., 732; *K. Rahner,* Art. Dogmenentwicklung, a. a. O., 460; ders., Überlegungen zur Dogmenentwicklung (1957), in: Schriften zur Theologie IV, Einsiedeln 1960, 11.

Das Problem sei anhand eines Beispiels verdeutlicht. Um die Mitte des 3. Jahrhunderts wird der römische Primat als Glaubenslehre geltend gemacht. Nun gibt es aber während des ganzen 2. Jahrhunderts weder in der römischen noch in irgendeiner anderen Gemeinde Zeugnisse für diesen Primat. Das macht jedoch diese Glaubenswahrheit nicht von vornherein fragwürdig und ist nicht unbedingt ein Argument gegen die Legitimität dieses päpstlichen Anspruches, wie er bis heute vertreten wird. Das wäre nur dann der Fall, wenn alles zur Offenbarung Gehörige bzw. alles von Gott mit seiner Offenbarung Intendierte explizit in der apostolischen Zeit geoffenbart sein müßte[7].

Die Lehre vom römischen Primat hat ihre Geschichte. Ihr biblisches Fundament ist die Sonderstellung des Simon Petrus zur Zeit des historischen Jesus und in der Urgemeinde. Im 2. Jahrhundert wurde die Auffassung vertreten, daß der wahre Glaube dort zu finden sei, wo die Kirchengründer Apostel waren[8]. Die römische Kirche berief sich aber seit alter Zeit in der Gesamtkirche auf die Apostel Petrus und Paulus, besonders auf die Cathedra Petri. Bereits der 1. Clemensbrief[9] zeigt ein bestimmtes Selbstbewußtsein der römischen Kirche. Am Ende des 2. Jahrhunderts sah man im Bischof von Rom den, der auf der Cathedra Petri saß[10]. Die Bedeutung dieser Cathedra wird deutlicher im Brief des Firmilian an Cyprian[11]. Aus solchen Ansätzen entwickelt sich die Lehre vom Primat des römischen Bischofs bis hin zur Lehre des I. Vaticanum über die Jurisdiktion und die Unfehlbarkeit des Papstes, die nach der Überzeugung der Kirche zum depositum fidei gehört, d. h. von Gott geoffenbart ist[12].

Das Beispiel zeigt, daß die Kirche mit der Lehre vom Abschluß der Offenbarung nicht sagen will, daß alle Glaubenswahrheiten explizit in der Offenbarung enthalten oder satzhaft geoffenbart sein müssen. Die Dogmenentwicklung setzt aber wohl voraus, daß im konkreten Fall bereits von Anfang an irgendwie Ansätze sichtbar werden, die sich im Glaubensbewußtsein der Kirche unter dem Weggeleit des Heiligen Geistes (Joh 16, 13) zur späteren offiziellen Glaubenswahrheit entwickeln.

Glaubensweitergabe ist also nicht einfach Weitergabe dessen, was Jesus oder die Apostel gesagt haben, denn die Offenbarung ergeht in einer geschichtlichen Epoche und knüpft an eine bestimmte geschichtliche Situation an. Nur so konnte sie verstanden werden. Will man eine aktuelle Glaubenswahrheit als offenbarungsgemäß darlegen, so kann man sich nicht auf einen bestimmten Schrifttext festlegen, muß man vielmehr den ganzen Kontext sehen, die konkret-geschichtlichen, dem Literalsinn nach begrenzten, aber auf weitere Spezifizierung hin offenen Daten der Offenbarungsgemeinde, zu der Gott grundlegend gesprochen hat und deren Gedanken er weiterhin lenkt, und die

---

[7] Vgl. *J. McCue,* Der römische Primat in den ersten drei Jahrhunderten, in: Conc 7, 1971, 246; *H. Küng,* Fehlbar? Eine Bilanz, Zürich 1974, 410 f.; *A. Kolping,* Der „Fall Küng", Eine Bilanz, (Theologische Brennpunkte 32/33), Bergen-Enkheim 1975, 82.
[8] Tertullian, De praescriptione haer. 36, 1–2.
[9] DS 102.   [10] PsClem (PG 2, 36).   [11] DS 111.   [12] DS 3051 f. 3058 f. 3073.

faktische Entwicklung einer Wahrheit in der Kirche[13]. Abschluß der Offenbarung mit Christus und den Aposteln bedeutet daher nicht, daß nach der apostolischen Zeit keine Einzelaussagen mehr neu in das aktuelle Bewußtsein der Kirche und der einzelnen Gläubigen eintreten können, sondern daß der Kirche nun keine neuen übernatürlichen Realitäten mehr geoffenbart werden oder daß der Blick auf die geoffenbarten Wirklichkeiten umfangmäßig nicht weiter gelenkt wird, als er seine Tragweite durch die vorhandenen Einzelaussagen hat[14].

Die Väter vertreten durchweg die Meinung, die Apostel hätten eine vollständigere Kenntnis des Offenbarungsinhaltes gehabt als wir. So dachte man auch im Mittelalter. Diese Meinung wirkt bis heute weiter. Es muß aber wohl unterschieden werden zwischen der richtigen Behauptung, daß die Apostel einen sehr tiefen Begriff vom Wesen des Christentums hatten, und der Behauptung, daß sie auch intellektuell eine ausgeprägtere Kenntnis aller Dogmen besaßen. Letzteres wäre kaum mit der tatsächlichen Dogmenentwicklung und mit der Frühzeit der Kirche, wie sie sich uns historisch darstellt, in Einklang zu bringen. Wenn die Apostel alle Dogmen gekannt hätten, so wäre es unverständlich, weshalb sie ihre Kenntnisse nicht an die Kirche weitergegeben hätten. Sie hatten aber nicht ein in Sätzen gefaßtes oder wenigstens unmittelbar faßbares Wissen über alle Offenbarungsinhalte. Die Apostel wußten faktisch vieles nicht, was wir heute wissen; dennoch kann man sagen, sie wußten alles, weil sie die ganze Wirklichkeit der Heilstat Gottes ergriffen hatten und darin geistig lebten. Sofern sie in einer solchen erfüllten Weise wissend waren, ist das Glaubensbewußtsein der Kirche in späterer Zeit nicht besser als das einfache der Apostel. Die Apostel wußten oder besaßen alles, denn in ihnen ist die Offenbarung zum Abschluß gekommen. Das dürfte die eigentliche Aussageintention der Väter sein[15].

---

[13] A. *Kolping*, Der „Fall Küng", Eine Bilanz, a. a. O., 73–77. 81 f.

[14] A. *Kolping*, Zur theologischen Erkenntnismethode, a. a. O., 84 f.

[15] H. *Hammans*, Die neueren katholischen Erklärungen der Dogmenentwicklung, in: Conc 3, 1967, 53; E. *Schillebeeckx*, Offenbarung und Theologie, a. a. O., 56 f.; *J. Barbel*, a. a. O., 223 f.; G. *Söll*, a. a. O., 228. Aus Hochachtung vor den Aposteln konnten die Väter nicht glauben, daß irgendeine spätere Epoche sachlich mehr gewußt und persönlich tiefer in die Offenbarung eingedrungen sei als die Augen- und Ohrenzeugen. Für die mittelalterlichen Theologen galt: Je näher einer Christus stand, desto vollkommener sein Glaubenswissen (vgl. STh II/II q. 1 a. 7 ad 4; *Suárez*, De fide, dist. II s. 6 n. 12; *Bañez*, In II/II q. 1 a. 7); G. *Söll*, a. a. O., 115 u. 228. Auch Newman erklärt, die Apostel hätten die volle Kenntnis der Offenbarung besessen, jeder einzelne hätte in seiner Person besessen, was die Kirche bis heute als ganze ihr eigen nennt, die Apostel durch die Gabe der Intuition, die Kirche durch die Unfehlbarkeit (H. *Achaval*, An Unpublished Paper by Cardinal Newman on the Development of Doctrine, in: Gr 39, 1958, 585–596, hier: 595). Ähnlich stellt Marin–Sola fest, die Apostel hätten durch ein eingegossenes Licht eine explizite Kenntnis der Offenbarung gehabt, die größer gewesen sei als diejenige, deren sich alle Theologen zusammen je erfreut hätten, ja, deren sich die Kirche als ganze je erfreut hätte bzw. sich bis zum Ende erfreuen werde (L' évolution homogène du dogme catholique I, Paris ²1924, 56 f.). Er denkt dabei an ein unmittelbares, formelles und explizites Wissen. Vorsichtiger ist C. Colombo, der die Frage, was die Apostel global und „distintamente" geglaubt haben, offenläßt (Lo sviluppo dei dogmi, Alba 1958, 33 f.).

Bleibend ist die einmalige in Christus erreichte Selbsterschließung Gottes. Was sich wandelt, ist die Weise des Bewußtseins, in der das Unwandelbare und Einmalige im gläubigen Menschen anwesend ist. Die Dogmenentwicklung betrifft nicht die Substanz der Dogmen. Die Annahme einer substantiellen Dogmenentwicklung ist von der Kirche ausdrücklich verurteilt worden[16]. Die Dogmengeschichte ist daher weniger als Offenbarungsgeschichte[17], aber mehr als Theologiegeschichte[18]. In ihr geht es um das tiefere Verständnis der Offenbarung. Sie stellt die Entfaltung des Glaubens der Kirche und der Glaubensverkündigung dar. Sie zeigt die kirchliche Lehre in ihrem Werden auf, die umfassende Kontinuität zwischen ihrem Ausgangspunkt und der heutigen Lehrverkündigung[19]. Das I. Vaticanum konstatiert einen wahren Fortschritt der Glaubenserkenntnis[20], ebenso das II. Vaticanum[21]. Letzteres sagt: „Um ihre rechte Erhellung (sc. der Offenbarung) und angemessene Darstellung mühen sich eifrig mit geeigneten Mitteln der Bischof von Rom und die Bischöfe, entsprechend ihrer Pflicht und dem Gewicht der Sache. Eine neue öffentliche Offenbarung als Teil der göttlichen Glaubenshinterlage empfangen sie jedoch nicht"[22]; „. . . es wächst das Verständnis der überlieferten Dinge und Worte durch das Nachsinnen und Studium der Gläubigen . . . durch innere Einsicht, die aus geistlicher Erfahrung stammt, durch die Verkündigung derer, die mit der Nachfolge im Bischofsamt das sichere Charisma der Wahrheit empfangen haben; denn die Kirche strebt im Gang der Jahrhunderte ständig der Fülle der göttlichen Wahrheit entgegen, bis an ihr sich Gottes Worte erfüllen"[23].

Die Dogmenentwicklung verläuft nicht geradlinig. Es gibt Mißverständnisse und Fehlentwicklungen in der Überlieferung[24]. J. Finkenzeller[25] vertritt die Meinung, die Dogmenentwicklung sei streng genommen nicht ein Fortschritt, sofern Fortschritt eine Wandlung zum Besseren beinhalte, denn es gebe ja keine neue Offenbarung mehr. Alle Bemühungen der Theologie könnten das

---

[16] DS 3043. 3420 ff. 3487 ff. (Verurteilung A. Günthers und des Modernismus); vgl. *H. Lais*, a. a. O., I, 26.

[17] Diese ist abgeschlossen und hat ihren Niederschlag im AT und im NT gefunden.

[18] Die liberale Theologie des 19. Jahrhunderts versteht die Dogmengeschichte als Theologiegeschichte, wenn sie dabei ganz allgemein an christliche Geistesgeschichte denkt.

[19] *M. Schmaus*, Der Glaube der Kirche, a. a. O., I, 201; *M. Schmaus*, Einleitung, in: B. Poschmann, Buße und Letzte Ölung (HDG IV, 3), IX.

[20] DS 3020.   [21] LG Art. 25.

[22] Ebd. (zit. nach LThK, Das zweite Vatikanische Konzil I, a. a. O., 243).

[23] DV Art. 8 (zit. nach LThK, Das zweite Vatikanische Konzil II, a. a. O., 519).

[24] *G. G. Blum* (Offenbarung und Überlieferung, a. a. O., 138 f.) bedauert, daß dieser Gedanke nicht in der Offenbarungs-Konstitution des II. Vaticanum niedergelegt worden sei, wenngleich es nicht an den Stimmen dafür gefehlt habe. Immerhin sei aber an anderer Stelle (LG Art. 8 und 48) von der Blindheit, dem Vergessen, dem Versagen und der Schuld gegenüber dem Anspruch der Überlieferung die Rede.

[25] *J. Finkenzeller*, Glaube ohne Dogma? Dogma, Dogmenentwicklung und kirchliches Lehramt (Schriften der katholischen Akademie in Bayern, hrsg. von F. Henrich), Düsseldorf 1972, 58, mit Berufung auf *E. Schillebeeckx*, Offenbarung und Theologie, a. a. O., 142, u. *M. Seckler*, Der Fortschrittsgedanke in der Theologie, in: Theologie im Wandel, München/Freiburg 1967, 63.

Geheimnis des Wortes Gottes nicht enthüllen, und die Dogmengeschichte zeige, daß die theologische Spekulation auf ihren Höhepunkten nicht selten eine Blickverengung einschließe. Ein Fortschritt in der Durchdringung sei auch nicht ohne weiteres ein Fortschritt im Glauben; wir könnten die Offenbarung letztlich erst dann tiefer erfassen, wenn wir bemüht seien, mehr aus dem Glauben an die Offenbarung zu leben. Der eigentliche Sinn der Dogmenentwicklung sei nicht der Dogmenfortschritt, sondern der Dienst am Evangelium, wie ihn jeweils die Zeit fordere. Finkenzeller resümiert: „So bleibt die Offenbarung die alte, und es wird doch Neues, das heißt anderes, gesagt, weil das Wort Gottes in Situationen hineingesprochen wird, die früher nicht gegeben waren"[26]. Demnach gibt es nach ihm nicht eine organische Entfaltung, sondern nur „den je unableitbaren neuen Kairos des Evangeliums im Leben der Kirche"[27].

Freilich kann man das Glaubensleben in die Dogmengeschichte einbeziehen – dann kann man nicht mehr von einem Fortschritt im eigentlichen Sinne sprechen –, und man kann nicht bestreiten, daß das Dogma die Offenbarung in der Sprache der jeweiligen Zeit zum Ausdruck bringt und auf die jeweilige besondere Situation ausgerichtet ist, aber dennoch läßt sich nicht leugnen, daß das Verständnis der Offenbarung wächst, daß sie in der Geschichte geistig mehr und mehr durchdrungen wird[28].

Die Entwicklung unserer Offenbarungserkenntnis wird vorangetrieben durch das natürliche geistige Bemühen und zugleich durch die von der Gnade getragene menschliche Erkenntniskraft. Gott gleicht sich der Schwachheit des menschlichen Erkenntnisprozesses an, analog zur Menschwerdung des Wortes, in der der Sohn selbst in die Geschichte der Menschen eingetreten ist[29]. Dabei sind die treibenden Kräfte das Glaubensbewußtsein, die sittliche Praxis und das Frömmigkeitsleben[30], die Notwendigkeiten des kirchlichen Lebens[31] und die praktischen Bedürfnisse von Kult und Liturgie. Vorbereitende und anregende Potenzen sind Häresie, Philosophie und profane Wissenschaften sowie die konkreten sozialen, wirtschaftlichen und politischen Verhältnisse. Die philosophische Begriffswelt bringt keinen neuen Erkenntnisstoff, sondern nur das Werkzeug[32]. Der Hauptinitiator der Dogmenentwicklung ist aber der Heilige Geist. Je größer die Skepsis gegenüber dem Anspruch der Logik bei der Dogmenentwicklung ist, je mehr die arationalen Kräfte in

---

[26] J. *Finkenzeller*, Glaube ohne Dogma?, a. a. O., 59.
[27] W. *Kasper*, Dogma unter dem Wort Gottes, Mainz 1965, 136; vgl. J. *Finkenzeller*, Glaube ohne Dogma?, a. a. O., 59. 18 ff. 55–59.
[28] DV Art. 8.
[29] Deutsche Thomas-Ausgabe XV, a. a. O., 447–457; F. *Diekamp*, a. a. O., I, 15; A. *Lang*, a. a. O., II, 266.
[30] Vgl. bes. die Mariologie.
[31] Z. B. die Erkenntnis der Gültigkeit der Ketzertaufe oder der simonistischen Weihen.
[32] Deutsche Thomas-Ausgabe XV, a. a. O., 455–457; H. *Lais*, a. a. O., I, 30; K. *Rahner–K. Lehmann*, Geschichtlichkeit der Vermittlung, a. a. O., 765.

diesem Prozeß gesehen werden, um so vorrangiger tritt dieses Element, das Wirken des Heiligen Geistes, in das Bewußtsein der Theologen[33].

2. Die Dogmenentwicklung in der Geschichte der Theologie

Wenn nun kurz das Problem der Dogmenentwicklung in der Geschichte der Theologie angesprochen wird, so geschieht das deshalb, weil darin das Ringen um das rechte Verständnis des Offenbarungsabschlusses in der Vergangenheit deutlich wird.

In den ersten Jahrhunderten wurde das Moment der Beharrung im Glauben und die Pflicht zur Bewahrung der Offenbarungswahrheit stärker betont als der Gedanke des Fortschreitens und der dynamischen Entfaltung der Glaubenserkenntnis. Die Versuche der Irrlehrer, das Glaubensgut in einer illegitimen Weise auszuweiten oder einzuengen, erzeugten verständlicherweise Mißtrauen. So ging es den Kirchenvätern vor allem darum, das von den Aposteln übernommene Evangelium zu bewahren, und sie betonten, daß es häretisch sei, von den apostolischen Überlieferungen etwas abzustreichen oder ihnen neue Elemente hinzuzufügen[34].

Wenn es für die Väter einen Fortschritt in der Erkenntnis der Botschaft Jesu gibt – in der Auseinandersetzung mit den Häresien wurden sie im 3. und 4. Jahrhundert allmählich auf die Entwicklung der christlichen Lehre aufmerksam –, dann nur als genauere Begrifflichkeit und deutlichere Aussage, „in eodem … dogmate, eodem sensu, eademque sententia"[35], weniger als Fortschritt im Verständnis und in der Verkündigung der Offenbarung selbst.

Das Thema der Entwicklung des Glaubens klingt bereits bei Origenes († 253/54)[36] und Augustinus († 430)[37], ja, schon bei Irenäus († um 202)[38] und anderen Vätern[39] an. Für Augustinus sind die Häresien die treibende Kraft für ein tieferes Eindringen in die Offenbarung[40]. Von nicht zu unterschätzender Bedeutung für unsere Frage ist aber das Commonitorium des Vinzenz von Lerin († vor 450), das um 434 geschrieben wurde, ein Werk, das Formulierungen von „prägnanter Kürze" und „klassischer Klarheit"[41] enthält. Es legt die Richtlinien für die Bestimmung der dem Glauben unterliegenden Wahrheiten vor. Der entscheidende Maßstab ist das, was überall, immer und von allen

---

[33] *G. Söll*, a. a. O., 234 f.; *M. Schmaus,* Der Glaube der Kirche, a. a. O., I, 200 f.; *L. Ott,* a. a. O., 8.

[34] *G. Söll,* a. a. O., 256; *A. Lang,* a. a.O., II, 265 f.; *K. Rahner–K. Lehmann,* Geschichtlichkeit der Vermittlung, a. a. O., 741 f.; *E. Schillebeeckx,* Offenbarung und Theologie, a. a. O., 56 f.; *Y. Congar,* Die Tradition und die Traditionen, a. a. O., I, 218.

[35] *Vinzenz von Lerin,* Commonitorium c. 23.

[36] Origenes, De principiis I, praef. 3.

[37] Augustinus, Enarrationes in Psalmos 54, 22, 2–9.

[38] Vgl. *G. G. Blum,* Offenbarung und Überlieferung, a. a. O., 131.

[39] *M. Grabmann,* Geschichte der scholastischen Methode II, Berlin/Darmstadt 1956, 277.

[40] De civitate Dei 16, 2, 1.

[41] *A. Lang,* a. â. O., II, 200.

geglaubt wurde[42]. Wachstum gibt es nur im Dogma selbst[43]. Vinzenz von Lerin legt den Schwerpunkt auf die Unveränderlichkeit des Glaubens. Bei ihm wird besonders deutlich, daß es im Grunde, wie überhaupt allgemein in der Väterzeit, nur um eine ausgeprägtere Formulierung dessen geht, was man früher weniger adäquat ausgedrückt hat. Über einen genaueren Begriff und eine deutlichere Aussage ist er nicht hinausgekommen. Die Entfaltung bringt damit eigentlich nichts Neues[44].

Das Mittelalter richtet sein Interesse mehr auf die statische Betrachtung der verschiedenen Phasen innerhalb der objektiven Offenbarung vor ihrem Abschluß[45] als auf die Dogmenentwicklung bzw. die Entfaltung des Glaubens nach dem Abschluß der Offenbarung. Diese wird nur in etwa und indirekt berührt. Die Grundthese lautet: Der Glaube war zu allen Zeiten, vor und nach Christus, substantiell derselbe. „Aufgrund der inneren, objektiven, organischen Struktur der Glaubenswahrheiten enthält der Glaube in einem einzigen Glaubensartikel implizit notwendigerweise – als Voraussetzung oder als Folge – den Glauben an alle Glaubenswahrheiten"[46]. Die Offenbarungen der Offenbarungszeit werden als eine Explikation dessen verstanden, was im Glauben des ersten Menschenpaares schon beschlossen war. Nach dem Abschluß dieser Explikation tritt eine zweite Art von Explikation in Kraft, die nur ausdrücklicher formulieren will, was vorher bereits „genügend ausdrücklich"[47] von den Aposteln formuliert wurde. Dieses Problem wird auf die Betrachtung des Verhältnisses zwischen den verschiedenen Glaubenssymbolen beschränkt. Dem kirchlichen Lehramt wird die Befugnis zuerkannt, ausdrücklichere Glaubensbekenntnisse aufzustellen[48]. Dabei hat die Theologie grundsätzlich eine dienende Funktion[49].

Nach Thomas († 1274) gibt es eine Explikation der Offenbarung auch nach ihrem Abschluß im Hinblick auf die implizit in den Glaubensartikeln enthaltenen Wahrheiten. Diese Explikation geht weiter, während jene, die sich auf die Substanz der Artikel bezieht, um sie deutlicher erkennen zu lassen, mit der Offenbarung abgeschlossen ist. Die weitergehende Explikation erfolgt durch die rationale Arbeit. Thomas denkt hier an theologische Konklusionen[50].

---

[42] „Curandum est, ut id teneamus, quod ubique, quod semper, quod ab omnibus creditum est" (Commonitorium c. 2).

[43] Crescat igitur oportet et multum vehementerque proficiat tam singulorum quam omnium, tam unius hominis quam totius Ecclesiae, aetatum et saeculorum gradibus, intelligentia, scientia, sapientia, sed in suo dumtaxat genere, in eodem scilicet dogmate, eodem sensu eademque sententia" (Commonitorium c. 23); vgl. oben A 35.

[44] E. Schillebeeckx, Offenbarung und Theologie, a. a.O., 56; K. Rahner–K. Lehmann, Geschichtlichkeit der Vermittlung, a. a. O., 741 f.

[45] Vgl. STh II/II q. 1 a. 7–9.   [46] E. Schillebeeckx, Offenbarung und Theologie, a. a. O., 56.

[47] Thomas, III Sent. dist. 25 q. 2 a. 2 sol. 1 ad 5; STh II/II q. 1 a. 10 ad 1.   [48] Ebd., q. 1 a. 10.

[49] E. Schillebeeckx, Offenbarung und Theologie, a. a. O., 56.

[50] III Sent. dist. 25 q. 1 a. 1 sol. 3; Contra errores Graecorum, prooem.; In Romanos c. 14 lect. 3 u. ö; vgl. Y. Congar, „Traditio" und „Sacra Doctrina" bei Thomas von Aquin, a. a. O., 201 f.; A. Lemonnyer, a. a. O., 162 f.

Y. Congar macht darauf aufmerksam, daß wir bei Thomas und den mittelalterlichen Theologen häufig der ein wenig widerspruchsvollen Aussage über den reicheren Glauben am Anfang und die ausdrücklichere Formulierung seines Inhaltes im Laufe der Zeit begegnen. Sie verrate das Gefühl, „keine schöpferische Kraft mehr zu besitzen oder nichts Neues bringen zu wollen und dennoch den Aussagen der Alten etwas beizufügen und klarer zu sehen als sie"[51].

Bonaventura († 1274) erinnert daran, daß die Schrift voll von verborgenen Keimkräften (rationes seminales) ist, die sich erst im Laufe der Geschichte entfalten und daher immer wieder neue Einsichten gestatten[52].

Dennoch existiert das Problem der Dogmenentwicklung oder des Werdens des Glaubens für die Scholastik nicht im eigentlichen Sinne, sofern sie über eine genauere Formulierung, über eine deutlichere Aussage nicht hinauskommt. Das ist nicht anders in der Spätscholastik des 14. und 15. Jahrhunderts. Aus dieser Zeit stammt die Unterscheidung zwischen formell und virtuell in der Offenbarung enthaltenen Wahrheiten, eine Unterscheidung, die später im 16. und 17. Jahrhundert fortgebildet wird und sich endlich durchsetzt[53].

In der Reformation mußten die Gesetze der Glaubenssicherung programmatisch herausgestellt werden, weshalb von katholischen Theologen in Streitschriften immer wieder Fragen der theologischen Prinzipienlehre behandelt werden. Aus dieser Zeit stammt die erste geschlossene, posthum veröffentlichte Methodologie von Melchior Cano († 1560): Loci theologici[54].

Noch M. Cano leugnet, daß die theologischen Konklusionen zu Dogmen werden können, wenngleich die Kirche sie als Wahrheit, nicht als *Glaubenswahrheit,* bestätigen kann[55]. G. Vazquez († 1604) lehrt als einer der ersten, der theologische Schluß müsse selbstverständlich mit göttlichem Glauben von dem, der den Syllogismus aufstellt, angenommen werden, und nach der Definition durch die Kirche auch von allen Gläubigen[56]. Molina († 1600) verwirft diesen „Rationalismus"[57]. Suárez († 1617) sucht nach einem Kompromiß, wenn er feststellt: Das formell Geoffenbarte kann explizit oder implizit sein. Durch diskursive Schlußfolgerung kann man dieses Implizite aus dem Expliziten ableiten. Solche Schlüsse haben dogmatischen Wert. Das nur virtuell Geoffenbarte hingegen kann keinen dogmatischen Wert haben[58]. Die

---

[51] *Y. Congar,* „Traditio" und „Sacra Doctrina" bei Thomas von Aquin, a. a. O., 201 f.
[52] Coll. in Hexaemeron XV, 12. XV u. XVI; vgl. *J. Ratzinger,* Die Geschichtstheologie des hl. Bonaventura, a. a. O., 11 und 85 f.
[53] *K. Rahner–K. Lehmann,* Geschichtlichkeit der Vermittlung, a. a. O., 744.
[54] *E. Schillebeeckx,* Offenbarung und Theologie, a. a. O., 57–59; *A. Lang,* a. a.O., II, 201.
[55] *A. Lang,* Das Problem der theologischen Konklusionen bei M. Cano und D. Bañez, in: DTh 21, 1943, 87–89.
[56] *G. Vasquez,* In I Partem q. 1 a. 2 disp. 5 c. 3.
[57] *L. de Molina,* Comm. in I partem q. 1 a. 2 disp. 1.
[58] *F. Suárez,* De fide, disp. III sect. 11; vgl. *E. Schillebeeckx,* Offenbarung und Theologie, a. a. O., 58, und oben A 53.

Salmantizenser formulierten die klassische Theorie der Scholastik: Wenn man durch eine uneigentliche Schlußfolgerung zu einem theologischen Schluß kommt, kann dieser nicht Gegenstand göttlichen Glaubens sein. Wenn aber die Konklusion sich auf zwei Glaubensprämissen stützt, ist sie glaubenswürdig, nicht als Schluß, sondern als für sich genommen. Das ist aber nicht als Lösung des Problems der Entwicklung des Glaubens gemeint. Es geht hier vielmehr um die Frage, wie man Wahrheiten, zu denen man mittels theologischer Konklusionen kommt, eine Glaubenszustimmung geben kann. Diese Lehre enthält die Überzeugung, daß die neueren Glaubensdefinitionen logisch in älteren Stadien der Glaubensentwicklung enthalten sind. Im Kampf mit dem Modernismus stützen sich später die Neuscholastiker auf obige Lehre, um Probleme der Dogmenentwicklung zu lösen. Das ist aber recht verstanden nicht die traditionelle Lehre, sondern eine Übernahme der scholastischen These vom dogmatischen Wert theologischer Schlüsse in einer neuen Perspektive, die der alten fremd war[59].

Bis zum 19. Jahrhundert sammelte die Dogmengeschichte im Grunde nur doxographisch die Belege für die Lehre der Gegenwart und hielt diese Belege u. U. nur in der äußeren Form für verschieden von der gegenwärtigen Lehre. Man ging mehr logisch als historisch-kritisch an das Problem der wachsenden Glaubenserkenntnis heran. Jene Wahrheiten, an denen die Kirche schon seit Jahrhunderten einmütig festhielt, die man aber nicht in der Schrift finden zu können glaubte, suchte man in der mündlichen Überlieferung, oder man berief sich gar auf neue Offenbarungen. Klare terminologische Bestimmungen von fides, revelatio, dogma etc. wurden weithin erst in der Neuzeit verbindlich[60]. Auch das Lehramt der Kirche beschäftigte sich bis dahin nicht mit der Frage der Dogmenentfaltung, wenngleich es faktisch nicht wenig damit befaßt war.

Erst vom 19. Jahrhundert an wurde die eigentliche Problematik der Dogmenentwicklung gesehen. Den Anstoß dazu gaben die neuzeitliche Geschichtswissenschaft mit ihrem Historismus sowie der sich ausbreitende Entwicklungsgedanke in Philosophie und Wissenschaft. Nun war eine Reflexion auf das Wesen, die Grenzen und die Faktoren der Dogmenentwicklung unausweichlich[61].

Wirksam wird diese Frage zunächst von der Tübinger Schule aufgegriffen. Mit Joh. S. Drey, J. A. Möhler und J. E. Kuhn bemüht sie sich um eine Darlegung der katholischen Auffassung vom Fortschritt des Dogmas, die

---

[59] E. Schillebeeckx, Offenbarung und Theologie, a. a. O., 58 f.

[60] S. oben 90 f. 102; vgl. auch A. Lang, Die Gliederung und Reichweite des Glaubens nach Thomas von Aquin und den Thomisten, Ein Beitrag zur Klärung der scholastischen Begriffe: fides, haeresia und conclusio theologica, in: DTh 20, 1942, 207–236. 335–346 und 21, 1943, 79–97; A. Deneffe SJ, Dogma, Wort und Begriff, in: Schol 6, 1931, 381–402. 506–538.

[61] E. Schillebeeckx, Offenbarung und Theologie, a. a. O., 56; K. Rahner, Art. Dogmenentwicklung, a. a. O., 459; K. Rahner–K. Lehmann, Geschichtlichkeit der Vermittlung, a. a. O., 733; Y. Congar, Die Tradition und die Traditionen, a. a. O., I, 87; G. Söll, a. a. O., 222; J. Barbel, Dogmenentwicklung und Tradition, in: TThZ 74, 1965, 219.

heute noch weiterwirkt[62]. J. A. Möhler betont, eine Glaubenslehre sei gegebenenfalls nicht deshalb falsch, weil sie erst im 3. oder 4. Jahrhundert aufgekommen sei, sondern weil sie, wenn sie eine christliche wäre, schon immer keimhaft hätte vorhanden sein müssen[63]. Die innere Lebenseinheit der Kirche müsse bewahrt werden, sonst wäre sie nicht immer dieselbe Kirche Christi. Dasselbe Bewußtsein, dasselbe Leben entfalte sich jedoch immer mehr, es werde bestimmter, sich selbst immer klarer. So gelange die Kirche zum Mannesalter Christi[64].

Für J. E. Kuhn[65] gilt: Weil die Apostel die göttliche Wahrheit nicht in abstrakter und für alle Zeiten gültiger Form ausgesprochen haben, sondern in einer Weise, die für ihre Zeit bestimmt war und so lebendigen Glauben wirken sollte, weil also die apostolische Verkündigung des Gotteswortes ein zeitbedingtes, relatives Moment an sich trägt, deshalb gibt es Dogmenentwicklung.

Möhler und Kuhn sind ablehnend gegenüber dem idealistischen Evolutionismus eines Schelling und Hegel, weil er nicht der Fülle der Offenbarung, ihrer Vollendung in Christus gerecht wird. Desgleichen ist für sie der strenge Supernaturalismus, der jede Entwicklung leugnet, nicht akzeptabel. Sie stellen fest, der apostolische Glaube habe sich nach Ausweis der Geschichte im Laufe der Zeiten immer reicher entwickelt, und dieser Fortschritt sei biblisch begründet[66]. Kronzeuge der kirchlichen Lehrentwicklung ist für Kuhn Vinzenz von Lerin, der einzige Schriftsteller der Alten Kirche, der die Frage der geschichtlichen Entwicklung des Dogmas ausdrücklich behandelt habe. Mit ihm weiß Kuhn sich eins. Es gibt keine Änderung des Wesens des Glaubens, wohl aber einen wahren Fortschritt, ein organisches Wachstum, ein vertieftes Verständnis des Glaubens, eine Entwicklung nach der formalen Seite, für jede Zeit die entsprechende Prägung des Goldes der Offenbarung[67]. Bei Kuhn bezieht sich die Entwicklung der christlichen Wahrheit nicht auf den Inhalt, sondern auf die Form seiner Darstellung. Kuhn versteht aber diese Entwicklung nicht als Frucht eines bloß logischen Verstehens, sondern eines geschichtlichen Prozesses. Er spricht von der Dialektik der christlichen Wahrheit. Der dialektische Unterschied steht zwischen der logisch-formalen und der realen Verschiedenheit zweier Dinge[68]. „... der dialektisch entwickelte Glaube glaubt anders als der dialektisch unentwickelte, aber er glaubt nicht anderes"[69].

---

[62] *H. Hammans,* Die neueren katholischen Erklärungen der Dogmenentwicklung (Beiträge zur neueren Geschichte der katholischen Theologie 7) Essen 1965, 25–29.

[63] *J. A. Möhler,* Die Einheit in der Kirche oder das Prinzip des Katholizismus, a. a. O., 41.

[64] Ebd., 43 f.

[65] *J. R. Geiselmann,* Die lebendige Überlieferung als Norm des christlichen Glaubens, a. a. O., 195.

[66] 1 Kor 3, 1 ff.; Eph 4, 13; Kol 1, 10. 11; 2 Petr 3, 18.

[67] *J. R. Geiselmann,* Die lebendige Überlieferung als Norm des christlichen Glaubens, a. a. O., 200–210.

[68] Ebd., 211 f.   [69] Ebd., 253.

M. J. Scheeben († 1888) wendet sich der Frage der Dogmenentwicklung mit besonderem Interesse zu. Er stellt fest: Bis zu den Aposteln fand in der Mitteilung der göttlichen Wahrheit an die Menschen ein substantielles Wachstum durch neue Offenbarungen statt, die die früheren ergänzten, d. h., es gab eine neue Mitteilung übernatürlicher Realitäten. Dieser Fortschritt hörte auf, sobald die Kirche gegründet war und die ein für allemal abgeschlossene Offenbarung ihr als Depositum anvertraut war. Seitdem ist die „vollständige Neubildung einer Glaubenslehre" nicht mehr möglich, „und die Unfehlbarkeit der das depositum bewahrenden Kirche bürgt dafür, daß niemals eine Umbildung oder Veränderung des früheren Dogmas stattfinden" wird. Das will nicht heißen, daß nicht später indirekt zur Glaubenslehre gehörige Wahrheiten von der Kirche festgestellt werden können und eine Fortbildung und Fortentwicklung der Glaubenslehre oder des kirchlichen Dogmas im engeren Sinne als der öffentlichen Vorlage des göttlich-apostolischen Depositum durch Ausprägung, Auffrischung und Ausbildung des apostolischen Depositum nicht möglich wäre[70].

Scheeben weist hin auf das I. Vaticanum[71], das mit der Zitierung des Vinzenz von Lerin[72] die Möglichkeit und Angemessenheit eines solchen Fortschritts im allgemeinen anerkannt habe. Wenn hier auch nicht ausdrücklich die Rede von einem profectus in der dogmatischen Vorlage, sondern nur in der Erkenntnis sei, so bedinge sich doch die intelligentia und die scientia totius ecclesiae mit der dogmatischen Vorlage[73].

Scheeben spricht dann von den Arten und Formen des Fortschritts, die sich für ihn folgendermaßen darstellen: 1) die immer fester und schärfer abgegrenzte Ausprägung und Formulierung der göttlichen Wahrheit im Laufe der Zeit, wodurch das allgemeine Verständnis erleichtert wird und Mißverständnisse erschwert werden, 2) die ausdrückliche Predigt von bisher latenten oder bloß materiellen Dogmen, die dadurch zu offenkundigen und formellen Dogmen werden, 3) die Entwicklung dessen, was nur in confuso oder implicite in der Predigt der Vorzeit enthalten war, durch genauere Betrachtung und Erklärung und durch theologische Konsequenzen, so daß dann „dieselben Wahrheiten in reicherer und vollerer, tieferer und allseitigerer Entwicklung" vorgetragen werden. Diese drei Arten des Fortschritts sind nach Scheeben in concreto bei den einzelnen Lehrpunkten nicht immer getrennt und nicht deutlich zu unterscheiden. Er findet sie aber bereits bei Vinzenz von Lerin[74].

Scheeben weist ausdrücklich zwei Auffassungen bezüglich der Natur und des Umfangs des faktisch stattfindenden Fortschritts des Dogmas zurück, eine Auffassung, die in verkehrter Weise das Werdende und Wandelbare betont, und eine andere, die das Bleibende und Stillstehende zu sehr betont, m. a. W.

---

[70] *M. J. Scheeben*, a. a. O., I, Nr. 597.
[71] DS 3020.
[72] Commonitorium c. 28 u. 23.
[73] *M. J. Scheeben*, a. a. O., I, Nr. 598.
[74] Ebd., Nr. 599 f.

die rationalistische Auffassung von Offenbarung und Kirche und die idealistische Auffassung der Kirche und ihrer Tätigkeit, die dem Dogma seine Lebendigkeit raubt und es in der konkreten Entwicklung lähmt, die fortschrittliche und die reaktionäre[75]. Ein Beispiel für die erste Auffassung ist die Lehre von A. Günther († 1863), wonach das von den Aposteln überlieferte Depositum nur Tatsachen und einige wenige Grundanschauungen enthält, die das Material und den Keim darstellen, woraus durch die menschliche Vernunft synthetisch das Corpus der kirchlichen Glaubenslehre unter dem Beistand des Heiligen Geistes entwickelt werden sollte und sich tatsächlich entwickelt hat[76]. Die zweite Auffassung leugnet den Fortschritt und läßt nur eine schärfere Formulierung der einzelnen Lehren gegenüber der apostolischen Zeit „zur Zurückweisung der unkirchlichen Angriffe und zum leichteren Verständnisse aller Gläubigen" gelten. Diese Auffassung meint, die nachapostolische Kirche habe immer das volle und klare Bewußtsein aller Glaubenslehren gehabt und geltend gemacht wie zur Zeit der Apostel. Sie widerspricht der Natur und der Geschichte der kirchlichen Lehrentwicklung und der sich darin kundgebenden Anschauung der Kirche[77].

Wichtig ist für Scheeben, daß die Kirche „durch Entwicklung des schon vorhandenen Lehrschatzes, nicht durch förmliche neue Offenbarung", und „unter der Anleitung und Gewähr" des Heiligen Geistes, nicht der Menschen, lernt. Durch die Menschen wird „die Entwicklung bloß materiell und werkzeuglich im Dienste des Heiligen Geistes vermittelt". Scheeben denkt nicht einfach an einen geradlinigen Fortschritt. Er spricht von zeitweiliger Verdunkelung bezüglich mancher Bestandteile der Offenbarung im Depositum der Kirche; er weiß, daß manche aus dem Wort zu entwickelnden Momente wieder in den Hintergrund treten können[78].

Der Schwerpunkt des Bemühens liegt bei Scheeben zweifellos auf der Konstatierung der Identität in der Dogmenentfaltung und der logischen Deduktion. Aber dennoch ist nicht zu übersehen, daß er einer tieferen Sicht der Dogmenentwicklung gegenüber offen ist. Das sei festgestellt gegenüber G. Söll[79], der die Position Scheebens wohl zu negativ beurteilt, wenn er erklärt, dieser habe in seiner Fixierung auf Vinzenz von Lerin die Dogmenentwicklung zu statisch verstanden und sich nicht fruchtbar mit den eigentlichen Problemen der Dogmenentwicklung auseinandergesetzt, nicht mit der Tübinger Schule, nicht mit Newman oder den protestantischen Dogmenhistorikern.

Bei J. H. Newman († 1889) ist die Entwicklung ein zentraler Gedanke. Er verfaßte die erste große Studie über die Dogmengeschichte[80]. Innerhalb des AT und des NT erkennt er eine fortschreitende Entwicklung der Offenbarung.

---

[75] Ebd., Nr. 602.
[76] Ebd., Nr. 603; vgl. oben 109.
[77] *M. J. Scheeben*, a. a. O., I, Nr. 606.
[78] Ebd., Nr. 607.   [79] *G. Söll*, a. a. O., 195.
[80] *J. H. Newman,* Über die Entwicklung der Glaubenslehre (Ausgewählte Werke VIII), Mainz 1969.

Diese Entwicklung versteht er als Analogie zur Entwicklung der Lehre in der Kirche[81]. Ähnlich sieht er in den Propheten eine Analogie zu den Kirchenlehrern[82]. Über Christus hinaus gibt es zwar keine neue Offenbarung, wohl aber ein wachsendes Erkennen dieser Wahrheit im Heiligen Geist. Das Depositum der Offenbarung ist der Kirche zur Bewahrung und Auslegung anvertraut[83]. Die Newman'sche Traditionslehre ist wesentlich vom Entwicklungsgedanken durchdrungen. In der Entwicklung der Tradition, in den immer neuen Definitionen, wird entfaltet, was schon in der Idee enthalten war[84]. Die Dogmenentwicklung ist nicht ein einfacher, isolierter Akt, sondern mannigfaltig komplex fortschreitend[85].

Außer der großen Studie Newmans gibt es im 19. Jahrhundert fast durchweg nur kleinere Beiträge zur Dogmenentwicklung, die aus einer übergeordneten Darstellung und Thematik meist wie von selbst erflossen, wenn man einmal absieht von dem Entwurf von Joh. S. Drey[86]. Im Gegensatz zu Newman und den Tübingern verblieb die Scholastik des 19. Jahrhunderts in ihren verstandesmäßigen Kategorien. Für sie bedeutet Entfaltung nur Erhebung des in dem Urteil eingeschlossenen Wissens, logische Deduktion[87].

Wenn das Vaticanum I dem theologischen Evolutionismus das Bekenntnis zur Unveränderlichkeit des Dogmas entgegenstellte[88], so ist damit nicht das Problem einer eigentlichen Geschichte des Glaubens berührt. Die lehramtlichen Verlautbarungen zu dieser Frage wollen nicht eine endgültige Lösung bieten[89].

Wie das Konzil will auch das Dekret „Lamentabili", sofern es das Verhältnis Offenbarung und Dogmenentwicklung behandelt[90], zunächst nur die radikal evolutionistische und historistische Richtung verurteilen, speziell im Hinblick auf den Modernismus, jedoch nicht eine Aussage zur Geschichtlichkeit des Glaubens machen, die über das Konzil hinausgeht, wenngleich das Dekret faktisch einen hemmenden Einfluß auf die Erkenntnis der Geschichtlichkeit des Glaubens ausgeübt haben mag[91].

---

[81] Ebd., 63. 70. [82] Ebd., 72.

[83] *J. H. Newman,* Vom Wesen der Universität (Ausgewählte Werke V), Mainz 1960, 217.

[84] *G. Biemer,* a. a.O., 164. 169. 190. 192. 194. 196; *W. Becker,* Besprechung zu G. Biemer, Überlieferung und Offenbarung, Die Lehre von der Tradition nach J. H. Newman, in: ThRv 62, 1966, 115 f. 118.

[85] *J. H. Newman,* Über die Entwicklung der Glaubenslehre, a. a. O., 330.

[86] Ideen zur Geschichte des katholischen Dogmensystems, 1812–1813, ungedruckt, veröffentlicht durch *J. R. Geiselmann,* Geist des Christentums und des Katholizismus, Mainz 1940, 235–331; vgl. oben A 62.

[87] *H. Hammans,* Die neueren katholischen Erklärungen der Dogmenentwicklung, in Conc 3, 1967, 50; *G. Söll,* a. a. O., 222; *K. Rahner–K. Lehmann,* Geschichtlichkeit der Vermittlung, a. a. O., 747 ff.

[88] DS 3020. 3043.

[89] Vgl. *J. Ratzinger,* Das Problem der Dogmengeschichte in der katholischen Theologie, a. a. O., 8 f.; s. oben 108–111.

[90] Vgl. bes. DS 3421 f.

[91] *J. Ratzinger,* Das Problem der Dogmengeschichte in der katholischen Theologie, a. a. O., 10.

3. Die Dogmenentwicklung im 20. Jahrhundert

Im 20. Jahrhundert gab es in der Frage der Dogmenentwicklung vier Anstöße: die Auseinandersetzung mit dem Modernismus, die Kontroverse R. Schultes – F. Marin-Sola in den zwanziger Jahren, die Definition des Dogmas von der Aufnahme Mariens in den Himmel im Jahre 1950 und das in der Kirche neu erwachte Geschichtsbewußtsein[92].

Der Modernismus erkennt eine objektive göttliche Offenbarung nicht an. Er versteht das Dogma als Symbol der subjektiven religiösen Erfahrungen[93] und vertritt in diesem Sinne eine substantielle Dogmenentwicklung. Besonders charakteristisch ist die Position von J. Turmel (1859–1943), der auf dogmengeschichtlichem Gebiet „einen extremen Modernismus" vertreten hat[94].

Für Turmel ist die Bibel ein rein menschliches Zeugnis. Eine außerhalb des Menschen anzunehmende Begründung der Bibel lehnt er streng ab, ja, er lehnt alle Begründung des Religiösen außerhalb des Menschen ab, und damit jede übernatürliche Offenbarung. Die Bibel ist für ihn nicht Wort Gottes, nicht göttlichen Ursprungs, nicht inspiriert. Damit löst sich das grundlegende Dogma des Christentums, worauf alle anderen Dogmen beruhen, auf. Die Schrift ist für Turmel auch nicht grundsätzlich das Fundament der weiteren Dogmenentwicklung. Für die weiteren Glaubensformulierungen hat sie nicht eine regulative und normierende Funktion. Als eine schriftlich fixierte Glaubensäußerung unter vielen anderen ist sie nur allgemein der historische Anfang der Dogmenentwicklung im Christentum. Den Anfang der Entwicklung der meisten Dogmen siedelt Turmel gar nicht im NT an, sondern irgendwann in der späteren Geschichte. Demnach hat die Bibel genaugenommen nicht eine initiierende, sondern nur eine legitimierende Funktion für den Theologen, besteht fast keine innere Beziehung zwischen der Bibel und den späteren Dogmen[95].

Es ist das ausgesprochene Anliegen Turmels, die Diskontinuität und die Inkohärenz in der Entwicklung der Dogmen darzutun. Er stellt fest, die Dogmen der katholischen Kirche könnten nicht in der Bibel begründet werden, ihr Ursprung sei mehr oder weniger spät in der Geschichte zu finden, die entscheidenden Faktoren lägen im vorrationalen religiösen Bewußtsein des einfachen Volkes, die Entwicklung der Lehren sei durch Umformungen, Sprünge und Gegensätze gekennzeichnet, in diesem Entwicklungsprozeß vollziehe sich eine ständige Auseinandersetzung zwischen der „Theologie des Volkes" und der „Theologie der Theologen" bei Priorität der ersteren, wobei

---

[92] *G. Söll*, a. a. O., 222.

[93] S. oben 114 f.

[94] *R. Scherer*, Art. Modernismus, a. a. O., 514. Zum folgenden vgl. *K. P. Gertz*, J. Turmel (1859–1943), Ein theologiegeschichtlicher Beitrag zum Problem der Geschichtlichkeit der Dogmen (Disputationes Theologicae 2, hrsg. von H. Jorissen und W. Breuning), Bern/Frankfurt 1975, 132–134.

[95] Ebd.

einzelne Theologen eine bedeutende Rolle spielten. Die Thesen eines Vinzenz von Lerin und eines J. B. Bossuet von der Ursprünglichkeit der Offenbarung und der Identität der Dogmen innerhalb der Überlieferung seien vom historischen Standpunkt aus absolut unhaltbar[96].

Nach Turmel unterliegen die Dogmen sprachlich und vor allem inhaltlich substantiell dem gleichen allgemeinen Gesetz der Entwicklung und Veränderung, dem das ganze Universum im organischen wie im anorganischen Bereich unterliegt, steht der heutige Glaube der Kirche in Gegensatz zum früheren, ist keine geradlinige, kontinuierliche und in sich harmonische Entwicklung der Glaubenslehren von den Anfängen her zu erkennen, sondern nur eine Entwicklung in diskontinuierlichen, inkonsequenten und inkohärenten Widersprüchen, Stufen und Sprüngen, ist also nicht von einer Evolution, sondern von einer „Evolution in Variation", „Evolution in Transformation" oder „Evolution in Metamorphose"[97] zu sprechen. Die Dogmen sind nach ihm Produkte, Schöpfungen und Erfindungen der Menschen, Ausdruck der menschlichen Empfindungen und Wünsche, der menschlichen Phantasie und Einbildung[98].

Turmel, der seine biologistische Konzeption der Dogmenentwicklung in Anlehnung an Lamarck († 1829) und Darwin († 1882) gebildet hat, versteht die Dogmenentwicklung als unteleologisches Auf und Ab der Dogmen im Verlauf der Geschichte, das dann ein Ende haben wird, wenn die Ergebnisse der Wissenschaften alle Dogmen in ein Nichts auflösen. K. Rahner bezeichnet diese Auffassung treffend als epigenetischen Transformismus, eine Umformung in ständigen Neuansätzen[99].

Turmels Darstellung des Problems der Dogmenentwicklung forderte die Theologie heraus, die Kontinuität des Glaubens durch eine tiefere Sicht des Problems aufzuzeigen. Berechtigt sind an der Position Turmels die Erkenntnis der Bedeutung der Geschichte in der Entfaltung der Dogmen und die Hervorhebung der natürlichen Faktoren der Entfaltung, unberechtigt die Einseitigkeit, die die Wirklichkeit auf die naturalen Realitäten reduziert, die die Dogmen nicht primär in der Bibel, sondern im religiösen Bewußtsein des Volkes fundiert, sowie die Betonung der Diskontinuität in der Dogmenentwicklung. Die Aufnahme der guten Anliegen des Modernismus suchte M. Blondel (1861–1949) mit einer tieferen Sicht des Problems der Dogmenentwicklung zu verbinden[100].

Blondel sieht in der Tradition als Vermittlung von Dogma und Geschichte weniger ein äußeres Weitergeben von Sätzen als die Überlieferung lebendiger Wirklichkeit. Damit ist die Tradition nicht nur „nach rückwärts gewandte

---

[96] Ebd., 230. In der Schrift „La vierge Marie (Christianisme 9), Paris 1925" (unter dem Pseudonym L. Coulange erschienen) will Turmel ex professo die Diskontinuität in der Entwicklung der Dogmen und ihre Unabhängigkeit gegenüber der Bibel verdeutlichen; vgl. *K.-P. Gertz*, a. a. O., 208–230.
[97] Ebd., 202.   [98] Ebd., 200–202.
[99] *K. Rahner*, Art. Dogmenentwicklung, a. a. O., 458; vgl. *K.-P. Gertz*, a. a. O., 207.
[100] S. oben 119 f.

Bewahrung der Vergangenheit"[101], sondern sie erhält eine zukunftsgerichtete, „in ihrem Wesen erobernde Tendenz"[102]. Sie entdeckt und formuliert Wahrheiten, „von denen die Vergangenheit gelebt hat, ohne sie ausdrücklich aussprechen und definieren zu können"[103]. „Sie setzt zwar die Texte voraus, aber zugleich und in erster Linie noch etwas anderes, nämlich eine stets sich ereignende (en acte) Erfahrung, die es ihr erlaubt, in gewisser Hinsicht Herrin der Texte zu bleiben, anstatt ihnen im strengen Sinn unterworfen zu sein"[104]. Der Dogmenentwicklung liegt eine globale Erfahrung innerhalb des Offenbarungsgeschehens zugrunde, „die den Sätzen vorausliegt und eine unerschöpfliche Quelle für die Artikulation ist"[105]. Nach Blondel lebt in der Kirche etwas, was der wissenschaftlichen Kontrolle entgleitet, was aber nicht heißt, daß die Kirche an den Ergebnissen der Exegese und der Geschichte vorbeigeht[106]. „Die Dogmen sind so weniger das Ergebnis einer dialektischen Reflexion über die Texte als Ausdruck einer beständigen und im Leben erprobten Wirklichkeit"[107]. Blondel betont, die Syllogistik sei auch sonst in der Wahrheitsfindung des Alltags nicht das erste und letzte Wort der menschlichen Vernunft, und trotzdem handle es sich dabei um rationale Erkenntnis und um rationale Sicherheit, da man die ratio ja nicht auf die syllogistische Deduktion einschränken könne[108].

Blieben die Gedanken Blondels auch in ihrer Zeit und vor allem in der neuscholastischen Schultheologie ohne die nötige Resonanz, so waren sie doch maßgebend für die Zukunft: Gemeinsam mit Newman und der Tübinger Schule konnte Blondel die Dogmenentfaltung aus der intellektualistischen Verengung herausführen. Künftige Deutungsversuche der Dogmenentwicklung sollten sich an diesen Gedankengängen orientieren[109].

Einen weiteren Anstoß in der Frage der Dogmenentwicklung gab die Kontroverse R. Schultes – F. Marin-Sola in den zwanziger Jahren. Während R. Schultes erklärt, nur das implizit formell Geoffenbarte[110] sei als Dogma definierbar, hält F. Marin-Sola daran fest, daß auch das virtuell Geoffenbarte[111]

---

[101] *K. Rahner–K. Lehmann,* Geschichtlichkeit der Vermittlung, a. a. O., 752.
[102] Ebd.
[103] *M. Blondel,* Geschichte und Dogma, a. a. O., 69.
[104] Ebd., 69 f.; vgl. *K. Rahner–K. Lehmann,* Geschichtlichkeit der Vermittlung, a. a. O., 752 f. *Rahner* (Zur Frage der Dogmenentwicklung, a. a. O., 77; Überlegungen zur Dogmenentwicklung, a. a. O., 14–16) spricht von dem ursprünglichen, satzlosen, wissenden Haben einer Sache und dem reflexen, satzhaften Wissen um dieses ursprüngliche Wissen als sich gegenseitig bedingenden und fortführenden Elementen einer einzigen Erfahrung; das reflexe Wissen habe immer seine Wurzeln in einer vorausliegenden Inbesitznahme der Sache selbst.
[105] *H. Hammans,* die neueren katholischen Erklärungen der Dogmenentwicklung, in: Conc 3, 1967, 52.
[106] *M. Blondel,* a. a. O., 71 ff. 75 ff.
[107] *K. Rahner–K. Lehmann,* Geschichtlichkeit der Vermittlung, a. a. O., 753.
[108] Ebd., 760–762.   [109] Ebd., 753 f.
[110] Erkenntnisse, die aus zwei oder mehr Offenbarungswahrheiten abgeleitet sind.
[111] Erkenntnisse, die mittels einer Vernunftswahrheit aus Offenbarungswahrheiten geschlossen werden.

von Gott geoffenbart und daher als Dogma definierbar sei[112]. Man hat gegen Schultes eingewandt, daß der Begriff des formell Gesagten angesichts der faktischen Entwicklung zu sehr erweitert werden müsse und daß der Begriff des implizit formell Geoffenbarten zu sehr belastet sei, zu viele Widersprüche enthalte und nur schwer vom virtuell Geoffenbarten zu unterscheiden sei. Aber was vielleicht wichtiger ist: Schultes und Marin-Sola sind sich darin einig, daß die Dogmenentwicklung in einem rein logischen Explikationsverfahren erfolgt, nach den Regeln der Syllogistik. Das war freilich schon lange nicht mehr unbestritten, wie die Versuche der Tübinger Schule, Newmans und Blondels zeigen[113]. Aber diese Fragen kamen so wieder ins Gespräch.

Neuen Auftrieb erhielten die Bemühungen der katholischen Theologen um das Problem der Dogmenentwicklung wiederum im Zusammenhang mit der Verkündigung des Dogmas von der leiblichen Aufnahme Mariens in den Himmel am 1. November 1950. Hier wurde vollends deutlich, daß der logische Typ der Erklärung der Dogmenentwicklung nicht ausreicht, daß man die Dogmenentwicklung als geschichtlichen Prozeß verstehen muß, daß ihr zutiefst die vom Heiligen Geist geleitete Glaubensschau zugrunde liegt. Es reifte die Überzeugung, daß es der Heilige Geist sei, der das viele, das Gott in den Schriften verborgen hat, in der glaubenden Kirche im Laufe der Zeit zu ausdrücklicher Erkenntnis erschließe[114].

Seither fanden auch mehr und mehr die Ergebnisse der Verwendung der historisch-kritischen Methode in der Bibelwissenschaft in der katholischen Theologie Eingang. Es reifte die Erkenntnis, daß nicht nur die Glaubensaussagen geschichtlich sind, sondern auch die Glaubensquelle und damit die Substanz der Dogmen, daß die Kirche, ohne die Dogmen zu relativieren, ganz Ernst machen muß mit dem Grundgesetz der christlichen Offenbarung, wonach das Göttliche sich entsprechend dem recht verstandenen Inkarnationsprinzip durch das Menschliche manifestiert[115]. Aber warum konnte sich das geschichtliche Verständnis von Offenbarung und Dogma in der katholischen Theologie nur schwerlich durchsetzen?

Der nicht zu leugnende Widerstand auf katholischer Seite gegen eine eigentliche Dogmen*geschichte* erklärt sich nicht zuletzt aus der besonderen Situation der katholischen Kirche in nachtridentinischer Zeit. Die protestantische Reformation bezog ihre Legitimation aus der Verfallsidee. Im Dienste des

---

[112] Marin-Sola läßt nur metaphysisch stringente Argumente als Begründung für den Explikations-zusammenhang gelten, während heute nicht wenige Theologen schon Wahrscheinlichkeitsüberlegungen für ausreichend halten (*K. Rahner–K. Lehmann*, Geschichtlichkeit der Vermittlung, a. a. O., 756).

[113] Ebd., 754–756; vgl. *K. Rahner*, Art. Dogmenentwicklung, a. a. O., 459; *H. Hammans*, Die neueren katholischen Erklärungen der Dogmenentwicklung, in: Conc, a. a. O., 50 f. Eingehend unterrichtet über die Fragen der Dogmenentfaltung das grundlegende Werk von *H. Hammans*, Die neueren katholischen Erklärungen der Dogmenentwicklung (Beiträge zur neueren Geschichte der katholischen Theologie 7), Essen 1965; vgl. zu dieser Stelle bes. 121–163.

[114] *O. Semmelroth*, Zeitalter des Heiligen Geistes? in: GuL 32, 1959, 175.

[115] Vgl. *G. Söll*, a. a. O., 222.

Nachweises dieser Idee standen die Magdeburger Centurien. Dagegen versuchte nun, überspitzt gesagt, die katholische Geschichtsschreibung nachzuweisen, daß keine Geschichte stattgefunden habe, daß alles immer gleich geblieben sei, daß die Kirche der Gegenwart und die Kirche der Apostel identisch seien. Die Folge war, daß von den verschiedenen Elementen, die der Traditionsbegriff vor dem Konzil von Trient und noch auf diesem selbst umfaßte, eines allmählich in den Vordergrund trat und den ganzen Traditionsbegriff absorbierte, nämlich der Gedanke der ungeschriebenen Überlieferung von den Aposteln her, die mündlich neben der Schrift weitergegeben wird. Mit diesem Gedanken konnte nun das katholische Plus verteidigt werden, einem Gedanken, der aber seinem Wesen nach die Geschichte ausschließt. „Wenn Überlieferung so zu verstehen ist, kann es der Sinn geschichtlicher Bemühung nur sein, nachzuweisen, daß alles immer schon in gleicher Weise bestanden hat, und diesen Nachweis immer weiter zu verfeinern"[116]. Die katholische Dogmengeschichte bekam daher nicht die Geschichtlichkeit des Dogmas in den Blick, sie wurde vielmehr „zum Nachweis seiner Ungeschichtlichkeit und seiner steten Identität"[117]. Das gilt nach Ratzinger auch für Petavius im 17. Jahrhundert. Wenngleich wir bei ihm wertvolle geschichtliche Einsichten und Vorstöße auf das geschichtliche Verständnis des Dogmas hin fänden, so werde dadurch kaum die ungeschichtliche Gesamtkonzeption aufgehoben. Diese sei nicht einmal ganz bei Tixeront, der die wissenschaftlich bedeutendste katholische Gesamtdarstellung der Dogmengeschichte in den Jahren 1905–1912 verfaßt hat, überwunden. Wenngleich die statische Konzeption des Dogmas bereits seit der Tübinger Schule und seit Newmans Idee von der Entwicklung des Dogmas im Schwinden sei, wo wirke sie doch bis heute weiter[118].

Der katholischen Identitätskonzeption, in der Dogmengeschichte sich auf die Sammlung der Loci für die Unveränderlichkeit des Dogmas reduziert, steht, so Ratzinger, auf protestantischer Seite die Verfallsidee gegenüber, die die Idee der, freilich negativ verstandenen, Entwicklung zwingend herausforderte. Die Verfallsidee ist die negative Kehrseite des Sola-Scriptura-Prinzips. Wenn allein die Schrift gilt, dann kann alles, was nachher folgt, nur Verfall und Depravierung sein. Alle großen protestantischen Werke der Dogmengeschichte sind unter diesem Gesichtspunkt geschrieben. Wenn heute die protestantische Exegese die Entstehung des Katholischen bereits in den neutestamentlichen Kanon verlegt, so heißt das, daß für sie die Verfallsidee auch schon innerhalb des Kanons am Werk war[119].

---

[116] *J. Ratzinger,* Das Problem der Dogmenentwicklung in der katholischen Theologie, a. a. O., 11.

[117] Ebd., 11 f.

[118] Ebd. 12.

[119] *E. Käsemann,* Exegetische Versuche und Besinnungen, Göttingen 1960, I, 214–223 u. II, 239–252; *H. Küng,* Strukturen der Kirche, Freiburg 1962, 143–161; *J. Ratzinger,* Das Problem der Dogmenentwicklung in der katholischen Theologie, a. a. O., 12–14; vgl. unten 239 f. und 307 f.

Aber im Grunde verneint auch die protestantische Sicht – auf andere Weise als die katholische – eine Geschichte des Christlichen als solche radikal, wenn sie alles Werden grundsätzlich als Abfall versteht, obgleich sie den Blick für das Werden und Gewordensein im Christlichen freigibt und so eine eigentliche historische Arbeit ermöglicht. Hier ist wie im katholischen Bereich die Stellung zur Überlieferung der ausschlaggebende Punkt. Zwingt die nachtridentinische katholische Überlieferungsbejahung zur Geschichtslosigkeit, so führt die protestantische Kritik der Überlieferung zugleich zu einer Kritik der Geschichte. Sie weist diese als christliche ab und fordert damit auf andere Weise einen geschichtslosen Begriff des Christlichen heraus[120].

Die Dogmengeschichte muß eine doppelte Bewegung umfassen, die Bewegung der Entfaltung der Dogmen und ihrer Reduktion auf die ursprüngliche Offenbarung, so meint Ratzinger[121]. Das ist richtig. Aber man muß auf der Hut sein, daß praktisch nicht die Reduktion im Vordergrund steht, somit die Verfallstheorie dominiert und die Entfaltung entleert wird. Diese Gefahr erscheint uns jedenfalls in der Gegenwart offenkundig.

4. Zur Deutung der Dogmenentwicklung

Es ist uns heute reflex bewußt, daß die Einzelaussage der Offenbarung Doppelcharakter hat, eine äußere, empirische, natürlich erkennbare und eine innere, übernatürliche, nur im gnadenhaften Glaubensakt faßbare Seite. Die Offenbarungsaussagen nehmen an der Engheit und Begrenztheit aller Aussagen in menschlichen Begriffen und menschlicher Sprache teil. Es bleiben bezüglich der übernatürlichen Realitäten Fragen offen und Deutungen möglich. Daher sind uns die Offenbarungsaussagen in der lebendigen Predigt der Kirche gegeben, die den echten Sinn der Offenbarungspredigt hütet und legitim interpretiert. Die im natürlichen Bereich bestehende Möglichkeit, bei Mehrdeutigkeit einer Aussage diese an der Realität zu verifizieren, ist bei der Offenbarungsaussage nicht möglich. An die Stelle dieser Möglichkeit tritt die Kirche, der der Heilige Geist verliehen ist. Die im Glauben des einzelnen und der Kirche zunächst unreflex empfangene Heilswirklichkeit hat in sich die Tendenz zum artikulierbaren Verstehen und zu kontemplativer Vertiefung. Die Explikation der Offenbarung erfolgt je neu durch das geistgewirkte Glaubensleben, die Verkündigung und die intellektuelle Arbeit der Theologen. Das volle Verständnis der Offenbarung ist jedoch der eschatologischen Erfüllung vorbehalten[122].

---

[120] *J. Ratzinger*, Das Problem der Dogmenentwicklung in der katholischen Theologie, a. a. O., 14.
[121] Ebd., 23 f.
[122] S. oben 174 f. *A. Kolping*, Zur theologischen Erkenntnismethode, a. a. O., 82 f.; vgl. DV Art. 8 u. *G. G. Blum*, Offenbarung und Überlieferung, a. a. O., 138 f.; *H. Hammans*, Die neueren katholischen Erklärungen der Dogmenentwicklung, in: Conc, a. a. O., 52 f.

Der Vorgang der Dogmengeschichte ist nicht adäquat in formale Gesetze einzufangen oder an Gesetzen abzulesen, weil er echte Geschichte ist. Die Dogmenentwicklung enthüllt ihr Geheimnis fortschreitend, und zwar in der Tat, nicht in einer vorausgehenden Reflexion. Die bisherige Dogmenentwicklung vermittelte nur einen Teil der Gesetze und Triebkräfte. Einen abgeschlossenen und verbindlichen Kanon von Gesetzen und Triebkräften für eine legitime Dogmenentwicklung kann man erst nach ihrem endgültigen Abschluß, d. h. am Jüngsten Tag, aufstellen. Immerhin gibt es aber gewisse Prinzipien, die aus dem Wesen einer geschichtlichen und endgültigen Offenbarung folgen: So muß grundsätzlich ein inhaltlicher Zusammenhang zwischen dem alten Depositum und einem neu definierten Dogma gegeben und auch nachweisbar sein, so grenzt jeder erreichte Fortschritt die zukünftigen Möglichkeiten ein, so wird die sonst im Bereich der Erkenntnis immer mögliche Gefahr des Irrtums oder der Täuschung hier durch den der Kirche verheißenen Heiligen Geist ausgeschaltet[123].

Soweit nicht explizit formulierte Aussagen in der Offenbarung vorliegen, rekurriert man bei der Frage der Dogmenentwicklung auf das implizit Geoffenbarte. Gerade hier liegt die Problematik. Wenn sich die fragliche Wahrheit in streng logischer Deduktion aus formell geoffenbarten Wahrheiten ableiten läßt, ist es noch einfach. Aber das ist relativ selten der Fall. Hier ist nun zu bedenken, daß der menschliche Offenbarungsmittler das Medium in der Hand des offenbarenden Gottes ist. Gott, dem die übernatürlichen Realitäten gegenwärtig sind, bringt diese durch den Sinn der Aussage zur Sprache. Dabei bedient er sich des menschlichen Offenbarungsmittlers. Außerdem bedient er sich menschlicher, vom Heiligen Geist geleiteter Vermittlung, um die an sich mehrdeutige Aussage in dem von ihm intendierten Sinn in der Gemeinde der Gläubigen gegenwärtig zu erhalten und entsprechend seinem Wissen und in dem Umfang, wie sein Wille es bestimmt hat, zu interpretieren. Diese Aufgabe wird zunächst durch das Glaubensleben der Gesamtkirche in seinen verschiedenen Äußerungen, dann authentisch durch das Lehramt der Kirche wahrgenommen. Das Lehramt schützt den Sinn einer Aussage, wie Gott ihn ursprünglich intendiert, und interpretiert ihn auf weitergehende Fragen hin. Der entscheidende Grund für die Möglichkeit gläubiger Annahme liegt in der Vorlage durch die Kirche. Deshalb ist es kein großer Unterschied, ob die neu ins aktuelle Bewußtsein der Kirche eintretende Wahrheit kraft streng logischer Deduktion aus expliziten Offenbarungsaussagen zu erschließen ist oder in vagen und im wörtlichen Sinne mehrdeutigen Andeutungen enthalten ist. Wir stützen uns letztlich auf die besondere,

---

[123] A. *Kolping,* Zur theologischen Erkenntnismethode, a. a. O., 84 f.; *J. Finkenzeller,* Glaube ohne Dogma? Dogma, Dogmenentwicklung und kirchliches Lehramt, a. a. O., 28; *K. Rahner,* Überlegungen zur Dogmenentwicklung, a. a. O., 16 ff.; ders., Zur Frage der Dogmenentwicklung, a. a. O., 51 ff.; *H. Hammans,* Die neueren katholischen Erklärungen der Dogmenentwicklung, in: Conc, a. a. O., 51 f.; *K. Rahner–K. Lehmann,* Geschichtlichkeit der Vermittlung, a. a. O., 762 f. und 766 f.; *H. Lais,* a. a. O., I, 29.

gnadenhaft der Kirche gegebene, übernatürliche Hell- und Scharfsichtigkeit des Auges der Kirche[124].

Es dürfen nicht nur bestimmte Aussagen der Offenbarung und deren unmittelbar logisch erschließbarer Zusammenhang in sich betrachtet werden, sondern diese Aussagen und ihr Sinn müssen auch betrachtet werden, sofern sie Ausdruck der lebendigen lehrenden Kirche sind. Entscheidend ist, daß sowohl der Ausgangspunkt, also die Offenbarung, als auch der dogmatische Fortschritt den Heiligen Geist zu ihrem prinzipalen Urheber haben. Das ist festzuhalten bei aller Berücksichtigung der hierbei beteiligten psychologischen Faktoren.

Die Ansätze für eine neue theologische Erkenntnis müssen durchaus nicht von den Trägern des Lehramtes ausgehen. Sie brauchen bei ihrem Auftreten nicht einmal in theologisch streng beweisender Form vorgelegt zu sein. So ist es zum Beispiel nicht anfechtbar, wenn im Dogma von der Assumptio BMV die ersten Ansätze in apokryphen Schriften (Transitus-Berichte!) zu finden sind. Auch wenn diese Schriften in ihrem Anspruch, explizite Aussprüche von Offenbarungsmittlern zu sein oder von inspirierten Schriftstellern zu stammen, nicht zu akzeptieren sind, so zeigt sich, daß in ihnen Ahnungen aufsteigen, die sich im Laufe der kirchlichen Entwicklung zu begrifflicher Klarheit und kirchlicher Anerkennung durchgerungen haben[125].

Der Einfluß des Heiligen Geistes begleitet ebenso wie die dogmatischen Definitionen auch die anderen Akte des kirchlichen Lehramtes, etwa die abwartende Haltung gegenüber neu auftretenden Theologumena, die Aufforderung zu weiterem Forschen, das Aus-dem-Weg-Räumen von Hindernissen.

Der vom Heiligen Geist geleitete sensus fidelium knüpft an die in der konkreten Heilsordnung gegebenen Andeutungen und Hinweise an. Bedeutsam sind dabei die verschiedenen Äußerungen des kirchlichen Lebens, z. B. die Liturgie, die Väter, die Theologen und die Volksfrömmigkeit, die ausgehen von der Offenbarung, von der darauf aufgebauten analogia fidei und von sich anbietenden Konvenienzgründen. Soweit sie legitime, von Gott gewollte Interpretierungen sind, sind sie vom Heiligen Geist getragen und geführt, sind sie näherhin eine Auswirkung des lumen fidei.

Letzte Sicherheit bezüglich des Offenbarungscharakters einer gegebenen Einzelwahrheit gibt erst die ordentliche Lehrverkündigung der Kirche oder der richterliche Entscheid des kirchlichen Lehramtes (das iudicium oder das testimonium). In diesen Fällen erfließt die Gewißheit, mit der der Papst oder das Bischofskollegium die propositio vornehmen, nicht aus der menschlichen Einsichtigkeit der vorgelegten Beweise, sondern aus dem Beistand des Heiligen Geistes, der die Einsicht in die Fundorte der Offenbarung zu einer unmittelbar sicheren macht. Das gilt im übrigen auch da, wo Schriftstellen eindeutig sprechen; da beruht die absolute Gewißheit, mit der das Lehramt der Kirche

---

[124] 1 Kor 2, 9–16; A. *Kolping*, Zur theologischen Erkenntnismethode, a. a. O., 85–89.
[125] Ebd., 93–95.

den Inhalt dieser Dokumente verkündet, ebenfalls nicht auf menschlicher Einsicht, sondern auf dem übernatürlichen Amtscharisma. Daher ist auch bei Definitionen die Begründung nicht mitdefiniert, wenn es nicht ausdrücklich gesagt wird, denn sie ist im allgemeinen nur der menschliche Weg, auf dem der Heilige Geist die Richter des Glaubens zu jenem Entscheid führt, zu dem er sie führen will. Da gilt das Prinzip „gratia supponit naturam". Gott wirkt mediante natura. Von der propositio her fällt dann neues Licht auf die Traditionsdokumente. Die Erkenntnismethode und das Erkenntnisleben der Kirche werden eigentlich erst von dem göttlichen Charakter der Kirche her verständlich. Das darf nicht übersehen werden[126].

Mit Nachdruck unterstreichen die Theologen der Gegenwart den lebendigen Kontakt der Kirche mit der geglaubten Wirklichkeit, wodurch der unerschöpfliche Sinn der Schrift, wie er in der Kirche lebt, mehr und mehr erhellt wird[127]. Die Dogmenentwicklung erfolgt demnach letztlich „durch die lichte Kraft des Geistes im Kontakt mit der Sache selbst"[128].

Die Tradition ist nicht ein System von Sätzen und Dogmen, sondern eine Wirklichkeit, der Gottmensch Jesus Christus; sie ist zwar auch eine Lehre, aber vor allem eine Person: Christus ist der Meister, der lehrt und zugleich Gegenstand des Glaubens ist. In ihm ist alles gegeben, nicht nur keimhaft, sondern abgeschlossen. „Seine Reichtümer werden allmählich erschlossen auf einem Wege, dem die Logik nicht fremd ist und nicht fremd sein kann, aber manchmal eher die Logik der Entdeckung (inventio), der Findung, die nach der Art lebendigen Wachstums vorgeht. Leben und Logik in diesem Sinn und im Leben der Kirche Christi stehen nicht im Gegensatz zueinander. Das Leben hat seine eigene Logik und seine eigene Gesetzmäßigkeit"[129].

Warf die liberale Theologie des 19. Jahrhunderts der katholischen Kirche ein blindes Verharren bei zukunftslosen und versteinerten alten Dogmen vor, so wirft ihr die gegenwärtige protestantische Theologie, speziell im Hinblick auf das Dogma von der Assumptio BMV, vor, sie produziere in einer willkürlichen Neuerungssucht apostolische Lehre, die kein Fundament in der Schrift habe. G. Ebeling sagt, an die Stelle der Einmaligkeit der Apostel trete

---

[126] Ebd., 96–103; *A. Lang*, a. a. O., II, 266 f.

[127] *E. Schillebeeckx*, Offenbarung und Theologie, a. a. O., 24 f. Schillebeeckx sagt: „Der affektive Erkenntniskontakt mit Gott ist in uns die Frucht der ‚locutio interna' oder des Glaubenslichtes; sein Inhalt jedoch kommt aus der objektiven öffentlichen Offenbarung" (68. 63 ff.). Dieser Inhalt werde nicht von Anfang an ausdrücklich erkannt, sondern es bestehe ein implizites Vorstadium; der Übergang von diesem zum ausdrücklichen Stadium der Erkenntnis sei der spezielle Bereich der Dogmenentwicklung. Dabei sei das Glaubenslicht das Prinzip der Kontinuität und Unveränderlichkeit in der Entwicklung. Dieses Glaubenslicht aber sei nach Thomas ein innerer Instinkt des Heiligen Geistes. Mithin sei die Leitung des Heiligen Geistes durch das Glaubenslicht das innere Prinzip der Kontinuität der Dogmenentwicklung (68–70).

[128] *K. Rahner–K. Lehmann*, Geschichtlichkeit der Vermittlung, a. a. O., 760; *K. Rahner* (Zur Frage der Dogmenentwicklung, a. a. O., 61 ff. 69. 80. 82) spricht vom lebendigen Kontakt mit der Sache, *J. Barbel* (227) von einer wachsenden Erkenntnis „per connaturalitatem" unter der Leitung des Heiligen Geistes.

[129] *J. Barbel*, a. a. O., 226.

hier die „Offenbarung in Permanenz"[130]. Er erklärt, in der katholischen Kirche herrsche neben Konservatismus ein radikaler Evolutionismus[131]. F. Heiler bemerkt mit Hinweis auf das Marien-Dogma von 1950, über Nacht seien die Grundsätze modernistischer Dogmenauffassung von der römisch-katholischen Apologetik übernommen und sogar überboten worden[132]. Indessen ist es die unbeirrbare Überzeugung der Kirche, daß ein neues Dogma jeweils implizit in einem alten oder im Ganzen des früher Geglaubten enthalten ist[133]. Der innere Zusammenhang zwischen der Offenbarung und dem aktuellen Glauben der Kirche ist jedoch letztlich eine Sache des Glaubens. Es ist die Kirche selber, die ihn verbürgt.

5. Die Aussagen des II. Vaticanum zur Dogmenentwicklung

Die Offenbarungskonstitution des II. Vaticanum spricht ausdrücklich vom Voranschreiten der traditio ab Apostolis, vom Wachsen des Glaubensschatzes durch das Verständnis „der überlieferten Dinge und Worte"[134]. Sie geht aus von dem Phänomen der lebendigen Überlieferung und konstatiert, ein Wachstum dieser Überlieferung erfolge durch die Kontemplation und das Studium der Gläubigen, durch die aus der Erfahrung der geistlichen Dinge hervorgehende innere Einsicht und endlich durch die Lehrverkündigung derer, die in der apostolischen Nachfolge des Bischofsamtes das Charisma der Wahrheit empfangen hätten[135].

Angesichts einer solchen dynamischen Konzeption gab es auf dem Konzil eine heftige Debatte. Kardinal Ernesto Ruffini sah als Vertreter der neuscholastischen Theologie das Axiom vom Abschluß der Offenbarung mit dem Tode des letzten Apostels gefährdet. Er bezweifelte, daß auch „apostolische Männer" die göttliche Wahrheit empfangen und weitergegeben hätten, und erklärte, die Anschauung vom Wachstum der Überlieferung stehe im Widerspruch zum Tridentinum und zum I. Vaticanum. Sie enthalte die durch Pius X. verurteilte modernistische Auffassung einer fortschreitenden Offenbarung. Ein weiterer Einspruch gegen den Entwicklungsgedanken kam aus einem von der reformatorischen Theologie beeinflußten Blickwinkel heraus. Er wurde formuliert durch Kardinal Paul Emile Léger. Dieser wollte primär die Prävalenz und die Transzendenz der Offenbarung gegenüber aller

---

[130] *G. Ebeling,* Wort Gottes und Tradition (Kirche und Konfession 7), Göttingen 1964, 181.

[131] *G. Ebeling,* Die Geschichtlichkeit der Kirche und ihrer Verkündigung als theologisches Problem (Sammlung gemeinverständlicher Vorträge und Schriften aus dem Gebiet der Theologie und Religionsgeschichte 207/208), Tübingen 1954, 44 f.

[132] *F. Heiler,* Katholischer Neomodernismus, Zu den Versuchen einer Verteidigung des neuen Mariendogmas, in: Das neue Mariendogma im Lichte der Geschichte und im Urteil der Ökumene II, hrsg. von *F. Heiler* (Ökumenische Einheit II/3), München 1951, 233.

[133] Vgl. *K. Rahner–K. Lehmann,* Geschichtlichkeit der Vermittlung, a. a. O., 729–732.

[134] DV Art. 8: „Haec quae est ab Apostolis Traditio sub assistentia Spiritus Sancti in Ecclesia proficit: crescit enim tam rerum quam verborum traditorum perceptio . . .".

[135] Ebd.; vgl. *G. G. Blum,* Offenbarung und Überlieferung, a. a. O., 131 f.

Tradition sicherstellen. Er betonte, es wachse wohl die Erkenntnis der apostolischen Verkündigung, nicht aber die Tradition, wie der Text behaupte. Ihre Lebendigkeit dürfe nicht im Sinne eines Wachstums mißverstanden werden. Es sei klar zu unterscheiden zwischen der auf Christus und die Apostel begrenzten konstitutiven Tradition und ihrer Weitergabe durch die, die nicht mehr Zeugen des Auferstandenen gewesen seien. Deshalb sei auch streng zu scheiden zwischen der Assistenz des Geistes, die den Aposteln zuteil geworden sei, und der Führung der Kirche und ihrer Bischöfe durch das Pneuma[136]. Beide, Ruffini wie Léger, befürchteten auf je verschiedene Weise ein Mißverständnis der Offenbarung. Fürchtete Ruffini um die Glaubenswahrheit vom Abschluß der Offenbarung, so Léger um das Schriftprinzip.

Das Konzil konnte sich trotz dieses doppelten Einspruchs nicht zu einer einschneidenden Textänderung entschließen. Es blieb bei den beiden Aussagen: „Traditio sub assistentia Spiritus Sancti ... proficit: crescit enim tam rerum quam verborum traditorum perceptio"[137]. Das Konzil wollte damit einerseits deutlich machen, daß „der Weg der Überlieferung ... auf keinen Fall in der Weise einer logischen Deduktionsmethode als rein intellektuelle Entfaltung von geoffenbarten Wahrheiten verstanden werden"[138] kann, und andererseits auch „eine aus der Naturwissenschaft stammende Evolutionstheorie" ausschließen, „nach der aus keimhaften, nicht unbedingt historisch-kritisch verifizierbaren Anfängen sich ein organischer und naturhaft gesetzlicher Entwicklungs- und Reifungsprozeß ergibt"[139].

Nach der Aussage des II. Vaticanum ist die Entfaltung des Dogmas nicht einfach logisch-deduktiv zu denken, aber auch nicht evolutiv-naturgesetzlich. Am Anfang der Überlieferung steht keine Satzwahrheit, aus der dann in logischer Folge andere Wahrheiten entstehen, das Offenbarungsgeschehen ist aber auch nicht einem Keim vergleichbar, der aufgeht und Frucht bringt. Der Anfang der Tradition ist vielmehr das Christusgeschehen und seine Erfahrung in der apostolischen Zeit. Gott hat sich endgültig den Menschen geoffenbart. Darin besteht die Abgeschlossenheit der Offenbarung. Damit ist aber nicht der Dialog Gottes mit den Menschen zu Ende, sondern erst in seinem vollen Umfang eröffnet, und er wird in der Geschichte der Offenbarungstradition ständig fortgesetzt. Der Kanon der heiligen Schriften wird der Kirche durch das Traditionsgeschehen bekannt gemacht, und im Traditionsgeschehen werden die heiligen Schriften tiefer verstanden und unaufhörlich wirksam. Durch das Wirken des Heiligen Geistes erklingt die lebendige Stimme des Evangeliums in der Kirche. Die Entwicklung der Glaubenserkenntnis ist damit nicht ein logischer oder natürlicher Ablauf, „sondern zutiefst begründet im personal-dialogischen Verhältnis zwischen Christus und seiner Kirche"[140].

---

[136] Die Ansprachen sind dokumentiert bei *J. Chr. Hampe* (Hrsg.), Die Autorität der Freiheit, Gegenwart des Konzils und Zukunft der Kirche im ökumenischen Disput, München 1967, I, 112–116; vgl. *G. G. Blum,* Offenbarung und Überlieferung, a. a. O., 135 f.
[137] DV Art. 8. [138] *G. G. Blum,* Offenbarung und Überlieferung, a. a. O., 137.
[139] Ebd. [140] Ebd., 138 bzw. 137 f.

Damit ist deutlich geworden: Die Offenbarung ist nicht nur ein endgültiges, historisch abgeschlossenes Geschehen, sie ist ebenso fortlaufende, wirkmächtige Gegenwart[141]. Die katholische Auffassung von der Dogmenentwicklung wendet sich einerseits gegen eine statische Konzeption, die in extremer Weise das Bleibende in der Offenbarung betont, gegen einen falschen Konservatismus, der sich auf den Buchstaben der Schrift oder auf die ersten Jahrhunderte festlegt, andererseits gegen jene dynamische Konzeption, die auch den wesentlichen Inhalt der Offenbarung in den Entwicklungsprozeß einbezieht, die dem Abschluß der Offenbarung nicht gerecht wird und die Glaubenswahrheiten relativiert[142]. Mit diesem Abschluß der Offenbarung beginnt ihre Explikation in der Kirche, fortschreitend bis zum Jüngsten Tag, im lebendigen Kontakt mit der geoffenbarten Wirklichkeit. Dieser Prozeß erfolgt nach dem Glauben der Kirche unter der Führung des Heiligen Geistes, des auctor principalis der Offenbarung wie auch der Dogmenentwicklung. Diese Entwicklung vollzieht sich weder einfach logisch-deduktiv noch evolutiv-naturgesetzlich, sie ist vielmehr letztlich begründet im personal-dialogischen Verhältnis zwischen Christus und der Kirche.

---

[141] Ebd., 130. 138.
[142] A. Lang, a. a. O., II, 267.

DRITTER TEIL

Die zeitliche Fixierung des Abschlusses der konkret-geschichtlichen Offenbarung, das Problem der apostolischen Zeit

Der 1. Teil dieser Darstellung widmete sich dem Wesen der Offenbarung und ihrem Verständnis in der Schrift und im Glauben der Kirche: Die revelatio publica ist die Selbsterschließung des überwelthaften Gottes. Sie besteht in einem ganzen Kosmos von ihm geschaffener übernatürlicher Realitäten und in dem diese Realitäten aufschließenden Wort. Gott enthüllt sich durch sein Handeln und sein Wort. Konkretisiert ist die Offenbarung Gottes in der Schrift und in der Überlieferung sowie in der aktuellen Predigt der Kirche. Ziel dieser Selbsterschließung ist die Kommunikation Gottes mit dem Menschen.

Im 2. Teil ging es um die Frage des Abgeschlossenseins dieser Offenbarung im Christusereignis: Nach dem Glauben der Kirche hat die Offenbarung mit Christus und den Aposteln ihre Vollendung und ihren Abschluß gefunden. Seit jeher lebt das Christentum aus der Überzeugung, „daß es an die Bewahrung der ‚traditio apostolica‘ auf Sein und Nichtsein gebunden ist"[1]. Der Anspruch der Kirche, die abgeschlossene Offenbarung zu bewahren und zu interpretieren, ist geradezu die Grundlage ihrer Existenz[2].

Die Erlösung ist vollzogen, wenn auch ihre eschatologische Manifestation noch aussteht. Was Gott mit der ganzen Menschheitsgeschichte vorhat, ist endgültig ausgesagt. Doch ist die erreichte Fülle nicht Ende, sondern Anfang. Die Kirche besitzt die übernatürlichen Realitäten und das sie erschließende Wort Gottes. Sie vermittelt und entfaltet diese Offenbarung im Laufe der Geschichte. Der endgültige Bund Gottes mit den Menschen kommt darin immer neu zum Vollzug als wirksame Gegenwart. Zugleich weist die Offenbarung in die Zukunft, in der das verborgene Christusgeschehen in der revelatio gloriae enthüllt wird.

Mit dem Abschluß der Offenbarung sind aufs engste die Apostel verbunden. In ihnen reicht die Christusoffenbarung in die Zeit der beginnenden Kirche hinein. Sie haben die Offenbarung promulgiert, aber sie sind auch Offenbarungsträger und Offenbarungsempfänger durch den Heiligen Geist. In der nachösterlichen Zeit werden noch einzelne übernatürliche Realitäten, Folgen oder Teilmomente des Christusereignisses ins Werk gesetzt und im Christusereignis geschaffene Realitäten ins Wort gefaßt. Die Zeit der Apostel gehört daher noch zur abschließenden Offenbarung. Erst das Ende dieser Zeit der Apostel bringt die Christusoffenbarung definitiv zum Abschluß.

Was ist mit dieser Zeit der Apostel gemeint? Ist hier nur an die Zwölfer-Apostel und Paulus zu denken? Oder muß sie weiter gefaßt werden? Diese apostolische Zeit, die noch offenbarende Qualität hat, soll nun in den Blick genommen werden. Es soll versucht werden, sie begrifflich und chronologisch zu fixieren.

---

[1] *A. Franzen,* Kleine Kirchengeschichte (Herder Bücherei 237), Freiburg ³1965, 19.
[2] *G. Söll,* a. a. O., 257.

Viertes Kapitel
Die Termini „Apostel" und „apostolisch" in der Frühzeit der Kirche

§ 10. Der Apostelbegriff der Urkirche

Die Kirche bekennt sich von Anfang an als apostolisch. Sie beruft sich nicht auf Gott oder Christus, sondern auf die Offenbarung des AT und die Tradition der Apostel. Die Apostel weiß sie von Christus autoritativ gesandt[1]. Die werdende Kirche weiß ihre Lehre und ihre Ordnung wesenhaft an Zeugnis und Dienst der Apostel gebunden und will deren Lehre und Werk überliefern[2]. Wer sind diese Apostel?

Der Apostolat, der die Nahtstelle zwischen Jesus Christus und der Kirche darstellt und eng mit dem Kirchen- und Messiasbegriff sowie mit der Offenbarungsidee zusammenhängt, ist als eines der schwierigsten Probleme der Exegese gegenwärtig heiß umstritten. Unübersehbar ist die Literatur darüber geworden[3].

Zum ersten Mal hat J. B. Lightfoot 1865 in seinem Galater-Kommentar[4] den urchristlichen Apostolat einer kritischen Untersuchung unterzogen. Seither hat es eine Vielzahl von Hypothesen, Postulaten und Konstruktionen in dieser Frage gegeben. Vorher hatte man die Schwierigkeiten, die den Begriff des Apostels in der Frühzeit betreffen, nicht empfunden. Die Vorstellung von den 13 Aposteln, den 12 Aposteln in Jerusalem und dem Apostel Paulus, galt mehr oder weniger unbestritten. Sie wurde unreflektiert von der Zeit der ältesten Kirchenväter her übernommen und nicht in Frage gestellt. Heute fragt man nun: Woher stammen Begriff und Inhalt des Apostolates? Was bedeutet der Apostolat? Was führte zur späteren Verengung des ursprünglich weiteren

---

[1] Joh 17, 8; 20, 21.
[2] Eph 2, 20; Apk 21, 14; *W. Nagel,* Der Begriff des Apostolischen in der christlichen Frühzeit bis zur Kanonbildung (Habil. Schr.), Leipzig 1959, 119. 144; *A. Kolping,* Art. Apostel II, a. a. O., 68; H. Bacht, Art. Apostel (fundamentaltheologisch-ekklesiologisch), in: LThK I, Freiburg ²1957, 736 f.; *J. Roloff,* Apostolat, Verkündigung, Kirche. Ursprung, Inhalt und Funktion des kirchlichen Apostelamtes nach Paulus, Lukas und den Pastoralbriefen, Gütersloh 1965, 272.
[3] *B. Rigaux,* Die „Zwölf" in Geschichte und Kerygma, in: Der historische Jesus und der kerygmatische Christus, hrsg. von *H. Ristow* und *K. Matthiae,* Berlin 1960, 480; *J. Roloff,* a. a. O., 9; *E. M. Kredel,* Der Apostelbegriff in der neueren Exegese, Historisch-kritische Darstellung, in: ZKTh 78, 1956, 291. Eine gute Bibliographie findet sich bei *L. Cerfaux,* Le chrétien dans la théologie paulinienne (Lectio divina 33), Paris 1962, 99.
[4] 1. Auflage 1865, 10. Auflage 1890, Nachdruck 1892 u. 1896.

Apostelkreises? Seit wann gelten die Zwölf als Apostel? Wie ist das Verhältnis ihres Apostolates zu dem des Paulus zu denken? Wie weit reichte zur Zeit des Paulus des Kreis der Apostel? Wo liegen die Anfänge der apostolischen Sukzession[5]?

Man kann heute weniger denn je gesicherte Ergebnisse der Erforschung des christlichen Apostolates vortragen[6]. Die Quellen sind in der umfangreichen Literatur von allen Seiten untersucht worden, und die vorgebrachten Gesichtspunkte wiederholen sich ständig, ohne daß ein Ende der Diskussion abzusehen ist[7]. Erschwerend wirkt sich für die historische Erfassung dieses Phänomens die dogmatische Relevanz des Apostelbegriffes aus[8].

Das Kittel'sche Wörterbuch zum Neuen Testament bietet im Jahre 1933 in dem Artikel ἀπόστολος von K. H. Rengstorf[9] die Ergebnisse der älteren Forschung in selbständig erarbeiteter Zusammenfassung. Heute erhebt sich gegen das Hauptergebnis seiner Untersuchung, nämlich die Ableitung des urchristlichen Apostolates vom Schaliach-Institut, unter verschiedenen Aspekten Widerspruch[10].

Einen wesentlichen Neuansatz stellen die Arbeiten von W. Schmithals[11] und G. Klein[12] dar, aber ihre Lösungen sind allgemein in der Theologie nicht angenommen worden[13].

Die folgenden Überlegungen befassen sich mit dem Problem der Zwölf im NT, mit der Frage des Apostolates und des Verhältnisses zwischen den Zwölfen und den Aposteln bzw. den Zwölfen und Paulus im NT und in der frühen Kirche sowie mit dem Ursprung des neutestamentlichen Aposteltitels.

---

[5] *J. Roloff,* a. a. O., 9.

[6] *H. Riesenfeld,* Art. Apostel, in: RGG I, Tübingen 1957, 497; vgl. *G. Klein,* Die zwölf Apostel, a. a. O., 65.

[7] Vgl. *W. Schmithals,* Das kirchliche Apostelamt, Eine historische Untersuchung (Forschungen zur Religion und Literatur des Alten und Neuen Testaments NF 61, hrsg. v. R. Bultmann), Göttingen 1961, 11 f. Sch. betont, erst neue Quellen könnten weiterführen; diese seien aber kaum zu erwarten. Wenn *E. Haupt* (Zum Verständnis des Apostolates im Neuen Testament, Halle 1896, 1) am Ende des letzten Jahrhunderts bekennt: „Die Frage nach Ursprung und Begriff des Apostolates gehört gegenwärtig zu den verwickeltsten und schwierigsten der neutestamentlichen Wissenschaft", so gilt das heute noch ohne Einschränkung.

[8] *W. Schneemelcher,* in: *E. Hennecke–W. Schneemelcher,* Neutestamentliche Apokryphen, a. a. O., II, 3.

[9] *K. H. Rengstorf,* Art. ἀπόστολος, in: ThW I, Stuttgart 1966, 406–446.

[10] *A. Fridrichsen, K. Holl, J. Munck, A. Erhardt, G. Saß, H. Mosbech, E. Käsemann, G. Klein, W. Schmithals, E. Pax, O. Linton, E. Schweizer, L. Cerfaux, A. Wikenhauser* u. a.; vgl. *W. Schmithals,* a. a. O., 12. 99.

[11] *W. Schmithals,* Das kirchliche Apostelamt, Eine historische Untersuchung (Forschungen zur Religion und Literatur des Alten und Neuen Testaments, hrsg. von R. Bultmann NF 61), Göttingen 1961.

[12] *G. Klein,* Die zwölf Apostel, Ursprung und Gehalt einer Idee (Forschungen zur Religion und Literatur des Alten und Neuen Testaments, hrsg. von R. Bultmann NF 59), Göttingen 1961.

[13] Schneemelcher spricht von den „abenteuerlichen Hypothesen Schmithals'" (*E. Hennecke–W. Schneemelcher,* a. a. O., II, 3).

1. Die Zwölf im NT

Nach der gewöhnlichen kirchlichen Sprechweise verstehen wir unter den Aposteln die Zwölf und Paulus. Das entspricht aber nicht ganz der ursprünglichen geschichtlichen Wirklichkeit.

Jesus sammelte Jünger um sich, ähnlich wie die Rabbinen und die griechischen Philosophen; aber im Gegensatz zu ihnen betrachtete er sich nicht als Vertreter einer bestimmten Sache, er brachte sich selbst und band die Jünger an seine Person. Für ihn war das Jüngersein nicht Durchgangsstadium, sondern bleibende Lebensform[14]. Die Vokabel μαϑηταί-Jünger findet sich insgesamt 262mal in den Evangelien und in der Apostelgeschichte. Als eine besondere Gruppe innerhalb der Jüngerschaft erscheinen die Zwölf. Nach den Evangelien sind sie der engere Kreis um Jesus, gewissermaßen die Kerngruppe. Die Zwölf wurden nach der markinischen Auffassung besonders ausgewählt, damit sie „mit ihm seien" und damit „er sie sende, heroldhaft zu verkünden und Vollmacht zu haben, die Dämonen auszutreiben"[15].

Nur Markus und Lukas erzählen den Vorgang der Einsetzung der Zwölf durch Jesus[16]. Während sie noch erkennen lassen, daß der Jüngerkreis umfassender ist als der Zwölferkreis, hat Matthäus ein Interesse daran, die Jünger mit den Zwölfen zu identifizieren[17]. Er verbindet die Zwölf mit μαϑηταί oder ἀπόστολοι oder begnügt sich auch einfach mit ὁι δώδεκα wie Markus und Lukas. Letzterer spricht allerdings auch öfters einfach von den Aposteln. Bei allen drei Synoptikern bezeichnet οἱ μαϑηταί bisweilen die Zwölf, wenn auch nicht immer eindeutig und mit Sicherheit. Im Vergleich mit οἱ δώδεκα ἀπόστολοι[18] ist die Formel οἱ δώδεκα sicher die ursprüngliche. Sie ist auch ursprünglich gegenüber οἱ δώδεκα μαϑηταί, einer Formel, die sich bei Markus und Lukas nicht findet, bei Matthäus nur selten[19]. Alle Stellen bei Matthäus und Lukas, an denen οἱ δώδεκα steht, haben eine Parallele bei Markus. Dieser trifft so die Formel des Kerygmas, das von Paulus 1 Kor 15, 3–8 ausgesagt wird, wo sich die älteste literarische Erwähnung der Zwölf findet. Bei Markus kommt die Formel οἱ δώδεκα überall in redaktionellen Passagen vor, was aber nicht gegen ihre historische Grundlage sprechen muß. In seinen Augen gibt die Gruppe der Zwölf Jesus die Möglichkeit, eine vertiefende Unterweisung zu geben, sein Leiden anzukündigen und die Ermahnung einzuführen, dem Menschensohn gleich zu dienen und bei den Ereignissen der Passion dabei zu sein[20].

---

[14] Vgl. Lk 12, 8/Mt 10, 32; Lk 14, 26/Mt 10, 37; Lk 9, 59–62/Mt 8, 19–22.

[15] Mk 3, 14.

[16] Mk 3, 13–19; Lk 6, 12–16; vgl. *R. Pesch,* Das Markusevangelium I (HThK II, 1), Freiburg 1976, 202–209; *H. Schürmann,* Das Lukasevangelium I (HThK III, 1), Freiburg 1969, 312–319.

[17] Mt 10, 1 f.   [18] Mt 10, 2.

[19] Mt 10, 1; 11, 1 etc.

[20] *B. Rigaux,* Die „Zwölf" in Geschichte und Kerygma, a. a. O., 470–474. 484.

Das NT bietet vier Zwölferlisten; drei finden sich bei den Synoptikern, eine in der Apostelgeschichte[21]. Diese Listen stimmen in den Namen nicht überein. Immer stehen die beiden Brüderpaare Simon und Andreas und Jakobus und Johannes an der Spitze, wenn auch in der Reihenfolge nicht immer gleich. Am Schluß steht immer – abgesehen von der Liste der Apostelgeschichte – Judas Iskariot. Einheitlich sind folgende Namen überliefert: Philippus, Bartholomäus, Thomas, Jakobus, der Sohn des Alphäus, Simon, der Kananäer, d. h. der Zelot. Uneinigkeit besteht bei folgenden Namen: Der Matthäus-Evangelist hat an Stelle des Zöllners Levi Matthäus[22]. Dann heißt bei Markus und Matthäus einer der Zwölf Thaddäus, er hat seinen Platz hinter dem 2. Jakobus, bei Lukas und in der Apostelgeschichte heißt statt dessen einer Judas, der Sohn des Jakobus, und steht hinter Simon dem Zeloten und vor Judas Iskariot bzw. am Schluß der Liste; bei Matthäus ist jedoch die Überlieferung nicht einheitlich, die besten Handschriften haben Thaddäus wie Markus, einige Lebbäus, die meisten gleichen jedoch aus und sagen: Lebbäus mit dem Beinamen Thaddäus[23]. Die Überlieferung hat nun Judas, den Sohn des Jakobus, mit Thaddäus identifiziert. Ob das möglich ist? Johannes, der keine Zwölferliste kennt, nennt nur sieben Namen der Zwölf, nämlich: Simon Petrus, Andreas, Philippus, Thomas und die beiden Judas. Über die Synoptiker hinaus berichtet er die Berufung des Nathanael im Zusammenhang mit einer Berufungserzählung, die im übrigen von der Berufung des Andreas, eines Ungenannten, des Simon und des Philippus handelt[24]. Man hat versucht, Nathanael mit Bartholomäus zu identifizieren, eine recht fragwürdige Konstruktion. Bei den Verschiedenheiten der Zwölfer-Kataloge darf jedoch nicht die wesentliche Identität übersehen werden. P. Gaechter[25] hat folgende Beobachtung gemacht: Wie an erster Stelle immer Petrus und an letzter Stelle Judas Iskariot, so steht immer an 5. Stelle Philippus und an 9. Stelle Jakobus, der Sohn des Alphäus, wodurch drei gleiche Einheiten zu je vier Namen entstehen. Die Namen dieser drei Vierheiten gehen nie ineinander über, wohl werden sie innerhalb der Vierheit mitunter vertauscht. Dieser rhythmische Aufbau erklärt sich nach Gaechter am besten daraus, daß der Katalog schon vor der Niederschrift des ersten Evangeliums zur mündlichen Tradition gehörte und trotz mancher redaktioneller Änderungen beibehalten wurde[26].

---

[21] Mk 3, 16–19; Mt 10, 2–4; Lk 6, 13–16; Apg 1, 13 (genauer handelt es sich hier um eine Elfer-Liste, da Judas Iskarioth nicht mehr dazugehört).

[22] Mt 9, 9; vgl. 10, 3.

[23] Mk 3, 18/Mt 10, 3; Lk 6, 15/Apg 1, 13.

[24] Joh 1, 35 ff. Vgl. *H. Conzelmann,* Die Geschichte des Urchristentums (Grundrisse zum Neuen Testament, Das Neue Testament Deutsch, Ergänzungsreihe Bd 5), Göttingen 1969, 128. C. hält nicht viel von den späteren Versuchen, die Widersprüche zu beheben, um die Zwölfzahl zu retten; solche Versuche haben nach ihm keinen geschichtlichen Wert (128 f.).

[25] *P. Gaechter SJ,* Petrus und seine Zeit, Neutestamentliche Studien, Innsbruck 1958, 41.

[26] Ebd.; vgl. *B. Rigaux,* Die „Zwölf" in Geschichte und Kerygma, a. a. O., 474. Rigaux bemerkt, die „Unschlüssigkeit angesichts des einen oder anderen Namen" bestätige „die von Paulus

Das früheste Zeugnis für den Zwölferkreis ist, wie schon erwähnt, 1 Kor 15, 5. In 1 Kor 15, 3–7 bringt Paulus einen Tatsachenbericht in einer vorgegebenen Formulierung, die die Gewohnheit stilisiert hat. Möglicherweise reicht sie zurück bis in die ersten zehn Jahre nach dem Tod Jesu. Aber sie gibt nicht wenige Fragen auf, denn zu der Zeit, worauf sie sich bezieht, sind die Zwölf ja elf. Und der eigens genannte Petrus gehört auch zu den Zwölfen. Außerdem werden die Zwölf von den Aposteln unterschieden. Daher setzen an dieser Stelle die Zweifel bezüglich der vorösterlichen Berufung dieses Kreises ein[27]. Für die Einsetzung der Zwölf durch den historischen Jesus sprechen sich W. G. Kümmel[28], K. H. Rengstorf[29], J. Roloff[30], H. Riesenfeld[31], F. V. Filson[32], G. Bornkamm[33], A. Vögtle[34], B. Rigaux[35], A. Wikenhauser[36] aus, um nur einige Exegeten zu nennen. Dagegen sprechen vor allem Ph. Vielhauer[37], G. Schille[38], H. Conzelmann[39], W. Schmithals[40] und G. Klein[41].

---

bezeugte Erinnerung hinsichtlich dieser Zwölfzahl, daß es nötig sei, darin auch Persönlichkeiten einzuschließen, die im NT nicht mehr auftreten werden, wie Bartholomäus, Jakobus, Sohn des Alphäus, Thaddäus, Simon der Kanaanäer" (ebd.).

[27] Ebd., 469 f. 479.

[28] *W. G. Kümmel,* Kirchenbegriff und Geschichtsbewußtsein in der Urgemeinde und bei Jesus (Symbolae Biblicae Upsalienses I), Zürich 1943, NA 1969, 30 f.

[29] *K. H. Rengstorf,* Art. ἀπόστολος, in: ThW I, Stuttgart 1966, 424 ff.; ders., Art. δώδεκα, in: ThW II, Stuttgart 1967, 325 ff.

[30] *J. Roloff,* a. a. O., 138 ff. 166.

[31] *H. Riesenfeld,* Art. Apostel, a. a. O., 498. R. erklärt, die Erwählung eines engeren Kreises von zwölf Jüngern zur symbolhaften Darstellung des neuen Israel sei sicher historisch.

[32] *F. V. Filson,* Geschichte des Christentums in neutestamentlicher Zeit, übersetzt und für die deutsche Ausgabe bearbeitet von F. J. Schierse, Düsseldorf 1967, 122 ff. 185 f.

[33] *G. Bornkamm,* Jesus von Nazareth, a. a. O., 138: „Die Zwölf sind schwerlich erst, wie man gemeint hat, eine Institution der nachösterlichen Gemeinde . . ."

[34] *A. Vögtle,* Art. Zwölf, in: LThK X, Freiburg ²1965, 1443.

[35] *B. Rigaux,* Die „Zwölf" in Geschichte und Kerygma, a. a. O., 474 f.; ders., Die zwölf Apostel, in Conc 4, 1968, 240 f.

[36] *A. Wikenhauser,* Art. ἀπόστολος, in RAC I, 553–555. Mit Nachdruck vertritt auch *H. Schürmann* (Das Lukasevangelium I, a. a. O., 315) diese Position.

[37] *Ph. Vielhauer,* Gottesreich und Menschensohn in der Verkündigung Jesu, FS für G. Dehn, hrsg. von *W. Schneemelcher,* Neukirchen 1957, 51–79, hier 62 f.

[38] *G. Schille,* Die urchristliche Kollegialmission (Abhandlungen zur Theologie des Alten und Neuen Testamentes 48), Zürich 1967, 33 f. 116 f. 122. Sch. versteht die Zwölf als ein dogmatisch geprägtes Theologumenon, das sich nach und nach auf dem Hintergrund der Kollegialarbeit gebildet habe; dabei habe die Gruppe der Zwölf als solche nie existiert.

[39] *H. Conzelmann,* a. a. O., 27. C. vertritt im Unterschied zu Schille die Meinung, der Kreis der Zwölf habe zwar existiert, aber er sei erst *nach* Jesu Tod als Urzelle der Gemeinde zusammengetreten.

[40] *W. Schmithals,* a. a. O., 58–61 und 251 f.

[41] *G. Klein,* Die zwölf Apostel, a. a. O., 34–38 und 203–210; vgl. auch *H. Kasting,* Die Anfänge der urchristlichen Mission (Beiträge zur evangelischen Theologie, Theologische Abhandlungen 55), München 1969, 124. Kasting läßt die Frage offen, wenngleich er die vorösterliche Berufung der Zwölf für unwahrscheinlich hält (125–129, bes. 129). Bereits *F. Schleiermacher* hatte diese in Frage gestellt (Über die Schriften des Lukas, 1817, Sämtliche Werke, Abt. 1, Zur Theologie II, Berlin 1936, 63–65), ebenso *J. Wellhausen* (Einleitung in die drei ersten Evangelien, Berlin 1905, 112 und ²1911, 138 ff.) und *J. Weiß* (Das Urchristentum, hrsg. von R. Knopf, Göttingen 1917, 34); vgl. *G. Schille,* a. a. O., 111 f.

Die Gegner der vorösterlichen Berufung der Zwölf weisen besonders auf die erwähnte Tatsache hin, daß in der ältesten Bezugnahme auf die Zwölf (1 Kor 15, 3–5) ein Zeuge zu viel erwähnt wird, da ja Judas bereits ausgeschieden und die Neuwahl des Matthias noch nicht erfolgt ist, daß aber in den späteren Zeugnissen, in den Evangelien und in der Apostelgeschichte, für diese Zeit nur noch von den Elfen die Rede ist[42]. Sie meinen, darin könne man die spätere Reflexion der Gemeinde erkennen. Die Elf habe es nie gegeben. 1 Kor 15, 5 schließe die Möglichkeit aus, daß in der Zeit zwischen dem Tod Jesu und der Zuwahl des Matthias die Elfzahl gegolten habe[43]. Demgegenüber nehmen die Befürworter der vorösterlichen Berufung des Zwölferkreises für 1 Kor 15, 5 eine uneigentliche Redeweise an und machen geltend, daß der Name οἱ δώδεϰα aus der Zeit der irdischen Wirksamkeit Jesu eine so sehr feststehende Größe gewesen sei, daß er auch durch eine vorübergehende Dezimierung dieses Kreises nicht habe erschüttert werden können[44].

Die Vertreter einer nachösterlichen Konstituierung der Zwölf berufen sich ferner darauf, daß die Namen in den Zwölferlisten wechseln und die Vorstellung bei den meisten Zwölfermännern wenig konturiert ist. Sie erklären, es habe sich die Auffassung durchgesetzt, Jesus habe zwölf ihm nahe stehende Jünger gehabt. Weil aber Judas als ehemaliger Jesusjünger in der Erinnerung geblieben sei, habe er schließlich in die Theorie des Zwölf-Jünger-Kreises aufgenommen werden müssen, was erst dann möglich gewesen sei, als der Zwölferkreis schon längst keine aktuelle Bedeutung mehr gehabt hätte und niemand sich mehr so recht an dessen genaue Zusammensetzung habe erinnern können. Dann habe man konsequent einen Namen aus der tradierten Zwölferliste streichen müssen. In der Markus-Fassung habe man Judas, den Sohn des Jakobus, in der Lukas-Fassung Thaddäus eliminiert[45].

Die Befürworter der vorösterlichen Einsetzung der Zwölf weisen darauf hin, daß im Zusammenhang mit Mk 3, 14 der Ausdruck ἐποίησεν δώδεϰα nicht von Markus geprägt und nicht griechisch, sondern semitisch ist[46], daß die Zwölf in der Urgemeinde keine klar zu bestimmende Rolle gespielt haben[47], daß bei einer nachträglichen Konstruktion der vorösterlichen Berufung des Zwölferkreises vor allem die Tatsache unverständlich ist, daß Judas, der Verräter, als einer der Zwölf vorgestellt wird[48], daß nach einem im Kern echten Jesuswort die Zwölf an Jesu Gericht und Herrschaft über die zwölf Stämme

---

[42] Mt 28, 16; Lk 24, 9. 33; Apg 1, 26; Mk 16, 14.

[43] *G. Schille*, a. a. O., 113; vgl. *W. Schneemelcher,* in: *E. Hennecke–W. Schneemelcher,* a. a. O., II, 5.

[44] *H. Kasting*, a. a. O., 124 f.; *B. Rigaux*, Die „Zwölf" in Geschichte und Kerygma, a. a. O., 479.

[45] *H. Kasting*, a. a. O., 124 f.

[46] *B. Rigaux*, Die „Zwölf" in Geschichte und Kerygma, a. a. O., 474 f.

[47] *F. V. Filson*, a. a. O., 122. F. nennt die Bestreitung der vorösterlichen Berufung eine „hyperkritische Ansicht" (122). Was von den Zwölfen berichtet werde, habe nur Sinn, wenn man voraussetze, daß Jesus sie erwählt habe (123).

[48] Mk 14, 10; vgl. *B. Rigaux*, Die „Zwölf" in Geschichte und Kerygma, a. a. O., 477–479.

Israels beteiligt werden[49] und daß es im Falle der nachösterlichen Konstituierung der Zwölf schwer zu erklären ist, wie die Geschichte von der Ersatzwahl des Matthias entstehen konnte[50]. J. Roloff bemerkt noch[51], daß uns in der Namengebung für einige Mitglieder des Zwölferkreises weit in die vorliterarische Zeit hinabreichende Elemente begegnen. Die sprachliche Gestalt von Mk 3, 16 f. weist, wie er darlegt, auf eine „Einlagerung ältester Formeln"[52] hin. Außer Simon erhalten nur die beiden Zebedäussöhne einen Beinamen. Dieser ist aber bereits für den Evangelisten etymologisch nicht mehr einwandfrei zu entschlüsseln. Und wenn es sich bei dem vorösterlichen Zwölferkreis um ein Gemeindetheologumenon handelte, so wäre auch die Namengebung kaum auf zwei Fälle beschränkt geblieben. Gerade die Tatsache, daß sie bei Markus gleichsam im Vorübergehen geschieht, spricht nach Roloff für die historische Zuverlässigkeit[53].

Andere stellen fest, im Falle des nachösterlichen Zusammentritts der Zwölf sei es nicht zu erklären, wann, wo und wie in so kurzer Zeit der Zwölferkreis gebildet worden sei, da die Zwölf uns bereits für die unmittelbare Zeit nach Jesu Tod bezeugt seien[54]. Es sei unvorstellbar, wie der spät schreibende Lukas seine Konzeption vom Apostolat der Zwölf „der gesamten Überlieferung bis in die Anfänge hinein hätte aufzwingen können"[55]. Die Auswahl der Zwölf durch Jesus erklärt sich jedenfalls leicht aus seiner eschatologischen Verkündigung, sofern die Zwölf die kommende und doch schon mit ihm hereingebrochene Gottesherrschaft ankündigen und vertreten und das eschatologische Zwölfstämme-Volk symbolisieren sollen[56].

Bei allen Synoptikern werden die Zwölf durch den historischen Jesus ausgesandt[57]. Wenngleich manche Forscher auch darin keine Historie, sondern

---

[49] Mt 19, 28/Lk 22, 28. 30; vgl. B. Rigaux, Die „Zwölf" in Geschichte und Kerygma, a. a. O., 476 f. R. versteht Apk 21, 14 im Zusammenhang mit Eph 2, 20 als Schlußgedanken der theologischen Forschung der werdenden Kirche, der seinen Ursprung in der Zahl der Zwölf habe und in enger Beziehung zu dem Herrenlogion Mt 19, 28/Lk 22, 30 vom Richteramt der Zwölf stehe sowie zu der Botschaft, die dem Denken der Urkirche entsprechend der Apostelgeschichte zugrunde gelegen habe (481 f.); vgl. J. Roloff, a. a. O., 148–150.
[50] Apg 1, 15–26. B. Rigaux, Die „Zwölf" in Geschichte und Kerygma, a. a. O., 479 f. R. fragt, wenn die Zwölf eine Schöpfung der Kirche seien, warum sie dann nicht nach dem Tode des Jakobus, des Zebedaiden, durch Paulus oder Jakobus, den Herrenbruder, wieder vervollständigt worden seien (481); ebenso F. V. Filson, a. a. O., 123.
[51] J. Roloff, a. a. O., 147 f.
[52] Ebd., 147.   [53] Ebd., 147 f.
[54] H. Küng, Die Kirche (Ökumenische Forschungen I, Ekklesiologische Abteilung 1), Freiburg 1967, 413; K. H. Rengstorf, Art. δώδεκα, a. a. O., 325 f.
[55] H. Küng, Die Kirche, a. a. O., 413.
[56] Mt 19, 28; vgl. H. Küng, Die Kirche, a. a. O., 413 f.
[57] Mk 6, 7–13; Mt 10, 1. 9–14; Lk 9, 1–6; 10, 1–6. Hier sei auch verwiesen auf das von Paulus lange vor der Abfassung der Evangelien überlieferte Stück Jüngerunterweisung durch Jesus, das auf die vorösterliche Aussendung der Jünger hinweist: 1 Kor 9, 14 (vgl. Mt 10, 10; Lk 10, 7). Der Rahmen der Aussendungsperikopen ist redaktionell, aber die von Markus wie von Q überlieferten Aussendungslogien bezeugen das Faktum der Aussendung, zumal sie zunächst nicht der Situation

eine Rückspiegelung der nachösterlichen Missionstätigkeit sehen[58], so halten doch die meisten an der Geschichtlichkeit der vorösterlichen Jüngeraussendung fest, auch solche, die an eine nachösterliche Einsetzung des Zwölferkreises denken. Demnach haben die Jünger bzw. die Zwölf vorübergehend an Jesu Sendung teilgenommen, hat Jesus Männer als seine Stellvertreter beauftragt, um sein Wirken zu vervielfältigen[59]. Der apostolische Charakter dieser Sendung wird besonders bei Lukas unterstrichen[60], wenn es da heißt, daß der Jünger die Aufgabe dessen übernimmt, der ihn sendet, daß er teilhat an der Würde und Autorität des Sendenden[61]. Es ist aber festzuhalten, daß zwischen der Jüngeraussendung vor Ostern und der urchristlichen Mission keine unmittelbare Kontinuität besteht, sowenig wie zwischen der vorösterlichen Predigt und Wirksamkeit Jesu und der nachösterlichen Verkündigung über ihn. Im Zusammenhang mit dem Neuansatz der Heilsbotschaft an Israel[62] erfolgt die erneute Aussendung[63]. In der nachösterlichen Kirche erhält die Sendung der Zwölf eine neue Dimension[64]. Die urchristliche Mission ist die unmittelbare Folge der Osterereignisse und nur die mittelbare Folge der Wirksamkeit Jesu. Der Missionsauftrag in der Zeit des irdischen Jesus war ein befristeter, gewissermaßen ein „Zwischenfall", um mit J. Roloff[65] zu reden. Nach der Kreuzigung kehrten die Jünger in die Heimat zurück. Dann brachte Ostern den entscheidenden neuen Anfang, das entscheidende Datum, ohne das es keine urchristliche Mission gäbe[66].

Paulus erwähnt die Zwölf nur einmal explizit, nämlich an besagter Stelle des 1. Korintherbriefes (15, 5). Demnach hatte die Zwölfer-Institution in den fünfziger Jahren des 1. Jahrhunderts wohl keine aktuelle Bedeutung mehr[67]. Aber, wie Kasting betont, galten ihm die Zwölf wohl von jeher als Apostel, wenn auch nicht exklusiv, und leben als solche in seinen Briefen weiter[68].

Nach Apg 8, 1 bleiben sie zunächst in Jerusalem und nehmen die Heidenmission nur mit großem Zögern auf[69]. Nach Auskunft der Apostelgeschichte hat nur Petrus Jerusalem verlassen[70], wahrscheinlich zur Missionierung. Im übrigen werden uns in der Apostelgeschichte Missionsreisen nur von Paulus und Barnabas berichtet. Zum letzten Mal werden die Zwölf als Gruppe Apg 6, 1–6 erwähnt. Möglicherweise ist aber auch Apg 15, 2. 4. 6. 22 f. und 16, 4 an sie zu denken, wenn da im Zusammenhang mit dem Apostelkonzil von den Aposteln und Ältesten die Rede ist. Dann verschwinden sie im

---

der Urgemeinde entsprechen (*L. Goppelt,* die apostolische und die nachapostolische Zeit, a. a. O., 123).
[58] *G. Schille,* a. a. O., 161.   [59] *E. M. Kredel,* Art. Apostel I, in: HThG I, 64.
[60] Lk 10, 16.   [61] *E. M. Kredel,* Art. Apostel I, in: HThG I, 67.
[62] Apg 1, 15–26.   [63] *A. Vögtle,* Art. Zwölf, a. a. O., 1444.
[64] Lk 24, 47; Apg 1, 8; Mt 28, 16–19; Joh 20, 21–23.   [65] *J. Roloff,* a. a. O., 151.
[66] *H. Kasting,* a. a. O., 126. K. ist sich jedoch der vorösterlichen Aussendung nicht ganz sicher (130).
[67] Ebd., 68.[68] Ebd., 70.
[69] Apg 10, 1–11, 8.   [70] Apg 12, 17; vgl. 1 Kor 9, 5; Gal 2, 11 ff.; 2, 7 f.

Dunkel der Geschichte. Offenbarungsgeschichtlich hatten sie demnach nur eine begrenzte Funktion. Von der Verfolgung durch Herodes Agrippa (41–44 n. Chr.) an gibt es sie nicht mehr als empirische Größe, denn nach der Hinrichtung des Jakobus des Älteren, des Zebedaiden, durch Herodes wird der Zwölferkreis nicht mehr vervollständigt[71].

Auffallend ist, daß Paulus die Zwölf bei dem Apostelkonzil nicht erwähnt, sondern nur die drei Säulen Petrus, Johannes und Jakobus, den „Herrenbruder"[72]. Darf man darin einen Hinweis darauf sehen, daß der Zwölferkreis um 48 n. Chr. (oder 44 n. Chr.) nicht mehr bestand? Daß der Dreierkreis um diese Zeit an seine Stelle getreten ist? Später ist dann nur noch Jakobus, der „Herrenbruder", als anerkannter Leiter der Jerusalemer Gemeinde da, die er zusammen mit den Ältesten vertritt[73].

Die Zwölf sind einmal „die symbolische Darstellung des Wesens der Kirche als des Gottesvolkes der Endzeit"[74]. Sie repräsentieren die messianische Heilsgemeinde[75]. Sie bilden dann aber auch den Kristallisationspunkt, um den sich die neuen Anhänger scharen. Als Kerngruppe des neuen Gottesvolkes mögen sie in irgendeiner Weise eine Zeitlang die Jerusalemer Gemeinde geleitet haben[76].

Nach Überlieferungen aus dem 3. und 4. Jahrhundert waren die Zwölf zunächst 7 oder 12 oder 15 Jahre in Jerusalem. Entsprechend den apokryphen Schriften haben sie das Evangelium in alle Welt getragen. In den apokryphen Apostelakten ist die Rede von den Missionsreisen der Zwölf, wohl eine

---

[71] *J. Wagenmann,* a. a. O., 25–28; *B. Rigaux,* Die zwölf Apostel, a. a. O., 240 f.; *A. Vögtle,* Art. Zwölf, a. a. O., 1444. Rigaux meint, Jakobus werde im Gegensatz zu Judas nicht ersetzt, weil sein Tod den Zusammenhang der Zwölf und damit das Werk Jesu nicht zerreiße, wohl aber der Verrat des Judas (Die „Zwölf" in Geschichte und Kerygma, a. a. O., 481, mit Berufung auf *Ph. H. Menoud,* Les additions au groupe des douze Apôtres d'après le livre des Actes, in: RHPhR 37, 1957, 71–80, hier 77); *P. Bläser,* a. a. O., 102.
[72] Gal 2, 9.
[73] Apg 21, 15 ff. *H. Conzelmann,* a. a. O., 41 f. C. betont, Gremien von zwölf und drei Männern seien typisch für die Gemeinde von Qumran (42). In Qumran leitete ein Rat von zwölf Mitgliedern und drei Priestern die Gemeinschaft (*J. Daniélou,* Qumran und der Ursprung des Christentums, Mainz 1958, 35 f.); vgl. *H. Küng,* Die Kirche, a. a. O., 415; *F. V. Filson,* a. a. O., 186.
[74] *H. Conzelmann,* a. a. O., 42. *P. Gaechter* sieht in ihnen den Antitypus zu den Patriarchen (a. a. O., 35); *J. Roloff* spricht von einer „zeichenhaft wirklichen Vorausdarstellung des neuen Israel Gottes" (a. a. O., 167).
[75] *H. v. Campenhausen,* Kirchliches Amt und geistliche Vollmacht in den ersten drei Jahrhunderten, a. a. O., 16.
[76] *H. Riesenfeld,* Art. Apostel, a. a. O., 498; *F. V. Filson,* a. a. O., 184 f.; *K. Kertelge,* Gemeinde und Amt im Neuen Testament, München 1972, 92. Von Campenhausen (a. a. O., 16) läßt ähnlich wie Conzelmann (a. a. O., 42) nicht gelten, daß die Zwölf die Führung in der Urgemeinde hatten. Ihre eigentliche Bedeutung liegt nach ihm nicht in der Gegenwart der Gemeinde, sie sind vielmehr im Blick auf das kommende Gottesreich geschaffen und treten erst am Jüngsten Tag in Funktion, wenngleich sie als Zeugen der Auferstehung für immer zum Fundament der Kirche geworden sind (von Campenhausen, a. a. O., 15–18).

Anwendung von bzw. Schlußfolgerung aus Rö 10, 18; 2 Kor 9, 5; Mt 28, 18 f.; Mk 16, 15; Lk 24, 47 und Apg 1, 8[77]. K. Kertelge meint[78], es sei wohl anzunehmen, daß einzelne von ihnen Mission getrieben hätten wie neben und nach ihnen auch andere Apostel. Mit Sicherheit ist missionarisches Wirken jedoch nur von Petrus bekannt, den auf seiner Reise nach Samaria Johannes begleitet[79]. Petrus aber wandte sich mit wenigen Ausnahmen[80] nur an Juden, was auch Paulus bestätigt[81]. Im allgemeinen haben wohl kaum die Zwölf das Evangelium außerhalb Jerusalems und Palästinas verbreitet. Die eigentlichen Träger der außerjerusalemischen Mission scheinen seit der Versprengung des Stephanuskreises die hellenistischen Judenchristen gewesen zu sein[82].

So fällt möglicherweise die „Hauptwirksamkeit"[83] der Zwölf in die Zeit des irdischen Jesus. Sie gehören zur engsten Gefährtenschaft Jesu. Nachdem sie seine Botschaft in sich aufgenommen haben, dürfen sie unter seiner Leitung an der Lehr- und Tatverkündigung der Gottesherrschaft mitarbeiten. Nach Ostern verlieren sie indessen schon bald an Bedeutung in der Kirche, um nach ihrem Tode wiederum zu neuer Bedeutung aufzusteigen[84].

Somit kann man vielleicht sagen: Die Einsetzung des Zwölferkreises erfolgt durch Jesus, der den Zwölfen einen vorübergehenden, auf Israel beschränkten Auftrag erteilt. Am Anfang der Kirche gelten sie als eine privilegierte Gruppe, die die ganze Offenbarung empfangen hat und Jesu Worte und Werke bezeugt[85]. Zugleich gelten sie als die grundlegenden Zeugen der Auferstehung. Diese Überlieferung hat schon Paulus übernommen und an seine Gemeinde weitergegeben[86]. Sie spielen eine geschichtliche Rolle für die Entstehung der Kirche als Träger der Überlieferung. Eine Zeitlang haben sie möglicherweise die Führung in der Jerusalemer Urgemeinde. Dann stirbt das Kollegium der Zwölf aus, aber grundlegend bleibt der Apostolat, der jedoch nicht auf die Zwölf beschränkt wird.

Mit den Zwölfen verbindet sich nach dem NT in besonderer Weise der Apostelbegriff[87]. Der apostolische Charakter dieser Gruppe ist aber heute kontrovers. Die Diskussion bewegt sich zwischen den beiden extremen Meinungen, die Zwölf seien außer Paulus die einzigen durch den Auferstandenen berufenen Apostel, bzw. sie seien erst spät, in nachpaulinischer Zeit, als Apostel verstanden worden[88]. Was sagt uns das NT über die Apostel?

---

[77] *H. Riesenfeld,* Art. Apostel, a. a. O., 498.
[78] *K. Kertelge,* a. a. O., 92.
[79] Apg 8, 14.   [80] Apg 10.   [81] Gal 2, 7.
[82] *F. V. Filson,* a. a. O., 195; *M. Hengel,* Zwischen Jesus und Paulus, Die „Hellenisten", die „Sieben" und Stephanus (Apg 6, 1–15; 7, 54–8, 3), in: ZThK 72, 1975, 151. 175 f. 182. 185. 200.
[83] *F. V. Filson,* a. a. O., 123.
[84] Ebd., 123 u. 186.
[85] *B. Rigaux,* Die „Zwölf" in Geschichte und Kerygma, a. a. O., 482.
[86] 1 Kor 15, 5.
[87] *H. Riesenfeld,* Art. Apostel, a. a. O., 498.
[88] *A. Vögtle,* Art. Zwölf, a. a. O., 1445.

2. Apostel im Neuen Testament

Der Terminus ἀπόστολος ist ein Schlüsselwort in urchristlicher Zeit[89]. Mit Recht sagt Rengstorf: „Der Apostel ist . . . der eigentliche Exponent nicht nur der urchristlichen Verkündigung, sondern überhaupt der Kräfte, die die Anfänge der Kirche bestimmt haben . . .“[90]. Aber das NT hat keinen einheitlichen Apostelbegriff. Es sind da verschiedene Kategorien von Aposteln zu unterscheiden, deren Abgrenzung nicht eindeutig möglich ist[91]. Die neutestamentlichen Schriften lassen eine umfassende Geschichte des Apostelbegriffes erkennen[92].

Der Terminus Apostel findet sich in fast allen Büchern des NT, insgesamt neunundsiebzigmal. Nicht findet er sich in 2 Thess, Jak und 1–3 Joh[93]. Bei Matthäus, Markus und Johannes begegnet er uns nur je einmal, bei Paulus neunundzwanzigmal (einschließlich viermal in Eph und einmal in Kol, ausschließlich fünfmal in den Pastoralbriefen), bei Lukas vierunddreißigmal, achtundzwanzigmal in der Apostelgeschichte und sechsmal im Evangelium, je einmal im Hebräerbrief, im 1. Petrusbrief und im Judasbrief, zweimal im 2. Petrusbrief und dreimal in der Apokalypse. Demnach findet sich vier Fünftel aller Belege bei Paulus und Lukas, also in zwei geschlossenen Schriftengruppen.

Die Apostolatsaufgabe ist nicht erst bei Lukas mit den Zwölfen verbunden, sondern schon bei Markus. Nach ihm tätigt Jesus die Auswahl der Zwölf mit der Absicht, eine beauftragte Sendung vorzunehmen[94]. Mt 10, 2 heißen sie „die zwölf Apostel“. Wie bei Markus[95] werden sie auch bei Matthäus im Zusammenhang mit der Aussendung Apostel genannt, nachher nicht mehr. Der Aposteltitel ist noch kein dauernder[96]. Das Lukas-Evangelium führt die Bezeichnung Apostel auf Jesus zurück[97] und identifiziert die Zwölf konstant

---

[89] H. Kasting, a. a. O., 71.

[90] K. H. Rengstorf, Apostolat und Predigtamt, Ein Beitrag zur neutestamentlichen Grundlegung einer Lehre vom Amt der Kirche, Stuttgart ²1954, 7.

[91] E. Schlink, Die apostolische Sukzession (1957), in: Der kommende Christus und die kirchlichen Traditionen, Beiträge zum Gespräch zwischen den getrennten Kirchen, Göttingen 1961, 183; H. Riesenfeld, Art. Apostel, a. a. O., 498.

[92] K. Kertelge, a. a. O., 78 f.

[93] In den drei Johannesbriefen tritt an die Stelle des Apostels der Augenzeuge, vgl. G. G. Blum, Tradition und Sukzession, a. a. O., 29.

[94] Mk 3, 14; man beachte das ἵνα-finale.   [95] Mk 6, 30.

[96] Cerfaux erkennt in Mk 6, 30 den Übergang des ganz gewöhnlichen Sinnes von ἀπόστολος, abgeleitet von ἀποστέλλειν, zu einem technischen: „C’est comme si Marc insinuait par là l’origine de l’appellation“ (L. Cerfaux, Pour l’histoire du titre „Apostolos“ dans le Nouveau Testament, in: RSR 48, 1960, 87 bzw. 86 f.). Bezüglich Mt 10, 2 ist zu beachten, daß zahlreiche Textkritiker die Lesart „Jünger“ für ursprünglich halten; vgl. P. Bläser, a. a. O., 94. Auch der Syr. sinait. hat „Jünger“ (vgl. A. Merx, Die vier kanonischen Evangelien nach ihrem ältesten bekannten Texte. Übersetzung der syrischen im Sinaikloster gefundenen Palimpsesthandschrift, Berlin 1897, I, 242 f.; dieser Text ist aber nicht die älteste syrische Übersetzung, wie Merx irrigerweise annimmt; vgl. H. Haase, Apostel und Evangelisten in den orientalischen Überlieferungen, Münster 1922, 15 ff.).

[97] Lk 6, 13.

mit den Aposteln, ebenso die Apostelgeschichte. Hier sind sie das anfängliche Zentrum und die Führerschaft für die Gemeinde von Jerusalem und damit für die Kirche[98]. Bei Johannes[99] findet sich ἀπόστολος lediglich in der Bedeutung von Gesandter ohne direkten Bezug zu den Zwölfen.

Nicht nur die Zwölf heißen Apostel im NT. 1 Kor 15, 5 und 7 wird unterschieden zwischen den Zwölfen und allen Aposteln[100]. Paulus nennt sich selbst immer wieder Apostel, besonders in den Briefeingängen. Als Selbstbezeichnung in Briefüberschriften begegnet uns der Apostelbegriff sechsmal in den Paulusbriefen und dreimal in den Pastoralbriefen, außerdem im 1. und 2. Petrusbrief. Der Aposteltitel schreibt offenbar seinem Träger eine besondere Stellung und ein besonderes Amt zu[101]. Auch Barnabas wird bei Paulus Apostel genannt[102], ebenso der Herrenbruder Jakobus[103], der wie Paulus erst nach dem Tode Jesu zur Jesus-Gemeinde gestoßen ist. 1 Thess 2, 7 nennt Paulus sich zusammen mit Silvanus und Timotheus Apostel. Sie leisten einen „Botschafterdienst in Christi Auftrag"[104]. Rö 16, 7 werden zwei sonst unbekannte Mitarbeiter des Paulus, Andronikus und Junias, als Apostel erwähnt, vielleicht im Sinne von rechtmäßigen Boten des Evangeliums. Möglicherweise handelt es sich auch um fallweise Mitarbeiter am apostolischen Tun des Apostels[105].

1 Kor 11, 5 findet sich ein Hinweis auf eine Vielzahl von Aposteln. 1 Kor 12, 28 und Eph 4, 11 werden die Apostel mit anderen Amtsbezeichnungen zusammen genannt, mit Propheten und Lehrern. Sicherlich besteht eine gewisse Zuordnung dieser drei Ämter, wie sich auch an weiteren Stellen zeigt[106]. Diese Zuordnung ist bis in die Didache zu verfolgen[107]. 1 Tim 2, 7 und 2 Tim 1, 11 wird Paulus Verkünder (κῆρυξ), Apostel und Lehrer zugleich genannt. Man wird bestimmte, ursprünglich voneinander unterschiedene Funktionen und Ämter anzunehmen haben, auch wenn es dabei Überschneidungen bezüglich der einzelnen Tätigkeiten gegeben hat[108]. Bei listenartigen Aufstellungen der verschiedenen Funktionen und Ämter steht die Gruppe der Apostel stets an erster Stelle. Sie hat nachweisbar die stärkste Bedeutung[109].

Paulus warnt vor Pseudoaposteln[110], die sich als Apostel ausgeben, ohne von Christus bevollmächtigt zu sein. Hier ist wohl an Wandermissionare zu denken. Auch Apk 2, 2 wird vor Aposteln gewarnt, die keine sind. Dann spricht Paulus wiederum ironisch von Überaposteln[111].

---

[98] A. *Kolping*, Art. Apostel II, a. a. O., 69 f.   [99] Joh 13, 16.

[100] O. *Karrer* denkt hier an den „ganzen Jüngerkreis" (Neues Testament, München o. J., 500).

[101] K. H. *Rengstorf*, Art. ἀπόστολος, a. a. O., 421; H. *Riesenfeld*, Art. Apostel, a. a. O., 498; P. *Bläser*, a. a. O., 95. Aus der Tatsache, daß die Präskripte der Rechtssphäre angehören, schließt *Gaechter* (a. a. O., 382), daß der Apostelbegriff hier als Standesbezeichnung verwandt wird (Verkündigung des Evangeliums und Gründung und Leitung neuer Gemeinden!).

[102] 1 Kor 9, 5 f.; Gal 2, 9; vgl. Apg 14, 4. 14.

[103] Gal 1, 19; 2, 9.   [104] E. M. *Kredel*, Art. Apostel I, in: HThG I, a. a. O., 63 f.

[105] F. *Klostermann*, Das christliche Apostolat, Innsbruck 1962, 84.

[106] Eph 2, 20; 3, 5; 4, 11; Apk 18, 20; vgl. K. *Kertelge*, a. a. O., 78.   [107] Did 11, 3–6.

[108] K. *Kertelge*, a. a. O., 78.   [109] Ebd.   [110] 2 Kor 11, 13.   [111] 2 Kor 11, 5; 12, 11.

2 Kor 8, 23 und Phil 2, 25 sind die ἀπόστολοι τῶν εκκλησίων einfach bevollmächtigte Vertreter der Gemeinden[112]. Phil 2, 25 ist Epaphroditus Apostel, obgleich er nur eine Liebesgabe dem gefangenen Paulus zu überbringen hat. Bei solcher Terminologie ist offenbar nur an eine vorübergehende Funktionsbezeichnung, und zwar für alle möglichen Auftragsformen und Auftragsgehalte, zu denken[113].

Wenn Gal 1, 17 von denen gesprochen wird, die vor Paulus Apostel waren, so geht daraus klar hervor, daß es schon vor Paulus Apostel gab bzw. die Institution der Apostel schon vor ihm existierte. Es liegt die Vermutung nahe, daß es sich bei diesen Aposteln um denselben Personenkreis handelt, den Lukas in der Apostelgeschichte normalerweise mit dem Terminus Apostel bezeichnet[114], denn nach 1 Kor 15, 5 ist der auferstandene Herr Petrus und den Zwölfen erschienen; sie sind die Erstzeugen der Auferstehung. Möglicherweise ist auch der gleiche Kreis Gal 1, 18 mit den „anderen Aposteln" gemeint.

Eph 3, 5 werden die Apostel als Empfänger und Vermittler der Offenbarung bezeichnet, Eph 2, 20 als Fundament der Kirche[115].

Did 11, 3–6 werden wie Apk 2, 2 charismatische Wanderprediger als Apostel verstanden[116]. Sie mußten offenbar um Anerkennung ringen, weil ihr Apostolat nicht die spezielle christliche Qualifikation hatte, sondern im Sinne von „christlicher Missionar" eine recht periphere Form des untechnischen Sprachgebrauchs darstellte[117]. Nach H. Riesenfeld[118] ist es unsicher, ob man diese Stelle der Didache als Zeugnis für eine späte Benennung von wandernden Predigern als Apostel ansehen kann. Th. Zahn[119] meint, die Ausdehnung des Aposteltitels auf alle beliebigen, teilweise recht verdächtigen Wanderprediger, wie sie hier vorliege, sei wohl kaum allgemeiner Sprachgebrauch gewesen.

Hebr 3, 1 wird Christus Apostel genannt, wohl zum Ausdruck dessen, daß in ihm die abschließende Offenbarung Gottes durch Gott selbst[120] erfolgt ist. Alles Gesendetsein hängt innerlich mit dem Gesendetsein Jesu zusammen. Von daher ist Jesus der Urapostel schlechthin[121].

---

[112] Vgl. Apg 13, 2 ff.; 14, 4. 14.

[113] H. Kasting, a. a. O., 61; G. Schille, a. a. O., 14 f.   [114] P. Bläser, a. a. O., 95.

[115] G. G. Blum, Tradition und Sukzession, a. a. O., 26: Im Epheserbrief verbindet der Apostelbegriff „einen pneumatisch-aktuellen Aspekt mit einer heilsgeschichtlichen Schau".

[116] Nach G. Klein ist in der Überschrift der Zwölfertitel einem späteren Glossator zuzuschreiben, da diese Überschrift in der altkirchlichen Bezeugung an sämtlichen Stellen fehle und auch im Text unter den Aposteln zeitgenössische Missionare verstanden würden (G. Klein, Die zwölf Apostel, a. a. O., 80–82).

[117] G. G. Blum, Tradition und Sukzession, a. a. O., 25.

[118] H. Riesenfeld, Art. Apostel, a. a. O., 498.

[119] Th. Zahn, Apostel und Apostelschüler in der Provinz Asien, in: Th. Zahn, Forschungen zur Geschichte des neutestamentlichen Kanons der altchristlichen Literatur, VI. Teil, Leipzig 1900, 7.

[120] Hebr 1, 2.

[121] K. H. Rengstorf, Art. ἀπόστολος, a. a. O., 423; F. Klostermann, a. a. O., 68; H. Riesenfeld, Art. Apostel, a. a. O., 499. R. bemerkt, diese Stelle setze, wenn sie Christus im Hinblick auf sein Sendungsbewußtsein Apostel nenne, den urchristlichen Apostelbegriff voraus (499).

Es zeigt sich, daß der Apostelbegriff in den neutestamentlichen Schriften vielfach ohne spezifisch christlichen Inhalt verwandt wird, ohne Beauftragung durch den irdischen Jesus oder den Auferstandenen und nicht auf eine bestimmte Personengruppe begrenzt[122], ja, in der Bedeutung von Gesandter Gottes oder einfach bevollmächtigter Bote oder Gesandter im allgemeinsten, auch profanen Sinn[123]. Neben den Zwölfen und Paulus heißen die urchristlichen Missionare oder doch ihre hervorragendsten Vertreter Apostel, und zwar z. T. Männer, die niemals auch nur zum weiteren Kreis der Jünger Jesu gehört haben. Es ist im Grunde ein engerer und ein weiterer Apostelbegriff zu unterscheiden. Der weitere umfaßt die verschiedenen bevollmächtigten Boten des Evangeliums oder Gesandte überhaupt, mehr als Funktionsbezeichnung. Der engere begegnet uns in der besonderen Ausprägung des Paulus und des Lukas. Bevor wir diese beiden Apostelbegriffe näher charakterisieren, sei noch die Frage gestellt: Hat Jesus seine Jünger Apostel genannt?

Es läßt sich kaum beweisen, daß Jesus den Apostelbegriff bereits gebraucht hat. Bis auf wenige Ausnahmen kennen die Evangelien den Terminus Apostel nicht. Gerade diese Tatsache spricht dafür, daß der Aposteltitel nicht auf Jesus zurückzuführen ist. Dann wäre Lk 6, 13 eine Retrojektion des späteren Sprachgebrauchs. Wohl aber hat Jesus Menschen in seine Nachfolge gerufen[124], und der Apostolat scheint der Sache nach auf ihn zurückzugehen, wenn der Ruf in die Gemeinschaft mit ihm zugleich Verpflichtung zum Handeln in seinem Auftrag ist[125], wenn Jesus seine Jünger bzw. einen Teil seiner Jünger mit jener Aufgabe betraut, die er selber zu erfüllen hat, um so sein Wirken zu vervielfältigen. Möglicherweise hat er in der Aussendung der Jünger als seine Stellvertreter dieses in seiner Umwelt einzigartige Amt geschaffen[126]. Der zeitlich und örtlich begrenzten Aussendung durch den historischen Jesus folgt dann eine erneute Beauftragung auf Lebenszeit in den Ostererscheinungen[127].

---

[122] 2 Kor 8, 23; Phil 2, 5; ebenso Mk 6, 30; Lk 11, 49; Joh 13, 16; vgl. *G. G. Blum,* Tradition und Sukzession, a. a. O., 23 f.; *P. Bläser,* a. a. O., 93.
[123] Lk 11, 49; Joh 13, 16; vgl. *F. Klostermann,* a. a. O., 84.
[124] Mk 1, 16–20; 2, 14.
[125] Mk 3, 14; vgl. *P. Bläser,* a. a. O., 99; *J. Roloff,* a. a. O., 140 ff. 153. Dagegen wollen *K. H. Rengstorf* (Art. ἀπόστολος, a. a. O., 429 f.), *W. Nagel* (a. a. O., 16), *J. Brosch* (Charismen und Ämter in der Urkirche, Bonn 1951; 98 f.) u. a. auch den Apostelnamen auf Jesus zurückführen. Vorsichtiger ist *K. H. Schelkle* (Jüngerschaft und Apostelamt, Eine biblische Auslegung des priesterlichen Dienstes, Freiburg ³1965, 57), wenn er bemerkt, Jesus habe in bezug auf die Zwölf das aramäische Zeitwort für aussenden benutzt, wonach dann von ihm oder von anderen das aramäische Substantiv gebildet worden sei. Rigaux (Die „Zwölf" in Geschichte und Kerygma, a. a. O., 480) zieht wieder die Zurückführung des Apostelnamens auf Jesus in Zweifel.
[126] Mk 6, 7–13 parr.
[127] *L. Goppelt,* Die apostolische und die nachapostolische Zeit, a. a. O., 123. Für G. besteht kein Zweifel, daß Jesus selbst den Apostolat gestiftet hat, da es schon 2–3 Jahre nach dem Ende Jesu bei der Bekehrung des Paulus für die ganze Kirche die Apostel in diesem Sinne in Jerusalem gegeben hat (Gal 1, 17). Vgl. *E. M. Kredel,* Art. Apostel I, in: HThG, a. a. O., 66 f. *J. Roloff* (a. a. O., 166) bemerkt, für den vorösterlichen Apostolat gebe es keine Anhaltspunkte, wohl aber Ansätze für den nachösterlichen Apostolat im Erdenleben Jesu.

3. Der paulinische Apostelbegriff

Paulus betont wiederholt mit Nachdruck sein Apostel-Sein[128]. Für seinen Apostolatsanspruch beruft er sich auf eine Begegnung mit dem Auferstandenen[129]. Aber diese begründet nicht ohne weiteres den Apostolat[130]. Es muß eine besondere Berufung durch den Auferstandenen hinzukommen. Man kann auch durch menschliche Ernennung Apostel sein. Es gibt das Apostel-Sein als Funktion. So wird Barnabas durch die Jerusalemer Gemeinde nach Antiochien gesandt[131] und werden Paulus und Barnabas von der Gemeinde in Antiochien zur ersten Missionsreise ausgesandt[132]. Mit einer solchen Delegation aber begnügt sich Paulus nicht. Er ist von Gott designiert durch seine besondere Berufung[133] und dadurch der apostolischen Gruppe der Zwölf zugezählt. Er weiß sich als durch Jesus Christus berufener Apostel[134] den Aposteln vor ihm[135] gleichberechtigt an die Seite gestellt, wenngleich ihm an dem Zusammenhang mit diesen sehr viel liegt[136]. Seine besondere Aufgabe ist die Mission unter den Heiden[137]. Die Apostel in Jerusalem wurden von der Authentizität seines Apostolates überzeugt durch den Erfolg seines Wirkens und wohl auch durch das Zeugnis des Heiligen Geistes[138].

Die Beauftragung zum Apostolat ist nach der Überzeugung des Paulus auf die Zeit der Christophanien beschränkt[139]. Diese apostolischen Zeugen, die grundlegende kirchliche Autorität, bilden eine überschaubare und abgeschlossene Gruppe, einen numerisch begrenzten Personenkreis[140], der durch den Auferstandenen gesandt und bevollmächtigt ist. Paulus selber ist der letzte. Das ist für ihn nicht eine private Meinung. Er beruft sich dafür ausdrücklich auf die Tradition[141]. Der Begriff des Apostels als eines vom Auferstandenen mit der missionarischen Verkündigung beauftragten Zeugen war dem Urchristentum also schon vor Paulus geläufig. Er ist keine originale Schöpfung des Paulus. Dieser knüpft vielmehr an vorgegebene Traditionen und Deutekategorien an und führt sie weiter[142].

In gewissen judenchristlichen Kreisen stieß der Heidenapostel auf Widerstand. Man machte ihm seinen Apostolat streitig mit dem Hinweis darauf, daß er nicht dem irdischen Jesus gefolgt sei und deshalb seine Lehre nur durch Mittelspersonen kennen könne. Deshalb müsse er sich in die Schule der Altapostel begeben. Die Begegnung mit dem Auferstandenen könne nicht den Kontakt mit dem Meister ersetzen. Nach Meinung dieser Kreise beinhaltet der

---

[128] Gal 1, 17–19; 2, 9; 2, 6–10; Rö 11, 13; vgl. auch die Präskripte der Briefe.
[129] 1 Kor 15, 8 ff.; 9, 1; Gal 1, 12.   [130] 1 Kor 15, 6.   [131] Apg 11, 22.
[132] Apg 13, 1–4; vgl. 2 Kor 8, 23; Phil 2, 25.
[133] 1 Kor 1, 1.   [134] Gal 1, 1.   [135] Gal 1, 17.   [136] Gal 2, 2.
[137] Gal 2, 8 f.; Rö 1, 5; 1 Kor 9, 1 ff.
[138] *L. Cerfaux*, Le chrétien dans la théologie paulienne, a. a. O., 111 f.; *H. von Campenhausen*, Kirchliches Amt und geistliche Vollmacht in den ersten drei Jahrhunderten, a. a. O., 35; *K. Kertelge*, a. a. O., 89 f.
[139] 1 Kor 15, 7 f.   [140] Gal 1, 19.   [141] 1 Kor 15, 3 ff.
[142] *J. Roloff*, a. a. O., 273; *K. Kertelge*, a. a. O., 89 f.

Aposteltitel den Gedanken der unmittelbaren Jüngerschaft Jesu, wie auch wir auf Grund der Evangelien und der Apostelgeschichte zu denken gewohnt sind. In diesen Auseinandersetzungen hätte sich Paulus auf Jakobus von Jerusalem berufen können, aber er zog es vor, sich auf die fundamentale Bekräftigung der ursprünglichen evangelischen Botschaft[143], den Tod und die Auferstehung und damit das Messias-Sein Christi zu beziehen. Für ihn ist der Apostel primär Zeuge der Auferstehung[144].

Wenn auch nach Paulus die Berufung auf die Erscheinung des Auferstandenen das entscheidende Fundament des Apostelamtes ist, so schließt das nicht aus, daß es daneben vor Paulus und zu seiner Zeit noch andere Weisen der Berufung von Aposteln auf Jesus Christus gegeben hat. Gleichbleibend ist aber die christologische Begründung, die Orientierung an Jesus Christus, die Repräsentation Jesu Christi in formal-amtlicher und sachlicher Hinsicht[145].

Für Paulus gehört es zum Wesen der Kirche, daß sich der erhöhte Herr vertreten läßt[146], besteht das Wesen des Apostelamtes in dem bevollmächtigten Dienst im Namen und im Auftrag Christi. Es wird begründet durch den einmaligen geschichtlichen Akt der Selbstoffenbarung und Sendung durch den Auferstandenen. Der Gegenstand des Apostelamtes ist das Evangelium, das in der Auferstehung gründet und durch bestimmte Überlieferungsinhalte auf den Menschgewordenen zurückverweist. Sein Ziel ist die Kirche, das eschatologische Gottesvolk[147].

4. Das lukanische Apostelbild

Lukas beschränkt den Umfang des Kreises der Apostel auf die Zwölf. Im Lukas-Evangelium ist an sechs Stellen die Rede von den Aposteln[148], sonst immer von den Zwölfen[149]. In der Apostelgeschichte begegnet uns der Terminus οἱ δώδεκα[150] nur einmal, der Terminus οἱ ἀπόστολοι hingegen achtundzwanzigmal[151]. Aber die Beschränkung der Apostel auf die Zwölf ist nicht das zentrale Anliegen des Lukas. Auch ist sie nicht seine schriftstelleri-

---

[143] Apg 2, 36.
[144] Gal 1. 2; *L. Cerfaux,* Le chrétien dans la théologie paulienne, a. a. O., 112 f.
[145] *K. Kertelge,* a. a. O., 90 f.; *R. Schnackenburg,* Apostel vor und neben Paulus, in: Schriften zum Neuen Testament, Exegese in Fortschritt und Wandel, München 1971, 349. Diese Meinung teilt H. Kasting nicht. Er erklärt, am Anfang stehe der exklusive Kreis der Auferstehungszeugen, der später eine gelegentliche Entschränkung erfahren habe im offenen Apostelbegriff (*H. Kasting,* a. a. O., 62 f.).
[146] Rö 11, 13 ff.; 15, 15 ff.; 2 Kor 5, 18 ff.; *H. Riesenfeld,* Art. Apostel, a. a. O., 498 f.
[147] *J. Roloff,* a. a. O., 135 f.
[148] Lk 17, 5; 22, 14; 24, 10 und 9, 10; 11, 49 (im Zusammenhang mit der Aussendung) und 6, 13 (im Zusammenhang mit der Berufung).
[149] Lk 8, 1; 9, 1. 12; 18, 31; 22, 3. 47.
[150] Apg 6, 2.
[151] Vgl. *J. Wagenmann,* a. a. O., 65–68.

sche Erfindung. Wenn Klein[152] Lukas für den Schöpfer der Zwölf-Apostel-Idee hält, schlägt er den Anteil der Tradition an der Verbreitung dieser Konzeption zu gering an[153]. Apg 1, 15–26 greift schon auf Traditionen zurück, die den Zwölfer-Apostolat kennen. Diese sind in einer Reihe zu sehen mit anderen in Apg 1–6 enthaltenen Traditionselementen, deren Kolorit palästinensisch ist[154]. Das zeigt unter anderem eine auffallende sachliche Nähe zu einzelnen Motiven der Verfassung der Qumran-Gemeinde. Lukas übernimmt also die Zwölf-Apostel-Vorstellung, ohne ihr eine zentrale Stellung einzuräumen. Daher spielen von Apg 6, 6 an die Jerusalemer Apostel bei ihm praktisch keine Rolle mehr, weil er sich wohl von da an nicht mehr an solche Traditionen halten kann.

Man kann nicht sagen, daß Lukas Paulus mit Hilfe der Zwölf-Apostel-Vorstellung abwerten will. Er nennt ihn zwar nicht Apostel[155], aber de facto zeichnet er ihn als solchen, obwohl damit die Konsequenz der Zwölf-Apostel-Vorstellung an einem entscheidenden Punkt durchbrochen ist. Die Hälfte der Apostelgeschichte ist dem Wirken des Paulus gewidmet. Überhaupt ist diese Schrift eindeutig im geistigen Raum einer durch die paulinische Mission geprägten Kirche entstanden[156]. Man kann hier jedoch weder von einem profilierten Paulinismus[157], also von einer Paulinisierung des gesamten Apostelbildes, reden, noch von dem gegenteiligen Extrem[158]. Aber Lukas steht

---

[152] G. Klein, Die zwölf Apostel, a. a. O., 213 f. bzw. 114–201. Nach K. hat Lukas die Zwölf-Apostel-Idee in Gegnerstellung gegen Paulus gebildet, um ihn für gnostische Reklamationen ungeeignet zu machen.

[153] K. Kertelge, a. a. O., 91 f. Cerfaux (Pour l'histoire du titre „Apostolos" dans le Nouveau Testament, a. a. O., 89) meint, die Identifizierung der Zwölf mit den Aposteln erfolge so früh, daß die Anfänge im dunkeln blieben. Nach Goppelt (Die apostolische und die nachapostolische Zeit, a. a. O., 123) entstammt sie einer palästinensisch-syrischen Tradition. Auch Schmithals (a. a. O., 266–268) bemerkt, daß Lukas in einer Tradition steht, die nach ihm nicht den paulinischen Apostelbegriff ablöst, sondern neben ihm besteht.

[154] Schon die Logienquelle hat die Kombination der Zwölf mit den Aposteln (vgl. Mt 19, 28 und Lk 22, 30 mit Apk 21, 14); so E. Hennecke–W. Schneemelcher, a. a. O., II, 7, mit E. Haenchen, Die Apostelgeschichte (Kritisch-exegetischer Kommentar über das Neue Testament, Begründet von H. A. W. Meyer 3. Abt.), Göttingen [13]1961, 679.

[155] Nur einmal wird er zusammen mit Barnabas Apostel genannt: Apg 14, 4. 14. Hier benutzt Lukas wohl eine alte Quelle bzw. setzt den Apostelbegriff als Funktionsbegriff voraus. G. G. Blum (Tradition und Sukzession, a. a. O. 40) spricht mit G. Klein (Die zwölf Apostel, a. a. O., 212) von einem „Rudiment des allgemeinen jüdischen und hellenistischen Sprachgebrauchs" oder von einer von Lukas absichtlich in Kauf genommenen Diskrepanz. Vgl. K. Kertelge a. a. O., 83; P. Bläser, a. a. O., 94; B. Rigaux, Die zwölf Apostel, a. a. O., 239; L. Cerfaux, Pour l'histoire du titre „Apostolos" dans le Nouveau Testament, a. a. O., 88: „. . . comme par distraction . . .".

[156] J. Roloff, a. a. O., 232.

[157] W. Mundle, Das Apostelbild der Apostelgeschichte, in: ZNW 27, 1928, 50. M. vertritt die Meinung, in der Apostelgeschichte habe der Paulinismus gesiegt, sei das Bild der Apostel paulinisiert und werde die ganze Geschichte der Kirche vom Standpunkt des Paulus aus gesehen (49–52). In der Tat ist Paulus der einzige Apostel, der neben Petrus handelnd auftritt, abgesehen von Johannes, der zweimal in einer nebensächlichen Rolle erscheint (Apg 3, 1–4, 3 und 8, 14), und dem Bericht über das Ende des Jakobus (Apg 12, 1 ff.); obwohl Paulus gerade nicht zu den Aposteln gehört, berichtet die zweite Hälfte der Apostelgeschichte ausschließlich über ihn (44 f.).

[158] Ph. Vielhauer, Zum Paulinismus der Apostelgeschichte, in: EvTh 10, 1950/51, 1–15.

dem Paulinismus geistig näher als der Welt des ältesten jerusalemischen Judentums, die aus den von ihm verarbeiteten palästinensischen Traditionen spricht. Die Heimat des lukanischen Werkes dürfte im Schnittpunkt jerusalemisch-judenchristlicher und paulinisch-heidenchristlicher Tradition liegen[159].

Mit Hilfe der Zwölf-Apostel-Vorstellung bringt Lukas die zentrale innere Motivation seines Apostelbildes, nämlich die wesenhafte Bindung des Apostolates an die für die Kirche normative Jesusüberlieferung, zum Ausdruck. Für ihn sind die Zwölf Zeugen des Erdenlebens und des Erdenwirkens Jesu, aber nicht einfach nur Garanten historisch verifizierbarer Fakten, sondern auch durch den Auferstandenen berufene und bevollmächtigte Zeugen, Träger und Interpreten der Tradition, die ihnen von Ostern her durch die Wirkung des Heiligen Geistes erschlossen wurde[160]. Damit knüpft Lukas einerseits an die älteste synoptische Tradition an, die den Zwölferkreis der Tradition der Erdentage Jesu zuordnet. Aber es kommen andererseits auch das paulinische Apostelbewußtsein und die dafür konstitutive Zusammenschau von Apostolat und Evangelium zu ihrem Recht. Dabei erfolgt aber eine Akzentverschiebung zugunsten der Bedeutung der Tradition. Das ist verständlich, da zur Zeit der Entstehung des lukanischen Doppelwerkes die Augenzeugen bereits der Vergangenheit angehören[161].

Die Identifizierung der Apostel mit den Zwölfen in exklusiver Weise ist nicht aus einer polemischen Frontstellung, sondern aus der geschichtlichen Situation zu verstehen. Paulus hatte den Apostelbegriff schon spezifiziert und damit die Zahl begrenzt. Für Lukas war der Apostelbegriff des Paulus unzulänglich, weil er nicht im irdischen Leben Jesu verwurzelt war und der Kreis über die Zwölf hinaus, abgesehen von Paulus, kaum verifizierbar war und keine klare heilsgeschichtliche Bedeutung hatte. Die Zwölf sind für ihn vom irdischen Jesus berufen[162] und als Augen- und Ohrenzeugen die berufenen Kontinuitätsträger zwischen der Zeit Jesu und der Zeit der Kirche.

Die zwölf Apostel sind für die Kirche des Lukas die maßgebliche Autorität der Urzeit, durch die die christliche Lehre der späteren Kirche überliefert wurde. Während sie in der synoptischen Tradition ideale Größen sind, die die Gemeinde der Endzeit vorbilden, erscheinen sie bei Lukas nicht mehr in der eschatologischen Perspektive, sondern in einer idealisierenden zurückliegenden Schau als ein festes Kollegium von Zeugen, die die kirchliche Predigt und Überlieferung garantieren. Sie haben nun nicht mehr eine eschatologische, sondern primär eine heilsgeschichtliche Bedeutung[163].

Neben dem Zeugnis ist für Lukas ein entscheidendes Moment des Apostelbegriffs der Dienst. Auch hier folgt er der von der Tradition

---

[159] *J. Roloff*, a. a. O., 232 f.
[160] Lk 24, 44 ff.
[161] Lk 1, 2; *J. Roloff*, a. a. O., 233; *G. G. Blum*, Tradition und Sukzession, a. a. O., 38 f.
[162] Lk 6, 12–16.
[163] *K. Kertelge*, a. a. O., 93; *G. G. Blum*, Tradition und Sukzession, a. a. O., 38 f.

gezeichneten Linie. Zwar ist der Dienst der Apostel primär Dienst des Wortes, aber der Dienst an der Gemeinde ist die notwendige Folge der Bindung des Apostels an das Evangelium[164], Entfaltung des ihm übertragenen Evangeliums auf die Kirche hin. Die Apostel treten mit ihrer Verkündigung und mit ihren kirchenleitenden Funktionen[165] in den Dienst und die Selbsthingabe ihres Herrn ein[166].

Von Paulus zu Lukas verschiebt sich das Apostelbild. Bei Paulus wird das missionarische Element stärker betont als bei Lukas. Die missionarische Verkündigung des Evangeliums ist für Paulus die entscheidende apostolische Grundfunktion[167]. Verkündigung als Christusdienst umfaßt aber auch Taufe und Eucharistie[168]. Für die Erstapostel in Jerusalem hingegen scheint das missionarische Element, das Hinausziehen, das Wandern von Stadt zu Stadt, nicht wesentlich zum Apostelbild gehört zu haben. Immerhin gab es auch im paulinischen Apostolat ein Element der Stabilität, wenn Paulus etwa in Korinth und Ephesus länger weilte und nicht nur von Ort zu Ort eilte, wenn er immer wieder zu der Gemeinde zurückkehrte und sie leitete[169]. Für Lukas sind die Apostel nicht so sehr „Träger der Vollmacht Christi, Vergegenwärtigung Christi", sondern „qualifizierte Zeugen des Lebens und der Auferstehung Jesu", deren Lehre maßgeblich wurde[170]. Aber das innere Wesen des Apostelamtes liegt bei Lukas wie bei Paulus in der Beauftragung durch Christus[171]. Für die Zukunft wurde das lukanische Verständnis des Apostolates vorherrschend.

5. Paulus und die zwölf Apostel

G. Klein und andere vertreten die Meinung, in der Urkirche sei eine stetige Entwicklung zur Aufwertung der Zwölf auf Kosten des Paulus zu konstatieren. Diese Entwicklung sei bedingt durch die falsche Auffassung von der Einstimmigkeit der Apostel und der Weltmission der Zwölf. Schon Lukas ordne Paulus ganz zu Unrecht konsequent der Autorität der Zwölf unter und füge seine Aufgabe und sein Werk in den Rahmen der kirchlichen Tradition ein[172]. Das sei aber eine Geschichtsfälschung. Sie widerspreche eindeutig

---

[164] 2 Kor 5, 20 f.; Apg 6, 4; Lk 12, 41–46.
[165] Apg 2, 42; 6, 2.
[166] *J. Roloff*, a. a. O., 233.
[167] 1 Kor 1, 17; Gal 1, 15 f.; vgl. *K. Kertelge*, a. a. O., 84.
[168] Rö 6, 1–11; 1 Kor 6, 11; Gal 3, 27; 1 Kor 11, 26; vgl. *K. Kertelge*, a. a. O., 86.
[169] *E. M. Kredel*, Art. Apostel I, in: HThG, a. a. O., 64; *G. G. Blum*, Tradition und Sukzession, a. a. O., 43 f.; *H. Kasting*, a. a. O., 80. Die Wandertätigkeit, die Schmithals (57 f.) als das entscheidende Kriterium des urchristlichen Apostolates ansieht, ist nach H. Kasting (80) eine spätere Erscheinungsform.
[170] Apg 2, 42.
[171] *E. M. Kredel*, Art. Apostel I, in: HThG, a. a. O., 66; ähnlich *E. Hennecke–W. Schneemelcher*, a. a. O., II, 7.
[172] *G. G. Blum*, Tradition und Sukzession, a. a. O., 40; *G. Klein*, Die zwölf Apostel, a. a. O., 162–174.

Gal 1, 12[173]. Daher sei die Unabhängigkeit des Paulus von den Zwölfen zu betonen. Paulus betrachte die Zwölf bei aller Ehrfurcht nicht als eine Autorität, der er sich beugen müsse, er weise vielmehr jede Autorität über sich zurück[174]. So rückt man die Zwölf und Paulus weit auseinander.

Auf das gleiche läuft die Darstellung von W. Schmithals[175] hinaus, wenn dieser zwei Richtungen des hellenistischen Christentums unterscheidet, die paulinische und die synoptische. Wie er darlegt, hat sich in der letzteren getrennt von der ersteren die Übertragung des Aposteltitels auf die Zwölf entwickelt. Die paulinische Aposteltradition geht von Antiochien aus. Sie hat keine Überlieferungen über den historischen Jesus, ihre Autorität ist der erhöhte Herr, der durch die Apostel redet. Die synoptische Aposteltradition geht hingegen von den hellenistischen Gemeinden Palästinas aus, ihre Autorität ist der historische Jesus, dessen Worte und Taten die Zwölf überliefern. In dieser Richtung entwickelte sich der Zwölfer-Apostolat. Erst nach der Mitte des 2. Jahrhunderts sind diese beiden Traditionsströme und damit diese beiden Apostelbegriffe nach Schmithals in Rom addiert worden, wodurch das Zusammenwachsen der beiden nachweislich eingliedrigen Kanones ermöglicht worden sei.

Es kann jedoch von einer Abwertung des Paulus durch die Apostelgeschichte und die nachfolgende Geschichte der Urkirche nicht die Rede sein. Lukas rechnet ihn praktisch zu den Aposteln. Paulus steht im Mittelpunkt der Apostelgeschichte, bei ihm finden sich alle charakteristischen Züge eines Apostels der Apostelgeschichte. Nur ein Charakteristikum fehlt ihm, nämlich daß er den irdischen Jesus gekannt hat[176]. Das wird aber ausgeglichen durch die Erscheinung vor Damaskus: Er ist ein auserwähltes Werkzeug des Herrn[177]. So groß war seine Bedeutung, daß er sich trotz der Beschränkung des Apostolates auf den Zwölferkreis als Apostel durchgesetzt hat[178].

Dennoch besteht ein Unterschied zwischen dem Apostolat des Paulus und dem Zwölfer-Apostolat, wegen der geschichtlichen Grundlage der evangelischen Botschaft. Eine gewisse Abhängigkeit des Paulus von den Zwölfen ist

---

[173] *J. Wagenmann*, a. a. O., 187 f. u. 219.

[174] Ebd., 33 ff. *H. von Campenhausen* (Kirchliches Amt und geistliche Vollmacht in den ersten drei Jahrhunderten, a. a. O., 36–40) räumt eine gewisse Anerkennung der Muttergemeinde und ihrer Führer durch Paulus ein (Gal 2, 1 ff.), aber die Bindung an die jüdische Gemeinde des Ursprungs bedeute nicht Unterordnung seiner Vollmacht. Apostel-Sein bedeute für ihn, von Christus berufen und autorisiert zu sein.

[175] *W. Schmithals*, a. a. O., 244–260.

[176] Apg 1, 21.

[177] Apg 9, 15; vgl. auch Apg 22, 15 und 26, 26, Stellen, die parallel zur Berufung der Zwölf zu verstehen sind. Auch für Lukas ist das entscheidende konstitutive Element des Apostolates nicht der Umgang mit dem irdischen Jesus, sondern die Erscheinung des Auferstandenen und die Berufung zum Zeugnis (vgl. *P. Bläser*, a. a. O., 103–105. 95), denn auch ihm geht es primär um das Zeugnis von der Auferstehung. Nach Bläser (95) ist die Frage, ob Paulus für Lukas nicht ein Apostel ist, noch nicht entschieden.

[178] *W. Mundle*, Das Apostelbild in der Apostelgeschichte, a. a. O., 46 u. 48; *P. Bläser*, a. a. O., 103–105; vgl. oben 214 f.

nicht zu leugnen, und sie ist legitim. Sie bezieht sich auf den Inhalt des Evangeliums. Das wird deutlich 1 Kor 15, 1–5. Paulus empfängt Überlieferung. Schon als Verfolger der Kirche wird er die Jesusgemeinde und ihre Verkündigung kennengelernt haben. Er hat das Evangelium nicht unmittelbar vom Herrn empfangen[179], wohl aber ist er einer Christusoffenbarung gewürdigt worden[180]. Diese hat sein theologisches und religiöses Verständnis des Inhaltes des Evangeliums entscheidend beeinflußt. Er bezeugt in erster Linie, was er in der Christusoffenbarung[181] empfangen hat, das Heilswerk Christi, seinen Tod und seine Auferstehung. Kern seines apostolischen Zeugnisses ist, daß der Gekreuzigte in Herrlichkeit lebt[182]. Von der unmittelbar empfangenen Offenbarung werden bei ihm Tradition und Theologie getragen. Aber die Kirche existierte schon vor ihm. Das muß man sehen[183].

L. Cerfaux bemerkt[184], Paulus stehe mehr unter dem Einfluß der apostolischen Tradition, als er es zuzugeben scheine, denn sonst wäre seine tiefe Übereinstimmung mit dem Denken Jesu von Nazareth unerklärlich. Die entscheidende Grundlage des Christentums sei für ihn wie auch für Jesus selbst „la foi en sa personne (sc. de Jésus) et son enseignement"[185]. Frappierend sei die Ähnlichkeit zwischen Paulus und Jesus in der Stellungnahme zum jüdischen Gesetz[186]. Man könne unmöglich Paulus vom anfänglichen Christentum trennen[187].

Praktisch scheint das Verhältnis zwischen Paulus und den Zwölfen in der Urkirche recht unkompliziert gewesen zu sein. Sie standen einfach nebeneinander. So sieht es auch W. Nagel[188]. Er erklärt, die Stellung des Paulus neben den Zwölfen sei in neutestamentlicher Zeit weniger problematisch gewesen, als es den Anschein haben könne, denn dieser habe sich schlichtweg an den Zwölfen orientiert. Tatsächlich wurde ihm wie auch Jakobus nie der Aposteltitel verweigert, wenngleich sich das Interesse mehr und mehr auf die Zwölf verlagerte und diese idealisiert wurden[189].

Auch die Väter erkennen wie selbstverständlich die Gleichstellung des Paulus mit den Zwölfen an. Immer mehr wird Paulus mit Petrus gekoppelt. Schon der 1. Clemensbrief stellt Paulus neben Petrus[190]. Der Brief des Ignatius von Antiochien an die Römer nennt die Apostel Petrus und Paulus zusammen[191]. Bereits um die Mitte des 3. Jahrhunderts gibt es in Rom einen

---

[179] Gal 2, 1 f.   [180] Gal 1, 11 f.
[181] 1 Kor 15, 8; 9, 1; Gal 1, 11; 2 Kor 4, 6; Gal 1, 1; 1 Kor 1, 1.
[182] Apg 22, 1–21; 26, 2–33; 2 Kor 3, 14–18.
[183] J. R. Geiselmann, Jesus der Christus, a. a. O., 46; P. Gaechter, a. a. O., 372–380. 448; G. Söhngen, a. a. O., 313–317.
[184] L. Cerfaux, Le chrétien dans la théologie paulienne, a. a. O., 15.
[185] Ebd.   [186] Ebd., 15 f.
[187] Ebd., 17–19. C. konstatiert: „L'histoire de sa vie fait corps avec celle de l'Eglise de Jérusalem et de son expansion dans le monde gréco-romain. Sa doctrine s'est greffée sur le message des apôtres, ses prédécesseurs" (19).   [188] W. Nagel, a. a. O., 45.
[189] L. Cerfaux, Pour l'histoire du titre „Apostolos" dans le Nouveau Testament, a. a. O., 90 f.
[190] 1 Clem 5, 2–3; 42, 2–3.   [191] Ad Romanos 4, 3.

gemeinsamen feierlichen Gottesdienst zu Ehren von Petrus und Paulus. Ende des 4. Jahrhunderts finden sie sich in der Namenreihe im Communicantes der Messe an der Spitze der Zwölf, nach manchen Meßbüchern auch bald im Nobis quoque peccatoribus und nach dem Paternoster, im 11. Jahrhundert dann im Suscipe des Offertoriums und endlich auch im Confiteor[192].

Dennoch unterscheidet sich Paulus von den Zwölfen: Er ist weder Zeuge des irdischen Jesus noch Fundament der Kirche. Das erkennt er ausdrücklich an[193]. Das schmälert jedoch nicht seine Bedeutung für die Kirche, die ihn praktisch den Zwölfen gleichstellt.

6. Der Apostelbegriff in nachneutestamentlicher Zeit

Man kann nicht sagen, daß die Reservierung des Aposteltitels für die Zwölf und Paulus in der Folgezeit konsequent durchgeführt wird. Gewiß sind die Zwölf und Paulus die Apostel im eigentlichen Sinne, aber auch andere bedeutende Personen der Frühzeit der Kirche erhalten diesen Titel. Dafür sollen im folgenden einige Beispiele geboten werden.

Irenäus[194] spricht von den zwölf Aposteln, sodann von den Siebzig ohne Titel und faßt endlich beide Gruppen in „omnes apostoli" zusammen. Bei Eusebius[195] wird öfters einer der siebzig Jünger Apostel genannt. Tertullian[196], der sonst genau zwischen Aposteln und Apostelschülern oder Gehilfen der Apostel unterscheidet, nennt Philippus, über den er nach Apg 8 eingehend berichtet, zweimal Apostel ohne Namen, nachdem er ihn zweimal Philippus ohne Titel genannt hat. In der syrischen Lehre des Addai wird dieser erste Missionar von Edessa von der Überschrift an Apostel genannt. Einmal heißt es „Addai der Apostel, welcher war einer der 72 Apostel"[197]. Eusebius hat die Zahl 72 in die gewöhnlichere 70 geändert[198] und den dazugehörigen Aposteltitel gestrichen, ihn aber bei Addai stehenlassen, ohne sich dadurch zu einer Verwechslung des Addai – er nennt ihn immer Thaddäus – mit dem Thaddäus der Zwölf verleiten zu lassen[199]. Clemens von Alexandrien nennt Barnabas, den er als einen der Siebzig kennt, an einer der Stellen, wo er das bemerkt, τὸν ἀποστολικὸν Βαρνάβα[200], und andernorts nennt er ihn einfach Apostel[201]. Auch Clemens von Rom konnte als Mitarbeiter des Paulus – man

---

[192] *J. A. Jungmann,* Missarum sollemnia, Wien [5]1962, II, 218 f. 319. 353. 62; I, 391. *F. Klostermann* bringt eine Fülle weiterer Beispiele (a. a. O., 74 f.). Im Römischen Kanon stehen noch heute im Communicantes Petrus und Paulus an der Spitze der Zwölf, dafür wird Matthias ausgelassen und findet im Nobis quoque peccatoribus zusammen mit Barnabas Erwähnung.

[193] Gal 2, 2. 6; 2, 7. 9; vgl. *F. Klostermann,* a. a. O., 76.

[194] Adversus haer. II, 21, 1.   [195] Historia Eccl. I, 13, 14 u. ö.

[196] De baptismo 18; vgl. De pudicitia 20; Adv. Marc. IV, 2.

[197] *Th. Zahn,* Apostel und Apostelschüler in der Provinz Asien, in: Forschungen zur Geschichte des neutestamentlichen Kanons der altchristlichen Literatur, VI. Teil, Leipzig 1900, 7.

[198] Historia Eccl. I, 13, 10.   [199] Ebd., I, 13, 4.

[200] Stromata II, 20 (116), PG VIII, 1069.

[201] Ebd., II, 6 (31) u. 7 (35), PG VIII, 965 u. 969.

fand ihn Phil 4, 3 – Apostel heißen[202]. Ebenso wird Lukas Apostel genannt[203], wohl deshalb, weil man die ihm zugeschriebenen Schriften zum NT zählte, d. h. zu jenen Schriften, die man apostolisch nannte. Nicht selten führen auch Jakobus und Judas die Bezeichnung Apostel, möglicherweise aus dem nämlichen Grund[204]. Der 2. Clemensbrief[205] faßt unter dem Aposteltitel die gesamte neutestamentliche Literatur zusammen, so daß die Apostolizität ihr Charakteristikum ist. Die Liturgie feiert konsequent alle Verfasser bzw. vermeintlichen Verfasser neutestamentlicher Schriften als Apostel.

Am Ende des ersten Jahrhunderts gelten in der Provinz Asien als Apostel Johannes von Ephesus oder, wie Eusebius meint, zwei Männer dieses Namens[206], ein Philippus mit Wohnsitz in Hierapolis, sei es der Evangelist von Samaria und Cäsarea oder sei es der Apostel, und Aristion, ein wenig bekannter Jesusjünger. Als Apostelschüler – als solche werden jene Männer der Urkirche benannt, die in irgendeiner Weise Kontakt hatten mit einem Apostel, ohne daß ein förmliches Schülerverhältnis erforderlich wäre[207] – gelten in Asien Polykarp von Smyrna, Papias von Hierapolis, mehrere von Irenäus erwähnte, aber nicht mit Namen genannte Seniores (Presbyterio) und der Prophet und Apologet Quadratus[208].

Besonders beliebt ist auch seit der Väterzeit die analoge Rede von Aposteln. Origenes[209] nennt Engel Apostel. Tertullian ruft Marcion zu: „. . . si apostolus, praedica publice, si apostolicus, cum apostolis senti . . .“[210]. Hieronymus bemerkt, daß es im AT heilige Männer gab, die Propheten und Apostel waren, und solche, die nur Propheten waren[211].

Auch die Lehrer der Kirche, Bischöfe und Päpste, werden Apostel oder apostolisch genannt. Aber die Bezeichnung hat sich für die Bischöfe nicht durchgesetzt, nur für den Papst; dieser heißt stets „apostolicus“[212]. Desgleichen werden Glaubensboten eines bestimmten Landes Apostel genannt, seien sie Päpste[213], Bischöfe[214] oder Priester und Mönche[215], ebenso Laien, vor allem Könige und Einsiedler[216].

So wird der Kaiser Apostel genannt, sofern er, abgesehen von den Hierarchen, der Erste im Volke Gottes und als solcher von Gott gesandt ist[217]. In nachkonstantinischer Zeit findet sich der Gedanke des Kaisers als eines neuen Paulus, wird das Herrscheramt als Aposteldienst verstanden. Noch die

---

[202] Ebd., IV, 27 (105), PG VIII, 1312.
[203] *Clemens von A.*, Epit. e Theodoto § 73 (74), PG IX, 693.
[204] *Th. Zahn*, Apostel und Apostelschüler in der Provinz Asien, a. a. O., 7 f.
[205] 2 Clem 14, 2; vgl. G. Klein, Die zwölf Apostel, a. a. O., 107.
[206] So Eusebius und einige ihm folgende Gelehrte der alten und der neueren Zeit; vgl. *Th. Zahn*, Apostel und Apostelschüler in der Provinz Asien, a. a. O., 8.
[207] Ebd., 6.   [208] Ebd., 8.   [209] Comm. in Joan. 32, 10.
[210] De carne Christi 2.   [211] Comm. in Ep. ad Gal 1, 1.   [212] S. unten 228 A 3.
[213] Papst Gregor der Große bei Beda Venerabilis, Historia ecclesiastica 2, 1: Apostolus Anglorum.
[214] Etwa Ansgar, Erzbischof von Hamburg-Bremen, † 865, Apostel des Nordens.
[215] Z. B. Clemens Maria Hofbauer, † 1820, Apostel Wiens.
[216] *F. Klostermann*, a. a. O., 92–98.
[217] Eusebius vergleicht Konstantin mit dem Apostel Paulus.

mittelalterlichen Kaiser verstanden sich als Stellvertreter des Pantokrators Christus in apostolischer Sendung[218].

Im Mittelalter nannte man fromme Christen in Italien Apostel, solche, die nach Art der Apostel, d. h. in Armut und von Almosen, leben wollten. Die Ambrosianer[219] wurden auch Fratres Apostolorum oder Apostoliner genannt, ebenso eine der im 13. Jahrhundert gegründeten Sekte Gerhard Segarellis entgegengerichtete italienische Eremiten-Genossenschaft, die in den Quellen als Fratres poenitentiae vocati apostoli bezeichnet wird[220].

Auch auf Frauen wurde der Aposteltitel ausgeweitet. Schon Origenes[221] nennt die Samariterin am Jakobsbrunnen apostola, Bernhard von Clairvaux[222] bezeichnet die Frauen am Grabe Christi als apostolae apostolorum. Fürstinnen werden wie Könige zu Aposteln, wenn sie sich um die Glaubensverkündigung verdient gemacht haben. So wird Clothilde, die Gemahlin Chlodwigs, Apostola Francorum genannt[223].

Schon früh wurden auch Laien ohne jeden amtlichen Auftrag zu apostolischem Tun, die einfach als Christen durch ihr Leben Zeugnis für Christus ablegten, als Apostel bezeichnet. Origenes sagt[224]: „Wenn darum der Erlöser jemanden sendet, um für das Heil anderer zu sorgen, ist der, der gesandt wird, Apostel Christi". Bei Hieronymus[225] wird die allgemeine christliche Berufung als Apostelberufung verstanden.

Dieser Sprachgebrauch hat sich bis in die Gegenwart hinein erhalten. Heute wird jeder missionarische Einsatz für die Kirche und das Evangelium als Apostolat verstanden. Es wird als Aufgabe eines jeden Christen angesehen, sich in der Welt, im Beruf, im Leben als Apostel zu bewähren[226].

Demnach wird der Apostelbegriff in der Väterzeit durchaus nicht auf die Zwölf und Paulus eingeengt, im Gegenteil, der ursprüngliche weitere Gebrauch dieser Vokabel behauptet sich z. T. in der Alten Kirche und weitet sich dann im analogen Sprachgebrauch immer mehr aus. Dabei sind jedoch die Zwölf und Paulus die Apostel im eigentlichen Sinn, gewissermaßen der Kristallisationspunkt des Apostolates.

7. Der Ursprung des Aposteltitels

Abschließend sei noch ein Blick auf den Ursprung des Aposteltitels geworfen. Dieser ist nicht unproblematisch. Eine direkte Übernahme des Titels ist nicht

---

[218] *F. Klostermann*, a. a. O., 98–101. 104 f.
[219] Fratres Ambrosii, ursprünglich eine Einsiedler-Genossenschaft.
[220] *F. Klostermann*, a. a. O., 107.
[221] Comm. in Joan. 4, 28.
[222] Sermones in Cantica 75, 8.
[223] *F. Klostermann*, a. a. O., 108.
[224] Comm. in Joan. 32, 10.
[225] Comm. in Ep. ad Gal 1, 2.
[226] *F. Klostermann*, a. a. O., 109 f.

möglich. Weder die griechisch noch die aramäisch sprechende Umwelt des jungen Christentums kannte Apostel im Sinne des NT. Bezeichnung und Institution mußten eigens geschaffen werden[227].

Die traditionelle Anknüpfung des christlichen Apostolates an das jüdische Rechtsinstitut des Schaliach[228], die sich schon bei Hieronymus findet[229] und zuletzt von K. H. Rengstorf[230] mit Nachdruck vertreten wird, begegnet heute manchen Bedenken. Man hat des öfteren darauf hingewiesen, daß alle sprachlichen Belege erst aus nachneutestamentlicher Zeit stammen und die Bezeichnung erst im 2. nachchristlichen Jahrhundert nachweisbar ist[231]. Die Einwände gegen die Schaliach-Theorie konzentrieren sich heute in dem Hinweis, daß das Schaliach-Institut zum einen in Einzelheiten recht spät belegt sei, zum anderen bei Paulus, einem wesentlichen und frühen Zeugen für den urchristlichen Apostolat, nichts vom Schaliach-Rechtsinstitut zu finden sei[232].

Mit Vehemenz haben sich gegen die Ableitung des neutestamentlichen Apostolates aus dem Schaliach-Institut W. Schmithals[233] und G. Klein[234]

---

[227] E. M. Kredel, Art. Apostel I, in: J. Bauer (Hrsg.) Bibeltheologisches Wörterbuch I, Graz ³1967, 61 f.

[228] Im jüdischen Rabbinat ist der Schaliach der bevollmächtigte Repräsentant seines Auftraggebers. Er ist berechtigt, ihn rechtsverbindlich zu vertreten, allerdings nur im Rahmen seines Auftrages. Es handelt sich nicht um den mechanischen Vollzug eines Befehls, sondern um die bewußte Tatentscheidung für den Plan und den Auftrag eines anderen. Der Schaliach erhält nicht ein dauerndes Amt, sondern immer nur einen einzelnen Auftrag (K. H. Rengstorf, Art. ἀπόστολος, a. a. O., 406 f.; Strack-Billerbeck III, 2–4). Die Institution der Scheluchim ist seit der Zeit nach dem Exil nachzuweisen (2 Chr 17, 7–9), wahrscheinlich liegen ihre Wurzeln aber weiter zurück. Sie gründet im semitischen Botenrecht, nach dem der Gesandte eines Königs als rechtlicher und persönlicher Repräsentant des fernen Herrschers verstanden wird. Ihre eigentliche Ausprägung erfuhr sie erst um die Zeitenwende. Entscheidend ist nicht die Aufgabe, sondern die Autorisation (K. H. Rengstorf, Art. ἀπόστολος, a. a. O., 414 f.).

[229] Comm. in Ep. ad Gal 1, 1.

[230] K. H. Rengstorf, Art. ἀπόστολος, a. a. O., 406–446.

[231] Vgl. K. H. Schelkle, Art. Apostel I (Biblisch), in: LThK I, Freiburg ²1957, 735. Sch. bemerkt, zwar sei der Name erst vom 2. nachchristlichen Jahrhundert an nachweisbar, aber der Schaliach sei bereits eine nachexilische Einrichtung (2 Chr 17, 7–9).

[232] E. Hennecke–W. Schneemelcher, a. a. O., II, 4 f.; G. Klein, Die zwölf Apostel, a. a. O., 26. K. Kertelge (a. a. O., 80) erklärt, das Schaliach-Institut, wie Rengstorf es schildere, sei erst im Talmud, also um 200 n. Chr., nachweisbar. Wie A. Wikenhauser (a. a. O., 554 f.) bemerkt, hat es erst seit dem Untergang des 2. Tempels Abgesandte der jüdischen Zentralbehörde in die Diaspora gegeben, es ist aber fraglich, ob sie von Anfang an den Titel Apostel erhalten haben, und ist der griechische Name ἀπόστολος nie für Schaliach gebraucht worden.

[233] W. Schmithals, a. a. O., 87–99. Sch. erklärt den christlichen Apostolat aus der Übernahme des missionarischen Amtes der jüdischen bzw. der judenchristlichen Gnosis (a. a. O., 66. 77. 220. 226), was jedoch problematisch ist, wenn man berücksichtigt, daß die gnostischen Systeme, die gnostischen Gemeinden und die gnostischen Apostel in eine spätere Zeit gehören und uns im NT die gnostische Gefahr nur als kirchliche Gefahr begegnet (vgl. H. Küng, Die Kirche, a. a. O., 411). Eine eingehende Kritik der Thesen von Schmithals bei E. Schweizer, Besprechung des Werkes, in: ThLZ 87, 1962, 837–840.

[234] G. Klein, Die zwölf Apostel, a. a. O., 26 f. K. macht auf die ihm wesentlich erscheinenden Unterschiede zwischen dem Schaliach und dem Apostel aufmerksam.

gewandt. Kritisch äußern sich auch B. Rigaux[235], A. Erhardt[236], H. Mosbech[237], E. Käsemann[238] und W. Schneemelcher[239].

Jene Theologen, die an der Ableitung des christlichen Apostolates aus dem Schaliach-Institut festhalten möchten[240], machen geltend, daß die späten Belege, die rabbinischen Quellen, den Niederschlag einer lebendigen Tradition enthalten, so daß das Schaliach-Institut als solches doch schon in neutestamentlicher Zeit existent gewesen sein könnte. Dann aber habe es auch möglicherweise die Bezeichnung gegeben. Es sei kaum vorstellbar, daß diese von den Juden dem christlichen Sprachgebrauch entnommen worden sei. Die ersten Christen hätten das Schaliach-Institut als eine Institution in ihrer jüdischen Umwelt vorgefunden, in der Schaliach den prägnanten Sinn des bevollmächtigten Boten gehabt hätte. Wie im christlichen Sprachgebrauch, so sei dann auch im jüdischen eine Verengung des Begriffs zur Standesbezeichnung erfolgt[241]. Ferner betonen sie, entscheidend sei für das Schaliach-Institut die Beauftragung und damit verbunden die Autorisation, nicht die Aussendung und der Inhalt des Auftrags. In die Bedeutung des neutestamentlichen Apostels sei vor allem die juridische Auffassung des Begriffs Gesandter eingegangen[242].

Einflüsse der jüdischen Rechtsgrundsätze auf die Entstehung des urchristlichen Apostolates dürften kaum zu leugnen sein[243]. Dennoch wird seine formale Herleitung vom jüdischen Schaliach-Institut nicht hinreichen. Offensichtlich gibt es eine gewisse Entsprechung einzelner formaler Elemente des Apostolates zum Verständnis des jüdischen Schaliach, was 2 Kor 5, 20 und Gal 1, 1 sowie bei den Gemeindeaposteln[244] besonders deutlich wird, aber die spezifisch urchristlichen Motive der Funktion des Apostels sind für die Frage der Entstehung des urchristlichen Apostolates wesentlich höher zu veranschlagen, als es bei der unmittelbaren Herleitung aus dem Judentum in der Regel geschehen ist. Es sind genuin christliche Erfahrungen in Rechnung zu ziehen, die sich im Bekenntnis zu Jesus und in der Verkündigung Ausdruck verschafft haben[245].

---

[235] *B. Rigaux,* Die zwölf Apostel, a. a. O., 238–242.

[236] *A. Erhardt,* The Apostolic Succession in the First Two Centuries of the Church, London 1953, 15–19.

[237] *H. Mosbech,* Apostolos in the New Testament, in: Studia theologica 1, 1948, 166–200, bes. 168.

[238] *E. Käsemann,* Die Legitimität des Apostels, Eine Untersuchung zu 2 Kor 10–13, Darmstadt 1956, 36.

[239] *E. Hennecke–W. Schneemelcher,* a. a. O., II, 4 f.

[240] Vgl. *H. Kasting,* a. a. O., 73 f.   [241] Ebd.

[242] So *K. H. Rengstorf, H. Schlier* u. a.; vgl. *K. Kertelge,* a. a. O., 79 f.; *H. Kasting,* a. a. O., 73–77. Dagegen wendet *W. Schmithals* (a. a. O., 87–89) ein, die Autorität des urchristlichen Apostels liege nicht in dem formalen Moment der Beauftragung, sondern in dem Inhalt des Auftrages, in der Botschaft, die der Apostel zu verkündigen habe.

[243] *J. Roloff,* a. a. O., 272–274.

[244] 2 Kor 8, 23; Phil 2, 25.

[245] Vgl. *K. Kertelge,* a. a. O., 80 f.; *J. Roloff,* a. a. O., 272–274.

Darüber hinaus gibt es wahrscheinlich noch weitere Einflüsse auf Entstehung und Verständnis des urchristlichen Apostelbegriffs, wie gnostisierende oder einfach orientalische Einflüsse – das wird deutlich, wenn etwa Jesus als „der Apostel und Hohepriester unseres Bekenntnisses"[246] bezeichnet wird –, und spielt auch die griechische Vokabel ἀπόστολος eine Rolle, die im Jonischen zuweilen die Einzelperson eines Gesandten bezeichnet[247].

Die Ursprünge des Apostelbegriffs sind nicht bei Paulus, sondern in dem Kreis derer zu suchen, die vor Paulus Apostel waren, näherhin bei den Traditionsträgern aus den Erdentagen Jesu. Die Zwölf galten wohl schon zu Beginn des apostolischen Zeitalters als die Apostel im eigentlichen Sinne, weil sie die für die Evangelienüberlieferung grundlegende Jesusüberlieferung in den weiteren Kreis der Apostel im wesentlichen hineingebracht haben[248]. Die nachpaulinische Entwicklung des Apostelbegriffs führt dann im NT zu einer zunehmenden Konzentration dieses Begriffs. Die Zwölf werden nun die Apostel im exklusiven Sinn. Unausgeglichen bleibt daneben aber Paulus Apostel[249]. Der Grund für die Konzentration ist das Wissen darum, daß das die Kirche begründende Evangelium an die Apostel des historischen Jesus gebunden ist, ein Gedanke, der seine ausgeprägteste Gestalt in der Zwölf-Apostel-Theorie des Lukas findet[250].

Wenn wir im folgenden die Entstehung des neutestamentlichen Apostolates nachzuzeichnen versuchen, so stützen wir uns im wesentlichen auf die Darstellung von L. Cerfaux[251]. Dieser geht aus von dem Verbum ἀποστέλλειν, einem Verbum, das im NT, dem die äußerste Wichtigkeit der Sendung nicht unbekannt ist, sehr häufig verwandt wird[252].

Das Verbum meint in der Profangräzität vorwiegend ein Senden, das „unter einem ganz bestimmten, einmaligen und einzigartigen Gesichtspunkt erfolgt", das „Auftrag bedeutet, der an die Person des Gesandten geknüpft ist"[253]. Der Ton liegt auf dem Willen des Sendenden, auf der Beauftragung und

---

[246] Hebr 3, 1.
[247] *K. Kertelge,* a. a. O., 82 f.; *H. Riesenfeld,* Art. Apostel, a. a. O., 497. R. erinnert nachdrücklich an die in orientalischen Religionen sich findende Vorstellung von dem Gesandten, der göttliche Offenbarung vermittelt, im AT mit dem Begriff des Propheten verbunden (Is 6, 8; Jer 1, 7; 1 Kö 14, 6). So galten u. a. Moses und Elias bei den Rabbinen als Gesandte, die mit wunderkräftiger Vollmacht begabt waren, nicht jedoch die Propheten allgemein, wenngleich das Verbum שלח im Zusammenhang mit den Prophetenberufungen Terminus technicus für die Autorisation durch Gott ist; auch wird die Priesterschaft mit dem Terminus Schaliach – Gesandter belegt (vgl. *K. H. Rengstorf,* Art. ἀπόστολος, a. a. O., 419 f.).
[248] S. oben 217 f.; *J. Roloff,* a. a. O., 272–274. 168.
[249] S. oben 213–216.   [250] *J. Roloff,* a. a. O., 274.
[251] *L. Cerfaux,* Le chrétien dans la théologie paulienne, a. a. O., 109–111, beachtenswert ist die ausführliche Bibliographie auf S. 99; ders., Pour L'histoire du titre „Apostolos" dans le Nouveau Testament, a. a. O., 89–92.
[252] Rö 10, 15; 1 Kor 1, 17. Bei Paulus findet sich diese Vorstellung sonst nur noch 2 Kor 12, 17 f., hier als hapax legomenon im NT: συναπέσταλκα. 2 Tim 4, 12 bezeichnet sie Jünger, die durch die Apostel mit der Sendung betraut werden. Aber die Sendung ist auch den Evangelien und der Apostelgeschichte vertraut (*L. Cerfaux,* a. a. O., 109 f.).
[253] *K. H. Rengstorf,* Art. ἀπόστολος, a. a. O., 397.

Bevollmächtigung. In der Septuaginta findet sich das Verbum mehr als 700mal, meistens in der Übersetzung von שָׁלַח. Im NT betont es die Beauftragung und die Vollmacht des Gesandten, während das weit seltener vorkommende πέμπειν einfach den Akt der Sendung, die Tatsache des Sendens, bezeichnet[254].

Da die gewöhnliche Bezeichnung für „Gesandter", die Vokabel ἄγγελος, bereits den festen spezifischen Sinn „Engel" hatte, bot sich nun das selten im Profangriechisch gebrauchte, von dem Verbum ἀποστέλλειν gebildete Substantiv ἀπόστολος für einen neuen spezifischen Sinn an. Ähnlich hat man es ja mit dem Wort ἐκκλησία gemacht. Bei dem Terminus „Apostel" ist also das Christentum schöpferisch gewesen. Die Kirche hat, wie auch mit anderen Beispielen belegbar, ein dunkles Wort ohne Geschichte aus der griechischen Sprache in Dienst genommen und ihre Führer damit benannt, um zum Ausdruck zu bringen, daß Christus die Kirche gegründet hat, daß ihre Führer ihre ganze Autorität Christus zu verdanken haben, von dem sie gesandt sind, und daß das Christentum so neu ist wie die Gegenwart der Apostel in der griechisch-römischen Welt[255].

Der primäre Bezugspunkt des Apostolates ist die Galiläa-Mission zur Zeit des irdischen Jesus. „La mission des Douze en Galilée était une pièce très ferme et très archaïque de la tradition chrétienne primitive; elle a servi de modèle aux missions lointaines"[256]. Die Sendung von Galiläa wurde ratifiziert und zu neuer Würde erhoben in der nachösterlichen Sendung. Beide Sendungen gehören aber zusammen. Der Grundgedanke des christlichen Apostelbegriffs ist die Sendung durch Christus zu einer missionarischen Aktivität im Dienste des Gottesreiches. Darum wurde in Nachahmung dieser Urapostel dann sehr bald der Apostelbegriff ausgeweitet und wurden vor allem Missionare als Apostel bezeichnet, die aber Autorität nur aus ihrer Teilnahme an der Sendung der ersten Apostel hatten, die als Augenzeugen die eigentlichen Apostel waren. „La note fondamentale de la notion chrétienne de l'apostolat au sens strict est donc l'envoi, par le Christ, pour une activité missionaire en faveur du Royaume des cieux. Secondairement s'y ajoute cette autre que les apôtres qui dirigent la destinée de l'Eglise, s'identifient idéalement au groupe des Douze, les premiers ‚envoyés'"[257].

Als Paulus sich der apostolischen Gruppe anschloß, hatte die Urgemeinde den Apostelbegriff in diesem Sinne fixiert (Gal 1, 17a. 19). Paulus hat dann seine persönlichen Vorstellungen und seine Polemik angepaßt, um seine

---

[254] Ebd., *E. M. Kredel,* Art. Apostel I, in: Bibeltheologisches Wörterbuch, a. a. O., 62 f.

[255] *L. Cerfaux,* Pour l'histoire du titre „Apostolos" dans le Nouveau Testament, a. a. O., 92: „. . . que l'Eglise . . . a fait surgir brusquement de la langue grecque un mot obscur et sans histoire".

[256] *L. Cerfaux,* Le chrétien dans la théologie paulienne, a. a. O., 110. *E. M. Kredel,* Art. Apostel I, in: Bibeltheologisches Wörterbuch, a. a. O., 63–65; im Gegensatz zu *P. Bläser* (a. a. O., 102), der die Sendung der Elf durch den Auferstandenen, nicht die Sendung der Zwölf durch den historischen Jesus, als die Geburtsstunde des Apostolates ansieht. S. oben 204 f.

[257] *L. Cerfaux,* Le chrétien dans la théologie paulienne, a. a. O., 110 bzw. 109–111; ders., Pour l'histoire du titre „Apostolos" dans le Nouveau Testament, a. a. O., 89–92; vgl. oben A 248.

225

Unabhängigkeit in dieser Gruppe zu behaupten. Er hat aber den wesentlichen Gedanken bewahrt, daß das Evangelium das gemeinsame Werk des Kollegiums ist, zu dem er gehört[258].

8. Zusammenfassung

Der Apostelbegriff hat sich im Anschluß an die Herrenworte und die Aussendung der Zwölf sehr früh gebildet. Schon am Beginn des apostolischen Zeitalters sind die Zwölf die Apostel im eigentlichen Sinn. Aber Apostel heißen auch solche, die teilhaben an der Sendung der ersten Apostel, bevollmächtigte Boten des Evangeliums und Gesandte, selbst im profanen Sinn. Die Mannigfaltigkeit der Verwendung des Apostelnamens, wie sie uns im NT begegnet[259], wird sehr gefördert durch das etymologische Moment, aber es spielt auch die Nähe zu den Aposteln oder den apostolischen Amtsträgern sowie das apostelgleiche Tun eine Rolle[260].

Bereits Paulus engt den Apostelbegriff wieder ein, wenn er die Christophanie und die Berufung durch den Auferstandenen als für den Apostolat konstitutiv versteht[261]. Die lukanischen Schriften begrenzen die Apostel auf den Zwölferkreis als die Apostel schlechthin. Ihre einzigartige Bedeutung besteht für Lukas darin, daß sie das Bindeglied zwischen dem irdischen Jesus und der sich konstituierenden Kirche darstellen, daß ihnen zuerst die autoritative Sendung zuteil wurde und sie „der Prototypus der apostolischen Zeit“[262] sind. Durch die Begrenzung der Apostel auf den Zwölferkreis wird aber der Apostolat des Paulus praktisch nicht in Frage gestellt. Fortan dachte man bei den Aposteln primär an Paulus und die Zwölf. Schon bald erhielt er seinen Platz neben Petrus an der Spitze des Zwölferkreises.

Aber das Prinzip der Reservierung des Aposteltitels für die Zwölf und Paulus wird nicht streng durchgeführt. Wir finden bei den Kirchenvätern den Aposteltitel auch für solche Männer der Urzeit der Kirche, die nicht dieser engen Gruppe angehören. Daneben gibt es noch die viri apostolici, jene Männer, die in irgendeiner Weise mit den Aposteln in Kontakt getreten sind. Darüber hinaus wird der Aposteltitel bei den Kirchenvätern in analoger Weise mehr und mehr ausgeweitet, wenn Engel, bestimmte Frauengestalten der Bibel, Bischöfe, Glaubensboten und endlich alle, die ihrer christlichen Berufung leben, als Apostel bezeichnet werden, wenn alle jene zu „Aposteln“

---

[258] *L. Cerfaux*, Le chrétien dans la théologie paulienne, a. a. O., 110 f.; ders., Pour l'histoire du titre „Apostolos“ dans le Nouveau Testament, a. a. O., 89 u. 91 f.

[259] S. oben 208–211.

[260] Vgl. *L. Cerfaux*, Pour l'histoire du titre „Apostolos“ dans le Nouveau Testament, a. a. O., 79–85; ders., Le chrétien dans la théologie paulienne, a. a. O., 101–104; *F. Klostermann*, a. a. O., 126 f.

[261] Vgl. *L. Cerfaux*, Le chrétien dans la théologie paulienne, a. a. O., 101; *G. G. Blum*, Tradition und Sukzession, a. a. O., 29; *L. Goppelt*, Die apostolische und die nachapostolische Zeit, a. a. O., 122 f.; *H. Küng*, Die Kirche, a. a. O., 416; *A. Wikenhauser*, Art. Apostel, a. a. O., 554.

[262] *A. Kolping*, Art. Apostel II, a. a. O., 71.

werden, die den Aposteln in Lehre und Leben gleich sind. Diese Terminologie hat sich bis heute erhalten, wenn jeder Einsatz für Christus und die Kirche Apostolat genannt und derjenige, der sich einsetzt, als Apostel bezeichnet wird.

9. Konsequenzen für das Verständnis der apostolischen Zeit

Wenn sich die Kirche als Kirche der Apostel versteht, so denkt sie zunächst an den Zwölferkreis und Paulus, aber nicht ausschließlich. Die Zwölf und Paulus sind die Apostel im eigentlichen Sinn. Sie haben die Aufgabe, den irdischen Jesus und den erhöhten Christus mit der Kirche zu verbinden. Sie verkörpern die Apostel im idealen Sinn, speziell die Zwölf, sofern sie Augenzeugen des irdischen Jesus sind. Deshalb muß alle Lehre und Verkündigung und aller Dienst in der Kirche auf sie zurückgehen. Das will aber nicht sagen, daß möglichst viele oder wenigstens die wichtigsten Kirchen von einem Zwölfer-Apostel oder von Paulus gegründet sind[263] – selbst die Gründung der römischen Gemeinde liegt im Dunkel der Geschichte –, vielmehr, daß die Kirche als ganze und in ihren legitimen Teilen auf das zurückgeht, was die Beauftragten des Auferstandenen, besonders der uranfängliche Kern, die Zwölf, begonnen haben, und daß sie damit im konkret-geschichtlichen Zusammenhang steht[264]. Aber auch andere Männer der Frühzeit werden in neutestamentlicher Zeit und auch noch bei den Vätern als Apostel bezeichnet. Sie haben Anteil am Apostolat der Zwölf und des Paulus. Zusammen mit diesen sind sie authentische Zeugen des Christusgeschehens und seiner maßgeblichen Entfaltung. Unter anderen nennen die Väter besonders alle Verfasser der neutestamentlichen Schriften Apostel. Das entspricht auch der liturgischen Praxis. Selbst Lukas und Markus, die eindeutig nicht zum Zwölferkreis gehörten, werden ganz selbstverständlich als Apostel gefeiert[265]. Über die Zeit der Urkirche hinaus ist nur noch in analoger Weise von Aposteln die Rede.

Daher legt es sich nahe, die apostolische Zeit nicht exklusiv auf die Lebenszeit und Wirksamkeit der Zwölf und des Paulus zu begrenzen, sondern die anderen Apostel der neutestamentlichen Zeit einzubeziehen und das Ende der apostolischen Zeit durch den letzten Verfasser einer neutestamentlichen Schrift bzw. durch diese selbst zu markieren. Die apostolische Zeit ist dann die Zeit der Urkirche, die entscheidende und grundlegende Zeit für die Kirche überhaupt. Ihr Kristallisationspunkt und Zentrum aber sind die Zwölf und Paulus.

---

[263] So die apokryphen Apostelakten!
[264] A. *Kolping*, Art. Apostel II, a. a. O., 71.
[265] S. oben 220.

§ 11. Die Norm des Apostolischen

1. Der Begriff „apostolisch"

Das Adjektiv „apostolisch" kommt im NT nicht vor, so sehr auch die Apostel eine Rolle spielen. Es begegnet uns zum ersten Mal bei Ignatius von Antiochien[1], dann im Martyrium des Polykarp[2], danach immer häufiger bei den Vätern. Sein ursprünglicher und allgemeiner Sinn ist: mit den Aposteln in Verbindung stehend, sich von den Aposteln herleitend[3]. Dieser Sinn weitet sich bei den Vätern mehr und mehr in Richtung „ursprünglich" und „echt". Sie verstehen die richtige Lehre und Ordnung der Kirche als Weisung der Apostel[4]. Daneben erhält das Adjektiv seit dem 2. und 3. Jahrhundert eine aszetische Bedeutung im Sinne von apostelähnlich. In diesem Sinne gebrauchen es die alte Mönchsliteratur und die sektiererischen Gemeinschaften des Altertums und des Mittelalters. Sie denken dabei primär an Besitz- und Ehelosigkeit. Erst in relativ später Zeit tritt in dem Adjektiv das seelsorglich aktive Moment im Gegensatz zur reinen Kontemplation stärker in den Vordergrund (Rupert von Deutz, † 1129/1130), auf dem auch heute im allgemeinen der Schwerpunkt liegt[5].

Der Begriff „apostolisch" wird in der Väterzeit immer häufiger verwandt. Er begegnet in allen Bereichen, die das christliche Leben betreffen, ist doch das ganze christliche Leben auf dem Fundament der Apostel aufgebaut (Eph 2, 20)[6] und das Apostolische das Kriterium des authentisch Christlichen schlechthin.

2. Das Apostolische im NT und bei den Vätern

Da die christliche Verkündigung sich auf kontingentes Geschehen gründet, auf das Geschehen um den geschichtlichen Jesus, den Gekreuzigten und Auferstandenen, sind die Urzeugen maßgebend, die in einer einzigartigen zeitlichen Nähe zu den verkündigten Ereignissen stehen und von dem Bewußtsein getragen werden, in ihrer Verkündigung von dem in diesen

---

[1] Ad Trall Inscr.: Gruß „in apostolischer Art".

[2] Martyrium Polycarpi 16, 2: Polykarp wird ein apostolischer und prophetischer Lehrer genannt.

[3] F. *Klostermann*, a. a. O., 130 f. „Apostolicus" bezeichnet substantivisch in der frühen Kirche (ursprünglich als Adjektiv in Verbindung mit „vir"!) die unmittelbaren Apostelschüler, dann die Apostelschüler im weiteren Sinn, die die Lehre der Apostel angenommen haben, die also Christen geworden sind, ferner (unter Weglassung von „dominus" oder „episcopus") die Bischöfe. Später wird die Bezeichnung „apostolicus" eingeengt auf den Papst. Es bezeichnen sich aber auch bestimmte häretische Sekten auf Grund ihres apostolischen Lebens als „apostolici" und endlich auf Grund äußerer Analogie profane Führer der Türken oder Sarazenen (F. *Klostermann*, a. a. O., 161–164. 134–139).

[4] L. *Goppelt*, Die apostolische und die nachapostolische Zeit, a. a. O., 109.

[5] H. *Bacht*, Art. Apostolisch, in: LThK I, Freiburg ²1957, 758; vgl. H. *Küng*, Die Kirche, a. a. O., 409; E. *Hennecke–W. Schneemelcher*, a. a. O., II, 7 f.

[6] F. *Klostermann*, a. a. O., 146 f.

Ereignissen wirkenden Gott selbst beauftragt und bevollmächtigt zu sein[7]. Paulus belehrt die Korinther darüber, daß sie nicht eigene Bräuche bilden können, weil von ihnen nicht das Wort Gottes ausgegangen ist[8], daß sie vielmehr im Zusammenhang der größeren und der älteren Kirche stehen. Die ältere Kirche ist die Regel für die jüngere, „weil das Wort, wo es zuerst verwirklicht wird, sich mit ursprünglicher Kraft und maßgeblicher Sicherheit die wesensgemäße und für andere gültige Gestalt schafft"[9]. Norm für die spätere Gemeinde ist die frühere. Die Identität und Kontinuität der gegenwärtigen Kirche mit der Kirche der Apostel und die Verbindung mit Christus selbst müssen gesichert sein[10].

Die Sicherung der kirchlichen Überlieferung durch die Norm des Apostolischen ist bei Paulus bzw. in einem bestimmten Verständnis des Apostolates, das sich in verschiedenen Teilen des NT findet, angelegt. Näherhin wird sie außer bei Paulus bei Lukas und in den anderen Evangelien, in den Deuteropaulinen, besonders in den Pastoralbriefen, aber auch im 2. Petrusbrief vorbereitet, in einem weiteren Zusammenhang auch im 1. Johannesbrief. Bei Lukas ist der Apostelbegriff dann zuerst dogmatisch geprägt, auf die Zwölf begrenzt und amtlich[11]. In den Aposteln weiß man die heilsgeschichtliche Kontinuität garantiert[12]. Entscheidend ist, was sie gepredigt haben[13]. Diese hatten ja die Offenbarung unmittelbar von Christus empfangen und konnten und mußten in seinem Auftrag und in der Kraft des Heiligen Geistes mit unfehlbarer Autorität den Inhalt der christlichen Offenbarung verkünden[14]. Eine Schlüsselstellung nimmt in solchem Bewußtsein die Apostelgeschichte ein. Sie beweist schon als solche die Wertschätzung des Apostolischen[15].

In der Zeit der apostolischen Väter erfreute sich das Apostolische einer hohen Wertschätzung. Dazu seien nur einige Beispiele angeführt.

Der 1. Clemensbrief sichert um 95 n. Chr. das kirchliche Amt durch Rückgriff auf die Apostel. Ebenso hat er in Ansätzen die Vorstellung von der notwendigen apostolischen Qualität aller verbindlichen Lehre. Sie wird

---

[7] *E. Kinder,* Urverkündigung der Offenbarung Gottes, Zur Lehre von den „Heiligen Schriften", in: Zur Auferbauung des Leibes Christi, FS für *P. Brunner,* Kassel 1965, 12. 19 f.; *E. Schlink,* a. a. O., 176.

[8] 1 Kor 14, 36.

[9] *K. H. Schelkle,* Das Wort Gottes in der Kirche, in: ThQ 133, 1953, 288 f.

[10] *Y. Congar,* Apostolicité, in: Catholicisme, Hier – Aujourd' hui – Demain, Encyclopédie en sept volumes, dirigée par G. Jacquemet, Paris 1948 ff., I, 729; vgl. *H. Küng,* Thesen zum Wesen der apostolischen Sukzession, in: Conc 4, 1968, 248.

[11] *G. G. Blum,* Tradition und Sukzession, a. a. O., 23; *R. Pesch,* Die Zuschreibung der Evangelien an apostolische Verfasser, in: ZKTh 97, 1975, 60; *W. Nagel,* a. a. O., 119; *W. Marxsen,* Kontingenz der Offenbarung oder (und?) Kontingenz des Kanons, in: NZSTh 2, 1960, 360.

[12] *G. G. Blum,* Tradition und Sukzession, a. a. O., 41.

[13] Apg 2, 42; 16, 4.

[14] Apg 1, 21; vgl. 1 Joh 1, 1 f.; *H. Niebecker,* a. a. O., 167–172.

[15] Vgl. *A. Sand,* Kanon, Von den Anfängen bis zum Fragmentum Muratorianum (HDG I, 3a, 1), Freiburg 1974, 60.

begründet mit der Sendung von Christus her[16]. Die Didache, eine Schrift aus der ersten Hälfte des 2. Jahrhunderts, führt ihren Inhalt, die sittlichen Pflichten, die liturgischen Anweisungen und die rechtlichen Vorschriften, die sie einschärft, auf die zwölf Apostel zurück[17]. Sehr groß ist die Wertschätzung des Apostolischen bei Ignatius von Antiochien († um 110), der, wie bereits erwähnt, als erster das Wort „apostolisch" gebraucht hat. Bei ihm verschmilzt die Autorität des Apostolischen beinahe mit der Autorität Christi. Die Hochschätzung der Apostel bezieht sich nicht nur oder primär auf sie als persönliche Vorbilder, sondern auch auf ihre besondere Rolle als Offenbarungsträger. Nach Ignatius vermittelt Christus seine Offenbarung durch sein eigenes Wort und durch das Wort der Apostel[18]. Ignatius rühmt die Epheser, weil sie immerfort mit den Aposteln übereinstimmen[19], und bezeichnet das Apostolische als das Charakteristikum der wahren Lehre[20].

In den Pastoralbriefen, die gleich am Anfang des 2. Jahrhunderts entstanden sein dürften[21], ist das Bemühen um das treue Zeugnis der überlieferten Lehre von großer Bedeutung. Zwischen ihnen und dem Philipperbrief Polykarps, der aus der Zeit um 135 n. Chr. stammt[22], besteht eine enge Verwandtschaft in wichtigen theologischen Fragen. Gemeinsam ist ihnen die Wertschätzung der Paratheke, der Hinweis auf den λόγος τῆς ἀληθείας und den rechten Glauben. Phil 7, 2 mahnt Polykarp, die falschen Lehrer zu verlassen und sich dem von Anfang an überlieferten Wort zuzuwenden[23]. Πίστις versteht Polykarp hauptsächlich als Glaubensgut, wenn auch noch der paulinische Begriff der fides qua mitklingt. Die πίστις ist der Kirche als ein schon am Anfang im wesentlichen abgeschlossener Logos übergeben, sie wird als von Anfang an abgegrenzte Tradition verkündet[24]. Polykarp selbst wird bei Eusebius als „apostolischer Ältester"[25] bezeichnet, weil er das lehrt, was er von den Aposteln gelernt hat[26]. Nach dem Zeugnis des Irenäus hat sich Polykarp beim Vorspiel des Osterfeststreites im Jahre 154 gegenüber dem Bischof Anicet von Rom auf die apostolische Überlieferung berufen[27].

Im Barnabasbrief (vielleicht um 130 n. Chr. entstanden) garantieren die zwölf Apostel die reine Lehre[28]. Die Lehre ist hier wie bei Polykarp „eine aus

---

[16] 1 Clem 42 u. 44; vgl. *I. Frank*, Der Sinn der Kanonbildung, Eine historisch-theologische Untersuchung der Zeit vom 1. Clemensbrief bis zu Irenäus von Lyon (Freiburger theologische Studien 90), Freiburg 1971, 26; *A. Erhard*, Urkirche und Frühkatholizismus, Bonn 1935, 19.
[17] *B. Altaner-A. Stuiber*, Patrologie, Freiburg ⁷1966, 80 f.; vgl. oben 210.
[18] Ad Magn 7, 1; Ad Phil 5, 1. 2. Vgl. *K. H. Ohlig*, Die theologische Begründung des neutestamentlichen Kanons, a. a. O., 98 f.; *G. G. Blum*, Tradition und Sukzession, a. a. O., 52.
[19] Ad Eph 11, 2.   [20] Ad Trall 7, 1.
[21] *W. G. Kümmel*, Einleitung in das Neue Testament, Heidelberg ¹⁷1973, 341.
[22] *B. Altaner-A. Stuiber*, a. a. O., 51. Kap. 13 ist bereits um 110 entstanden.
[23] Vgl. auch PhilPol 1, 2 und 3, 3.
[24] PhilPol 1, 2; 3, 3; 7, 2; vgl. *I. Frank*, a. a. O., 50 f.
[25] Historia Eccl. V, 20: „Presbyter apostolicus".
[26] Vgl. Eusebius, Historia Eccl. V, 24, 16 (PG 20, 508).
[27] Vgl. Adversus haer. III, 3, 4; Eusebius, Historia Eccl. V, 24.
[28] Barn 5. 8. 19.

der Vergangenheit überkommene, unantastbare Größe, wobei die Garanten dieser Tradition die zwölf Apostel sind"[29].

Im 2. Petrusbrief, vermutlich aus dem 2. Viertel des 2. Jahrhunderts[30], ist von dem depositum fidei die Rede, das der Gemeinde als greifbarer Besitz von den Aposteln übergeben worden ist[31]. Die von Jesus Christus ergriffene Gemeinschaft der Gläubigen ist in ihrem Glauben so wesentlich auf die Apostel hingeordnet, „daß die Apostolizität ihr eigentliches Kriterium und die Legitimation ihres Bestehens bedeutet"[32]. Die Apostel als Augen- und Ohrenzeugen des Lebens Jesu sind zusammen mit Paulus die eigentlich maßgebliche Autorität für die rechtgläubige Gemeinde. Ihre Worte müssen festgehalten werden[33].

Hat auch Papias (um 130 n. Chr.) nicht einen klaren Begriff von den Aposteln bzw. von dem Apostolischen, so rekurriert er doch auf die Apostel und die ursprüngliche Botschaft[34].

Für den Pastor Hermae, um 140 n. Chr. in Rom entstanden, bedeuten die Apostel eine große Autorität, wenngleich Hermas möglicherweise keinen abgegrenzten Begriff von ihnen hat. Nach seiner Auffassung haben die Apostel im Prinzip das gleiche gepredigt wie er[35].

Der zweite Clemensbrief (um 140 n. Chr.) beruft sich zur Absicherung seiner Theologie auf die Autorität des Kyrios und der Apostel[36].

Nach der an Kaiser Hadrian (117–138)[37] gerichteten Apologie des Aristides nimmt die christliche Predigt ihren Ausgang von den Zwölfen, stützt sich letztlich die Darstellung der christlichen Predigt nur auf sie[38].

Auf die Norm des Apostolischen berief man sich vor allem in Streitfällen[39] und in den Auseinandersetzungen mit den Häretikern[40]. Durch die gnostischen Häretiker wurde das Interesse an allem Apostolischen, insbesondere auch an Paulus, nachdrücklich gefördert. Der Begriff „apostolisch" gelangte nun zu besonderer Bedeutung und erhielt auch einen stark apologetischen Akzent. Man darf jedoch die Norm des Apostolischen nicht mit Wagenmann und Harnack lediglich als Produkt dieser Auseinandersetzungen verstehen[41],

---

[29] *I. Frank*, a. a. O., 60.

[30] *W. G. Kümmel*, Einleitung in das Neue Testament, a. a. O., 383; *J. Wagenmann* (170) läßt ihn um 150 n. Chr. in Ägypten entstanden sein. *Frank* (79) denkt an 120 n. Chr.; vgl. unten 316 A 46.

[31] 2 Petr 1, 12 ff. u. 2, 21.   [32] *I. Frank*, a. a. O., 77.   [33] 2 Petr 3, 2; 1, 12–15. 16–18.

[34] Eusebius, Historia Eccl. III, 39; s. unten 237 und 258 f.

[35] Vis III, 5, 1; Sim IX, 15, 4; Sim IX, 16, 5; Sim IX, 25, 2; vgl. *I. Frank*, a. a. O., 91 f.

[36] 2 Clem 2, 4; 8, 5; 13, 4; 14, 2 (τὰ βίβλια καὶ οἱ ἀπόστολοι); vgl. *I. Frank*, a. a. O., 98–100; *G. G. Blum*, Tradition und Sukzession, a. a. O., 68.

[37] *H. Rahner*, Art. Aristides, in: LThK I, Freiburg ²1957, 852.

[38] Apologia II, 8.   [39] S. oben A 27.

[40] Vgl. *E. Hennecke–W. Schneemelcher*, a. a. O., II, 44. S. besonders den Hinweis auf die Epistula Apostolorum und den antimontanistischen „Dialog mit Proklos" des römischen Christen Gaius (Fragment bei Eusebius, Historia Ecclesiastica II, 25, 7) sowie Papias, Logiōn kyriakōn exēgēseis (Fragment bei Eusebius, Historia Eccl. III, 39, 4).

[41] *J. Wagenmann*, a. a. O., 150 f.; mit *A. v. Harnack*, Lehrbuch der Dogmengeschichte I: Die Entstehung des kirchlichen Dogmas, Tübingen ⁵1931, 341 und 337 f.

die Gnosis hat nur den Rekurs auf das Apostolische, der schon im Gang war, beschleunigt und ihrerseits nachgeahmt[42].

Die Urgestalt des Glaubens fand man bei den Aposteln. Deshalb verstand man das Ursprüngliche als das Apostolische. Man erkannte es im lebendigen Glauben der Großkirche. Mehr und mehr setzte sich die Überzeugung durch, daß das Kirchliche das Apostolische sei, so daß apostolisch soviel wie rechtgläubig bedeutete[43]. Mit der Norm des Apostolischen konnte man zum Kampf gegen die Häresie antreten[44]. In dem Glauben an das von den Aposteln verkündigte Evangelium sah man die Voraussetzung für jeden Dienst in der Kirche[45]. Es galt die Überzeugung: Alle Stimmen in der Kirche müssen sich dem apostolischen Wort unterwerfen, auf das auch das Wirken des Heiligen Geistes bezogen ist[46]. Was immer in der Gemeinde Geltung hat, in Lehre, Ordnung und gottesdienstlichem Brauch, wurde auf die Apostel zurückgeführt. Dabei übersah man jedoch nicht, daß ihre Autorität nur eine abgeleitete ist[47].

Nun beriefen sich aber die verschiedenen Richtungen auf die Apostolizität. Der Gnostiker Basilides bringt sich durch einen gewissen Glaukias, einen angeblichen Dolmetscher des Petrus, mit diesem in Verbindung[48], der Gnostiker Valentin stützt sich auf einen angeblichen Paulusschüler namens Theodas[49]. Das veranlaßte die Großkirche, sich auf die Übereinstimmung und Einheitlichkeit der Lehre der Apostel zu berufen. So entstand die Norm der Universalität, eine die allgemeine Norm des Apostolischen umgreifende Norm[50]. Diese findet sich ausgeprägt bei Justin und in der Epistula Apostolorum[51].

Justin († um 165) führt seine Theologie auf die einstimmige und an allen Orten gleiche Predigt der Apostel zurück[52]. Die Apostel sind für ihn die

---

[42] G. G. Blum, Tradition und Sukzession, a. a. O., 23.
[43] W. Nagel, a. a. O., 84–119 (bes. 119) und 173; G. Ebeling, Die Geschichtlichkeit der Kirche und ihrer Verkündigung als theologisches Problem (Sammlung gemeinverständlicher Vorträge und Schriften aus dem Gebiet der Theologie und Religionsgeschichte 207/208), Tübingen 1954, 38 f.; E. Hennecke–W. Schneemelcher, a. a. O., II, 8 und 41 f.
[44] W. Schmithals, a. a. O., 254. G. G. Blum stellt fest, daß schon in der Frühzeit die Einschränkung des Christlichen auf das Apostolische und des Apostolischen auf das Kirchliche einsetze, eine Entwicklung, die dann den Frühkatholizismus begründet habe, und billigt diese Entwicklung. In der Synthese des Irenäus sieht er die Krönung des Frühkatholizismus. K. Beyschlag (vgl. Rezension des Werkes in: ThLZ 92, 1967, 113) wendet sich wohl zu Unrecht gegen diese Position und erklärt, auch Blums These sei „im Banne der Gnosis" (113) gebildet. Er rügt die starke Anlehnung Blums an die katholische Forschung, speziell in dem Teil, der sich mit Irenäus befasse; in der Deutung von Adversus haereses III, 3, 2 sei er römischer als die katholische Interpreten. Was er bei Irenäus nachzeichne, sei nur zum Teil wirkliche „historische" Geschichte, überwiegend aber „Entfaltung" des frühkatholischen Selbstverständnisses und seine „historische" Legitimation (114 f.).
[45] E. Schlink, a. a. O., 171.   [46] Ebd., 176.
[47] A. Sand, Kanon, a. a. O., 50.   [48] Clemens von Alex., Stromata VII, 17 (106, 4).
[49] Ebd., vgl. E. Hennecke–W. Schneemelcher, a. a. O., II, 51.
[50] Vgl. I. Frank, a. a. O., 110 f.   [51] S. unten A 52 u. 56.
[52] Justin, Apologia I, 42, 4; 33, 5; 61, 9; vgl. auch I, 66.

entscheidenden Garanten der rechten Lehre, die tragende Autorität des NT. Die apostolische Paradosis wird für ihn durch die apostolische Diadoche weitergegeben. Diese verbürgt die unverfälschte Weitergabe der apostolischen Paradosis[53]. Der Sukzessionsgedanke ist hier nicht neu, er ist bereits in den Pastoralbriefen und im Pastor Hermae angelegt[54].

In der Epistula Apostolorum (um 170 n. Chr.)[55] sind die Apostel die einzigen und alleinigen Übermittler der Offenbarung Jesu Christi. Sie haben dasselbe übereinstimmend verkündet[56].

Tatian macht durch sein Diatesseron (möglicherweise um 175 n. Chr.) deutlich, daß ihm an der apostolischen Verfasserschaft der Evangelien nichts liegt[57], wohl aber geht es ihm entscheidend um die Bewahrung des Ursprünglichen.

Athenagoras erwähnt die Apostel in seiner Apologie (um 178 n. Chr.) an keiner Stelle, weder im Wortlaut noch der Sache nach[58]. Auch bei Theophilus, Bischof von Antiochien († 169), spielen die Apostel keine Rolle[59]. In gleicher Weise scheinen sie bei Hegesipp keine wesentliche Bedeutung zu haben. Dennoch ist das Ursprüngliche für ihn entscheidend. Wie er uns in den Hypomnemata (zwischen 174 und 189 n. Chr.), die uns in Fragmenten bei Eusebius überliefert sind, mitteilt, hat er auf seiner Rundreise im Interesse des wahren Glaubens überall geordnete Verhältnisse und den monarchischen Episkopat vorgefunden, nur in Rom hat er infolge der verschiedenen dort herrschenden Richtungen keine einheitliche Leitung angetroffen. Da schafft er Abhilfe mit Hinweis auf eine Sukzessionsliste[60]. Diese ist nun aber im Wortlaut nicht auf die Apostel bezogen, auch nicht auf Jesus, vielmehr bleibt der rückwärtige Zielpunkt offen. Allgemein sind für Hegesipp das AT und der Herr die fundamentale Autorität. Ursprünglich gab es für ihn eine einheitliche Lehre in der Kirche, während erst später die Irrlehrer Verwirrung gestiftet haben. Die Verschiedenheit der Irrlehren beweist für ihn schon, daß sie unrecht haben[61]. In der bischöflichen Sukzession erblickt er ein Argument für die Überlieferungstreue der kirchlichen Lehrverkündigung, die im Gegensatz

---

[53] Dialogus 46, 9; 52, 3; 11, 2; Apologia I, 32, 2; 39, 3; 50, 12; *I. Frank,* a. a. O., 126–130; *G. G. Blum,* Tradition und Sukzession, a. a. O., 65–68.

[54] 1 Tim 4, 14; 2 Tim 1, 6; 2 Tim 2,2; Tit 1, 5; Pastor Hermae Vis III, 5, 1; vgl. *I. Frank,* a. a. O., 70. 72. 91; vgl. unten A 62.

[55] *B. Altaner–A. Stuiber,* a. a. O., 125.

[56] Vgl. *I. Frank,* a. a. O., 107.

[57] Ebd., 140 f.   [58] Ebd., 157 f.   [59] Ebd., 167 f.

[60] Die umstrittene Stelle lautet: „... γενόμενος δὲ ἐν Ῥώμῃ διαδοχὴν ἐποιησάμην μέχρις Ἀνικήτου" (Eusebius, Historia Eccl. IV, 22, 3). Sie bedeutet nach der neuesten Auflage der Patrologie von Altaner (*B. Altaner–A. Stuiber,* a. a. O., 110) nicht, daß Hegesipp erst eigens eine Liste der römischen Bischöfe hergestellt habe; diese sei vielmehr in Rom schon fertig vorhanden gewesen, wie sie etwas später auch Irenäus vorgefunden habe. Demgegenüber vertritt *I. Frank* (a. a. O., 174–176) die Meinung, Hegesipp habe die Stellung des Aniketos dadurch sichern wollen, daß er ihm eine dogmatisch-polemische Sukzession gemacht habe.

[61] Ebd., 175–178; vgl. *H. v. Campenhausen,* Aus der Frühzeit der Kirche, Studien zur Kirchengeschichte des ersten und zweiten Jahrhunderts, Tübingen 1963, 143.

zu den gnostischen Geheimtraditionen öffentlich nachgewiesen werden kann[62].

Für Irenäus († um 202) ist das kirchliche Kerygma die aktualisierte apostolische Paradosis. Diese versteht er wie Hegesipp im Gegensatz zu den angeblich apostolischen Geheimlehren der Gnosis als öffentlich bekannte und proklamierte Lehre[63]. Das in der Kirche bewahrte Depositum des Glaubens wird legitimiert durch den apostolischen Ursprung[64]. Irenäus hat den Begriff der apostolischen Sukzession weiterentwickelt[65].

Galten auch die Apostel schon längst in einem allgemeineren Sinn als Quelle der kirchlichen Ordnung und Verkündigung, so ist doch die Ausschließlichkeit, mit der sie bei Irenäus zum Ausgangspunkt aller Lehre werden, neu[66]. Für ihn waren die Apostel nach der Auferstehung von der Kraft des Heiligen Geistes erfüllt, wodurch ihnen die vollkommene Erkenntnis geschenkt wurde, in der sie die Botschaft bis an die Grenzen der Erde verkündeten[67]. Was sie mündlich verkündeten, haben sie auch später schriftlich überliefert, damit es das Fundament und die Säule unseres Glaubens sei. Sie sind „die ersten berufenen und bevollmächtigten Zeugen der Lehre Christi"[68]. Aber nicht jedes einzelne Dokument muß einen Apostel zum Verfasser haben, wenngleich die ursprüngliche Lehre der Schüler Jesu hinter den kanonischen Schriften stehen muß. So ist das Zeugnis des Markus und Lukas nicht weniger verbindlich als das des Matthäus und Johannes[69] und das Zeugnis des Evangelisten Philippus[70] oder des Martyrers Stephanus[71] ebenso gültig wie das eines Apostels. Man kann sich ebensogut auf Apostelschüler und andere führende Männer der Urzeit berufen wie auf die Apostel (Zwölfer-Apostel und Paulus). Die

---

[62] Im Laufe des 2. Jahrhunderts bildete sich mehr und mehr das Bewußtsein, daß der Bezug auf die apostolische Zeit in der apostolischen Sukzession verankert sei. Damit wollte man der pseudoapostolischen Überlieferung die wahre apostolische Überlieferung der Kirche entgegenstellen (*J. Ratzinger*, Primat, Episkopat und successio apostolica, in: *K. Rahner – J. Ratzinger*, Episkopat und Primat [QD 11], Freiburg 1961, 45; *H. v. Campenhausen*, Kirchliches Amt und geistliche Vollmacht in den ersten drei Jahrhunderten, Tübingen ²1963, 163–194; *W. Breuning*, Art. Urgemeinde, Urchristentum, Urkirche II, in: LThK X, Freiburg ²1965, 555). Den Gnostikern wird nicht das Bischofsamt zum Erweis ihres Unrechts entgegengehalten, sondern sie werden auf die sedes apostolicae verwiesen (*J. Ratzinger*, a. a. O., 52–56; vgl. Tertullian, De praescriptione haer. 36, 2; *Irenäus*, Adversus haer. III, 3, 1. 2; Eusebius, Historia Eccl. IV, 22, 2 f.). Da ist an jene Sitze gedacht, die in einer besonderen nachweisbaren geschichtlichen Beziehung zu den Aposteln, d. h. zu den Zwölfen und Paulus, stehen.
[63] *G. G. Blum*, Offenbarung und Überlieferung, a. a. O., 121.
[64] Adversus haer. III, 24, 1; 4, 1; 1, 1; *G. G. Blum*, Offenbarung und Überlieferung, a. a. O., 208.
[65] Vgl. *H. von Campenhausen*, Aus der Frühzeit der Kirche, a. a. O., 143.
[66] *A. Bengsch*, a. a. O., 66: „Die apostolische Tradition bekommt in der Oikonomia einen ähnlich wichtigen Platz wie die Vorherverkündigung im Alten Testament". Vgl. auch *H. von Campenhausen*, Die Entstehung der christlichen Bibel, a. a. O., 238.
[67] Adversus haer. III, 1, 1.
[68] Ebd., III, 1, 1; III, 14, 2; V, praef.
[69] Ebd., III, 1, 1.
[70] Ebd., III, 12, 8.
[71] Ebd., III, 12, 10. 13.

maßgeblichen Schriften brauchen also keine Apostel zu Verfassern zu haben, wenn sie nur alt und echt sind und die apostolische Verkündigung gewissenhaft und unentstellt wiedergeben[72].

Allein den Aposteln hat der Herr die potestas evangelii gegeben, wie Irenäus feststellt[73], von ihnen lernen wir die Wahrheit. Die von Paulus gegründete Kirche von Ephesus, in der Johannes bis zu den Tagen Trajans gelehrt hat, ist für ihn eine treue Zeugin der apostolischen Tradition[74]. Die Kirchen, in denen die Apostel gepredigt haben, bezeichnet er als apostolische Kirchen; die Kirchen, die aus einer apostolischen Kirche entstanden sind, versteht er als deren Abbilder; sie sind wie die Kinder, die von einer gemeinsamen Mutter abstammen[75]. Die in die ganze Welt getragene traditio apostolica können in jeder Kirche alle finden, welche die Wahrheit sehen wollen[76]. Man kann die, die von den Aposteln als Bischöfe eingesetzt sind, mit ihren Nachfolgern bis auf den heutigen Tag aufzählen. Die Echtheit der apostolischen Tradition wird durch die apostolische Sukzession garantiert[77]. Entscheidend ist die durch die apostolische Sukzession verbürgte Wahrheit. Deshalb ginge es letztlich auch ohne die Schriften des AT und NT; von daher sind sie ein superadditum[78]. Die über die ganze Erde zerstreute Kirche hat ihren Glauben von den Aposteln und ihren Schülern empfangen, bewahrt ihn sorgfältig und verkündet ihn wie aus einem Munde[79]. Bei Meinungsverschiedenheiten soll man seine Zuflucht zu den ältesten Kirchen nehmen, in denen die Apostel gewirkt haben[80].

Das Argument des Apostolischen findet sich wiederum in Verbindung mit der historischen Zuverlässigkeit im Muratorischen Fragment (um 185 in Rom entstanden). Ebenso bedient sich Tertullian († nach 220) seiner. Das Apostolische ist für ihn das Ursprüngliche[81]. Das Adjektiv „apostolisch" wird geradezu sein Lieblingswort[82]. Später findet sich die Apostolizität auch als Wesensmerkmal der Kirche in den Symbola und amtlichen Lehräußerungen[83].

---

[72] *H. v. Campenhausen,* Die Entstehung der christlichen Bibel, a. a. O., 238 f. S. unten 296 f.

[73] Adversus haer. III, praef.; III, 5, 1.   [74] Ebd., III, 3, 4.

[75] Ebd., I, 10, 2; vgl. *J. A. Möhler,* Die Einheit in der Kirche oder das Prinzip des Katholizismus, a. a. O., 27 f.

[76] Adversus haer. III, 3, 1: „Traditionem itaque apostolorum in toto mundo manifestatam, in omni ecclesia adest respicere omnibus qui vera velint videre". Vgl. *J. A. Möhler,* Die Einheit in der Kirche oder das Prinzip des Katholizismus, a. a. O., 30 f.

[77] Adversus haer. III, 3, 1; I, 27, 1; I, 10, 1 f.; III, 2, 2; III, 4, 1; IV, 33, 7; vgl. oben A 62.

[78] Ebd., III, 2, 1; IV, 24, 2; IV, 33, 7; vgl. unten 266.

[79] Ebd., I, 10, 1 f.   [80] Ebd., III, 4, 1; III, 24, 1; IV, 32, 1; vgl. *I. Frank,* a. a. O., 197–201.

[81] Adversus Marcionem III, 4, 2; IV, 5, 1; IV, 5, 3 f.; De praescriptione haer. 21, 4. Das Argument der apostolischen Kirchen wird Adversus Marcionem IV, 5, 2 und De praescriptione 28, 8 ausdrücklich auf alle Kirchen ausgedehnt, weil die Gleichheit ihres Glaubens die Ursprünglichkeit am sichersten garantiere; vgl. *H. von Campenhausen,* Die Entstehung der christlichen Bibel, a. a. O., 326 ff. Tertullian (De praescriptione haer. 6) sagt: „Apostolos domini habemus auctores, qui nec ipsi quidquam de suo arbitrio, quod inducerent, elegerunt: sed acceptam a Christo disciplinam fideliter nationibus adsignarunt. Itaque etiam si angelus de coelis aliter evangelizaret, anathema diceretur a nobis"; vgl. auch 32. 36, 1.

[82] *F. Klostermann,* a. a. O., 131.   [83] DS 45. 127. 150.

235

3. Das Apostolische als das Ursprüngliche

I. Frank[84] spricht von dem Theologumenon der Apostolizität, das Polykarp bereits gefunden habe, um der Gefahr einer Verflüchtigung des Kerygmas von Jesus dem Christus in gnostische Mythologie zu entgehen. Das Theologumenon beinhalte, „daß die christliche Lehre schon am Anfang abgeschlossen" worden sei „und daß diese ἐξ ἀρχαίων χρόνων καταγγελλομένη πίστις später nicht aufgelöst, sondern bewahrt werden müsse"[85]. In dem Theologumenon von der apostolischen Herkunft der Lehre habe man augenscheinlich die Lösung dafür gesehen, wie man innerkirchliche Lehrdifferenzen beheben und die gnostische Gefahr abwenden könne. So habe man den geschichtlichen Zusammenhang mit Jesus nachweisen wollen[86]. Später, als die Waffe der Apostolizität der Lehre stumpf geworden sei, da sich im 2. Jahrhundert die verschiedenen Richtungen darauf berufen hätten, sei die neue Norm der Übereinstimmung und Einheitlichkeit der Lehre der Apostel entstanden, die Norm der Universalität, eine umgreifende Norm für die allgemeine Norm des Apostolischen[87].

Ohne Zweifel waren sich die Väter, wenn sie mit dem Kriterium der Apostolizität argumentierten, nicht der komplizierten geschichtlichen Entwicklung der Kirche seit ihren ersten Anfängen bewußt, aber sie meinten die grundlegende Bedeutung des Anfangs und die Legitimität der aktuellen Verkündigung der Kirche. Damit verstanden sie implizit das Gewordene als legitime Entwicklung, sofern es von der Großkirche anerkannt wurde. Sie brauchten das Theologumenon von der Apostolizität nicht erst zu finden, es drängte sich ihnen auf, denn die Norm des Apostolischen war ihnen bereits vom NT her vorgegeben[88]. Sie verstanden diese Norm als das Ursprüngliche und Grundlegende, ohne sich dabei zeitlich genau festlegen zu wollen. Das Apostolische war für sie im wesentlichen ein dogmatischer Begriff. Sie dachten im allgemeinen an die Zwölf, meinten aber die Kontinuität des Glaubens. Auch die Norm der Universalität war ihnen bereits vorgegeben. Schon bei Paulus begegnen wir der Überzeugung, daß das Evangelium eines ist[89]. Diese Norm will aber wiederum nicht zunächst historisch verstanden werden, sondern als eine Option für die Einheit und Universalität der Lehre der Kirche entsprechend der ursprünglichen Verkündigung.

Die Normativität des Anfangs des Christusereignisses und seiner Verkündigung durch die Urzeugen sowie die wesentliche Einheitlichkeit und Übereinstimmung der anfänglichen Predigt und des Glaubens in der Kirche waren der Kirche immer bewußt. Die Norm der Apostolizität und die Norm

---

[84] I. Frank, a. a..O., 51.   [85] Ebd.
[86] Ebd., 51 f.; J. Wagenmann, a. a. O., 202.
[87] I. Frank, a. a. O., 110 f.   [88] S. oben A 11.
[89] Vgl. Gal passim; 1 Kor 11, 23; 15, 15. L. Cerfaux (Le chrétien dans la théologie paulienne, a. a. O., 115) charakterisiert die Überzeugung Pauli mit folgenden Worten: „. . . tout évangile véritable est l'unique évangile apostolique".

der Universalität sind nicht Postulate, sondern Deutung einer Wirklichkeit, die zwar schematisch und in gewisser Weise idealisierend, aber doch treffend ist.

Die Väter und die ältesten kirchlichen Schriftsteller bezeugen, daß die aktuelle Verkündigung der Kirche mit der anfänglichen übereinstimmen muß, d. h. mit der Verkündigung der Apostel. Diese Übereinstimmung gibt die Gewähr für die rechte Verkündigung. Das einigende Fundament der Kirche ist das Apostolische. Die Apostel sind Vorbilder und Väter des Glaubens, Instanz der Berufung und Hilfe für Entscheidungen. W. Nagel bemerkt[90]: „Der Begriff ‚apostolisch‘ ist ohne erkennbare Vereinbarung in der ganzen christlichen Kirche als Kennzeichnung für Lehre, Tradition, Amt und endlich für die Kirche selbst als Attribut angenommen worden". Jede Aktivität der Kirche heißt apostolisch. Alle entscheidenden Bereiche werden schließlich durch dieses Adjektiv gekennzeichnet. Bei allen zentralen Fragen bedient man sich dieses Begriffs. Kirchengrenzen und Kirchengemeinschaft werden an ihm offenbar[91].

Das Apostolische ist das Alte, und das Alte ist das Apostolische. Die Kirche beruft sich nicht zunächst auf Gott oder Christus, sondern auf die Offenbarung des AT und die Tradition der Apostel. Die Lehre der Apostel aber findet sie in der lebendigen kirchlichen Überlieferung[92].

Es gibt auch Väterzeugnisse, in denen es bei der apostolischen Norm primär um die zurückliegende Phase zu gehen scheint, ohne Einengung auf eine bestimmte Personengruppe, wenngleich die Zwölf und Paulus der Kristallisationspunkt dieser Norm sind. Für Polykarp reicht die apostolische Zeit tief in die Zeit der Kirche hinein[93]. Wenn Papias den Worten der Apostel große Bedeutung beimißt und namentlich sieben Apostel aufzählt, ohne den Aposteltitel für sie zu gebrauchen, und noch andere Herrenjünger erwähnt, dazu Aristion und den Presbyter Johannes, die er ebenfalls Herrenjünger nennt[94], so stellt er die letzteren damit, was die Garantierung der ursprünglichen Lehre angeht, auf die gleiche Stufe wie die Zwölfer-Apostel. Die geschichtliche Herkunft der Worte spielt also für ihn eine Rolle, ohne daß er sich dabei auf die Zwölf und Paulus beschränken will. Dennoch ist für ihn der Augenzeuge und Apostel der Idealfall. Darum empfängt auch das Markus-Evangelium seine Legitimation aus der historischen Verbindung und der materiellen Identität mit der apostolischen Predigt[95]. Für Irenäus brauchen die maßgeblichen Schriften nicht einen Zwölfer-Apostel oder Paulus zum Verfasser zu haben, wenn sie nur der Urzeit angehören und die ursprüngliche

---

[90] *W. Nagel,* a. a. O., 170.
[91] Ebd., 173.　　[92] Ebd., 51. 69. 82 f. 119. 144.
[93] PhilPol 7, 2; *G. Klein,* Die zwölf Apostel, a. a. O., 95; vgl. oben A 23.
[94] Eusebius, Historia Eccles. III, 39, 4; vgl. oben A 34.
[95] Ebd., III, 39, 15; *K. H. Ohlig,* Die theologische Begründung des neutestamentlichen Kanons in der alten Kirche, Düsseldorf 1972, 100 f.; *G. G. Blum,* Tradition und Sukzession, a. a. O., 74. *G. Klein* (Die zwölf Apostel, a. a. O., 95) stellt fest, Ignatius von Antiochien liege eine Fixierung des Apostelkreises im Sinne der Zwölf-Apostel-Idee durchaus fern, für Polykarp reiche die Apostelzeit tief in die Zeit der Kirche hinein.

Lehre wiedergeben[96]. Nicht alle Autoren der kirchlichen Frühzeit beziehen sich ausdrücklich auf die Apostel oder auf die Zwölf und Paulus, wenngleich sie die Normativität der Ursprünglichen festhalten[97]. Wenn die Kirche später alle Schriften des neutestamentlichen Kanons als apostolisch und normativ ansieht, ohne freilich um deren genauere Entstehungszeit zu wissen, so geht damit praktisch die apostolische Zeit über die Zeit der Zwölf hinaus[98].

G. Ebeling ordnet die Lehre, die das Normative als das Ursprüngliche und das Ursprüngliche als das Apostolische charakterisiert, dem Frühkatholizismus[99] zu. Hier werde die Wahrheitsfrage zu einer historischen Frage, und der historische Beweis werde zum Wahrheitsbeweis. Der Begriff des Apostolischen sei darum zugleich ein historischer und ein dogmatischer. Der frühkatholische Traditionsbegriff verstehe die Tradition „als eine abgeschlossene, keiner Entwicklung fähige, bekannte und vorfindliche Größe". Die außerordentliche Bedeutung dieses Traditionsbegriffs liege darin, daß er eine strenge Bindung an die Einmaligkeit der geschichtlichen Offenbarung intendiert habe[100]. Den frühkatholischen Vätern sei es nicht „um eine fortlaufende Prolongatur der apostolischen Autorität, sondern um deren definitive historische Umgrenzung"[101] gegangen.

Ebeling würdigt die theologische Intention dieses Traditionsbegriffs, die Bindung der Kirche an das anfängliche Glaubenszeugnis, betont aber die Notwendigkeit der Unterscheidung zwischen dem traditionellen Bild von der apostolischen Zeit und der historischen Wirklichkeit, denn man habe nicht zwischen dem traditionellen Bild von der apostolischen Zeit und deren historischer Wirklichkeit unterschieden, sofern man das Endergebnis des Traditionsprozesses mit seinem Ursprung verwechselt habe. Wörtlich sagt er: „Das Apostolische wurde zwar historisch eng behauptet, faktisch aber historisch sehr weit gefaßt, nämlich unter Einbeziehung auch der nachapostolischen Verbindungsbrücken zur frühkatholischen Zeit. Darum gewannen jene Schriften besonderes Gewicht, in denen es um die nachträgliche Harmonisierung der apostolischen Tradition ging, nämlich die Pastoralbriefe, die katholischen Briefe und vor allem die Apostelgeschichte"[102].

---

[96] S. oben A 72.   [97] Vgl. oben 233–235.   [98] S. unten 299 f.

[99] Die protestantische Theologie versteht unter „Frühkatholizismus" den Abfall vom Apostolischen, vom Urchristentum (*E. v. Dobschütz*, Probleme des apostolischen Zeitalters, Leipzig 1904, 114 f.), eine völlige Neubildung, eine Judaisierung des Christentums (109.125), die Enteschatologisierung der Botschaft und die Unterordnung des Pneuma unter die Institution (*L. Goppelt*, Die apostolische und die nachapostolische Zeit, a. a. O., 101), gegenüber dem sich die Reformation als Erneuerung des apostolischen Christentums darstellt (*E. v. Dobschütz*, a. a. O., 75). Dabei wird nicht geleugnet, daß die Ansätze zu dieser Entwicklung bereits im NT liegen (121 u. *G. Ebeling*, Die Geschichtlichkeit der Kirche und ihrer Verkündigung als theologisches Problem, a. a. O., 88).

[100] Ebd., 38.   [101] Ebd., 39.

[102] Ebd., 40 u. 44; vgl. *J. Wagenmann*, a. a. O., 151: „Die einzige Möglichkeit, sich durch einen Beweis der Feinde zu erwehren, war – eine objektive Unwahrheit! Sie mußte die gesamte Entwicklung der eineinhalb Jahrhunderte . . . bejahen, d. h., sie mußte die Gleichung aufstellen: Die eigene Lehre ist die Lehre Jesu – eine Gleichung, die objektiv falsch ist, die die Männer der Kirche aber mit gutem Gewissen und mit voller Überzeugung von der Richtigkeit aufstellten".

Gegenüber Ebeling muß festgehalten werden, daß nicht das, was behauptet wird, ausschlaggebend ist, sondern das, was gemeint ist. Die Bindung an das anfängliche Glaubenszeugnis schließt die faktische Entwicklung, wie sie sich im NT darstellt, in sich. Mit dem Normbegriff des Apostolischen soll nicht das Ursprüngliche im historisch engen Sinn fixiert, sondern die gegenwärtige Verkündigung legitimiert werden. Daher muß die weitere Entwicklung zum Frühkatholizismus einbezogen werden[103]. Auch sie ist „apostolisch". Das ganze NT ist maßgebend für die Kirche. Man kann nicht spätere Zeugnisse des NT eliminieren[104].

Auf Grund des frühkirchlichen Verständnisses der Norm des Apostolischen wird man daher kaum berechtigt sein, die apostolische Zeit als Offenbarungszeit auf die Zwölf und Paulus zu begrenzen. Die Entwicklung wurde bejaht, auch wenn sie nicht explizit als solche erkannt wurde. Die „nachapostolischen Verbindungsbrücken", von denen Ebeling spricht, müssen zur apostolischen Zeit hinzugerechnet werden. Durch die apostolische Norm wird die ganze konstitutive Phase der Kirche, wie sie im NT ihren Niederschlag gefunden hat, angesprochen. Die implizite Bejahung der Entwicklung der Verkündigung in den Jahrzehnten nach dem Christusereignis bis hin zu ihrer Fixierung im NT kann nach dem Selbstverständnis der Kirche nicht falsch sein, da sie sich immer im Entscheidenden vom Heiligen Geist geführt wußte.

Mögen auch die späteren historischen Vorstellungen über die Verkündigung in den ersten Jahrzehnten nach der Auferstehung des Herrn nicht der Wirklichkeit entsprechen, und mag auch das Gewordensein des vorhandenen Depositum bei der Berufung auf die Norm des Apostolischen nicht erkannt worden sein, so ging es bei dieser Norm doch um die Sicherung der jeweils gegenwärtigen Verkündigung, deren Offenbartheit und legitimer Überlieferung man sich bewußt war. Nicht der Beweis ist entscheidend, sondern was man, wenn auch unzulänglich, beweisen will. Mögen auch etwa die Vorstellungen vom geschichtlichen Werden der apostolischen Botschaft und von den zwölf Aposteln als Heiden- und Weltmissionaren, die Identifikation der Apostel mit den Zwölfen und das simplifizierte Apostelbild unhistorisch sein, so spricht das nicht grundsätzlich gegen die Apostolizität als Norm des Ursprünglichen, sondern nur gegen die Interpretation dieser Norm. Daß diese Vorstellungen nicht entscheidend sind, folgt auch aus der Tatsache, daß sie durchaus nicht einheitlich sind, wie gezeigt wurde.

E. Kinder tut im Grunde das gleiche wie Ebeling, wenn er das apostolische Urkerygma von den darin eingegangenen Erkenntnissen und Erfahrungen der

---

Ebeling und Wagenmann nehmen damit einen Gedanken von Harnacks auf, der das Wesen des Katholizismus darin sieht, daß die „empirischen, ad hoc geschaffenen, ad hoc notwendigen Institutionen der Kirche" für apostolisch erklärt werden, dadurch mit dem Wesen und Inhalt des Evangeliums verschmolzen und außerhalb jeder Kritik gestellt werden (*A. v. Harnack,* Lehrbuch der Dogmengeschichte, a. a. O., I, 338; vgl. 137 f.).

[103] *G. G. Blum,* Tradition und Sukzession, a. a. O., 12 f.

[104] S. unten 306–309.

Urgemeinde, der Gemeindetradition, unterscheidet und das Urkerygma als Kanon im Kanon versteht[105]. Beide nehmen nicht die ganze Schrift als Offenbarungszeugnis und trennen Früheres von Späterem. Solche Auswahl wird aber letztlich immer subjektiv bleiben, denn die Begriffe „früher" und „später" sind im einzelnen recht problematisch. Auch muß das Frühere nicht immer das Richtigere sein.

In der Tat sind die biblischen Schriften des NT nicht einfach gleich der Urverkündigung. In ihnen ist auch der Glaube der Gemeinde, also die Antwortreaktion des Glaubens und der Glaubensgemeinschaft, enthalten. Mehr noch: Die Urverkündigung nahm im Bewußtsein der offenbarenden Wirksamkeit des Kyrios die Jesusüberlieferung souverän in Dienst. Aber ist es überhaupt möglich, den Gemeindeglauben von der Urverkündigung, das apostolische Urkerygma von der späteren Verkündigung zu trennen? Und wenn es gar möglich wäre, wäre es dann sachgemäß?

In den neutestamentlichen Schriften spiegelt sich das Werden des Depositum der apostolischen Verkündigung sowie der durch diese Verkündigung konstituierten Gemeinde. Die Schriften sind eingebettet in den lebendigen Prozeß der Gemeindewerdung des Christentums, wie E. Kinder mit Recht bemerkt[106]. Gerade deshalb liegt es nahe, die apostolische Zeit bis zur definitiven Fixierung der apostolischen Paradosis in den neutestamentlichen Schriften dauern zu lassen. Erst mit der Entstehung der letzten neutestamentlichen Schrift ist die Gemeindewerdung abgeschlossen, sofern die Überlieferung von Jesus Christus damit ihre endgültige Gestalt erreichte und über die heiligen Bücher hinaus nicht mehr erweitert und variiert wurde[107].

4. Die Norm des Apostolischen und das kirchliche Lehramt

Recht verstanden ist die Norm des Apostolischen die entscheidende Norm für alle Zeiten. Die Kirche ist immer an ihren normativen Ursprung gebunden. Nun hat man vielfach im Raum des Protestantismus das Lehramt der Kirche als Konkurrenz der Norm des Apostolischen verstanden und gesagt, diese werde durch das Lehramt im Grunde illusorisch. Um so mehr hat man im Protestantismus die Norm des Apostolischen hervorgehoben, und zwar im engsten Sinn als Normativität der Augen- und Ohrenzeugen, und ihren bleibenden Niederschlag in der Schrift finden wollen. Der Bibelglauben der

---

[105] *E. Kinder,* a. a. O., 20.

[106] Ebd., 20–25.

[107] Ähnliche Überlegungen mögen K. Rahner veranlaßt haben hervorzuheben, daß mit dem „Tod des letzten Apostels" nicht der Kalendertag gemeint sein müsse und das apostolische Zeitalter „in einem schmiegsamen Sinn" verstanden werden könne. Solches Verständnis sei nicht nur chronologisch, sondern auch personell erforderlich, da ja nicht alle Schriften von Aposteln verfaßt seien (*K. Rahner,* Über die Schriftinspiration [QD 1], Freiburg ⁴1965, 50–55. 76 f.). Man wird aber Rahner kaum folgen können, wenn er meint, 20 Jahre nach dem Tode des letzten Apostels sei die apostolische Zeit sicher vorbei (78).

Reformatoren ist geradezu als eine Reaktion von allzu revolutionärer Schärfe zugunsten der apostolischen Norm des Christentums zu verstehen[108].

P. Brunner betont, nur jene Verkündigung geschehe im Heiligen Geist, deren Inhalt „der Substanz nach identisch" sei „mit dem von den Aposteln im Ursprung verkündigten Evangelium"[109]. Jenseits der Apostel könnten wir keine Norm für das Evangelium und die Sakramentenspendung suchen oder finden. Es könne keine kirchliche Norm für die apostolische Norm geben. Christus selbst habe die Apostel beauftragt. Ihr redender Mund sei der Mund Christi. Anders ausgedrückt, die bleibende Autorität der Verkündigung des Evangeliums wie auch der Verwaltung der Sakramente sei das Evangelium, wie es durch die Predigt der Apostel hervorgetreten sei. Deshalb schließe das Merkmal des Apostolischen die Qualität des Normativen unmittelbar in sich[110]. Bei solcher Argumentation möchte man die apostolische Zeit möglichst eng fassen zugunsten eines inneren Kanons im Kanon[111].

O. Cullmann wirft der katholischen Kirche vor, sie entwerte durch ihr Lehramt die einzigartige Norm des Apostolischen und verwische den Unterschied zwischen der Zeit der Apostel und der Zeit der Kirche[112]. Er meint, die Interpretation des apostolischen Zeugnisses durch das Lehramt sei eine reine Fiktion, wenn diese Interpretation der Kirche die gleiche normative Geltung habe wie die apostolische Lehre, also definitiv sei. Deshalb lehnt er die normative Bedeutung der Tradition und ein Lehramt ab[113].

Cullmann übersieht, wie auch P. Brunner, daß die Kirche den Auftrag hat, „das Wort in der Geschichte zu bewahren und aus ihm zu leben", daß auch die Schrift „von der Kirche getragen, durch sie anerkannt, nur in ihr recht verstanden und von ihr erklärt" wird[114]. Zwar ist die lebendige apostolische Paradosis wie das Apostelamt in ihrer grundlegenden Anfanghaftigkeit einmalig und unwiederholbar, aber nach katholischem Verständnis setzt sie sich fort in der Form der kirchlichen Paradosis, wie das Apostelamt sich in der Form des bischöflichen Amtes fortsetzt. Durch das Bischofsamt wird die apostolische Tradition gesichert[115]. Das Lehramt ist im katholischen Verständnis keine selbständige Größe gegenüber der Offenbarung, es kann vielmehr nur das Geoffenbarte darlegen und von Fall zu Fall mit Gesetzeskraft definieren. Es hat die Aufgabe, die Offenbarung autoritativ zu interpretieren. Solche Interpretation hat aber Entscheidungscharakter und ist normativ[116].

---

[108] *Y. Congar,* Die Tradition und die Traditionen, a. a. O., I, 226.

[109] *P. Brunner,* Schrift und Tradition, in: Viva vox Evangelii, FS für Landesbischof H. Meiser, München 1951, 121.

[110] Ebd., 123 f.   [111] S. unten 306–309.

[112] *O. Cullmann,* Die Tradition als exegetisches, historisches und theologisches Problem, a. a. O., 33 f. u. 39.

[113] Ebd.   [114] *Y. Congar,* Die Tradition und die Traditionen, a. a. O., I, 231 und 227 ff.

[115] *J. R. Geiselmann,* Die Heilige Schrift und die Tradition, a. a. O., 24 f.

[116] Solche Normativität verstößt nicht gegen das Wesen wahrer Interpretation, wie Cullmann meint (Die Tradition als exegetisches, historisches und theologisches Problem, a. a. O., 38). Interpretation kann Entscheidungscharakter haben. Es gibt ja auch eine normative Gesetzesinter-

Das Lehramt der Kirche ist „norma normans", wenn auch als „norma obiective normata"[117].

Die traditio constitutiva, die ursprüngliche Botschaft, die Offenbarung, war früher als die traditio continuativa oder interpretativa der Kirche[118] und hat selbstverständlich den Vorrang vor den Organen der aktiven Tradition der Kirche[119]. Hier stehen sich der „Beistand für die Weitergabe und Verkündigung"[120] bei der Kirche und die Inspiration und die Offenbarung bei den „Aposteln" gegenüber. Zwar ist in beiden Fällen derselbe Geist am Werk, aber nicht in gleicher Weise. Die Identifizierung der traditio constitutiva mit der aktiven traditio continuativa, der göttlich-apostolischen Tradition mit der Überlieferung durch die Kirche[121], die des öfteren von protestantischen Theologen als die Auffassung der katholischen Kirche angesehen wurde, entspricht durchaus nicht dem katholischen Verständnis[122].

5. Ergebnis

Die Norm des Apostolischen ergibt sich aus der Bindung der christlichen Verkündigung an kontingentes Geschehen, an das Christusereignis. Daher sind die ersten Zeugen und Interpreten dieses Ereignisses maßgeblich für die Kirche, oder allgemeiner ausgedrückt, ist die Verbindung der gegenwärtigen Kirche und ihrer Verkündigung mit dem Anfang das entscheidende Prinzip der Echtheit. Die Norm des Apostolischen ist an verschiedenen Stellen des NT angelegt und vor allem durch Lukas, der den dogmatischen Apostelbegriff gebildet hat, ausgeprägt worden. Sie spielt eine große Rolle bei den Vätern. In der Auseinandersetzung mit der Häresie wird sie eine willkommene Waffe.

Bei der Norm des Apostolischen ist zunächst an die Zwölf und Paulus gedacht, aber das ist nicht der entscheidende Inhalt dieser Norm, denn die Väter verstehen das Kirchliche als das Apostolische und das Apostolische als das Kirchliche. Es handelt sich hier um ein Theologumenon, bei dem es eigentlich um das Ursprüngliche, den für immer verpflichtenden Anfang der Kirche, die bleibende Offenbarung geht. Daher übergreift das Apostolische auch schon bei den Vätern andeutungsweise die Zwölf und Paulus, wenngleich sie immer der Kristallisationspunkt des Ursprünglichen sind.

Wenn in der Vorstellung der Väter das Endergebnis des Traditionsprozesses mit seinem Ursprung identifiziert wird, so wird darin deutlich, daß die Entwicklung des Apostolischen bis zu seiner Fixierung im NT zu apostoli-

---

pretation. Das Lehramt steht hier ganz im Dienst der in der Schrift enthaltenen apostolischen Tradition (*J. R. Geiselmann,* Jesus der Christus, a. a. O., 100–103; *H. Bacht SJ,* Tradition und Sakrament, Zum Gespräch mit Oscar Cullmanns Schrift „Tradition", in: Schol 30, 1955, 16 f.; *J. Daniélou SJ,* Ecriture et Tradition, in: Dieu Vivant 24, 1953, 107–116 und 26, 1954, 73–78).

[117] *Y. Congar,* Die Tradition und die Traditionen, a. a. O., I, 232; vgl. oben 165.

[118] S. unten 254 f.

[119] Vgl. *Y. Congar,* Die Tradition und die Traditionen, a. a. O., I, 253 f.

[120] Ebd., 257.   [121] Vgl. oben A 116.

[122] *Y. Congar,* Die Tradition und die Traditionen, a. a. O., I, 258 f.

schen Norm dazugehört. Wir müssen den Begriff des Apostolischen primär dogmatisch verstehen. Er bezieht sich auf das ganze depositum fidei. Das ist aber erst mit der letzten neutestamentlichen Schrift gegeben. Damit erst hat die Überlieferung von Jesus Christus ihre gültige Gestalt erreicht. Mithin kann dieses Datum erst das Ende der apostolischen Zeit, den Abschluß der Offenbarung, markieren.

Die apostolische Paradosis ist der Kirche anvertraut. Das kirchliche Lehramt konkurriert nicht mit dem apostolischen Zeugnis, sondern ist darauf angewiesen. Das apostolische Zeugnis setzt sich fort im Zeugnis der Kirche, die Normativität der Kirche gründet in der Normativität des Apostolischen.

Eine spezifische Anwendung des altkirchlichen Apostolizitätsprinzips erfolgt in der neutestamentlichen Pseudepigraphie, die im folgenden erörtert werden soll.

§ 12. Die neutestamentliche Pseudepigraphie, eine Anwendung der Norm des Apostolischen

Je mehr die Norm des Apostolischen in der Frühzeit der Kirche ins Bewußtsein trat, um so häufiger entstanden Schriften unter dem Namen eines Apostels, pseudepigraphische Schriften. Indem man die Verfasserschaft eines Apostels in Anspruch nahm, brachte man die apostolische Autorität ins Spiel.

Zuvor ein Wort zum Phänomen der neutestamentlichen Pseudepigraphie allgemein. Im Jahre 1900 forderte William Wrede eine umfassende Untersuchung des Problems der neutestamentlichen Pseudepigraphie[1]. Diese Forderung hat Frederic Torm erneut erhoben[2]. Sie gilt auch heute noch. W. G. Kümmel bemerkt in seiner Einleitung in das NT[3], die Frage der neutestamentlichen Pseudepigraphie sei bisher noch keineswegs ausreichend geklärt. Man hat inzwischen nicht wenig Material gesammelt, ist aber in der Beurteilung durchaus nicht zu einem Konsens gekommen. Die Pseudepigraphie wird bei einigen Forschern unter dem moralischen Gesichtspunkt beurteilt. Diese können sich teils eine bewußte und gezielte Verfasserfiktion im christlichen Bereich nur in Ausnahmefällen vorstellen, teils stehen sie dem Wahrhaftigkeitssinn der Alten Kirche grundsätzlich kritisch gegenüber. Andere jedoch sehen in der Pseudepigraphie einen Ausdruck echten religiösen Erlebens[4].

---

[1] Miscellen, in: ZNW 1, 1900, 75–85; vgl. *H. R. Balz,* Anonymität und Pseudepigraphie im Urchristentum, Überlegungen zum literarischen und theologischen Problem der urchristlichen und gemeinantiken Pseudepigraphie, in: ZThK 66, 1969, 403.

[2] Die Psychologie der Pseudonymität im Hinblick auf die Literatur des Urchristentums (Studien der Luther-Akademie 2), 1932, 54; vgl. *H. R. Balz,* a. a. O., 403.

[3] *W. G. Kümmel,* Einleitung in das Neue Testament, a. a. O., 319.

[4] *H. R. Balz,* a. a. O., 404.

Die Begriffe Pseudonymität und Pseudepigraphie werden öfters synoym gebraucht. Genauer betrachtet ist der erstere der umfassendere Begriff. Pseudonymität meint ganz allgemein die Abfassung von Schriften unter einem Namen, der nicht der des Autors ist. Ein Pseudonym kann ein bewußt gewählter, erfundener, übernommener oder auch nur entstellter Deckname sein. Ist er einer historischen Persönlichkeit entlehnt, so handelt es sich um eigentliche Pseudepigraphie, in den übrigen Fällen tendiert die Pseudonymität zur Anonymität.

Wie H. R. Balz feststellt, begegnet uns die Pseudepigraphie, abgesehen von den beiden großen Fälschungen des Mittelalters im 7. und 8. Jahrhundert[5] und den fiktiven Verfassern von Mönchsregeln und Gesetzeskorpora, bei denen es ja um Traditionsprozesse geht, die altes Gut in Weiterbildung überliefern, nur in der Antike[6]. Diese Auffassung gilt allerdings nicht unangefochten[7].

Von den pseudepigraphischen Schriften sind die apokryphen, unechte Schriften des AT oder des NT, zu unterscheiden. Hier ist auf einige terminologische Ungereimtheiten hinzuweisen. Die Protestanten bezeichnen seit A. Karlstadt jene Schriften des AT als apokryph, die zwar vom griechischen und zum Teil auch vom lateinischen, nicht aber vom hebräischen Text der Bibel geboten werden, während jene Schriften, die in der Septuaginta fehlen, aber vom frühen Judentum und bestimmten Kreisen der Alten Kirche als heilige Schriften überliefert werden, wie Adam-, Henoch-, Moses-, Abraham- und Patriarchen-Schriften und viele andere, als pseudepigraphische Schriften gelten. Die von evangelischen Theologen als Pseudepigraphen bezeichneten Schriften werden im katholischen Bereich als Apokryphen angesehen, die im evangelischen Raum als Apokryphen bezeichneten Schriften des AT gelten im katholischen Verständnis als deuterokanonische Schriften entsprechend dem lateinischen Kanon. Beide Terminologien sind irreführend. Literargeschichtlich sind die meisten apokryphen Schriften aus alttestamentlicher wie aus neutestamentlicher Zeit zugleich pseudepigraphische oder wenigstens anonyme, ebenso ein großer Teil der kanonischen Bücher des hebräischen AT wie des NT. Erst in Jesus Sirach[8] tritt (um 180 v. Chr.) der wirkliche Autor aus der Verborgenheit und bekennt sich ganz und gar zu seinem Werk[9].

Die Pseudepigraphie ist in der Antike sehr häufig. Pseudepigraphen wie auch anonyme Schriften waren an der Tagesordnung. Aber bereits von der Zeit des Herodot an trieben antike Philosophen, Geschichtsschreiber und Grammatiker eine ausgedehnte Echtheitskritik. Die Pseudepigraphen wurden oft als Fälschungen verfolgt und vernichtet. Sie galten als literarische Kampfmittel und wurden mit Gegenfälschungen beantwortet. Sie dienten der

---

[5] Konstantinische Schenkung und Pseudoisidorische Dekretalen.

[6] H. R. Balz, a. a. O., 405–407.

[7] W. Speyer, Die literarische Fälschung im heidnischen und christlichen Altertum, Ein Versuch ihrer Deutung (Handbuch der Altertumswissenschaften I, 2), München 1971, 307–310.

[8] Sir 50, 27.   [9] H. R. Balz, a. a. O., 408.

Bereicherung des unbekannten Autors und konnten im religiösen oder politischen Interesse ausgenutzt werden. Nicht selten dienten sie aber einfach nur der Ausschmückung des Buchrollenbestandes mit einem wohlklingenden Namen um eines besonderen Verkaufserfolges willen[10].

Es gibt noch eine Reihe innerer Gründe, die zur Pseudepigraphie führten: Man pflegte die Pseudepigraphie als Stilmittel. In solchen Fällen war die Verfasserfiktion jederzeit durchschaubar. Sammlungen oder Einzelwerke, die ursprünglich anonym oder von bestimmten Verfassern waren, wurden manchmal im Lauf der Überlieferung zu Pseudepigraphen, versehentlich oder absichtlich, sei es, daß bei der Gleichheit oder Ähnlichkeit der Namen Verwechslungen vorkamen, sei es, daß bei Sammelwerken der Hauptperson oder einer am Anfang genannten Person die Verfasserschaft zugeschrieben wurde. Endlich wurden Schriften in Anlehnung an ein bestimmtes Schulhaupt unter dessen Namen verfaßt. Dabei spielte die Tendenz mit, die eigene Ansicht auf ehrwürdige Weise zu begründen[11].

Außer bei den echten Paulusbriefen ist bei keiner Schrift des NT der Verfasser eindeutig und mit Sicherheit zu fixieren. Die Evangelien, die Apostelgeschichte, der 1. Johannesbrief und der Hebräerbrief nennen den Namen des Autors nicht. Die übrigen Briefe und die Apokalypse machen darüber Angaben, die entweder als pseudepigraphisch anzusehen oder nicht genau zu verifizieren sind. Wie ist das zu erklären?

H. R. Balz glaubt, im NT fast alle Formen der antiken Anonymität und Pseudepigraphie wiederzufinden[12]. Demgegenüber hat Kurt Aland[13] die These vertreten, die Frühzeit habe im pseudonymen und anonymen Schrifttum der Urkirche nichts anderes als eine Verlagerung der Botschaft vom Mündlichen ins Schriftliche gesehen. Dabei seien die Schreiber als Werkzeuge des Geistes ganz nebensächlich gewesen, so nebensächlich, daß es nach damaligem Bewußtsein eine Verfälschung gewesen wäre, diese Werkzeuge zu nennen. – Daran ist sicher etwas Richtiges, wie sich im Falle der ursprünglich anonymen Schriften zeigt, aber das gilt nicht allgemein, denn es spielen auch Namen eine Rolle. Paulus nennt seinen Namen. Die Schreiber der Deuteropaulinen nennen den Namen des Paulus. Die anderen Pseudepigraphen des NT nennen die Namen anderer Apostel. Im Falle der Deuteropaulinen und der anderen Pseudepigraphen geht es um den Geist der Tradition und der apostolischen Norm, wie Balz mit Recht bemerkt. Die Überzeugung, Sprachrohr des Heiligen Geistes zu sein, kann manche Verkünder und Schreiber der Urchristenheit wohl zur Anonymität veranlaßt haben, aber nicht zur Pseudepigraphie. Diese impliziert Anlehnung an Tradition, Apologetik und Polemik sowie Suche nach fremden Autoritäten für die eigene Meinung[14].

---

[10] Ebd., 408–410.   [11] Ebd., 411–415.   [12] Ebd., 416 f.

[13] *K. Aland,* Das Problem der Anonymität und Pseudonymität in der christlichen Literatur der ersten beiden Jahrhunderte, in: Studien zur Überlieferung des Neuen Testamentes und seines Textes (Arbeiten zur neutestamentlichen Textforschung II), Berlin 1967, 29 f. 31 f.

[14] *H. R. Balz,* a. a. O., 419 f.

Die Evangelien werden erst im Laufe der Zeit zu Pseudepigraphen. Ursprünglich waren sie anonym, weil sie nicht als Literatur verstanden wurden, sondern die mündliche Predigt durch die geschriebene ersetzen sollten, wobei der Name des Verfassers keine Rolle spielte. In ihnen erfolgte in der Tat eine Verlagerung der Botschaft vom Mündlichen ins Schriftliche, wie K. Aland richtig sagt.

Die Verfasser der Evangelien traten mit dem Anspruch auf, Traditionsvermittler zu sein, ohne sich selbst und ihren Lesern bewußt zu machen, wie sehr ihre Darstellungen von ihrer spezifischen Theologie her geprägt waren. Die Evangelien stellten das Evangelium in ihrem jeweiligen Wirkungskreis dar. Erst als, durch die Verbreitung der Evangelienschriften bedingt, diese nebeneinanderstanden, war es nötig, sie entweder bestimmten Verfassern zuzuschreiben, sie wie Tatian zu harmonisieren oder sich wie Marcion für ein bestimmtes Evangelium zu entscheiden. Die Großkirche entschied sich für das erstere und revidierte die ursprüngliche Anonymität der Evangelien von der theologischen und historischen Norm des Apostolischen her[15].

Die Zuschreibung der Evangelien an apostolische Verfasser muß im Zusammenhang mit der Bemühung um die Sicherung der apostolischen Autorität der kirchlichen Überlieferung bzw. der normativen Jesusüberlieferung gesehen werden, wie sie uns zunächst in den Spätschriften des NT und dann mehr und mehr im Laufe des 2. Jahrhunderts begegnet. Diese erfolgte aber nicht willkürlich. Es ist damit zu rechnen, daß die Alte Kirche nicht einfach die apostolische Verfasserschaft dekretiert und erfunden hat, sondern in einem mehr oder weniger sorgfältigen Rückschlußverfahren auf die Verfasser gekommen ist, deren Apostolizität, wie sich im Falle des Markus- und des Lukas-Evangeliums zeigt, erst nachträglich auf Grund der vorgegebenen Daten herausgestellt wurde[16].

Konnten auch die Verfasser der Evangelien zunächst anonym bleiben, so war das bei Paulus nicht möglich, denn einmal verkündete er ein ganz spezifisches Evangelium, das er vom Herrn empfangen hatte und zugleich scharf abhob von den anderen Ausprägungen des Evangeliums[17], zum anderen sind seine Schriften echte Briefe.

Die Norm des Apostolischen hat also im NT einerseits Verfasserfiktionen hervorgerufen, andererseits die Anonymität der Evangelien. Im letzteren Fall liegt der Ton auf dem Ursprünglichen, im ersteren Fall auf den Aposteln, sofern in ihnen das Ursprüngliche garantiert ist. Balz betont mit Recht die tiefe Beziehung zwischen der Pseudepigraphie und der Anonymität. Die Pseudepigraphie ist der Extremfall der Anonymität, sofern in der Pseudepigraphie der Verfasser nicht nur auf den eigenen Namen verzichtet und damit auf den

---

[15] Ebd., 428 f.
[16] R. Pesch, Die Zuschreibung der Evangelien an apostolische Verfasser, a. a. O., 60–68, bes. 68.
[17] Gal. 1, 6 ff. 11 f.; H. R. Balz, a. a. O., 429.

personalen Bezug zur konkreten Situation, sondern sich hinter dem Namen eines anderen verbirgt[18].

Wenn Balz auch fast alle Formen der antiken Pseudepigraphie im NT wiederfindet, so möchte er doch im allgemeinen von Tendenzfälschungen sprechen. Er versteht die Verfasserfiktion der Petrus-, Jakobus- und Judas-Schriften sowie der Pastoralbriefe aus dem beginnenden Kampf mit den Ketzern und Libertinisten, aus den kirchenpolitischen und theologischen Auseinandersetzungen der nachklassischen Zeit, während er den Kolosser-und den Epheserbrief als Schulprodukte wertet[19]. Ähnlich sieht W. Schneemelcher[20] das Problem. Er meint, man habe im Dienste von Kirchenordnungen, des Kampfes gegen die Ketzer, zur Intensivierung und Legitimierung, zur Ausnutzung der Autorität der Apostel für Tagesfragen Schriftstücke mit ihrem Namen verfaßt und in Umlauf gebracht. Auch W. Speyer[21] versteht im allgemeinen die biblische Pseudepigraphie als literarische Fälschung, weil das Altertum sehr wohl den Begriff der literarischen Fälschung gekannt und verurteilt habe.

Demgegenüber gibt J. Griboment[22] zu bedenken, man müsse bei solcher Kategorisierung beachten, in welchem Milieu man sich befinde, im Volksmilieu oder sozusagen im Universitätsmilieu wie etwa in Alexandrien, und dürfe nicht die Motivation für die Wahl eines Apostelnamens durch den wirklichen Autor übersehen. Es genüge nicht, mit Hinweis auf die nicht-literarischen Interessen dolus malus zu vindizieren. Die Zurückweisung der Apokryphen durch die kirchlichen Autoritäten sei von Anfang an wegen ihres falschen Lehrinhaltes, nicht aus einem rein kritischen Grund erfolgt. Im Christentum gehe es nicht primär um die Individualität eines bestimmten Verfassers, sondern um die Autorität seiner Botschaft, die sich an der lebendigen

---

[18] Ebd., 434.

[19] Ebd., 431–433.

[20] *W. Schneemelcher*, in: *E. Hennecke–W. Schneemelcher*, a. a. O., II, 8.

[21] *W. Speyer*, a. a. O., 13 u. 176–179. Speyer versteht unter Fälschungen solche pseudepigraphi-schen Schriften, in denen die Maske gewählt wird, „um Absichten durchzusetzen, die außerhalb der Literatur, das heißt der Kunst, liegen" (13), wo also Täuschungsabsicht, dolus malus, vorliegt, unabhängig davon, ob der Fälscher subjektiv seine literarische Täuschung und gegebenenfalls seine Geschichtsfälschung für berechtigt hielt. Wird der Verfasser einer pseudepigraphischen Schrift hingegen nur von literarisch-künstlerischen Motiven gelenkt, so handelt es sich nicht um eine Fälschung, sondern um freie Erfindung, Dichtung, Fiktion. Hier geht es nur um die künstlerische Wirkung. Im Falle der Fälschung zielt der Verfasser darauf ab, daß der Trug nicht entdeckt wird, während im Falle der Dichtung die künstlerische Wirkung unabhängig davon ist (13 f.). Mit literarischen Pseudepigrapha rechnet Speyer im allgemeinen erst von jener Zeit an, da das Christentum religio licita geworden war (177 f.).

[22] *J. Griboment*, De la notion de „Faux" en littérature populaire, in: Biblica 54, 1973, 434–436, bes. 435. Im 2. und 3. Jahrhundert wurde dann in der Kirche gegen die Pseudepigraphie polemisiert: Tertullian zieht gegen die apokryphen Paulusakten als einer Entstellung und Verfälschung der apostolischen Lehre zu Felde, weil sie der rechten und vertrauten Form bzw. der apostolischen Norm nicht entsprächen (Tertullian, De baptismo 17). Man verwirft die Pseudepigraphie, sofern man sie als solche erkennt und durchschaut und vor allem ihren Inhalt nicht billigt. Vgl. *H. R. Balz*, a. a. O., 421 u. 433.

Tradition messe. Als entscheidend habe man die Übereinkunft mit der Lehre der Kirche festgehalten.

Auch H. Hegermann[23] möchte bei der biblischen Autorfiktion nicht an Fälschung denken. Wie er ausführt, muß bei einer Autorfiktion durchaus nicht automatisch ein Fälschungsmotiv im Spiel sein. Das ist vielmehr je neu im Einzelfall zu entscheiden. Die neutestamentlichen Autorfiktionen sind aus einer theologisch begründeten Anonymität erwachsen und drücken das prophetisch-apostolische Selbstverständnis der urchristlichen Verkündiger und Gemeinden aus[24]. Wir haben es bei der Pseudepigraphie demnach mit einem spezifisch urchristlichen Phänomen zu tun, mit einer legitimen literarischen Gattung, worin das Bemühen um die Wahrung der inneren Kontinuität des NT sichtbar wird[25].

Ähnlich führt N. Brox[26] die neutestamentliche Pseudepigraphie auf die Maßgeblichkeit der ersten Verkündiger der Botschaft zurück. Er erklärt: „Die Echtheit einer Schrift erweist sich aus ihrem kirchlichen Inhalt, nicht im Aufspüren des tatsächlichen Verfassers". Entscheidend ist für den Charakter einer Schrift als biblisch-kanonischer nicht „ihre Niederschrift durch die Hand eines Apostels, sondern ihr genuiner, von den Aposteln sich herleitender, durch ihre Predigt gedeckter Inhalt"[27]. Brox bemerkt, die antike Pseudepigraphie sei nur ein Stilmittel, das erst durch die Absicht, in deren Dienst sie gestellt wird, qualifiziert werde. Auf jeden Fall will er für die biblische Pseudepigraphie List und Betrug fernhalten. Von Fälschungen zu reden, ist nur möglich, so betont er, mit Bezug auf die literarische Kategorie, aber solche Terminologie ist wegen der damit verbundenen unangemessenen Assoziation nicht zu empfehlen. Es geht je um eine Aktualisierung in Fühlungnahme mit der vergangenen Autorität. Man will reden, wie der Apostel geredet hätte.

Nach Brox gehört die Pseudepigraphie im NT zu den Stilmitteln, deren sich die biblischen Autoren bedienten, ohne daß der Charakter der biblischen Botschaft dadurch Schaden genommen hätte. Es geht um die Meisterung einer neuen Situation aus dem Ursprung. Der Grund für solche Freiheit wird Joh 16, 13–15 sichtbar. Damit hat man etwa im Fall der Pastoralbriefe Paulus besser verstanden und seiner Theologie eher entsprochen als in jener Polemik, die gegen die Pastoralbriefe gerichtet ist und offensichtlich von einem dogmatisch erstarrten Paulusbild ausgeht. In der literarischen Stilform der Pseudepigraphie spricht sich im NT also ein eminent theologisches Element aus.

---

[23] H. Hegermann, Der geschichtliche Ort der Pastoralbriefe, in: Theologische Versuche II, hrsg. von J. Rogge u. G. Schille, Berlin 1970, 48–56, bes. 55.
[24] Ebd.
[25] Ebd., 55 f.; vgl. K. H. Schelkle, Die Petrusbriefe, Der Judasbrief (HThK XIII/2), Freiburg ²1963; ders., Spätapostolische Briefe als frühkatholisches Zeugnis, in: Neutestamentliche Aufsätze, FS für J. Schmid, hrsg. von J. Blinzler, O. Kuss, F. Mußner, Regensburg 1963, 225–232.
[26] N. Brox, Die Pastoralbriefe (RNT 7, 2), Regensburg ⁴1969, 61–66.
[27] Ebd., 65.

Nach Brox muß man das Selbstverständnis der Kirche in ihrem Verhältnis zu ihrem Ursprung berücksichtigen, wenn man die neutestamentliche Pseudepigraphie richtig verstehen will. Für die Verfasser der neutestamentlichen Pseudepigraphen stand die Legitimität ihrer Unternehmung fest. Sie war begründet in ihrem kirchlichen Selbstvertrauen. In diesem Zusammenhang will Brox auch die Freiheit der frühen Kirche in der Prägung von Jesusworten sehen sowie die Tatsache, daß in den bekannten altkirchlichen Fällen von Verwerfung sogenannter unechter Schriften die Kriterien der Verwerfung der Inhalt und der kirchliche Charakter waren. Hier galt der Grundsatz: Die sogenannte Echtheit einer Schrift erweist sich in ihrem kirchlichen Inhalt, nicht im historischen Aufspüren des Verfassers[28].

Nicht weniger positiv würdigt W. Trilling[29] die Verfasserfiktion im NT. Im Zusammenhang mit der Verfasserschaft des 2. Thessalonicherbriefes stellt er die Frage, ob der Verfasser als Fälscher zu bezeichnen sei, und erklärt, die entscheidende Frage sei doch die, ob im Falle nachpaulinischer Entstehung die apostolische Sache des NT verfälscht worden sei. Das aber könne man nicht sagen, denn im Falle des 2. Thessalonicherbriefes gebe der Verfasser in der bedrängenden Stunde der Verzögerung der Parusie aus der apostolischen Tradition die Antwort. In der Antike sei es nicht selten gewesen, daß Schüler unter dem Namen ihres Lehrers Schriften herausgegeben hätten, um damit zum Ausdruck zu bringen, daß sie die Gedanken des Lehrers weitergeben möchten. Wenn die Bibel die literarischen Formen der Sage und des Mythos benutze, so sei es nicht verwunderlich, wenn sie auch die Form der Pseudepigraphie verwende[30].

Nach Trilling hängt die Legitimität einer pseudepigraphischen Schrift eng damit zusammen, ob sie in einem bestimmten Raum, in einer Lokalkirche oder Provinz, Anerkennung und Geltung erlangt hat. Jeder konnte den Versuch machen, im Namen eines Apostels oder einer anerkannten Autorität zu schreiben, aber viele Unternehmungen dieser Art erlangten keine kirchliche Geltung oder wurden formell zurückgewiesen, wie ein Teil der apokryphen Apostelschriften. Wurde eine Schrift in einem kirchlichen Raum rezipiert, so konnte sie auch in einer anderen Kirche angenommen werden. Die Rezeption solcher Schriften bezieht sich aber offenbar nur auf einen begrenzten Zeitraum, auch wenn sie wie der Hebräerbrief keinen Verfasser nennen. Es muß noch ein lebendiger Kontakt mit den Uraposteln bestanden haben. Dafür kommt aber eher ein bestimmtes Kirchen- und Missionsgebiet mit einer besonderen Prägung und Tradition in Frage „als die schmalere Kontinuität über einzelne Personen von ‚Apostelschülern‘ und deren Schülern"[31].

---

[28] Ebd., 61–66.
[29] *W. Trilling*, Untersuchungen zum 2. Thessalonicherbrief, a. a. O., 137 ff., bes. 145 u. 148 f.; vgl. auch die Besprechung des Werkes von *K. H. Schelkle*, in: ThQ 153, 1973, 86.
[30] *W. Trilling*, Untersuchungen zum 2. Thessalonicherbrief, a. a. O., 137 ff.
[31] Ebd., 155 bzw. 154 f.

Die entscheidende Voraussetzung für die neutestamentliche Pseudepigraphie ist die Setzung des Apostolischen als Norm. Darin sind sich alle einig. Aber während Balz, Speyer und Schneemelcher bei der neutestamentlichen Pseudepigraphie ausschließlich oder teilweise an Fälschungen oder Kampfmittel denken, mit denen man die neuen theologischen Konzepte für die neue Situation stützen wollte, indem man die neue Theologie der alten Tradition einordnete[32], betrachten unter anderen Griboment, Hegermann, Brox, Schelkle und Trilling die Pseudepigraphie des NT als legitime literarische Gattung entsprechend den anderen literarischen Kategorien des NT, als spezifisches urchristliches Phänomen. Die Rede von Fälschungen ist nicht angemessen. Die Urkirche, jene Zeit, in der die neutestamentlichen Pseudepigraphen entstanden, wußte sich unter der besonderen Führung des Heiligen Geistes. Die Pseudepigraphen des NT wurden wie die literarisch echten Schriften ungeachtet ihrer literarischen Unechtheit als Zeugnisse der Offenbarung und Dokumente des Glaubens verstanden und in der späteren Fixierung im Kanon des NT von der Kirche offiziell in diesem Sinne bestätigt[33].

Fassen wir zusammen: Für die neutestamentliche Pseudepigraphie ist nicht mit bewußten Fälschungen zu rechnen. Sie entstand im Volksmilieu, wo man nicht literarische, sondern glaubensbelehrende Interessen hatte. Es ging um die Weiterführung der apostolischen Lehre in Übereinstimmung mit der Lehre der Kirche. Ihr Vorbild ist die antike Pseudepigraphie in Anlehnung an ein Schulhaupt. Sie ist wesentlich aus einer theologisch begründeten Anonymität erwachsen und Ausdruck des prophetisch-apostolischen Selbstverständnisses der urchristlichen Verkünder und Gemeinden. Es kommt darin das Bemühen um die innere Kontinuität des NT zum Ausdruck. Sie will jeweils eine neue Situation aus dem Ursprung meistern, eine nicht seltene Form der Offenbarungsrede im AT. Man will reden, wie der Apostel geredet hätte. Damit bedient man sich eines Stilmittels, das die biblische Botschaft nicht verfälscht, sondern legitim weiterführt. Es muß das Selbstverständnis der Kirche im Verhältnis zu ihrem Ursprung berücksichtigt werden. Für die Verfasser der neutestamentlichen Pseudepigraphen war der legitime Grund ihrer Unternehmung das kirchliche Selbstvertrauen. Voraussetzung für die Anerkennung einer pseudepigraphischen Schrift aber waren ein gewisses Alter – es mußte noch irgendwie ein lebendiger Kontakt mit den Uraposteln gegeben sein – und der kirchliche Inhalt.

In der Stilform der neutestamentlichen Pseudepigraphie spricht sich ein eminent theologisches Element aus. Sie will die Verbindung mit dem Ursprung bewahren und scheut sich nicht, auch nach dem Tod der eigentlichen Apostel deren Autorität in Anspruch zu nehmen. Augenscheinlich war man sich der Besonderheit dieser anfänglichen Zeit der Kirche bewußt, zumindest die

---

[32] Vgl. *H. R. Balz*, a. a. O., 436: „Um nicht ihre eigene Autorität gegen die bereits anerkannten Autoritäten erkämpfen zu müssen, ließen sie die im Prinzip von ihnen schon überholten apostolischen Autoritäten für sich zu Felde ziehen . . ."
[33] S. unten 278–285. 293 f.

Gemeinde, die eine solche Schrift später rezipierte. Die neutestamentlichen Pseudepigraphen sind nur echtes Offenbarungszeugnis, wenn sie noch in die Offenbarungszeit fallen. Indem die Kirche sie als normative Schriften verstand, anerkannte sie sie als Offenbarungsdokumente.

Wenn noch in der Zeit nach den Zwölfer-Aposteln und Paulus legitimerweise apostolische Schriften entstehen konnten, d. h. Schriften, die das Glaubensgut bezeugen wollten, als apostolisch verstanden wurden, so muß auch die apostolische Zeit als über die Zwölf und Paulus hinausgehend gedacht werden. Hier wird der Terminus apostolisch gleichbedeutend mit ursprünglich, authentisch, normativ. Die Grenze jener Zeit wird markiert durch die letzte pseudoapostolische Schrift, den 2. Petrusbrief. Die apostolische Zeit wäre demnach, grob gesagt, die Zeit der Urkirche.

Fünftes Kapitel
Die apostolische Überlieferung

§ 13. Von der apostolischen Verkündigung zur Tradition

1. Die apostolische Verkündigung als Grundlage und Norm der werdenden Kirche

Das Werden der Urkirche gründet in der apostolischen, d. h. uranfänglichen Verkündigung[1], deren Grundlage die unmittelbare Begegnung der Urjünger mit dem historischen Jesus und mit dem Auferstandenen ist[2]. Dabei scheint das wesentliche Moment in der Begegnung mit dem auferstandenen Herrn zu liegen, kommt es doch in erster Linie auf die Bezeugung der Auferstehung an[3]. Trotzdem kann man nicht auf den Umgang der entscheidenden Zeugen mit dem irdischen Jesus verzichten, denn nur so ist die Kontinuität von ihm zur Urgemeinde garantiert. Das Zeugnis aus eigener Erfahrung bedingt die Einzigartigkeit des Kerygmas der Urzeugen bzw. der Bedeutung der frühapostolischen Kirche, die von dem hierzu auf besondere Weise berufenen apostolischen Amt getragen wird[4]. Demgemäß schildert das Grundschema der ältesten Verkündigung Jesu öffentliche Tätigkeit, seinen Tod und seine Auferstehung[5].

Das Kerygma der Apostel schließt unmittelbar an den Kyrios bzw. an die Erscheinungen des Auferstandenen an. Diese direkte Kontinuität zwischen dem Kyrios und der apostolischen Verkündigung wird ergänzt durch die aktuelle Verbindung mit dem Erhöhten, denn die frühe Kirche weiß den Kyrios als eine persönliche, aktuelle Wirklichkeit inmitten der Gemeinde lebendig gegenwärtig. Was die Apostel tun, das tun sie gemeinsam mit dem Herrn[6]. Die junge Christengemeinde war überzeugt, daß Jesus als der auferstandene und erhöhte Herr in ihrer Mitte weiterlebe. Die Geschichte der apostolischen Zeit erscheint so als Fortsetzung dessen, was die Evangelien von

---

[1] W. G. Kümmel, Das Urchristentum, in: ThR 18, 1950, 4.

[2] Apg 1, 21–23; 10, 39; 2 Petr 1, 16; Joh 1, 14; 1 Joh 1, 1–3.

[3] Apg 1, 22; 13, 31–37; 2, 24–36; 3, 15. 26; 10, 40–43.

[4] E. Schillebeeckx, Offenbarung und Theologie, a. a. O., 32 f.

[5] Apg 2, 22–36; 3, 13–26; 10, 38–43.

[6] Apg 5, 28; 3, 9; 4, 8; 4, 31 u. ö.; vgl. E. Schillebeeckx, Offenbarung und Theologie, a. a. O., 33. Sch. spricht, vielleicht nicht ganz glücklich, von einem „horizontalen" und „vertikalen" Zusammenhang der Urkirche mit dem Kyrios.

den Worten und Taten Jesu künden. Das Zeugnis der Urgemeinde und das Wirken des historischen Jesus sind eine so enge Verbindung eingegangen, daß man das eine nicht mehr ohne das andere verstehen kann[7]. Es ist der Kyrios selbst, der in der vielgestaltigen apostolischen Verkündigung zusammen mit seinen Zeugen das unantastbare Glaubensgut begründet, die Grundlage und die Norm der werdenden Kirche.

Auch die nachapostolische Kirche steht unter dem unmittelbaren aktuellen Sprechen des Kyrios, aber sie bezieht „die äußerlich zugeführten Glaubensgegebenheiten des geschichtlichen Christusmysteriums nicht direkt aus einer geschichtlich-unmittelbaren Erfahrung, sondern aus der Realität der frühapostolischen Kirche". Diese ist norma non normata für die spätere Kirche. Normiert durch die apostolische Kirche, tritt das apostolische Amt der Kirche normierend gegenüber dem Glaubensleben auf[8].

Schillebeeckx betont mit besonderem Nachdruck, entscheidend für die apostolische Zeit sei der einmalige Kontakt mit dem irdischen Jesus und der verherrlichten Wirklichkeit Christi[9]. Heißt das nun, daß die grundlegende apostolische Zeit durch den Tod des letzten unmittelbaren Auferstehungszeugen begrenzt wird?

Das apostolische Kerygma ist nicht bloßer Bericht von dem, was sich zugetragen hat, sondern schöpferische Auswertung der Geschichte Jesu[10]. Die apostolische Verkündigung geht aus von der Prophetie des AT und deutet diese im Licht des Oster- und Pfingstereignisses, also vom Ende her, als in Jesus Christus erfüllt. Diese Deutung müssen sich aber auch Jesu einst gesprochene Worte und die Ereignisse seines Lebens gefallen lassen[11]. „Die Paradosis gibt ... das ‚Einst‘, das geschehen ist, nicht in ‚historischer‘ Genauigkeit wieder, sondern in der Form des ‚Jetzt‘, d. h. in seiner ‚geschichtlichen‘ Bedeutsamkeit. Ja, man kann geradezu sagen: Die historische Genauigkeit würde die paradoxe Einheit von Einst und Jetzt zerstören

---

[7] *F. V. Filson,* a. a. O., 171.

[8] *E. Schillebeeckx,* Offenbarung und Theologie, a. a. O., 36; vgl. oben 240–242.

[9] *E. Schillebeeckx,* Offenbarung und Theologie, a. a. O., 22 f. Nach R. Asting ist der Gedanke, daß die Augenzeugen Bürgen für die Zuverlässigkeit der kirchlichen Überlieferung sind, zunächst untergeordnet gegenüber dem Gedanken, daß das Zeugnis des Heiligen Geistes entscheidend ist, tritt dann aber bald stark in den Vordergrund; dabei geht allerdings der Gedanke, daß der Heilige Geist die treibende Kraft im Zeugnis, ja, der Ursprung des Zeugnisses ist, durch das ganze Urchristentum (*R. Asting,* Die Verkündigung des Wortes Gottes im Urchristentum, dargestellt an den Begriffen „Wort Gottes", „Evangelium" und „Zeugnis", Stuttgart 1939, 701 f. u. 705). Asting erklärt, wenn der Augenzeugengesichtspunkt zunächst untergeordnet sei gegenüber dem Offenbarungsgedanken und auch im Urchristentum nie die Hauptsache werde, so könne das aber nicht heißen, daß das Tatsächliche unbedeutend wäre, gehe es doch um die Verkündigung der Taten Gottes, und wer gegen das, was tatsächlich in der Geschichte stattgefunden hat, verkündigen würde, würde gegen Gott zeugen (626).

[10] *J. R. Geiselmann,* Die lebendige Überlieferung als Norm des christlichen Glaubens, a. a. O., 40 u. 36 f.

[11] *J. R. Geiselmann,* Die Heilige Schrift und die Tradition, a. a. O., 11 f.; *P. Lengsfeld,* Tradition innerhalb der konstitutiven Zeit der Offenbarung, a. a. O., 239.

zugunsten des ‚Einst'. Deshalb kann die Paradosis gar nicht eigentlich Jesu einst gesprochenes Wort ‚wortgetreu' wiedergeben, weil sie Jesu Wort ‚jetzt', d. h. in der von Gott heraufgeführten Situation der Kirche, sein will. Das ist der Grund für die beiden sich scheinbar widersprechenden Merkmale der Überlieferung: Einmal die unbestreitbare Treue und Bindung an Jesu Wort, zum anderen aber das erstaunliche Maß von Freiheit gegenüber dem ‚historischen' Wortlaut"[12].

Wird die apostolische Verkündigung übergeben und angenommen, so wird sie zur Paradosis, zur Überlieferung.

2. Der Begriff der Überlieferung (traditio)[13]

Die Theologie unterscheidet die aktive Überlieferung (traditio activa), also das Überliefern, und die passive Überlieferung (traditio passiva), den Inhalt der Überlieferung. Nach der Art und Weise des Überlieferns ist zu differenzieren zwischen dokumentarischer und bloß mündlicher Überlieferung, im aktiven wie im passiven Sinne. Nach dem Inhalt ist zu unterscheiden zwischen historischer, philosophischer und religiöser Überlieferung. Die religiösen Überlieferungen zerfallen in die im umfassenden Sinne kirchlichen und die nichtkirchlichen Überlieferungen. Bei den ersteren haben wir nach dem Urheber zu unterscheiden zwischen den göttlichen Überlieferungen, die ihren Ursprung in Gott haben (traditiones divinae) – nach ihrem geschichtlichen Abschluß werden sie traditiones divino-apostolicae genannt –, und den bloß kirchlichen Überlieferungen, den kirchlichen Überlieferungen im engeren Sinne. Letztere können verstanden werden als solche, die von den Aposteln stammen, aber nicht Gott zum unmittelbaren Urheber haben (traditiones mere apostolicae), und als solche, die von den kirchlichen Amtsträgern stammen (traditiones mere ecclesiasticae), also kirchliche Überlieferungen im engsten Sinne. Nur die göttlichen Überlieferungen sind göttliche Offenbarung.

Bei der traditio divino-apostolica ist die erste grundlegende Überlieferung, wie sie abschließend durch Christus und die Apostel der Kirche übergeben wurde, von dem daran sich anschließenden unablässigen Weitergeben dieser Überlieferung durch das kirchliche Lehramt und im lebendigen Glauben der Kirche zu unterscheiden. Im ersteren Fall sprechen wir von der traditio constitutiva, im letzteren von der traditio continuativa oder interpretativa (explicativa). Gerade hier ist die Unterscheidung von aktiver und passiver Überlieferung bedeutsam.

Die traditio constitutiva läßt sich begrifflich differenzieren unter dem Gesichtspunkt, ob sie bloß mündlich in der Predigt Jesu und der Apostel oder auch in der Heiligen Schrift, also in göttlicher Dokumentation, an die Kirche ergangen ist.

---

[12] *J. R. Geiselmann*, Die Heilige Schrift und die Tradition, a. a. O., 12 f.
[13] Die folgende Zusammenstellung stützt sich zum größten Teil auf ein Vorlesungsmanuskript von A. Kolping.

Die traditio continuativa im aktiven Sinn ist nach der Struktur der Kirche nicht ein mechanisches Weitersagen von einmal ausgesprochenen Sätzen, sondern eine einsichtige, erklärende und entfaltende Tätigkeit. Die traditio continuativa im passiven Sinn ist infolge jener einsichtigen, erklärenden und entfaltenden Tätigkeit reicher an Einzelaussagen als die traditio constitutiva, jedoch in der den Glaubenswahrheiten zukommenden Weise, „in derselben Glaubenslehre, in demselben Sinn und in derselben Auffassung"[14]. Sie ist die lebendige Daseinsweise der apostolischen Überlieferung in der Kirche[15]. Dem Inhalt der traditio constitutiva begegnen wir jeweils in der Form und Entwicklung der traditio continuativa einer bestimmten Zeit.

3. Überlieferung in der apostolischen Zeit

Die Apostel, die sich als Beauftragte Christi verstanden, wollten nichts anderes sagen, als was sie vom Herrn empfangen hatten[16]. Ihre Aufgabe ist also formal ein Weitergeben von Ereignissen und Realitäten, ein Tradieren. Die Form, wie das Evangelium von Jesus, dem Christus, auf uns zukommt, ist die Paradosis.

Das Tradieren spielt in der Antike eine große Rolle. Παραδιδόναι ist bei Platon der terminus technicus für die Weitergabe philosophischer Wahrheiten[17], in den Mysterienreligionen für die Weitergabe der Mysterienlehren und -weihen[18]. Ob dabei eine schriftliche Form gewählt wurde, war nebensächlich. Faktisch handelte es sich aber durchweg um ein mündliches Weitergeben. Im Judentum kannte man die Halacha, die „Überlieferung der Alten"[19], die lehrmäßigen Auslegungen des mosaischen Gesetzes, die später schriftlich fixiert wurden. Jesus bezeichnet sie als die „Überlieferung der Menschen"[20].

In der jungen Kirche bezeichnete παραδιδόναι zunächst: mündlich die Botschaft von Christus weitergeben, und zwar durch Predigt[21], Zeugnis, Bekenntnis und autoritative Verkündigung[22]. Παράδοσις wurde nur passivisch verwandt für den Inhalt dieser Predigt[23].

---

[14] DS 3020: „... sed in suo dumtaxat genere, in eodem scilicet dogmate, eodem sensu eademque sententia". Vgl. oben 169–194 (§ 9).

[15] *J. R. Geiselmann*, Jesus der Christus, Die Urform des apostolischen Kerygmas als Norm unserer Verkündigung und Theologie von Jesus Christus, Stuttgart 1951, 91 f.; ders., Die Heilige Schrift und die Tradition, a. a. O., 21–25; *G. Gloege*, Offenbarung und Überlieferung, a. a. O., 215–217.

[16] 1 Kor 11, 23.   [17] Platon, Philebos 16 c.   [18] Weish 14, 15.   [19] Mk 7, 3. 5.
[20] Mk 7, 8.   [21] Rö 10, 14.

[22] Rö 6, 17; 1 Kor 11, 2. 23; 15, 3; Lk 1, 2. 4; Jud 3; 2 Petr 2, 20. Artikuliert wird die Paradosislehre in markanter Weise bei Paulus. Er versteht unter Paradosis nicht den Vorgang des Überlieferns, sondern den Inhalt, das Überlieferte. Paulus selbst ist teilweise auf die Augenzeugen von Anfang an angewiesen. Das wird 1 Kor 15, 3 deutlich, wo Marcion mit Recht die Abhängigkeit des Paulus ausgedrückt sah und deshalb die Worte ὁ καὶ παρέλαβον unterdrückte (*J. R. Geiselmann*, Jesus der Christus, a. a. O., 59–61. 71–78; *O. Cullmann*, Die Tradition als exegetisches, historisches und theologisches Problem, a. a. O., 15 f.; *Y. Congar*, Die Tradition und die Traditionen, a. a. O., I, 22 f.; vgl. oben 216–219).

[23] 1 Kor 11, 2; 2 Thess 2, 15; 3, 6.

G. Söhngen[24] betont mit Nachdruck, die Apostel seien Offenbarungsträger, ihre Verkündigung sei nicht Überlieferung, sondern Offenbarungszeugnis. Gegen solche Schematisierung polemisiert J. R. Geiselmann[25] nicht zu Unrecht. Söhngen übersieht, daß die apostolische Predigt zur Überlieferung wird, wenn immer sie übergeben und angenommen wird, so daß in der apostolischen Zeit Offenbarung und Überlieferung nebeneinander stehen. Der einzelne Offenbarungsträger ist nicht unmittelbarer Empfänger der ganzen Offenbarung, stets bedarf er auch des Zeugnisses der anderen Offenbarungsträger. Söhngen nimmt rein schematisch das Faktum in den Blick, daß die Apostel Offenbarungsträger sind, daß die erste Zeit der Kirche noch Zeit der Offenbarung ist. Aber er sieht diese Zeit zu abstrakt und berücksichtigt nicht, daß sich in der apostolischen Zeit praktisch Offenbarung und Überlieferung überschneiden[26].

Schon im AT zeigt sich, daß der uns heute vorliegenden literarischen Fassung eine Überlieferungsgeschichte kleinerer Einheiten vorausgeht. Dadurch wird das Phänomen der Tradition innerhalb der konstitutiven Zeit der Offenbarung zuerst sichtbar. Mit der Entwicklung dieser Einheiten befaßt sich die Traditionsgeschichte. Nach neueren Forschungen wurde die Tradition schon früh schriftlich fixiert, wenn auch bis zur endgültigen Textgestalt ein wechselseitiges Einwirken zwischen schriftlich und mündlich tradiertem Stoff angenommen werden muß. Ein wichtiges Phänomen des israelitischen Überlieferungsgeschehens ist die Aktualisierung der überlieferten religiösen Erzählungen, Sprüche, Berichte und Bekenntnisse für die Gegenwart. Dadurch erfuhren die Überlieferungen Veränderungen und Weiterbildungen. Diese haben natürlich Offenbarungscharakter, sofern sie in die konstitutive Offenbarungszeit fallen. Je mehr aber geschrieben wurde, um so weniger Veränderungen gab es, denn am geschriebenen Wort hält man naturgemäß mehr fest als am gesprochenen.

Auch die apostolische Verkündigung ging schon sehr bald in eine geprägte Gestalt über. Das lehren uns die Formgeschichte und die Entwicklung der Glaubensbekenntnisse[27]. Das apostolische Wort wurde in der Kirche bereits vor der Aufzeichnung in homologetischen, katechetischen und liturgischen Formeln und Überlieferungen geformt, die ihrerseits mündlich oder schriftlich weitergegeben wurden. Der Verfasser des 2. Thessalonicherbriefes stellt die schriftliche Form der Offenbarungsüberlieferung der mündlichen gleich[28]. Einen nicht geringen Anteil an der Ausformung, Gestaltung und Formulierung der Überlieferung hat die Gemeinde. Die 1 Kor 15, 3 ff. und 11, 23 ff. sich findenden formelhaften Darstellungen gehen wohl auf die Zeit vor Paulus

---

[24] G. Söhngen, Überlieferung und apostolische Verkündigung, a. a. O., 313; vgl. oben 163 f.
[25] J. R. Geiselmann, Jesus der Christus, a. a. O., 91.
[26] Vgl. O. Cullmann, Die Tradition als exegetisches, historisches und theologisches Problem, a. a. O., 19: „Nur das gemeinsame Zeugnis aller Apostel kann die christliche Paradosis bilden, in welcher der Kyrios selber handelt."
[27] 1 Tim 3, 16; Eph 5, 14.   [28] 2 Thess 2, 15.

zurück und weisen uns nach Jerusalem. Wenn Paulus sich 1 Kor 11, 23 darauf beruft, daß er das folgende vom Herrn empfangen hat, so will er damit nicht sagen, daß er die Formel unmittelbar vom Herrn empfangen hat, sondern daß die Sache auf den Herrn zurückgeht. Das Überliefern ist nach dem 2. Timotheusbrief[29] ein Vertrauensakt, der mit äußerster Sorgfalt zu geschehen hat. Aber bei aller Treue zum Überkommenen erfuhren die Überlieferungsstücke Veränderungen durch Anwendungen auf bestimmte Fragen, durch kerygmatische Aktualisierung und durch besondere Akzente im Hinblick auf die Umgebung[30]. Unübersehbar ist die Entwicklung der apostolischen Verkündigung im Vergleich der frühen Schriften des NT mit den späten.

Das Besondere der Überlieferung in der frühen Kirche besteht gegenüber dem späten Judentum, das im letzten vorchristlichen Jahrhundert im Hinblick auf die Auslegung der Schrift eine Traditionsmethode mit ausgesprochen festen Regeln gebildet hat, darin, daß die Wirksamkeit und der Erfolg des Bewahrens nicht „dem exakten Funktionieren einer Traditionstechnik"[31] zugeschrieben werden, sondern dem Wirken des Heiligen Geistes, sosehr auch die Amtsträger gemahnt werden, dabei tätig zu werden[32].

Am Anfang steht nicht die Schrift, sondern die mündliche Überlieferung. Das weitgehende Vertrauen auf mündlich Überliefertes ist für das frühe Christentum geradezu charakteristisch[33]. Ausgangspunkt, Kern und Maßstab des Christlichen sind nicht eine Schrift oder Schriften, sondern „ein neues Gotteshandeln in Christus, das proklamiert werden muß"[34]. Das NT ist die Niederschrift dieser Proklamation. Weil es zunächst um die Verkündigung der Heilsbotschaft ging, deshalb wurden auch die Evangelien oder eines von ihnen nicht sogleich als Heilige Schrift betrachtet. Später konnte dann die in den Evangelien erfolgende schriftliche Sammlung und unterschiedlich orientierte Interpretation der Überlieferung die weitergehende Verkündigung besser begründen als die geprägte mündliche Überlieferung[35].

Die Evangelien entstehen in einer Zeit, da die Augen- und Ohrenzeugen des Lebens Jesu aussterben. Sie wollen die Überlieferung retten und das apostolische Kerygma bewahren. Nach Lk 1, 2 haben die Augenzeugen des Lebens Jesu, seine vertrauten Jünger, noch nichts geschrieben, sondern nur gepredigt. Lukas weiß nichts von Evangelien, die Zwölfer-Apostel zu

---

[29] 2 Tim 1, 14.
[30] In den Pastoralbriefen wird überhaupt mit Nachdruck das Festhalten am Überlieferten eingeschärft. Vgl. *P. Lengsfeld*, Tradition innerhalb der konstitutiven Zeit der Offenbarung, a. a. O., 255–272; *H. Schlier*, Art. Wort, a. a. O., 864–866; DV Art. 19.
[31] *P. Lengsfeld*, Tradition innerhalb der konstitutiven Zeit der Offenbarung, a. a. O., 281 f.
[32] 1 Tim 1, 14; *P. Lengsfeld*, a. a. O., 279–282.
[33] *H. von Campenhausen*, Die Entstehung der christlichen Bibel (Beiträge zur historischen Theologie 39), Tübingen 1968, 378 f.; *Y. Congar*, Die Tradition und die Traditionen, a. a. O., I, 14–18.
[34] *A. Vögtle*, Kirche und Schriftprinzip nach dem Neuen Testament, in: BiLe 12, 1971, 270.
[35] Ebd., 271; vgl. *F. Hahn*, Das Problem „Schrift und Tradition" im Urchristentum, in: EvTh 30, 1970, 460.

Verfassern haben, die von Augenzeugen und ursprünglichen Predigern der Botschaft Jesu geschrieben sind. „Hätte man diesen Satz in seiner Bedeutung bedacht und ernst genommen", schreibt Haenchen, „dann wäre die ganze kirchliche Tradition über die kanonischen Evangelien überhaupt nicht entstanden. Aber so merkwürdig es ist: auch als diese Tradition entstanden war, hat durch die Jahrhunderte niemand gemerkt, daß sie im Widerspruch zu Lk 1, 2 steht"[36]. Also am Anfang war die Predigt.

Aber bereits vor Lukas haben es viele unternommen, eine dem Lukas-Evangelium ähnliche Schrift zu verfassen (Lk 1, 1). Von diesen Schriften besitzen wir uns direkt vorliegend nur eine einzige, nämlich die allgemein dem Johannes Markus zugeschriebene. E. Haenchen meint[37], wenn man berücksichtige, daß der Gebrauch des Wortes „viele" am Anfang einer Rede oder Schrift besonders geschätzt wurde, so könne man zwar nicht gleich auf eine größere Zahl vorlukanischer Verfasser schließen, aber einige müßten es doch gewesen sein. Haenchen denkt an mehrere Evangelien, was H. Schürmann[38] jedoch nicht gelten läßt. Er erklärt, Lukas habe keine Berichte gekannt, die über das hinausgingen, was ihm die Quellenkritik heute nachweisen kann. Immerhin greift Lukas auch auf schriftliche Quellen zurück. Die Überlegenheit des eigenen Unternehmens sieht er einmal in der Fülle seines Materials, zum anderen in der sorgfältigen Wiedergabe in Übereinstimmung mit der Tradition. Er hat sich, ähnlich wie auch wohl Matthäus, bemüht, das gesamte greifbare Evangeliengut, Sprüche und Erzählungen, in einem geschlossenen Zusammenhang vorzulegen. Dabei ist so gut wie vollständig das Markus-Evangelium, einer seiner Vorgänger, die wir genau kennen, eingearbeitet. Da dieses noch nicht kanonisch war, fühlte sich Lukas auch nicht verpflichtet, es in der vorliegenden Form zu belassen, sondern berechtigt, es stilistisch zu überarbeiten. Bei Lukas findet sich erstaunlicherweise kein Wort darüber, daß er selbst mit Aposteln oder mit Apostelschülern verkehrt hat[39].

Der erste, der nach Lukas über Evangelien berichtet, ist Papias, um 130 n. Chr. Bischof von Hierapolis. Berühmt sind zwei Fragmente aus seinem Werk „Erklärungen von Aussprüchen des Herrn"[40] über seine Gewährsmänner und den Ursprung der beiden ersten Evangelien[41]. Papias hält weniger von den Schriften, die die Jesusüberlieferung enthalten, als von dem lebendigen

---

[36] E. Haenchen, Der Weg Jesu, Eine Erklärung des Markusevangeliums und der kanonischen Parallelen (Sammlung Töpelmann 2, 6), Berlin 1966, 2.

[37] Ebd., 2 f.

[38] H. Schürmann, Das Lukas-Evangelium, Erster Teil (HThK III, 1), Freiburg 1969, 6.

[39] E. Haenchen, Der Weg Jesu, a. a. O., 2–4. Nach Haenchen sind die Wir-Berichte der Apostelgeschichte eine literarische Form, die besagen will, daß Lukas für diese Partien der Paulusreisen Erinnerungen von Reiseteilnehmern verwertet hat (4). Die Verfasserschaft des Paulusbegleiters Lukas wird für das Evangelium wie für die Apostelgeschichte, die wohl vom gleichen Verfasser stammen, überhaupt sehr angezweifelt. Vgl. A. Wikenhauser–J. Schmid, Einleitung in das Neue Testament, Freiburg ⁶1973, 256. 379; W. G. Kümmel, Einleitung in das Neue Testament, a. a. O., 151.

[40] Λογίων κυριακῶν ἐξηγήσεις.   [41] Historia Eccl. III, 39.

und bleibenden Wort. Wichtiger ist ihm die mündliche Tradition, die vom Munde Jesu über Ohr und Mund der Zwölf und ihrer Schüler, der Presbyter, und deren Schüler zu ihm gekommen ist. So will er die bleibende und lebendige Stimme der Jünger des Herrn hören. Er schreibt[42]: „Wenn etwa jemand kam, der den Presbytern gefolgt war, befragte ich ihn nach den Worten der Presbyter, was Andreas, Petrus, Philippus, Thomas, Jakobus, Johannes, Matthäus oder ein anderer von den Jüngern des Herrn gesagt haben und was Aristion und der Presbyter Johannes, Jünger des Herrn, sagen. Denn ich glaubte nicht, aus dem, was in den Büchern steht, einen solchen Nutzen ziehen zu können wie aus dem, was die lebendige und gegenwärtige Stimme sagt." Hier ist zunächst wohl die Gruppe der Zwölf gemeint, von der sieben Namen genannt sind. Sie gehört zu dem Zeitpunkt, da Papias seine Besucher befragt, bereits der Vergangenheit an[43]. Daneben nennt er eine zweite Gruppe, die im Unterschied zur ersten noch am Leben ist[44], nämlich Aristion und Johannes. Er bringt auch Berichte des Aristion und Überlieferungen des Johannes[45], die aber sein Vertrauen kaum rechtfertigen, denn es handelt sich dabei z. T. um recht phantastisch vergröberte und erbauliche Geschichten. Mündliche Überlieferung entartet eben schneller als schriftliche. Immerhin schätzt Papias die mündliche Überlieferung noch höher ein, und es zeigt sich, daß die geschriebene Überlieferung die bloß mündlich der Kirche mitgegebene nicht verdrängt.

Bemerkenswert ist die von dem Presbyter Johannes kommende Tradition, die besagt, Markus, der Dolmetsch des Petrus, habe, soweit er sich erinnern konnte, alles, was der Herr gesagt und getan hat, sorgfältig niedergeschrieben[46]. Für uns ist es gleichgültig, ob der hier gemeinte, uns öfters im NT begegnende Johannes Markus der Verfasser dieses Evangeliums ist[47], wichtig ist der Versuch, das zweite Evangelium, wenn auch indirekt, auf einen Apostel zurückzuführen. Zu Matthäus berichtet Papias, dieser habe in hebräischer Sprache die Jesusgeschichten zusammengestellt, und jeder habe sie übersetzt, so gut er konnte[48]. Auch das ist nicht historisch, denn wir wissen heute, daß das Matthäus-Evangelium eine griechische Originalschrift ist, der das Markus-Evangelium als Quelle gedient hat[49], ganz abgesehen davon, daß Lukas kein von einem Augenzeugen verfaßtes Evangelium kennt. Wie Irenäus von Lyon um 180 n. Chr. bezeugt, wurden auch die beiden übrigen Evangelien entweder

---

[42] Ebd., 39, 3 f.

[43] Vgl. „εἶπεν".   [44] Vgl. „λέγουσιν".

[45] Historia Eccl. III, 39, 9 ff.

[46] Ebd., III, 39, 15 f.

[47] Gegen die Verfasserschaft dieses Johannes Markus werden heute schwerwiegende Bedenken erhoben (*W. G. Kümmel*, Einleitung in das Neue Testament, a. a. O., 69). J. Schmid ist in dieser Frage zumindest unsicher (vgl. *A. Wikenhauser–J. Schmid*, Einleitung in das Neue Terstament, a. a. O., 214).

[48] Historia Eccl. III, 39, 15 f.

[49] *W. G. Kümmel*, Einleitung in das Neue Testament, a. a. O., 92; *A. Wikenhauser–J. Schmid*, Einleitung in das Neue Testament, a. a. O., 233 f.

direkt oder indirekt auf Apostel im engeren Sinn (Johannes und Paulus) zurückgeführt. Das galt seither als kirchliche Evangelientradition[50].

Bis zur endgültigen schriftlichen Fixierung durchläuft die apostolische Verkündigung verschiedene Stadien der mündlichen und schriftlichen Formulierung. Dabei ist auch inhaltlich eine Entwicklung unverkennbar. Schreibt man dieser Entwicklung nicht Offenbarungscharakter zu, wie das für die Traditionsgeschichte des AT selbstverständlich ist, so müßte man die wahre apostolische Verkündigung hinter dieser Entwicklung suchen. Das aber entspricht nicht dem Bewußtsein der nachapostolischen Kirche, die ja das Ergebnis der Entwicklung als das Offenbarungszeugnis ansah und damit die ganze Entwicklung, wenn auch unreflex, in die Offenbarung einbezog. Das wird auch deutlich in dem Bestreben, die Evangelien und die neutestamentlichen Schriften überhaupt auf Zwölfer-Apostel zurückzuführen, die Frühschriften wie die Spätschriften.

4. Überlieferung in der nachapostolischen Zeit

Der Übergang von der apostolischen zur nachapostolischen Zeit klingt an im 2. Petrusbrief, ja, bereits im Judasbrief und in den Pastoralbriefen[51]. Die werdende Kirche ordnet sich der apostolischen Tradition als bleibender normativer Größe unter. Damit beginnt die traditio continuativa, die einsichtige, erklärende und entfaltende Tätigkeit der Kirche hinsichtlich der traditio divino-apostolica. 2 Petr 1, 12–15 bekundet die Überzeugung, daß die Christenheit nun die volle Offenbarungswahrheit besitzt, die ihrerseits als identisch mit dem Glauben der apostolischen Augen- und Ohrenzeugen angesehen wird. Deshalb kann „selbst der (fiktiv redende) Apostel dieses unantastbare Ganze der Offenbarungswahrheit nur in Erinnerung rufen"[52]. Zugleich kommt hier recht deutlich das Phänomen der Schriftwerdung der apostolischen Paradosis zum Ausdruck. Durch seine schriftliche Belehrung will der Verfasser des Briefes den Christen ein Dokument in die Hand geben, an das sie sich immer halten können. Die Absicht der fortwirkenden schriftlichen Dokumentation der apostolischen Heilsbotschaft sieht er durch das offenbarende Eingreifen Jesu Christi selbst bestätigt[53]. Die Schriftwerdung schließt die apostolische Zeit ab.

---

[50] Adversus haer. III, 1, 1. Das Matthäus- und das Johannes-Evangelium wurden unmittelbar auf Apostel zurückgeführt, das Markus- und Lukas-Evangelium auf Apostelschüler, indirekt auf Petrus und Paulus. Zum Ganzen vgl. E. Haenchen, a. a. O., 4–12.

[51] Vgl. A. Sand, Kanon, a. a. O., 45.

[52] A. Vögtle, Die Schriftwerdung der apostolischen Paradosis nach 2 Petr 1, 12–15, in: H. Baltensweiler–B. Reicke (Hrsg.), Neues Testament und Geschichte, FS für O. Cullmann, Zürich 1972, 303 f.; O. Cullmann, Die Tradition als exegetisches, historisches und theologisches Problem, a. a. O., 42.

[53] 2 Petr 1, 16–19; A. Vögtle, Die Schriftwerdung der apostolischen Paradosis nach 2 Petr 1, 12–15, a. a. O., 297. 304. 2 Petr 3, 15 kann man nicht von einer sicheren oder auch nur wahrscheinlichen Einschätzung der Paulusbriefe als Hl. Schrift sprechen. 2 Petr 1, 16–19 a und 3,

Wenn das Lehramt und die Theologie von der Vermittlung der Offenbarung in der nachapostolischen Kirche sprechen, verwenden sie gern im Anschluß an 1 Tim 6, 20 und 2 Tim 1, 12. 14 (Paratheke!) den Begriff „depositum fidei". Gemäß dieser Terminologie sind die „deponentes" die Apostel im weitesten Sinne, für die wiederum der „deponens" Christus oder besser Gott in Christus ist. Der „depositarius" ist die Kirche unter der Führung der Amtsträger. Das „depositum" ist das Glaubensgut, die christliche Offenbarungswahrheit, die die Kirche zu bewahren und zu vermitteln hat. Die „depositio" erfolgte durch die mündliche Verkündigung und durch das verkündigende Handeln der Apostel und ihrer Mitarbeiter, also der Offenbarungsträger, sowie durch die neutestamentlichen Schriften, den Niederschlag des apostolischen Kerygmas. Dabei geht es letztlich nicht um das Wort, sondern um die im Wort gegenwärtige Realität, um das offenbarende Heilsereignis[54].

Die Alte Kirche versteht die Vermittlung der Offenbarung in der nachapostolischen Zeit, die traditio continuativa, als den gegenwärtig gesetzten Offenbarungsinhalt. Repräsentativ ist die Konzeption des Irenäus von Lyon († um 202). Die Offenbarung ist für ihn nicht eine abgeschlossene historische Größe, der dann auf einer anderen Ebene die Tradition folgt, sondern wesentlich „Überlieferung in den Raum der Geschichte und des persönlichen Glaubens"[55], von den Aposteln grundgelegte Überlieferung, Glaube, der Ausdruck dessen ist, was die Apostel lehrten[56]. Die apostolische Paradosis ist der gegenwärtig gesetzte Offenbarungsinhalt, nicht nur als historisch-dokumentarische, sondern als lebendig-pneumatische Tradition. Da ist Tradition nicht nur „ein geschichtlich abgeschlossenes, in der Vergangenheit hinterlegtes Glaubensdepositum, eine boß historisch-dokumentarische Größe, sondern eine in der Kirche stets gegenwärtige und wirksame lebendige geistliche Kraft"[57].

Wenn auch die schriftlich und die mündlich überlieferte traditio constitutiva prinzipiell gleichberechtigt nebeneinanderstehen, die Überlieferung immer beide Formen der Offenbarungsvermittlung umfaßt, so erhält das geschriebene Wort mit dem größeren zeitlichen Abstand von den Offenbarungsmittlern als die am leichtesten zugängliche Form der lebendigen Überlieferung verständlicherweise eine vordringliche Bedeutung. In der Auseinandersetzung mit den Häretikern war ein unbestreitbares Dokument vonnöten. Da nun in den gnostischen Sektenschulen nicht wenige apokryphe Schriften entstanden, mußte die Großkirche die echten Schriften, die den überlieferten Glauben enthielten, von den unechten abgrenzen. Durch das stärkere Hervortreten der

---

2–4 werden der Schrift des AT nicht mehr nur die Worte des Herrn gleichwertig zur Seite gestellt, sondern die apostolische Vermittlung offenbarer Ereignisse des Jesusgeschehens (1, 19 ff.) und der Jesusworte (3, 2). Das ist ein Schritt in Richtung auf die kanonische Wertschätzung der Apostelschriften (304 f.).

[54] *J. Feiner*, a. a. O., 528 f.

[55] *G. G. Blum*, Offenbarung und Überlieferung, a. a. O., 92.

[56] Ebd., 92 f.   [57] Ebd., 130.

geschriebenen Überlieferung wurde jedoch die mündlich der Kirche mitgegebene Glaubenstradition nicht verdrängt. In der Auseinandersetzung des späteren zweiten nachchristlichen Jahrhunderts, als sich die Häretiker auf eine falsche Schriftinterpretation beriefen, betonten Irenäus und Tertullian die Bedeutung der lebendigen täglichen Lehrüberlieferung der Kirche, wie sie in den apostolischen Kirchen geboten wurde[58].

Nur im Zusammenhang mit der lebendigen Tradition kann die Schrift richtig verstanden werden. Das wußte die Alte Kirche sehr wohl, „die lebendige Autorität der gestorbenen Apostel ging in der nachapostolischen Zeit unmittelbar auf die besondere Autorität der Bischöfe über und nicht etwa auf die Sammlung der Paulusbriefe und anderer Schriften von Aposteln oder Apostelschülern"[59]. Die lebendige Tradition erscheint als das wesentliche Medium der Offenbarungsvermittlung[60]. Man glaubt an Christus nicht durch die Schrift, nicht zuerst an die Schrift und durch sie an Christus, sondern durch die lebendige Verkündigung und sakramentale Gemeinschaft der Kirche von den Aposteln her kraft des in der Kirche wirkenden Geistes. Der Ort des Glaubens ist vor allem der Gottesdienst[61].

Wie H. von Campenhausen[62] ausführt, gilt die Bibel nie als einzige Quelle des christlichen Glaubens, sie ist stets von der lebendigen Christusverkündigung und Christuslehre begleitet. Diese ist in sich die Grundlage der Kirche. Sie wird vom Heiligen Geist getragen. Die Schrift verdrängt nicht die lebendige, öffentliche Verkündigung der Kirche, die sich ihrerseits an die ursprüngliche Richtschnur der Wahrheit hält. Diese Richtschnur, die mit keiner Bekenntnisformel als solcher identisch ist, meint nach von Campenhausen das Wesentliche der kirchlichen Lehre im Ganzen; sie ist nicht Norm, die über der Schrift steht, sie hat vielmehr, wie auch die Schrift, ihren Ursprung in der anfänglichen Verkündigung der Apostel und stimmt darum sachlich mit der Schrift überein. Praktisch aber hat die Schrift die höchste Autorität, da zu ihr immer der freie Zugang gegeben ist[63].

5. Ergebnis

Die apostolische Verkündigung schließt sich unmittelbar an die Erscheinungen des Auferstandenen an. Sie schildert die öffentliche Tätigkeit und vor allem das Leiden, den Tod und die Auferstehung Jesu und deren Heilsbedeutung. Das geschieht kraft der lebendigen Gegenwart des Kyrios in seiner Gemeinde. Zusammen mit seinen Zeugen begründet der Kyrios in der apostolischen

---

[58] Irenäus, Adversus haer. III, 4, 1; Tertullian, De praescriptione haer. 21.
[59] A. Vögtle, Das Neue Testament und die neuere katholische Exegese I, Grundlegende Fragen zur Entstehung und Eigenart des Neuen Testaments, Freiburg ³1966, 20.
[60] A. Lang, a. a. O., II, 284.
[61] O. Karrer, a. a. O., 299 f.
[62] H. von Campenhausen, Die Entstehung der christlichen Bibel, a. a. O., 378–380.
[63] Ebd.

Verkündigung das Glaubensgut. Wird die apostolische Verkündigung übergeben und angenommen, so wird sie zur Überlieferung, zur Tradition. Sie ist als göttlich-apostolische Tradition zu unterscheiden von der sich anschließenden unablässigen Überlieferung durch das kirchliche Lehramt und im lebendigen Glauben der Kirche, als traditio constitutiva von der traditio continuativa. Die traditio continuativa im aktiven Sinn ist mehr als ein bloßes Weitersagen, sie ist erklärende und entfaltende Tätigkeit; sie ist traditio interpretativa (explicativa).

Schon vor seiner Aufzeichnung wurde das apostolische Wort geformt. Der endgültigen schriftlichen Fassung der konstitutiven Tradition geht eine Überlieferungsgeschichte kleinerer Einheiten voraus, die mündlich oder schriftlich weitergegeben wurden. Einen nicht geringen Anteil an der Ausformung, Gestaltung und Formulierung der Überlieferungsstücke hatte die Gemeinde. Das Ergebnis dieses Prozesses, wie es schließlich seinen Niederschlag im NT fand, verstand man aber als das apostolische Kerygma. Deutlich ist innerhalb des NT eine Entwicklung von den Frühschriften zu den Spätschriften sichtbar. Die Alte Kirche hat dabei die Tendenz, alle neutestamentlichen Schriften auf die Zwölfer-Apostel und Paulus zurückzuführen.

Den Übergang von der apostolischen zur nachapostolischen Zeit machen im NT der 2. Petrusbrief sowie der Judasbrief und die Pastoralbriefe sichtbar. Sie mahnen mit Nachdruck, an der Überlieferung festzuhalten. Im 2. Petrusbrief kommt auch die Schriftwerdung der apostolischen Tradition zum Ausdruck, die die apostolische Zeit abschließt. An das schriftliche Dokument kann man sich immer halten. Je größer der zeitliche Abstand von den Offenbarungsträgern wird, um so mehr Bedeutung erhält das geschriebene Wort, aber die schriftliche Überlieferung tritt nicht an die Stelle der mündlichen. Die lebendige Überlieferung muß das richtige Verständnis des geschriebenen Wortes verbürgen, in ihr bleibt das apostolische Kerygma gegenwärtig. Die Autorität der Apostel ging in der nachapostolischen Zeit unmittelbar auf die besondere Autorität der Bischöfe über, nicht auf die Schriften.

Wenn man die Komplexität der Geschichte der apostolischen Verkündigung und ihrer Überlieferung bis zu ihrer endgültigen Fixierung im NT betrachtet, so liegt es nahe, sie insgesamt der konstitutiven Zeit der Offenbarung zuzurechnen. Bis zu ihrer schriftlichen Fixierung ist die Offenbarung noch irgendwie im Entstehen. Zahlreich sind die Veränderungen, die die mündlichen und schriftlichen Überlieferungsstücke erfahren, bis sie im NT ihre Form gefunden haben. Manche Schriften des NT, die auch die apostolische Verkündigung darstellen wollen, sind relativ spät entstanden und bekunden eine längere theologische Entwicklung. Auch sie wollen die apostolische Verkündigung darstellen. Die Kirche der ersten Jahrhunderte versteht das Ergebnis der Entwicklung als das Offenbarungszeugnis, ohne sich freilich dieser Entwicklung bewußt zu sein, bezieht sie damit aber unbewußt in die Offenbarung mit ein. Einerseits findet sie die apostolische Verkündigung in den Ergebnissen des Traditionsprozesses, den neutestamentlichen Schriften, ohne diesen Prozeß als solchen zu erkennen, andererseits hat sie das Bestreben, diese Schriften auf die Zwölfer-Apostel und Paulus zurückzuführen, frühe wie späte Schriften. Darf man nicht darin einen Hinweis darauf sehen, daß die apostolische Zeit für sie praktisch über die Zeit der Zwölf hinausgeht und erst durch die letzte „apostolische", d. h. neutestamentliche, Schrift begrenzt wird?

Man wird, wenn man auf das NT schaut, kaum sagen können, daß alle Offenbarungsrealitäten bereits von Paulus und den Zwölfen verkündet worden sind. Würde die Grenze der traditio constitutiva nun beim Tod des letzten Zwölfer-Apostels liegen, müßte man manches aus dem NT eliminieren, was in der Tat bereits für notwendig erachtet wurde. Aber das widerspricht dem Glaubensbewußtsein der frühen Kirche, die die ganze Schrift kanonisierte[64].

Würde man jedoch der Meinung sein, die zwölf Apostel und Paulus hätten schon alles gesagt und verkündet, nur sei einiges davon erst Jahrzehnte später aufgeschrieben worden, so könnte man das nicht stringent widerlegen. Aber angesichts der faktischen Entwicklung der ursprünglichen Verkündigung, wie sie die Schriften des NT sichtbar machen, ist das sehr unrealistisch. Außerdem bliebe die Frage, warum solche Offenbarungsrealitäten und solche Verkündigung dann nicht eher aufgeschrieben wurden.

Die Übernahme des ganzen NT als Offenbarungsdokument ist daher nur möglich, wenn man die Offenbarungszeit über die Zwölf und Paulus hinaus ausweitet. Wenn die Kirche das ganze NT kanonisierte, so bringt sie damit die Überzeugung zum Ausdruck, daß der Abschluß der Offenbarung nicht durch die mutmaßlichen Verfasser der neutestamentlichen Schriften, sondern durch diese Schriften selbst markiert wird.

Es bleibt nun die weitere Frage, ob die ganze traditio constitutiva materialiter in der Schrift niedergelegt ist oder ob nicht darüber hinaus einige Offenbarungsrealitäten nur in der mündlichen oder, besser, der lebendigen apostolischen Tradition[65] (traditio continuativa) enthalten sind, ob ein Teil der Offenbarung nur mündlich der Kirche übergeben wurde. Enthält die Schrift die ganze Offenbarung, so ist das ein weiterer Hinweis darauf, daß mit ihr die Offenbarungszeit abgeschlossen ist. Daher soll das Verhältnis zwischen Schrift und Tradition im folgenden Paragraphen beleuchtet werden.

---

[64] S. unten 308. 310.
[65] *N. Appel,* a. a. O., 184 f. Appel hält den Terminus „mündliche Tradition" für mißverständlich, er sei eine unberechtigte Begriffsverengung, denn hier handle es sich primär um „das überlieferte Selbstverständnis und die Lebenskontinuität der Kirche Christi" (185).

§ 14. Schrift und Tradition

Wie in den bisherigen Überlegungen deutlich geworden ist, steht am Anfang der Kirche die lebendige Überlieferung. Diese fand schon bald ihren Niederschlag in einzelnen Schriften, aus denen das Neue Testament wurde, das aber nicht an die Stelle der lebendigen Überlieferung trat. Schrift und Überlieferung bilden zusammen die Paratheke. Sie stehen in Beziehung zueinander und sind gegenseitig aufeinander angewiesen. Die Schrift ist die eine, aber nicht die einzige Form, in der uns die apostolische Paradosis zugänglich ist. Neben ihr bleibt das lebendige Kerygma, die lebendige apostolische Paradosis. Sie geht der Schriftwerdung voraus und läuft neben ihr her. Sie setzt sich in der nachapostolischen Zeit in der kirchlichen Paradosis fort, ähnlich wie das Apostelamt im Bischofsamt. Die kirchliche Paradosis hat „eine neben der Heiligen Schrift notwendige Funktion zur Erhaltung des der Kirche anvertrauten Evangeliums von Jesus Christus"[1], sie ermöglicht die Einheit des Glaubens und das einheitliche Glaubensverständnis der Gläubigen und damit die Kirche als die eine, apostolische und katholische[2]. Die Kirche wird konstituiert und getragen durch das mündlich kundgetane und schriftlich niedergelegte Wort Gottes.

Wir empfangen die Bibel von der Kirche und begleitet von ihrem Zeugnis. Die Schrift ist nicht Schrift, um Schrift zu bleiben. Das Christentum ist keine Buchreligion, wenn es auch vom biblischen Wort Gottes lebt. Man glaubt an Christus nicht durch die Schrift, sondern durch die lebendige Verkündigung und die sakramentale Gemeinschaft der Kirche von den Aposteln her[3].

Unter der Schrift verstehen die Väter bis zu Irenäus von Lyon († um 202) im allgemeinen das AT. Die kirchliche Paradosis war die Übermittlung des Christusgeschehens, wie es die apostolische Überlieferung darbot. Das Christusgeschehen aber wurde begründet aus dem AT. Die apostolische Verkündigung verstand man als die christologische Interpretation der Schrift. Man ging davon aus: Im Christusereignis kommt das AT zur Erfüllung, von Christus her wird das AT aber auch erst verstehbar; erst vom AT her kann man verstehen, wer Jesus Christus ist, im Christusereignis kann man wiederum sehen, was das AT meint. Im Inhalt der kirchlichen Paradosis erkannte man demnach den wahren Sinn der Schrift des AT[4].

Dieser Grundsatz blieb auch nach der Ausbildung des neutestamentlichen Schriftkanons. Nun galt es, daß die ganze Schrift, die jetzt neben dem AT auch das NT umfaßte, nach dem Glauben der Kirche auszulegen sei[5]. Also nach wie

---

[1] *J. R. Geiselmann*, Die Heilige Schrift und die Tradition, a. a. O., 25.

[2] Ebd., 21–25; ders., Die Tradition, a. a. O., 96 f.

[3] *O. Karrer*, a. a. O., 299 f.; s. oben 261 f.

[4] *Y. Congar*, Die Tradition und die Traditionen, a. a. O., I, 95 ff.; vgl. *H. v. Campenhausen*, Aus der Frühzeit der Kirche, a. a. O., 152–196, bes. 158 f. und 179.

[5] *J. Ratzinger*, Das Problem der Dogmengeschichte, a. a. O., 20 u. 36 f.; *K. Lehmann*, Der hermeneutische Horizont der historisch-kritischen Exegese, in: *J. Schreiner*, Einführung in die Methoden der biblischen Exegese, Würzburg 1971, 42.

vor wird der Inhalt der kirchlichen Paradosis als der wahre Sinn der Schrift verstanden[6].

Bei den vornizänischen Vätern zeichnet sich die Vorstellung ab, daß es ein Unterschied ist, ob die Schrift innerhalb der Paradosis der Kirche gelesen wird oder ob sie auf eine beliebige Weise kritisch gelesen wird, daß das Lesen der Schrift nicht eine rein persönliche Angelegenheit ist, sondern im Kontext der kirchlichen Verkündigung erfolgen muß[7]. In der Auseinandersetzung mit den Häretikern betont Irenäus von Lyon, allein die Kirche habe das apostolische Depositum der Wahrheit empfangen[8]. Für ihn ist die Paradosis an sich mündliche Überlieferung. Daher wäre es auch denkbar, daß die Apostel keine Schriften hinterlassen hätten. In einem solchen Falle müßte sich die Kirche an den ordo traditionis halten[9]. Für Origenes († 253/254) ist die oberste Lehrautorität nicht die Schrift, sondern die von den Aposteln in ununterbrochener Folge weitergegebene Lehre[10].

Glaubensregel ist für die vornizänischen Väter alles, was Christus den Aposteln anvertraut hat, was sie überliefert haben und was in der Kirche weitergegeben wird, sofern es normativ ist für den Glauben. Konkret sind der Inhalt der Glaubensregel jene Wahrheiten, die man im Taufunterricht entgegennimmt und dann bei der Taufe bekennt, die heiligen Schriften und das Glaubensbekenntnis, die Zusammenfassung des apostolischen Glaubens, wie ihn die heiligen Schriften bezeugen. Den wahren Glauben und damit auch die authentische Interpretation der Schrift kann man nur in der Kirche finden. Der wahre Glaube ist an die Sukzession des Hirtenamtes gebunden. Die Glaubensregel, die empfangene und überlieferte Wahrheit, die von den Hirten bewahrt wird, umfaßt aber nicht die ganze Tradition, sie ist vielmehr nur ihr wesentlicher Inhalt. Die Tradition ist weiter, in ihr sind auch Disziplinarverordnungen, liturgische Bräuche etc. enthalten. Hier kann es Meinungsverschiedenheiten zwischen den Aposteln und daher auch zwischen den Kirchen geben, z. B. in der Frage des Fastens und des Ostertermins. Der Inhalt der Glaubensregel, also die Überlieferung in ihrem dogmatischen Gehalt, besteht materialiter in der Schrift und dem Glaubensbekenntnis, formaliter aber in dem Glauben der Kirche, ihrem Verständnis der Schrift und dem mit dem Symbolum Bezeugten. Die Schrift ist suffizient, die Tradition aber gilt als Verständnisregel, als Interpretationsprinzip[11].

---

[6] Y. Congar, Die Tradition und die Traditionen, a. a. O., I, 51: „Der Lehrinhalt der Tradition, soweit diese sich von der Schrift unterscheidet, ist der Sinn der Heiligen Schrift".

[7] Tertullian, De praescriptione haer. 19. 21; Adversus Marc. IV, 5; Irenäus, Adversus haer. III, 1, 1; III, 3, 1. Y. Congar, Die Tradition und die Traditionen, a. a. O., I, 53.

[8] Adversus haer. V, praef.

[9] Adversus haer. III, 4, 1; vgl. oben 235.

[10] De principiis I, prooem. 2; In Jeremiam hom. 15, 14; vgl. Y. Congar, Die Tradition und die Traditionen, a. a. O., I, 44 f.; D. van den Eynde, Les normes de l' enseignement chrétien dans la littérature patristique des trois premiers siécles, Gembloux u. Paris 1933, 228. 230. 306.

[11] Y. Congar, Die Tradition und die Traditionen, a. a. O., I, 43–48. Vgl. K. D. Schmidt, Studien zur Geschichte des Konzils von Trient, Tübingen 1927, 153–155.

Nicht anders als bei den vornizänischen Vätern ist im allgemeinen das Verständnis der Tradition bei den Vätern des 4. und 5. Jahrhunderts. Alle ihre Werke stützen sich auf die Schrift. Darin finden sie alle Wahrheit, zumindest alle heilsnotwendige Wahrheit. Soweit bei ihnen die Überlieferung zu Wort kommt, muß sie sich der Schrift unterordnen, kann sie nicht material über die Schrift hinausgehen, aber sie legt den Sinn der Schrift dar, veranschaulicht, schützt und birgt sie. Im Grunde gibt es keine Schrift ohne die Kirche und keine Kirche ohne die Schrift[12].

Augustinus († 430) betont, alles zum Heil Notwendige und Nützliche sei in den biblischen Schriften enthalten[13], bei Auslegungsschwierigkeiten solle man sich aber nach der allgemeinen Glaubensregel und nach dem Glauben der Gesamtkirche richten[14]. Vinzenz von Lerin († vor 450) konstatiert, der biblische Kanon sei vollkommen und „sibi ad omnia satis superque sufficiens", die Interpretation müsse jedoch so geschehen, daß sie „secundum ecclesiastici et catholici sensus normam"[15] erfolge. Auseinandergehenden Auslegungen gegenüber solle man sich an das halten, „quod ubique, quod semper, quod ab omnibus creditum est; haec est etenim vere proprieque catholicum"[16].

Neu ist, daß man sich jetzt mit Vorliebe auf die Väter beruft – ein Brauch, der sich schon im 2. Jahrhundert ankündigt – und zur Verteidigung der eigenen Lehrmeinung Autoritäten als Zeugen der Tradition heranzieht[17]. Nun begegnet uns aber auch vereinzelt der Gedanke einer über die Schrift hinausgehenden Tradition. Glaubenswahrheiten, die man nicht in der Schrift fand, glaubte man in der Tradition zu finden[18]. Da die Kirche bereits seit mehreren Jahrhunderten besteht, ist die Tradition nicht mehr nur das, was die Apostel weitergegeben haben, sondern es kommen die Zeugnisse der Entfaltung des Depositum hinzu. Diese wollen zwar nur Auslegung sein, aber sie sind, literarisch und historisch betrachtet, etwas Eigenständiges, nicht der Substanz nach, sondern auf Grund der schriftlichen Formulierung der Lehre. Man begründet diese Tradition damit, daß derselbe Geist, der in den

---

[12] *Y. Congar*, Die Tradition und die Traditionen, a. a. O., I, 65–68.

[13] Augustinus, De doctrina christiana II, 42, 63.

[14] Ebd., III, 2, 2; Contra epistulam Manichaei 4, 5; De baptismo VII, 53, 102.

[15] *Vinzenz von Lerin*, Commonitorium 2, 2.

[16] Ebd., 2, 3; vgl. *P. Lengsfeld*, Tradition innerhalb der konstitutiven Zeit der Offenbarung, a. a. O., 248 f.

[17] *Y. Congar*, Die Tradition und die Traditionen, a. a. O., I, 68 f.

[18] Basilius († 379), De Spiritu Sancto 27, 66; 29, 71. Nach Chrysostomus († 407) haben die Apostel vieles auch ohne schriftliche Überlieferung hinterlassen (In Ep. II ad Thess hom. IV, 2); vgl. Epiphanius († 403), Haereses 61, 6; *Joh. Damascenus* († 749), De fide orthodoxa IV, 12. Auch bei Augustinus (De baptismo II, 7, 12) finden sich ähnliche Andeutungen. Diese Auffassung gilt aber nicht allgemein. Das wird deutlich, wenn die Gegner des Konzils von Nizäa feststellen, das ὁμοούσιος sei ἄγραφος, und wenn auch Basilius Widerspruch erfährt. Einig sind sich jedoch alle darin, daß nur das in der Kirche gelten soll, was apostolischen Ursprung hat. Vgl. *Y. Congar*, Die Tradition und die Traditionen, a. a. O., I, 70–72; *K. D. Schmidt*, Studien zur Geschichte des Konzils von Trient, a. a. O., 155–161; *A. v. Harnack*, Lehrbuch der Dogmengeschichte II, Tübingen ⁴1909, 292.

Propheten und den Verfassern der Bibel am Werke gewesen ist, immer in der Kirche bei Theologen, Hirten und Konzilien lebendig ist. Das Interesse richtet sich daher nicht mehr nur auf die Überlieferung, die sachlich mit dem Wort der Apostel identisch sein muß, sondern auch auf die Autorität ihrer Organe. Man argumentiert mit dem consensus Patrum. Bezeichnete Tradition bislang wesentlich ein Depositum, hat sie nunmehr auch die Bedeutung von „Mitteilung und Entfaltung durch die Zeiten hindurch"[19], also tritt an die Stelle der traditio passiva die traditio activa, an die Stelle des Tradierten das Tradieren. In dieser Tradition ist nicht alles im engen Sinn als dogmatisch zu verstehen, sofern in dieser Entfaltung des Offenbarungsgutes persönliche Gedanken der Väter, menschliche Bestandteile und Entwicklungen, enthalten sind, die nicht falsch sein müssen, aber nicht zur öffentlichen, von Gott selbst verbürgten Offenbarung gehören[20].

Die Väter des 4. und 5. Jahrhunderts kennen im allgemeinen neben der Überlieferung die Überlieferungen. Wenn sie von Tradition sprechen, meinen sie vor allem die christologische Auslegung des AT und das kirchliche Verständnis des entscheidenden Mysteriums Christi und der Kirche entsprechend der Schrift. Wenn sie von mündlich weitergegebenen apostolischen Überlieferungen reden, denken sie primär an liturgische Bräuche und disziplinäre Praxis, an die man sich allgemein hält und die man auf die Anfänge des kirchlichen Lebens zurückführt[21]. Hier nennen sie konkret das Osterfasten, Einzelheiten des Taufritus, die Kindertaufe, die Gültigkeit der Ketzertaufe, die Bilderverehrung etc. [22]. Den Inhalt der Tradition finden sie vollständig in der Schrift, wie sie in der Kirche gelesen wird. Sie verstehen die Tradition nicht als eine zweite „Quelle" neben der Schrift, aus der sich ein Teil der Glaubenswahrheiten herleitet, die nicht in der Schrift enthalten sind, sondern als eine andere, ergänzende Form der Mitteilung dieser Wahrheiten. Darüber hinaus finden sie in ihr Überlieferungen, d. h. Gewohnheiten, Riten, Bräuche, die sich zwar geschichtlich entfalten, dennoch aber ihrer Substanz nach unter Umständen von den Aposteln stammen können. Auch wenn es sich dabei nur um liturgische oder disziplinäre Fragen handelt, so können sie doch dogmatisch relevant sein, vor allem für die Lehre von den Sakramenten im eigentlichen Sinn[23].

Nicht anders denkt die mittelalterliche Theologie. Auch für sie ist die Offenbarung im wesentlichen in der Schrift enthalten, kommt alle Erkenntnis aus der Schrift. Die Schrift blieb dominierend, auch als die Erklärung der Sentenzen des Petrus Lombardus zum festen Bestandteil des theologischen Unterrichtes gehörte. Theologie ist in der Früh- und Hochscholastik im Grunde Schrifttheologie im Kontext der lebendigen Überlieferung der Kirche. Das kommt in der Gleichsetzung von Theologie und Sacra Scriptura, Sacra Doctrina und Sacra Pagina zum Ausdruck, wobei allerdings zu bedenken ist,

---

[19] Y. *Congar*, Die Tradition und die Traditionen, a. a. O., I, 73.
[20] Ebd., 72–74.   [21] Ebd., 90.   [22] Vgl. ebd., 74–85.   [23] Ebd., 90 f.

daß diese Bezeichnungen auf alle Texte bezogen wurden, denen auf Grund des Wirkens des Heiligen Geistes ein besonderer Wert zukam, wenn auch die Bibel dabei eine Sonderstellung einnahm[24].

Nur in Einzelfällen gab es im Mittelalter die Vorstellung, daß es eine christliche Überlieferung gebe, die nicht durch die Schrift bezeugt werde, daß sich nicht alle Glaubenswahrheiten aus der Schrift erweisen ließen[25]. Dabei ist allerdings die Tatsache in Rechnung zu ziehen, daß es an eindeutigen Begriffen fehlte. Eine klare Differenzierung findet sich erst bei Thomas von Aquin († 1274). Er scheidet streng die Autorität der Schrift von der Autorität der Väter und Theologen und bezeichnet allein die biblische Offenbarung als revelatio[26]. Aber seine Distinktionen setzten sich nur in seiner Schule durch, und die Unklarheit blieb weithin in den theologischen Schriften[27]. Thomas selbst greift sehr oft auf das Wort des Dionysius[28] zurück, wonach man in göttlichen Dingen nichts sagen darf, „quod in Sacra Scriptura non invenitur vel per verba, vel per sensum"[29]. Dieser Grundsatz findet sich übrigens schon bei Augustinus, ja, die ganze alte katholische Tradition nimmt darauf Bezug[30].

Wie die neuere Forschung betont, ist das materiale Sola-Scriptura-Prinzip praktisch der ganzen Scholastik gemeinsam, wenngleich es an einzelnen Stellen unklar gehandhabt oder gar gelegentlich explizit die Insuffizienz der Schrift behauptet wird[31]. Bei näherem Hinsehen erkennt man dann oft, daß es an solchen Stellen um liturgische Vorschriften und kultische Bräuche geht. So führt Bonaventura († 1274) etwa die Bilderverehrung[32] und Thomas von Aquin († 1274) einige wesentliche Momente bei der Sakramentenspendung, die nicht in der Schrift berichtet werden, auf mündliche apostolische Überlieferung zurück[33]. Ähnlich ist die Situation bei anderen Autoren.

Duns Scotus († 1308) spricht ausdrücklich von einer über die Schrift hinausgehenden Tradition. Er erklärt, es sei alles zu glauben, was die Heilige Schrift bezeuge und die kirchliche Autorität als Glaubensgut festhalte; das

---

[24] Ebd., 115 f. 122 f.

[25] *J. Finkenzeller,* Offenbarung und Theologie nach der Lehre des Johannes Duns Scotus, a. a. O., 56–65; *Y. Congar,* Die Tradition und die Traditionen, a. a. O., I, 116 f.

[26] STh I, q. 1 a. 8 ad 2: „Auctoritatibus autem canonicae Scripturae utitur proprie (sc. sacra doctrina), ex necessitate argumentando. Auctoritatibus autem aliorum doctorum ecclesiae, quasi arguendo ex propriis, sed probabiliter"; vgl. II/II q. 171–174.

[27] *Y. Congar,* Die Tradition und die Traditionen, a. a. O., I, 123; s. oben 93–103.

[28] Pseudo-Dionysius Areopagita, De divinis nominibus c. 1, § 1.

[29] STh I q. 36 a. 2 ad 1; vgl. II/II q. 1 a. 9 ad 1; q. 5 a. 3; III q. 1 a. 3.

[30] *Y. Congar,* „Traditio" und „Sacra Doctrina" bei Thomas von Aquin, a. a. O., 191.

[31] *P. de Vooght,* Les sources de la doctrine chrétienne d'après les théologiens du XIVᵉ siècle et du début du XVᵉ, avec le texte intégral des XII premières questions de la Summa inédite de Gérard de Bologne († 1317), Paris 1954, 254–257; vgl. *J. Finkenzeller,* Offenbarung und Theologie nach der Lehre des Johannes Duns Scotus, a. a. O., 60–66, bes. 63 f.; *J. Ratzinger,* Offenbarung – Schrift – Überlieferung, a. a. O., 20.

[32] III Sent. dist. 9 a. 1 q. 2.

[33] STh III q. 64 a. 2 ad 1: „Et licet non omnia sint tradita in Scripturis, habet tamen ea Ecclesia e familiari Apostolorum traditione ..." Vgl. *Y. Congar,* „Traditio" und „Sacra Scriptura" bei Thomas von Aquin, a. a. O., 171–174. 203 f.

heiße aber nicht, daß nicht etwas wahr sein könne, was nicht in der Schrift berichtet sei[34]. Er verweist auf den Schluß des Johannes-Evangeliums, Joh 20, 30 und 21, 25, wo davon die Rede ist, daß Jesus noch weitere Zeichen gewirkt hat. Diese Stellen betrachten übrigens auch andere Scholastiker als klassischen Beweis für die von der Schrift unabhängige Tradition[35]. Zwar denkt Scotus bei der Tradition nicht an eine ursprüngliche und unabhängige „Quelle der christlichen Lehre", er bemerkt jedoch, eine mündliche Überlieferung sei schon deshalb zu bejahen, weil die Schrift nicht unmittelbar vor dem Tod des letzten Apostels vollendet worden sei. Die Apostel hätten nach Abschluß der heiligen Bücher noch lange Jahre als Künder der Offenbarung gelebt und gepredigt. Wahrscheinlich hätten sie der Kirche auf diese Weise vieles autoritativ übergeben, was nicht in der Heiligen Schrift steht, z. B. das äußere Zeichen bei der Firmung, die Bilderverehrung, die Konsekrationsformel über den Wein in der lateinischen Kirche. Stereotyp ist bei Duns Scotus der Satz: „Multa tradita sunt Apostolis, quae tamen non sic scripta sunt in Evangeliis"[36]. Daneben betont er aber wiederum die Suffizienz der Schrift[37]. Finkenzeller erklärt[38], Duns Scotus sei es gewesen, der in der Frage einer über die Schrift hinausgehenden apostolischen Tradition in der Hochscholastik den entscheidenden Durchbruch gewagt habe. Aber faktisch weiß Scotus nur Kultbräuche und liturgische Vorschriften namhaft zu machen.

Auch Ockham († 1347) denkt an eine über die Schrift hinausgehende Tradition. Er erklärt[39]: „Nonnulle etiam veritates huiusmodi extra praedictum canonem continentur, que tamen per reuelationem et approbationem diuinam mediantibus apostolis ad catholicos peruenerunt, quia Christus dum viueret in carne mortali cum Apostolis, multa docuit eos et fecit coram eis que tamen in Biblia non habentur. Ex reuelatione etiam Spiritus Sancti (. . .) multa, que non habentur in sacris literis, didicerunt, que postea catholicos docuerunt." Aber es findet sich auch bei ihm die Auffassung, die Schrift sei die einzige Autorität[40]. Darüber hinaus schließt er eine neue Offenbarung nicht aus[41].

Eine systematische Behandlung des Verhältnisses von Schrift und Tradition

---

[34] Opus Oxoniense I, dist. 26 q. un. n. 26; IV, dist. 11 q. 1 n. 5.

[35] Vgl. *J. Finkenzeller*, Offenbarung und Theologie nach der Lehre des Johannes Duns Scotus, a. a. O., 73 f.; *P. de Vooght*, a. a. O., 19. 30; *F. Mußner*, Die johanneischen Parakletsprüche und die apostolische Tradition, a. a. O., 69; s. oben 160–162.

[36] Opus Oxoniense IV, dist. 7 q. 1 n. 3; dist. 8 q. 2 n. 6; *J. Finkenzeller*, Offenbarung und Theologie nach der Lehre des Johannes Duns Scotus, a. a. O., 74 f. Die Zurückführung der Kelchformel auf mündliche apostolische Überlieferung findet sich auch bei Richard von Mediavilla † 1302/08 (IV Sent. dist. 8 a. 3 q. 1 ad 1).

[37] I Sent. prol. q. 2, 6. 14. 22; vgl. *K. D. Schmidt*, Studien zur Geschichte des Konzils von Trient, a. a. O., 171. Eine besondere Rolle spielt bei Duns Scotus auch die Autorität der Kirche.

[38] *J. Finkenzeller*, Offenbarung und Theologie nach der Lehre des Johannes Duns Scotus, a. a. O., 75.

[39] Dialogus I l. 2 c. 2.

[40] Vgl. *K. D. Schmidt*, Studien zur Geschichte des Konzils von Trient, a. a. O., 171 f.

[41] *J. Finkenzeller*, Offenbarung und Theologie nach der Lehre des Johannes Duns Scotus, a. a. O., 76.

gibt es im Mittelalter nicht, aber die grundlegende Überzeugung geht auf die materiale Suffizienz der Schrift. Darin wurde man aber schwankend, wenn man im Einzelfall eine aktuelle Lehre der Kirche nicht in der Schrift finden zu können glaubte. So erklärt es sich, daß manche Theologen Ausnahmen von dem allgemeinen Prinzip zulassen, daß einige sogar die Frage stellen, ob im Laufe der Geschichte noch neue Offenbarungen an die Kirche ergangen seien[42]. Wie Y. Congar feststellt, sind jedoch die Beispiele, die für über die Schrift hinausgehende Überlieferungen angegeben werden, die „sine scripto traditiones" des Konzils von Trient[43], nicht gravierend und können eigentlich auch implizit in der Schrift gefunden werden, soweit sie die dogmatische Tradition betreffen[44]. Das rechtfertigt allerdings nicht das protestantische Sola-Scriptura-Prinzip, denn dieses behauptet auch die Suffizienz der Schrift im formalen Sinn und versteht damit die Schrift auch als konstitutives Erkenntnisprinzip. Für das Mittelalter hingegen bringt die Schrift ihren wahren Sinn eindeutig nur in der Kirche und ihrer Überlieferung zum Ausdruck[45].

Das Konzil von Trient hat das Verhältnis von Schrift und Tradition offengelassen. Es hat weder die inhaltliche Suffizienz der Schrift noch ihre Insuffizienz entschieden, wie J. R. Geiselmann anhand der Konzilsakten überzeugend nachgewiesen hat. Das Konzil, das ursprünglich das Verhältnis zwischen Schrift und Tradition durch partim – partim bestimmen wollte, hat diese Partikel im letzten Augenblick durch et – et ersetzt[46]. Wenn auch die Akten über die Gründe, die den mit der Redaktion des Textes beauftragten Ausschuß zu dieser Änderung bewogen haben, schweigen, so liegt es doch nahe anzunehmen, daß das Konzil so angesichts der sich gegenüberstehenden theologischen Richtungen einer Entscheidung aus dem Wege gehen wollte[47].

Die primäre Absicht der Väter von Trient ging dahin, die in der Schrift nicht explizit enthaltenen, aber als Glaubensgut verkündeten Glaubenswahrheiten

---

[42] Ebd., 79 u. 67; *K. D. Schmidt,* Studien zur Geschichte des Konzils von Trient, a. a. O., 174.

[43] DS 1501.

[44] *Y. Congar,* Die Tradition und die Traditionen, a. a. O., I, 121. 144–149; vgl. *J. Ratzinger,* Offenbarung–Schrift–Überlieferung, a. a. O., 27.

[45] *Y. Congar* (Die Tradition und die Traditionen, a. a. O., I, 205 f.) erklärt, die sine scripto traditiones des Tridentinum seien nicht als materiale, sondern als formale Überschreitung der Schrift zu verstehen, auf die letztere aber habe sich das besondere Interesse der nachtridentinischen Theologie verlagert.

[46] Im vorläufigen Entwurf des Dekretes vom 22. März 1546 heißt es (Concilium Tridentinum V, 31, 25): „Hanc veritatem partim contineri in libris scriptis, partim in sine scripto traditionibus". Dieser Text lag noch in der Sitzung vom 1. April 1546 vor und wurde von der überwiegenden Mehrheit der Konzilsväter gebilligt. Nur zwei von ihnen erhoben energisch Einspruch dagegen, der Serviten-General Bonucci und der Bischof von Chioggia, Jakob Nachianti. Sie zogen das Traditionsprinzip, wie es die Mehrheit vertrat, in Zweifel. Sechs Tage später, in der entscheidenden Sitzung am 8. April 1546, war das partim–partim durch et–et ersetzt. Vgl. *J. R. Geiselmann,* Schrift–Tradition–Kirche, in: Begegnung der Christen, FS für O. Karrer, hrsg. von *M. Roesle* und *O. Cullmann,* Stuttgart-Frankfurt ²1960, 141 f.; *H. Jedin,* Geschichte des Konzils von Trient II, Freiburg 1957, 43–47.

[47] *J. R. Geiselmann,* Schrift–Tradition–Kirche, a. a. O., 141 f.

gegenüber dem einseitigen protestantischen Schriftprinzip zu schützen und die lebendige Lehrverkündigung der Kirche als Fundort der Offenbarung zu sichern. Sie wollten zunächst die nicht verbotenus in der Schrift ausgesprochenen und in der Predigt der Kirche als Offenbarung enthaltenen und von ihr überlieferten Wahrheiten schützen, wenngleich der größte Teil der Väter sich diese in der Schrift nicht mit klaren Worten enthaltenen, aber von der Kirche verkündeten Offenbarungswahrheiten als Weitergabe von explizit formell geoffenbarten Wahrheiten vorstellen mochte. Aber diese Vorstellung nahmen sie nicht in die Definition auf.

Das wurde aber in der theologischen Entwicklung im Anschluß an das Konzil von Trient nicht gesehen. Melchior Cano († 1560) vertrat mit Berufung auf das Konzil die Meinung, daß die Offenbarung teils in der Heiligen Schrift, teils in der Tradition enthalten sei[48]. Er ist damit der erste, der nach Trient die Zwei-Quellen-Theorie vertrat. Diese Auffassung las er jedoch in die Entscheidung der IV. Sessio des Konzils vom 8. April 1546[49] hinein[50]. Der gewaltige Einfluß der „Loci theologici" Canos erklärt es, daß Petrus Canisius († 1597), Robert Bellarmin († 1621) und die nachtridentinische Theologie überhaupt bis ins 19. Jahrhundert hinein die Entscheidung des Konzils in diesem Sinne auslegten. Durch die Feindseligkeiten zwischen den streitenden Parteien, den Protestanten und den Katholiken, wurde der Gegensatz verfestigt. Diese Position wurde dann Ende des 18. Jahrhunderts bzw. im 19. Jahrhundert auf katholischer Seite durch die Theologen M. Dobmayer, W. Palmer, J. A. Möhler, J. E. Kuhn und J. H. Newman aufgelockert[51].

Im Zusammenhang mit dieser nachtridentinischen Interpretation der Konzilsentscheidung muß man sehen, daß die theologische Erörterung eines Dogmas nicht mit dem Dogma selbst verwechselt werden darf, daß eine gewisse Vorstellung von einem Dogma eine Zeitlang bestehen und auch allgemein sein kann, ohne jedoch integrierender Bestandteil des Dogmas oder das Dogma selbst werden zu können. Wenn sich die Kirche in einem solchen Fall nicht ausspricht, so geschieht das deshalb nicht, weil sie das Urteil der theologischen Kritik überlassen will[52].

---

[48] *M. Cano,* Loci theologici III, 6.
[49] DS 1501.
[50] *J. R. Geiselmann,* Schrift–Tradition–Kirche, a. a. O., 134.
[51] Ebd., 135; ders., Das Konzil von Trient über das Verhältnis der Hl. Schrift und der nichtgeschriebenen Traditionen, in: Die mündliche Überlieferung, hrsg. von *M. Schmaus,* München 1957, 123–206. Immerhin stellt Robert Bellarmin fest, eine Tradition, die im Gegensatz zur Schrift stehe, dürfe nicht zugelassen werden, und es seien die von den Aposteln öffentlich verkündeten, für alle notwendigen Heilswahrheiten in der Schrift enthalten, wenn auch nicht alle Glaubenswahrheiten aufgeschrieben seien (De controversiis IV, 3 u. 11). Ebenso denken die Brüder Walenbourg bezüglich der zum Heil notwendigen Wahrheiten (Controversiae IV, De testimoniis, 4, 14 f.). Sie fügen noch hinzu, ohne die Tradition gäbe die Hl. Schrift uns nicht die Gewißheit, daß alle diese Wahrheiten ohne Ausnahme wirklich geoffenbart seien (vgl. *E. Stakemeier,* Die Konzilskonstitution über die göttliche Offenbarung, a. a. O., 40 f.).
[52] *J. R. Geiselmann,* Schrift–Tradition–Kirche, a. a. O., 137, mit Berufung auf *J. A. Möhler,* Symbolik I, hrsg. von J. R. Geiselmann, Darmstadt 1958, 26.

Wie J. R. Geiselmann eindrucksvoll aufgezeigt hat[53], bezeugt im Grunde die ganze Geschichte des Glaubens die inhaltliche Suffizienz der Schrift, wenn sie im Raum der Kirche gelesen wird, das heißt anhand jenes Kommentars, den das kirchliche Leben, die Praxis des Kultes und das moralisch-disziplinäre Verhalten der kirchlichen Gemeinschaft geben. Das bedeutet nicht die Übernahme des protestantischen Sola-Scriptura-Prinzips, denn die Schrift ist, was den Kanon sowie das rechte Verstehen ihrer Inhalte betrifft, auf die Tradition und die Entscheidung der Kirche angewiesen. So kann J. E. Kuhn im 19. Jahrhundert sagen[54], die Kirche sei die Trägerin und Vermittlerin der Offenbarung, *sie* sei die Braut Christi, nicht die Bibel. Im Hinblick auf die Glaubenswahrheiten ist die Schrift material suffizient, aber nicht formal. Material insuffizient ist sie hingegen im Hinblick auf die mores und consuetudines der Kirche. Hier bedarf es der Tradition zur inhaltlichen Ergänzung der Schrift.

Die materiale Suffizienz der Schrift bestätigen die zuletzt verkündeten Dogmen der Kirche, die Dogmen von der Immaculata Conceptio und der Assumptio BMV sowie die Dogmen von dem Primat und von der Unfehlbarkeit des Papstes[55]. Diese wurden nicht unabhängig von der Schrift definiert, vielmehr wurde in allen Fällen positiv festgestellt, daß sie sich aus der Schrift ergeben und darin ihre Grundlage haben. Mithin muß die Tradition als eine zutiefst biblische Tradition verstanden werden, was freilich nicht heißt, daß sie einfach nur historische und philologische Textauslegung ist[56].

Das II. Vatikanische Konzil hat die Frage des Verhältnisses von Schrift und Tradition bewußt offengelassen. In Art. 8 der Dogmatischen Konstitution Dei Verbum ist die Tradition sehr weit gefaßt. Demnach umfaßt sie alles das, was dem Volke Gottes hilft, heilig zu leben und den Glauben zu mehren; neben der Verkündigung im Wort enthält sie die Ordnungen, in denen die Gemeinde lebt, wie den Gottesdienst, das Beten und das Beispiel[57]. Das Konzil stellt den Totalitätscharakter der Überlieferung heraus. Es charakterisiert die Tradition als „die vielschichtig-eine Gegenwart des die Zeiten durchschreitenden Christusmysteriums", als „das Ganze der Gegenwart des Christlichen in dieser Welt", als die beständige Fortsetzung dessen, was die Kirche ist und was

---

[53] *J. R. Geiselmann,* Schrift–Tradition–Kirche, a. a. O., 154; ders., Die Tradition, a. a. O., 97 f.; ders., Die Heilige Schrift und die Tradition, a. a. O., 28 ff. 282. 222 ff. (eine eindrucksvolle Begründung der Suffizienz der Schrift!). Die Untersuchungen Geiselmanns haben in der theologischen Welt nicht wenige positive Stellungnahmen hervorgerufen. Genannt seien außer *Y. Congar* vor allem *P. de Vooght, H. Holstein, J. L. Murphy, K. Rahner, J. Ratzinger, O. Karrer, P. A. Liégé, M. Chenu, J. Daniélou, O. Semmelroth, A. M. Dubarle.* Negative Stellungnahmen finden sich bei *H. Lennerz, J. Beumer, B. Decker, R. Spiazzi* und *A. Lang* (vgl. ebd. 9 f. u. ders., Schrift–Tradition–Kirche, a. a. O., 154 f.).

[54] *J. E. Kuhn,* Dogmatik[2], a. a. O. I, 1, 54; vgl. *J. R. Geiselmann,* Die lebendige Überlieferung als Norm des christlichen Glaubens, a. a. O., 110.

[55] DS 2800–2804. 3900–3904. 3059–3064. 3065–3075.

[56] *Y. Congar,* Die Tradition und die Traditionen, a. a. O., I, 90 f. und 95.

[57] DV Art. 8; vgl. *D. Arenhövel,* a. a. O., 53 f.

sie glaubt[58]. Für das Konzil ist das Wachstum der Überlieferung ein Wachstum im Verstehen der ursprünglichen Gegebenheiten, ein dynamischer Vollzug[59]. Die Überlieferung ist nicht nur das Überlieferte, sondern auch das Überliefern selbst. Darin wird die Vergangenheit der Gegenwart unverändert, verklärt und vertieft übermittelt. Ein Teil dessen, was die Apostel übergeben haben und was von Generation zu Generation weitergegeben wird, ist die Schrift, ein Teil insofern, als das Leben umfassender ist als die Worte darüber. Schrift und Tradition aber sind eng miteinander verbunden und haben aneinander Anteil[60].

Das Konzil ist bemüht, die apostolische und die nachapostolische Zeit begrifflich klar zu unterscheiden, wenn es die konstituierende Tradition der apostolischen Zeit deutlich von der weitergehenden der nachapostolischen Zeit abhebt. Dabei läßt es die zeitliche Grenze der apostolischen Zeit offen. Mit der begrifflichen Unterscheidung will es aber nicht das apostolische und das nachapostolische Zeitalter voneinander trennen. Es versteht das kontinuierliche Wirken des Heiligen Geistes als die Klammer, die beide zusammenhält[61].

Schrift und Tradition haben gleicherweise ihren Ursprung im apostolischen Zeitalter. Sie geben ein und dieselbe Offenbarung weiter. Aber sie fließen nicht nebeneinander, sondern zusammen. Dabei bleibt jedoch der Unterschied, der zwischen beiden besteht, gewahrt. Der Vorzug der Schrift gegenüber der Tradition besteht darin, daß sie inspiriert ist. Die Tradition aber ermöglicht das rechte Verständnis der Schrift[62].

Den Brennpunkt des Kampfes um Schrift und Überlieferung berührt Art. 9 der Offenbarungskonstitution. Der Satz „. . . quo fit ut Ecclesia certitudinem suam de omnibus revelatis non per solam Sacram Scripturam hauriat"[63] hebt die unersetzliche Bedeutung der Tradition hervor, aber ohne Übertreibung und Minimalisierung. Er läßt die Insuffizienz der Schrift in konstitutiver Hinsicht offen, sagt sie jedoch in gnoseologischer Hinsicht positiv aus. Wenn das Konzil die Funktion der Tradition auf der Ebene der Vergewisserung sieht, also im formal-gnoseologischen Bereich, so will es damit wohl die eigentliche Ebene ansprechen, auf der der Sinn von Tradition zu suchen ist.

Während das Konzil die Schrift als schriftlich festgehaltenes Sprechen Gottes definiert, also essentialiter versteht, beschreibt es die Tradition nur funktional, nämlich von dem her, was sie tut, sofern sie Gottes Wort vermittelt, es aber nicht ist, sofern ihre Aufgabe in der Vergewisserung über die Offenbarung liegt. Dadurch kommt aber unverkennbar ein gewisser

---

[58] *J. Ratzinger,* Einleitung und Kommentar zum Prooemium, zu Kap I, II und IV der Dogmatischen Konstitution Dei Verbum, a. a. O., 519.
[59] Ebd., 520–523.
[60] DV Art. 9; *D. Arenhövel,* a. a. O., 53 f.
[61] DV Art. 8; *E. Stakemeier,* Die Konzilskonstitution über die göttliche Offenbarung, a. a. O., 132 f.
[62] DV Art. 8 f.; *E. Stakemeier,* Die Konzilskonstitution über die göttliche Offenbarung, a. a. O., 134 f.
[63] DV Art. 9.

Vorrang der Schrift zum Ausdruck[64]. Art. 9 versteht Schrift und Tradition im übrigen als organische Einheit, nicht als ein mechanisches Nebeneinander, sondern als ein organisches Ineinander. Die Offenbarung wird als die eine Quelle, aus der Schrift und Überlieferung hervorkommen, durch den Begriff „scaturigo" ihren Bezeugungsformen vorgeordnet[65].

Die Vorstellung einer neben der Schrift herlaufenden Lehre über wichtige Dinge, die man aus irgendwelchen Gründen nicht aufgeschrieben habe, hält Arenhövel[66] im Anschluß an DV für bizarr. Was man gewußt habe, werde man aufgeschrieben haben. Das NT sei der schriftliche Niederschlag des Glaubens der Urkirche. Dieser sei zuerst Tradition gewesen und dann Schrift geworden, als der älteste Teil der Tradition sei die Bibel Richterin über die spätere Tradition; der Anfang habe einen unaufhebbaren Vorsprung; alles Spätere müsse ihm entsprechen. Andererseits zeige der Fortgang einer Sache, was ihr Anfang gewesen sei; im Späteren werde der Anfang in seiner ganzen Bedeutung und Fülle erkannt, die allerdings von demselben Geist geformt sein müsse, der den Anfang gesetzt habe. – Aber es ist festzuhalten, daß nach der Lehre der Kirche die traditio divino-apostolica neben der schriftlichen Weitergabe auch mündlich in der Kirche weitergegeben wird, die lebendige Verkündigung der Kirche diese mündliche apostolische Tradition in sich begreift. Sie steht neben der Schrift, wenn sie diese auch nicht inhaltlich überschreitet[67].

Arenhövel macht des weiteren darauf aufmerksam[68], daß das Lehramt der Kirche nicht die Tradition schafft, sondern nur festlegt, was Tradition ist, und an Schrift und Tradition gebunden bleibt, daß zwar die Kirche die Schrift hervorgebracht, aber die Schrift den Vorrang vor der gegenwärtigen Kirche hat, die sich an ihr messen muß. Die dienende Stellung des Lehramtes gegenüber dem Gotteswort hebt Art. 10 der Offenbarungskonstitution ausdrücklich hervor: Die Offenbarung ist norma normans, das Lehramt der Kirche norma normata[69].

Zusammenfassend ist folgendes zu sagen: Schrift *und* mündlich weiterverkündetes Gotteswort bilden die apostolische Paradosis, die der Kirche als Paratheke übergeben ist. Sie enthalten die Offenbarung Gottes. Die lebendige apostolische Tradition findet nicht ihr Ende mit der Entstehung der Schrift. Als zweite, neben der Schrift stehende selbständige Form der der Kirche anvertrauten Paratheke bleibt sie lebendig in der kirchlichen Paradosis. Diese

---

[64] *J. Ratzinger*, Einleitung und Kommentar zum Prooemium, zu Kap I, II und IV der Dogmatischen Konstitution Dei Verbum, a. a. O., 523–526; *E. Stakemeier*, Die Konzilskonstitution über die göttliche Offenbarung, a. a. O., 136–141; *J. R. Geiselmann*, Die Heilige Schrift und die Tradition, a. a. O., 282.

[65] DV Art. 9: „Nam ambae, ex eadem divina scaturigine promanantes, in unum quodammodo coalescunt et in eundem finem tendunt".

[66] *D. Arenhövel*, a. a. O., 55 f. und 53 f.

[67] DS 1501. 3000.   [68] *D. Arenhövel*, a. a. O., 56.

[69] Vgl. *E. Stakemeier*, Die Konzilskonstitution über die göttliche Offenbarung, a. a. O., 143; vgl. oben 240–242.

garantiert das einheitliche Glaubensverständnis. Den wahren Glauben und die authentische Interpretation der Schrift kann man nur in der Kirche finden. Bei den Vätern wie auch bei den Theologen des Mittelalters wird die Schrift hinsichtlich der Offenbarung im allgemeinen materialiter als suffizient angesehen, jedoch nicht formaliter, sofern die Schrift ihren wahren Sinn nur in der Kirche und ihrer Überlieferung zum Ausdruck bringt. Die mündlich weitergegebenen Überlieferungen bezeichnen in der Regel die liturgischen Bräuche und die disziplinäre Praxis. Die nachtridentinische Zwei-Quellen-Theorie kann sich nicht auf das Konzil von Trient stützen. Die inhaltliche Suffizienz der Schrift legt auch das II. Vaticanum nahe. Zwar läßt es die Frage des Verhältnisses von Schrift und Tradition offen, aber immerhin sieht es die eigentliche Funktion der Tradition im formal-gnoseologischen Bereich.

Wenn nun die Schrift materialiter die ganze Offenbarung enthält, in ihr der Kirche ein stets verfügbares Dokument der apostolischen Heilsbotschaft übergeben ist, die absolute Norm ihrer Verkündigung, dann darf man diese ihre dominierende Stellung im Hinblick auf die lebendige apostolische Tradition vielleicht als weiteren Hinweis darauf verstehen, daß die Grenze zwischen dem Werden der traditio constitutiva und der traditio continuativa, das Ende der apostolischen Zeit, der Offenbarungszeit, mit der Entstehung der letzten neutestamentlichen Schrift zusammenfällt. Damit ist der entscheidende Einschnitt in der Geschichte der Kirche gegeben, bis dahin geht die grundlegende Phase der werdenden Kirche.

Das bestätigt wiederum das Werden des neutestamentlichen Kanons, wie sich im folgenden Paragraphen zeigen wird.

§ 15. Die Kanonbildung und das Kriterium der Apostolizität

1. Der Begriff des Kanons

Die Gottesoffenbarung hat ihren verbindlichen Niederschlag in einer Reihe von Schriften gefunden. Diese sammelte die nachapostolische Kirche im Kanon des Alten und des Neuen Testamentes. Der Prozeß der Kanonbildung dauert im wesentlichen bis gegen Ende des 2. Jahrhunderts.

Der Kanon ist das Verzeichnis jener Schriften, die die Kirche heilig hält, weil sie von Gott inspiriert (eingegeben) und der Kirche damit offiziell als authentischer Fundort des Inhaltes der übernatürlichen Offenbarung anvertraut sind. Die Kanonisierung einer Schrift bedeutet die Dogmatisierung der Offenbarungswahrheit, daß jene Schrift inspiriert ist[1].

---

[1] Der Kanon hat die Aufgabe, das Zeugnis der christlichen Urgemeinden von der Heilstat Gottes in Jesus Christus zu bewahren und weiterzugeben und vor Auflösung und Veränderung zu bewahren. Weil es um das ursprüngliche Christuszeugnis geht, deshalb wurden die Schriften auf die Zeit des Urchristentums beschränkt, wobei nach Kümmel die chronologische Grenze nicht streng zu bestimmen ist (*W. G. Kümmel*, Notwendigkeit und Grenze des neutestamentlichen Kanons, in: ZThK 47, 1950, 305 f.; ders., Einleitung in das Neue Testament, a. a. O., 448; vgl. *O. Cullmann*, Die Tradition als exegetisches, historisches und theologisches Problem, a. a. O., 53).

Inspiration im dogmatischen Sinne bezeichnet den inneren bewegenden Einfluß Gottes auf den Hagiographen bei der Abfassung der heiligen Bücher[2]. Es ist zweckmäßig, zwischen dem Einwirken Gottes auf den heiligen Schriftsteller, der inspiratio activa, der Wirkung Gottes in ihm, der inspiratio passiva, und dem Ergebnis der Einwirkung Gottes, dem inspirierten Buch, der inspiratio terminativa, zu unterscheiden. Wenn auch der dreifaltige Gott die Ursache der Inspiration ist, so wird sie wegen der verborgenen, geheimnisvollen und innerlichen Art dieser Einwirkung in der Sprache der Kirche appropriative dem Heiligen Geist zugeschrieben.

Inspiration einer Schrift besagt konkret in der Terminologie der Kirche, daß sie einerseits Gott zum Autor und daher Gottes Wort zum Inhalt hat, daß sie aber andererseits einen menschlichen Verfasser hat, kurz, daß sie Gottes Wort in menschlicher Sprache ist. Diesen beiden Aussagen muß die genauere Erklärung der Inspiration gerecht werden. Das inspirierte Buch erhält durch die Urheberschaft Gottes göttliche Autorität, verliert aber nicht die Merkmale seiner menschlichen Verfasser, d. h. deren individuelle Eigenart und zeitbedingte Beschränkungen. Gott und Mensch wirken zusammen, so daß an dem Ergebnis in allem Gott und in allem der Mensch beteiligt ist. Gott bedient sich dabei des Menschen als eines Werkzeugs, wie die Theologen seit der Väterzeit sagen. Der inspirierte Schriftsteller ist aber ein beseeltes und vernünftiges Werkzeug, d. h., Gott wirkt nicht allein, sondern es ist Raum für die Eigentätigkeit und die Freiheit der Mitwirkung des Menschen. Mithin trägt das inspirierte Werk immer die Züge und charakteristischen Merkmale des menschlichen Autors[3].

Die Inspiration muß als außerordentliches Charisma verstanden werden, das weder mit dem natürlichen concursus divinus noch mit der übernatürlichen aktuellen Gnade zusammenfällt, das vielmehr in einer positiven Einflußnahme Gottes auf den Verstand und den Willen des Hagiographen in allen Phasen der Komposition und der Niederschrift des inspirierten Buches besteht. Sehr detailliert schildert die Enzyklika „Providentissimus Deus" die Einwirkung Gottes auf den Hagiographen, wenn sie sagt: „Nam supernaturali ipse (sc. Deus) virtute ita eos ad scribendum excitavit et movit, ita scribentibus adstitit, ut ea omnia eaque sola, quae ipse iuberet, et recte mente conciperent et fideliter conscribere vellent et apte infallibili veritate exprimerent: secus non ipse esset auctor sacrae Scripturae universae"[4]. Demgegenüber stellt das II. Vaticanum besonders die Verfassertätigkeit des menschlichen Autors heraus: „In sacris vero libris conficiendis Deus homines elegit, quos facultatibus ac viribus suis utentes adhibuit, ut Ipso in illis et per illos agente, ea omnia eaque sola, quae Ipse vellet, ut veri auctores scripto traderent"[5].

---

[2] Vgl. 2 Tim 3, 16.
[3] DS 3650; vgl. *A. Lang*, a. a. O., II, 310 f.
[4] DS 3293.
[5] DV Art. 11; vgl. *A. Lang*, a. a. O., II, 312; s. oben 46.

2. Das geschichtliche Werden des Kanons

Für Jesus und die Urchristenheit gibt es nur eine Heilige Schrift, die Schrift des AT[6], jenes heilige Buch, das sie aus dem Judentum übernommen haben, das aber zunächst noch nicht abgegrenzt ist. Sie zitieren aus allen drei Teilen des späteren alttestamentlichen Kanons[7]. Die junge Kirche übernahm nicht den Kanon des AT, wie ihn Ende des 1. Jahrhunderts die Rabbinen festlegten, sie schuf sich selbst einen umfangreicheren alttestamentlichen Kanon. Vom 2. Jahrhundert an hat sie ihn in wechselnder Weise begrenzt, aber im wesentlichen entspricht sein damaliger Umfang bereits dem heutigen.

Mit dem AT hat das Urchristentum eine Heilige Schrift, aber noch nicht einen eindeutig abgegrenzten Kanon. Diese Schrift nun unterliegt der kritischen Autorität Jesu bzw. des vom Auferstandenen verliehenen Gottesgeistes[8]. Der Schlüssel für das Verständnis des AT ist der Herr selber. Er ist der Kanon der Auslegung der Schrift. Die Kirche aber versteht sich als das wahre Gottesvolk[9]. Die formalen Methoden der Auslegung der Schrift sind für das Urchristentum die des zeitgenössischen Judentums, speziell die Allegorie und die Typologie. Wie der Barnabasbrief und der 1. Clemensbrief zeigen, ist die Auslegung mannigfaltig, im einen Fall herrscht eine uferlose Allegorie, im anderen Fall wird die Schrift als moralisches Lehrbuch verwandt. Die Autorität des AT bedarf zunächst keiner formalen Begründung, da sie unbestritten ist. In den späteren Schriften des NT erfolgt sie mit Hilfe des hellenistisch-jüdischen Gedankens der Inspiration[10].

Neben die Norm des AT tritt in der Urchristenheit die neue Norm des irdischen und auferstandenen Kyrios. Für Paulus wird eine strittige Frage der Lehre, des Glaubens oder des Lebens ebenso durch ein Herrenwort beantwortet wie durch ein alttestamentliches Schriftwort. Es gilt für ihn die unbedingte Autorität des Herrn[11]. Nicht anders ist das bei Johannes, in der Apostelgeschichte, in der Apokalypse und in anderen Büchern des NT[12]. Gleichzeitig bahnt sich eine weitere Entwicklung an, in der auch die abgeleitete Autorität des Apostels mehr und mehr an Bedeutung gewinnt[13]. Der Apostel weiß sich als Beauftragter des Herrn. Durch ihn redet der Herr selber. Auch die späteren Lehrer der apostolischen Zeit beanspruchen diese Autorität für

---

[6] Mk 12, 24.
[7] Mt 5, 38; Mk 14, 24; Apg 7, 14–18; Hebr 12, 16; Mk 11, 17; Lk 4, 18; Rö 3, 14–16; 1 Kor 1, 31; Mt 21, 42; Lk 20, 42; Eph 4, 8–10; Rö 12, 20.
[8] Mt 5, 21 ff.; Joh 5, 39 ff.; 10, 35 f.; 2 Kor 3, 12 ff.; 2 Tim 3, 15; Hebr 8, 13; *W. G. Kümmel*, Einleitung in das Neue Testament, a. a. O., 421 f.; *N. Appel*, a. a. O., 62 f.
[9] S. oben 265 f.
[10] 2 Tim 3, 16 f.; 2 Petr 1, 21; *H. Conzelmann*, Die Geschichte des Urchristentums a. a. O., 120.
[11] 1 Thess 4, 15; 1 Kor 9, 9. 13. 14; 11, 23 ff.; 15, 1 ff.; 7, 10. 12.
[12] Joh 18, 9. 32; Apg 20, 35; Apk 2, 1. 8 u. ö.
[13] 1 Kor 7, 25. 40; Gal 1, 1. 7 ff.; 2 Thess 3, 17; vgl. oben 229 f.

sich[14] oder schreiben unter der Autorität eines der ältesten Apostel[15]. Diese abgeleitete Autorität ist ebenso wie die des Kyrios eine lebendige, in der Verkündigung aktuell werdende. Sie ist nicht eine Autorität von Schriften, die sich etwa neben die Heilige Schrift des AT stellten, sondern eine neue lebendige Norm[16].

Eineinhalb Jahrhunderte hat die Kirche gelebt, gepredigt, getauft und das Abendmahl gefeiert, ehe sie den Kanon der neutestamentlichen Schriften als „ein Instrument zur Ausübung apostolischer Autorität"[17] hatte. Zwar gab es schon vorher den schriftlichen Niederschlag der apostolischen Verkündigung in Briefen, in Vorformen der Evangelien und in den Evangelien selbst. Diese Schriften hatten auch von Anfang an eine autoritative Bedeutung. Aber sie waren zunächst einfach „ein Bestandteil des breiten Stromes der Überlieferung selbst"[18]. An ihnen wurde zunächst noch nicht „das Merkmal einer kanonischen Schriftautorität"[19] sichtbar[20]. Die schriftliche Gestalt der apostolischen Verkündigung hatte zunächst stellvertretende Funktion für das mündliche Wort[21]. Typisch ist daher der Brief, der seiner Natur nach den Sprechenden vertritt, seinem Wesen nach mündliches Wort ist. Auch die Evangelien hatten ursprünglich eine stellvertretende Funktion gegenüber der abwesenden apostolischen Stimme[22]. Eine Ausnahme stellt die Apokalypse dar. Sie hat wie das prophetische Zeugnis vor Christus von ihrem Wesen her schriftliche Gestalt. Wie das vorchristliche prophetische Zeugnis dem Gottesvolk die messianischen Ereignisse in ihrem messianischen Gehalt aufschließen soll, so sollen die Gesichte in der Apokalypse der Gemeinde die apokalyptischen Ereignisse erschließen. Aber auch die Apokalypse beansprucht nur Unantastbarkeit (Apk 22, 18 f.), nicht aber kanonische Geltung neben dem AT. Die neutestamentlichen Schriften sind bei aller Maßgeblichkeit zunächst noch nicht „Heilige Schrift" im Sinne formaler Autorität, sie sind eher ein Notbehelf, wesentlich Durchgangsstation[23].

Es ist bedeutsam, daß die Schriften des NT zu einem großen Teil nicht Sammlungen von Tradition, „sondern einmaliges Kerygma für eine bestimmte Gemeindesituation" sind, „in dem mehr oder minder viel an Tradition weitergegeben wird"[24], und dennoch bleibend und richtungweisend sind.

---

[14] Hebr 10, 26 f.; 13, 18 f.; 3 Joh 5 ff.; Apk 1, 1–3; *F. V. Filson,* a. a. O., 412.

[15] Eph 4, 1; 1 Tim 5, 14; 6, 13 ff. S. oben 243–251.

[16] *W. G. Kümmel,* Einleitung in das Neue Testament, a. a. O., 422 f.

[17] *P. Brunner,* Schrift und Tradition, in: Viva vox Evangelii, FS für Landesbischof H. Meiser, München 1951, 132.

[18] Ebd.; vgl. oben 255–260.   [19] *P. Brunner,* a. a. O., 132.

[20] 2 Thess 2, 15.   [21] S. oben 257–260. 261 f.

[22] S. oben 257; vgl. *Eusebius,* Historia Ecclesiastica II, 15 u. III, 24, 6.

[23] *W. G. Kümmel,* Einleitung in das Neue Testament, a. a. O., 423; *P. Brunner,* Schrift und Tradition, a. a. O., 132–135; *H. Conzelmann,* Die Geschichte des Urchristentums, a. a. O., 119; *N. Appel,* a. a. O., 62 f.

[24] *L. Goppelt,* Die apostolische und nachapostolische Zeit, a. a. O., 110.

Um 100 werden Briefe des Paulus durch Clemens von Rom, Ignatius und Polykarp angeführt. Bald nach 100 oder schon kurz vorher wird es eine Sammlung von 10 Paulusbriefen gegeben haben, die sogenannten Paulusbriefe ohne die Pastoralbriefe[25]. Sie treten jedoch noch nicht neben das AT, wenngleich vorausgesetzt wird, daß sie in den Versammlungen der Gemeinden vorgelesen und auch ausgetauscht werden. Ebenso wird das geschichtliche Zeugnis von Jesus Christus und seiner Bedeutung schon recht früh schriftlich niedergelegt, obschon man bezüglich der Vermittlung der Lehre nicht auf Urkunden, sondern auf die lebendigen Zeugen der Wahrheit und auf die Person Jesu verweist. Das Evangelium ist unmittelbar gegenwärtige Wirklichkeit. Daher werden Jesu Worte eher angewandt als zitiert. Die frühesten Sammlungen der Jesusüberlieferung werden von den Evangelien verdrängt. Das Markus-Evangelium ist Vorbild für spätere Evangelien. Es regt an zu weiterer Sammlung und Überarbeitung. So entstehen das Matthäus- und das Lukas-Evangelium, deren Verfasser Markus nicht nur ergänzen, sondern auch gestalten. Besonders frei gestaltet der Verfasser des Johannes-Evangeliums die Überlieferung. Die Form und die Fassung sind eben noch nicht heilig. Trotz dieser Evangelium-Schriften ist die mündliche Überlieferung von Jesusworten bis weit ins 2. Jahrhundert hinein nicht abgeschlossen[26]. In der 1. Hälfte des 2. Jahrhunderts werden auch die Spuren einer Zusammenstellung der vier Evangelien immer deutlicher[27].

Die Paulusbriefe und die Evangelien sind die beiden Kristallisationspunkte des späteren Kanons. Dabei erfolgt die Sammlung der Evangelien etwas später als die der Paulusbriefe. Eine Schlüsselrolle spielt die Apostelgeschichte. Sie ist das Bindeglied zwischen den Evangelien und den Briefen. Der Verfasser der Apostelgeschichte geht davon aus, daß eine Gesamtdarstellung der christlichen Heilsverkündigung Zeugnis und Werk der Apostel einbeziehen muß[28].

Der 2. Petrusbrief ist das erste Dokument, das vor Justin († um 165) die apostolischen Briefe den Schriften des AT gleichstellt[29]. Entscheidend ist aber in 2 Petr 3, 15 f. noch nicht die Autorität der Paulusbriefe als solche, sondern der Verfasser, der in diesen zur Sprache kommt. Es ist die eine Lehre der Kirche, die der überragende und anerkannte Lehrer der Kirche ebenso wie der von Rom aus schreibende „Symeon Petrus" (2 Petr 1, 1) vertritt. Diese Übereinstimmung ist dem Verfasser äußerst wichtig.

---

[25] Vgl. *H. Conzelmann,* Die Geschichte des Urchristentums, a. a. O., 123; *F. V. Filson,* a. a. O., 412; *A. Vögtle,* Das Neue Testament und die neuere katholische Exegese, a. a. O., I, 19.

[26] S. oben 258 f.; vgl. Papias bei Eusebius, Historia Eccl. III, 39, 3 f., sowie die Benutzung von apokryphen Evangelienschriften bis weit ins 2. Jahrhundert hinein.

[27] *H. Conzelmann,* Die Geschichte des Urchristentums, a. a. O., 123 f.; *H. v. Campenhausen,* Die Entstehung der christlichen Bibel, a. a. O., 124 f. 143 f.; *W. G. Kümmel,* Einleitung in das Neue Testament, a. a. O., 423–427; *K. H. Ohlig,* Die theologische Begründung des neutestamentlichen Kanons, a. a. O., 15 f.; *F. V. Filson,* a. a. O., 413.

[28] Ebd., 413 f.

[29] 2 Petr 3, 1 f. u. 15 f.; *L. Goppelt,* Die apostolische und nachapostolische Zeit, a. a. O., 111; vgl. oben 260.

Die Zuordnung von Apostel und Brief bezeugt auch der 2. Clemensbrief um die Mitte des 2. Jahrhunderts, wenn er die Apostel, nicht die von ihnen geschriebenen Briefe, neben die Bücher der Propheten stellt[30], obwohl ipsissima verba der Apostel und ihrer Schüler bei der zeitlichen Entfernung schon lange nur mehr in den von ihnen hinterlassenen Schriften greifbar sind. Noch immer sind also die maßgebenden Autoritäten nicht die Schriften als solche, sondern die in den Schriften redenden Apostel[31].

Die entscheidende Grundlage für die Wertung der Evangelien als Schrift ist der Brauch, sie im Gottesdienst neben den Propheten zu verlesen, der von Justin um 150 n. Chr. ausdrücklich bezeugt wird[32]. Im 2. Clemensbrief tritt eine Evangelienschrift als Autorität neben das AT, wenn ein Jesuswort eingeleitet wird mit der Formel: Und ein anderes Schriftwort sagt[33]. Eine ähnliche Beobachtung kann man im Barnabasbrief[34] und im Philipperbrief Polykarps[35] machen. Dabei ist allerdings fraglich, ob man sich schon über das Vorhandensein einer neuen Norm im klaren war. Der 2. Clemensbrief kennt das Matthäus- und das Lukas-Evangelium oder wenigstens eine Sammlung von Jesusworten, die auf beiden beruht. Polykarp († 156) kennt das Matthäus- und das Lukas-Evangelium, Papias (um 130) das Markus- und das Matthäus-Evangelium, Justin († 165) das Matthäus- und das Lukas-Evangelium, aber nicht das Johannes-Evangelium. Von dem letzteren schweigt auch Papias. Bis heute ist es unsicher, ob der 1. Clemensbrief und Ignatius von Antiochien eine Evangelienschrift kennen. Wohl aber kennen sie Paulusbriefe bzw. eine Sammlung der Paulusbriefe[36].

Wenn Tatian um 170 n. Chr. eine Evangelienharmonie aus den Evangelien herstellt, so bestätigt diese die vorhandene Zusammenstellung der vier Evangelien, deren Text jedoch noch nicht als unantastbar angesehen wird. Nicht das Buch als solches ist heilig. Daher kann es noch vereinzelt Widerspruch gegen das Johannes-Evangelium geben, ohne daß die Vertreter eines solchen Widerspruchs verketzert werden. Tatian beweist, daß er auch bereits den Ansatz eines zweiteiligen Kanons kennt, wenn er Paulusbriefe benutzt[37].

Zuerst werden die Evangelien als neue Norm angesehen, dann werden die Paulusschriften in gleicher Bedeutung danebengestellt, und endlich, Jahrzehnte später, entsteht der Begriff des NT als zusammenfassende Bezeichnung. Es dauert also noch eine geraume Zeit, bis der Kanon des AT und des NT geläufige Ausdrücke sind, wenngleich schon Paulus vom Alten und Neuen Bund spricht. Aber mit dieser neuen Schriftnorm ist die Sammlung noch nicht

---

[30] 2 Clem 14, 2.

[31] A. *Vögtle,* Das Neue Testament und die neuere katholische Exegese, a. a. O., I, 18 f.

[32] Apologia I, 67. 66; Dialogus 103, 8.   [33] 2 Clem 2, 4.   [34] Barn 4, 14.

[35] PolPhil 12, 1. Wiederholt finden sich dann entsprechende Formulierungen bei Justin (vgl. Dialogus 101, 3; 104, 1).

[36] W. G. *Kümmel.* Einleitung in das Neue Testamtent, a. a. O., 425–429; H. *Conzelmann,* Die Geschichte des Urchristentums, a. a. O., 124.

[37] W. G. *Kümmel,* Einleitung in das Neue Testament, a. a. O., 432; H. *Conzelmann,* Die Geschichte des Urchristentums, a. a. O., 125.

überall und in gleicher Weise abgegrenzt. Weithin fehlt zunächst gar das Bewußtsein, daß diese notwendig sei[38].

Der Grundstock des Corpus Catholicum, der 1. Petrusbrief und der 1. Johannesbrief, wird nach Eusebius bereits von Papias (um 130) und Polykarp († 156) als bekannt bezeugt, erscheint aber in kanonischer Geltung erst gegen Ende des 2. Jahrhunderts[39].

Die Schriften sollen nicht die lebendige Verkündigung und Lehrautorität ersetzen. Die Pastoralbriefe betonen die Bindung der apostolischen Paradosis in der Lehre und in der Verwirklichung an die Amtsträger der Kirche[40], so auch die Abschiedsrede des Paulus in der Apostelgeschichte[41]. Wachsame Hirten und verantwortliche Lehrer werden in testamentarischer Form als Amtsnachfolger angesprochen. Es ist die Kirche, die mit ihren Ämtern in den Pastoralbriefen mehr und mehr als „Stütze und Grundfeste der Wahrheit" in Erscheinung tritt[42]. Ausdrücklich ist hier die Bezeugung der Ordination für das kirchliche Amt durch Handauflegung[43]. Dazu gibt es Ansätze der monarchischen Stellung eines Episcopos, die bereits in den Ignatiusbriefen voll ausgebildet erscheint[44].

Die Kirche des 2. Jahrhunderts spricht vom κανὼν τῆς ἀληθείας, der im κανὼν τῆς πίστεως seine Gestalt gewinnt. Dieser lebendige Kanon der Wahrheit bleibt auch nach der Kanonbildung. Der schriftliche Kanon tritt nicht an seine Stelle[45]. Die lebendige Autorität der Apostel geht in nachapostolischer Zeit auf die Autorität der Bischöfe über, nicht auf die apostolischen Schriften. Die nachfolgenden Amtsträger versteht man als die besonders verantwortlichen Bewahrer der apostolischen Paradosis. Über 100 Jahre ist die Kirche ohne jeden Kanon, über 300 Jahre ohne fest umrissenen Kanon. Das muß man sehen[46].

Daher darf das Prinzip des neutestamentlichen Kanons nicht zu stark hervorgehoben und isoliert werden. Die Kirche, die den Schriftkanon festlegte, hat diese Schriften als apostolisch und so als Glaubens- und Lebensnorm anerkannt. Sie wollte damit die Verbindung zu den Aposteln herstellen. Diese Schriften sind der Maßstab für die Echtheit der kirchlichen Überlieferung, aber daneben steht die apostolische Glaubensregel. Darin wird der Kanon in dem Sinn, quem tenuit et tenet sancta mater Ecclesia[47], als einem hermeneutischen

---

[38] W. G. Kümmel, Einleitung in das Neue Testament, a. a. O., 429–433.
[39] A. Vögtle, Das Neue Testament und die neuere katholische Exegese, a. a. O., I, 19; H. Conzelmann, Die Geschichte des Urchristentums, a. a. O., 119–124; K. H. Ohlig, Die theologisches Problem, a. a. O., 45 f. und 47 f.; s. oben 274 f.
[40] 2 Tim 4, 1 ff. u. ö.   [41] Apg 20, 18–35.   [42] 1 Tim 3, 15.   [43] 2 Tim 1, 6.
[44] A. Vögtle, Das Neue Testament und die neuere katholische Exegese, a. a. O., I, 20.
[45] Ebd., 31; so Vögtle im Gegensatz zu K. H. Ohlig, Die theologische Begründung . . ., a. a. O., 17. Vgl. G. Ebeling, Die Geschichtlichkeit der Kirche und ihrer Verkündigung als theologisches Problem, a. a. O., 42–44. O. Cullmann, Die Tradition als exegetisches, historisches und theologisches Problem, a. a. O., 45 f. und 47 f.; s. oben 274 f.
[46] A. Vögtle, Das Neue Testament und die neuere katholische Exegese, a. a. O., I, 20. 46 f.; s. oben 261 f.
[47] DS 1507.

Prinzip verstanden. Das ist nicht eine unberechtigte Relativierung, denn bei aller Sonderstellung hatte die Schrift in der Kirche nie eine absolute Stellung, als ob sie durch den Wortlaut normierte, der ja ohnehin oft mehrdeutig ist[48].

Historisch und praktisch hat das Kanonprinzip nie den Sinn gehabt, einen Wall zwischen den Aposteln und der von Bischöfen geleiteten Kirche, zwischen apostolischer und kirchlicher Überlieferung aufzurichten. Die enge Verbindung des Kanons mit der Kirche und ihrer Überlieferung wird deutlich in der Tatsache, daß es letztlich die Kirche ist, die mit ihrer Anerkennung den Kanon konstituiert. Die Schrift ist wiederum in der Tradition der Apostel zu lesen, wie sie in der Kirche weitergegeben wird. Diese Überlieferung aber wird in der apostolischen Sukzession bewahrt[49].

Um 200 hat der Kanon seine wesentliche Form gefunden. Die drei großen Theologen am Ende des 2. Jahrhunderts, Irenäus von Lyon, Tertullian und Clemens von Alexandrien, kennen ein NT, das den Vier-Evangelien-Kanon und einen Apostelteil enthält, dem 13 Paulusbriefe, die Apostelgeschichte, der 1. Petrusbrief, der 1. Johannesbrief und die Apokalypse zugerechnet werden. Weitere Schriften werden in dieser Zeit gelegentlich als kanonisch benutzt. Diesen Sachverhalt bestätigt für die römische Gemeinde der Kanon Muratori, eine erste, wenn auch noch unvollständige Aufzählung der biblischen Schriften des ausgehenden 2. Jahrhunderts. Der Kanon Muratori bezeugt zudem das Bewußtsein, daß der Kanon ein abgeschlossener sein muß. Aber es bleibt noch Unsicherheit bezüglich der Zugehörigkeit einzelner Schriften.

Eine wichtige Bedeutung für den Abschluß der Kanonbildung hat Origenes († 253/254). Dieser stellt fest, welche Schriften allgemein kirchliche Geltung haben, und differenziert zwischen unwidersprochenen, angezweifelten und gefälschten Schriften[50]. Ähnlich unterscheidet Eusebius von Cäsarea († 339) drei Gruppen von Schriften[51]. Der Randunschärfe des Kanons, d. h. der Unsicherheit bezüglich der Zugehörigkeit einzelner Bücher zum Kanon, macht der 39. Osterfestbrief des Athanasius im Jahre 367 für die östliche Kirche auf dem Wege einer autoritativen Entscheidung ein Ende. Dieses Dokument enthält zum ersten Mal alle neutestamentlichen Schriften, den vollständigen Kanon, wie ihn später das Konzil von Trient bestätigt. Möglicherweise übernahm bereits im Jahre 382 eine römische Synode unter Papst Damasus den Kanon des Athanasius auch für die westliche Kirche. Sicher ist, daß Papst Innozenz I. im Jahre 405 einem gallischen Bischof auf Anfrage den Kanon des Athanasius als den römischen Kanon nannte. Diesen Kanon hatten im Westen schon vorher Augustinus († 430) und eine

---

[48] S. oben 265–276.
[49] *Y. Congar,* Die Tradition und die Traditionen, a. a. O., I, 59–64; vgl. *O. Cullmann,* Die Tradition als exegetisches, historisches und theologisches Problem, a. a. O., 45–48.
[50] Eusebius, Historia Eccl. VI, 25; Comment. in Johannem 20, 10, 66; Comment. in Matthaeum 17, 30; vgl. *W. G. Kümmel,* a. a. O., 437 f.; *H. v. Campenhausen,* Die Entstehung der christlichen Bibel, a. a. O., 369 f.
[51] Eusebius, Historia Eccl. III, 25.

afrikanische Synode von Hippo Regius im Jahre 393 vertreten. Trotz solcher Einstimmigkeit in der Theorie blieb Jahrhunderte hindurch praktisch noch eine gewisse Unsicherheit im Osten bezüglich der Apokalypse und im Westen bezüglich des Hebräerbriefes. Erneut bekannte sich das Konzil von Florenz (1439–1445)[52] zum Kanon des Athanasius und endlich das Konzil von Trient (1545–1563)[53]. – Es ist bemerkenswert, daß geschichtlich gesehen die endgültige Abgrenzung des neutestamentlichen Kanons in der Alten Kirche eindeutig durch eine autoritative Entscheidung der Kirche erfolgt ist.

Einige protestantische Theologen glauben, den tieferen Grund für das Werden des Kanons in den Häresien des 2. Jahrhunderts sehen zu müssen. So führt K. D. Schmidt[54] die Kanonbildung auf die Auseinandersetzung der Großkirche mit der Gnosis zurück, die sich auf mündlich überlieferte Geheimtraditionen und besondere Evangelien berufen habe. Er erinnert auch an Marcion, der seiner Lehre bzw. seiner Sonderkirche 10 paulinische Briefe und ein gereinigtes Lukas-Evangelium zugrunde gelegt habe. So sei im Laufe des 2. Jahrhunderts neben das feste, autoritative Amt eine feste, autoritative, ja, göttliche Größe als Lehrgrundlage getreten. H. v. Campenhausen bemerkt[55] in Aufnahme von Gedanken A. von Harnacks, die Idee und Wirklichkeit der christlichen Bibel seien von Marcion geschaffen worden. Die Kirche, die sein Werk verworfen habe, sei ihm darin nachgefolgt und habe ihrerseits den Kanon geschaffen. Der Durchbruch sei dann bei Irenäus erfolgt, wenn auch die Grenzen zunächst noch nicht scharf gezogen worden seien. H. Conzelmann erklärt[56], die Idee des Kanons sei in einem bewußten Akt von Marcion geschaffen worden, und zwar zur Begründung seiner Lehre. Diesem sei alsbald der orthodoxe Kanon gegenübergestellt worden, nicht in einer einzigen organisierten Aktion – dafür hätten schlichtweg die Voraussetzungen gefehlt –, aber immerhin sei gegen Ende des 2. Jahrhunderts die Idee des Kanons, des alttestamentlichen und des neutestamentlichen, als normativer Sammlung christlicher Schriften in der ganzen Kirche lebendig.

J. Wagenmann[57] will den Kanon nicht als das Ergebnis einer Sammlung, sondern als „Restprodukt einer Beschränkung und Auswahl", als „Abwehrmittel gegen die Häresie" verstehen. Er möchte aber nicht leugnen, daß auch ohne die innere Krisis neben dem alttestamentlichen Kanon ein neutestamentlicher entstanden sei, wie sich aus den Tatsachen ergebe, daß von Anfang an die Worte des Herrn als unbedingte Autorität galten, daß schon bald schriftliche Aufzeichnungen über Jesu Worte und Leben gemacht wurden, aus deren Verbindung die Evangelien entstanden sind, die hohes Ansehen hatten und im

---

[52] DS 1335.
[53] DS 1502 f.; *W. G. Kümmel,* Einleitung in das Neue Testament, a. a. O., 434–443. Die Entscheidung von Trient muß auf dem Hintergrund erneuter In-Frage-Stellung verschiedener Schriften des NT durch die Reformatoren gesehen werden.
[54] *K. D. Schmidt,* Grundriß der Kirchengeschichte, Göttingen [5]1967, 80 f.
[55] *H. von Campenhausen,* Die Entstehung der christlichen Bibel, a. a. O., 173 f. und 173–244.
[56] *H. Conzelmann,* Die Geschichte des Urchristentums, a. a. O., 124 f.
[57] *J. Wagenmann,* a. a. O., 187.

Gottesdienst verlesen wurden, daß endlich auch die Apostelschriften zu Vorleseschriften wurden[58]. Ähnlich erklärt L. Goppelt[59], die Kanonbildung sei grundgelegt in der Überzeugung der Kirche, daß sie vom apostolischen Zeugnis lebe, das ihr in einer Reihe von Schriften begegne. Diese Überzeugung habe sich zwischen 130 und 180 n. Chr. in der Auseinandersetzung mit der Gnosis entfaltet. Ebenso konstatiert W. G. Kümmel[60], nicht Marcion habe als erster den Gedanken der neuen Heiligen Schrift vertreten, denn zu seiner Zeit sei der Vier-Evangelien-Kanon bereits im Werden gewesen. Auch habe Marcion nicht als erster den Gedanken der Zweiteiligkeit des neuen Kanons vertreten, denn die Autorität apostolischer Schriften habe sich schon vorher mehr und mehr den Evangelienschriften zugesellt.

Es ist nicht zu bestreiten, daß Marcion die Kanonbildung gefördert hat, aber er hat sie nicht veranlaßt. Das gleiche gilt für die Gnosis allgemein. Die Kirche befand sich bereits auf dem Wege zum Kanon, wie die obige Darstellung gezeigt hat[61], und wurde in der Konfrontation mit der Häresie in diesem Prozeß vorangetrieben. Eine nicht unbedeutende Rolle spielte auch der Montanismus, der den Anspruch erhob, die endgültige und höchste Gottesoffenbarung in einer neuen Prophetie zu bringen und damit also das überlieferte Gotteswort zu überbieten, und daher die christlichen Gemeinden unerbittlich zwang, Umfang und Inhalt der Offenbarung abzugrenzen. Ein fördernder Antrieb hinsichtlich der Kanonbildung ging endlich aus von der besonderen Vorliebe der Urkirche für feste Ordnung und lehrhafte Klarheit sowie von dem Mißtrauen gegen Falschpropheten, vor denen schon in der synoptischen Tradition gewarnt wird[62].

3. Die Feststellung der Kanonizität der neutestamentlichen Schriften

Da die Inspiration der Bücher des AT und des NT ein übernatürlicher Vorgang ist, kann ihre Tatsächlichkeit letzlich nur aus der Offenbarung feststehen. Die Offenbarung aber wird durch das Lehramt der Kirche authentisch verkündet und interpretiert. Das Tridentinum und das Vaticanum I haben mit Nachdruck die Tatsache der Inspiration der einzelnen Schriften des AT und des NT als Glaubenswahrheit herausgestellt[63]. Wenn diese Wahrheit geoffenbart ist, dann muß sie in apostolischer Zeit, vor dem Abschluß der öffentlichen Offenbarung, der Menschheit von Gott mitgeteilt worden sein. Sie kann grundsätzlich wie alle Offenbarungen eine ausdrückliche (explizite) oder eine einschlußweise (implizite) sein. Jene Theologen, die

---

[58] Ebd., 187 f.
[59] *L. Goppelt,* Die apostolische und nachapostolische Zeit, a. a. O., 112.
[60] *W. G. Kümmel,* Einleitung in das Neue Testament, a. a. O., 430 f. 424; *N. Appel,* a. a. O., 81.
[61] S. oben 278–283.
[62] *W. G. Kümmel,* Einleitung in das Neue Testament, a. a. O., 431; *A. Sand,* Kanon, a. a. O., 66. 74 f.; *Th. Zahn,* Geschichte des neutestamentlichen Kanons, a. a. O., I, 15; *F. V. Filson,* a. a. O., 414 f.
[63] DS 1501 ff. 3006. 3029; vgl. auch 3409 ff.

an eine ausdrückliche Offenbarung denken, suchen diese in der mündlichen Überlieferung. Sie denken an das jeweilige Einzelzeugnis eines Zwölfer-Apostels. Abgesehen von der Fragwürdigkeit nicht in der Schrift enthaltener Offenbarungswahrheiten[64] ist auch auf Grund der faktischen Kanongeschichte eine ausdrückliche Offenbarung kaum haltbar, so daß sich eine einschlußweise Offenbarung nahelegt[65]. Das Faktum der Inspiration wird für jede einzelne Schrift mit Sicherheit durch ihre Aufnahme in den Kanon bekannt.

B. Brinkmann[66] möchte die Inspiration der einzelnen Schrift und den Umfang des AT und des NT voneinander trennen. Das eine sei geoffenbart, das andere nicht. Geoffenbart sei die Inspiriertheit der einzelnen Schrift, aber nicht die Auswahl der inspirierten Schriften. Diese sei der Kirche überlassen. Die Kirche habe den Umfang des Kanons kraft der ihr von Christus übertragenen Vollmacht bzw. kraft des in ihr präsenten Heiligen Geistes bestimmt[67].

Brinkmann stellt im Anschluß an die Dogmatische Konstitution Dei Filius des I. Vaticanum[68] fest, mit der Tatsache der Inspiration sei ohne weiteres auch die Kanonizität eines Buches gegeben, zunächst für alle die, die um die Inspiration dieses Buches wüßten, dann für die ganze Kirche dadurch, daß es ihr als inspiriertes Buch übergeben und von ihr als inspiriert vorgelegt werde[69]. Die Kanonizität dieser Schriften ist demnach nicht als Folge der Kanonisierung durch die Kirche, d. h. der Aufnahme in den Kanon, zu verstehen, sondern die Kanonisierung ist als Folge dessen zu verstehen, daß diese Schriften der Kirche als inspiriert und daher kanonisch, d. h. als maßgebliche Glaubensnorm, übergeben sind. Brinkmann will kanonisch zunächst als maßgeblich, nicht als zum Kanon gehörig verstehen. Die Inspiriertheit und damit die Kanonizität einer Schrift seien, so legt er dar, im Glaubensbewußtsein der frühen Kirche gegeben gewesen, wenn festgestanden habe, daß sie von einem Propheten bzw. von einem Apostel in Ausübung seiner apostolischen Sendung verfaßt worden sei, denn man habe die Apostel auf Grund ihrer Sendung und ihres Geistempfanges in ihrem Reden und Schreiben unter dem Einfluß bzw. unter der Inspiration des Heiligen Geistes geglaubt[70]. Diese Inspiration sei näherhin in ihrer Sendung durch Christus und in der Ausrüstung mit dem Heiligen Geist implizit geoffenbart[71]. In diese besondere Ausrüstung der Apostel hat man aber nach Brinkmann die Schüler und Mitarbeiter der Apostel

---

[64] S. oben 273–276.
[65] *K. Rahner,* Über die Schriftinspiration, a. a. O., 36 f.; ders., Art. Kanon (dogmatisch), in: LThK V, Freiburg ²1960, 1283 f.; *A. Bea SJ,* Art. Inspiration, in: LThK V, a. a. O., 708; *B. Brinkmann,* Inspiration und Kanonizität der Heiligen Schrift in ihrem Verhältnis zur Kirche, in: Schol 33, 1958, 208–211. 232; *J. Backes,* Tradition und Schrift als Quellen der Offenbarung, in: TThZ 72, 1963, 329; *F. Diekamp,* a. a. O., I, 36; *K. Rahner,* Tod Jesu und Abgeschlossenheit der Offenbarung, a. a. O., 263 f.
[66] *B. Brinkmann,* a. a. O., 209–213. 229 f. 232 f.
[67] Ebd., 232 f.   [68] DS 3006; *B. Brinkmann,* a. a. O., 214.   [69] Ebd. und 232.
[70] Ebd., 214–221. 225. 232; vgl. *K. Rahner,* Über die Schriftinspiration, a. a. O., 32–37 und 87.
[71] *B. Brinkmann,* a. a. O., 223 f. 226 f.

einbezogen, also jene Männer aus der apostolischen Zeit, die an der Sendung der Apostel und damit auch an ihrem apostolischen Charisma teilhatten, so daß auch sie wie die Zwölf und Paulus bei der Ausübung ihrer apostolischen Sendung immer unter dem inspirierenden Einfluß des Geistes standen und damit auch ihre Schriften inspiriert und kanonisch sind[72].

Welche von den inspirierten und infolgedessen kanonischen Schriften in den Kanon aufgenommen werden sollten, ist nach Brinkmann nicht durch eine Offenbarung festgelegt und blieb der Auswahl der Kirche überlassen. Diese hat kraft ihrer unfehlbaren Lehrautorität positiv, nicht exklusiv, bestimmt, daß alle Bücher des AT und des NT mit allen ihren Teilen inspiriert und damit kanonisch sind und für die ganze Kirche als solche zu gelten haben. Sie stellt nur fest, daß im Falle dieser Schriften die aus der Offenbarung feststehenden Bedingungen für die Inspiration und folglich für die Kanonizität eines Buches gegeben sind, nämlich, daß diese Schriften der Kirche eindeutig als von den Aposteln bzw. deren Schülern in Ausübung ihrer apostolischen Sendung verfaßte überkommen sind[73].

Das hat die merkwürdige Situation zur Folge, daß es möglicherweise außer den Schriften des Kanons noch weitere Schriften gibt, die auch inspiriert und kanonisch sind, aber nicht für die ganze Kirche als solche zu gelten haben, weil die Kirche sie nicht in den Kanon aufgenommen hat.

Wenn alles, was die charismatisch begabten Propheten und Apostel in Ausübung ihrer Sendung gesprochen und geschrieben haben, inspiriert ist, dann sind nicht nur ihre in den Kanon aufgenommenen Schriften, sondern alle Schriften, die sie in Ausübung ihrer Sendung verfaßt haben, inspiriert und maßgeblich (kanonisch) für die, an die sie gerichtet waren, auch die, die heute nicht mehr vorhanden sind, etwa verlorengegangene Briefe und manche Gelegenheitsschriften der Apostel und ihrer Mitarbeiter, sofern sie nicht rein privaten Charakters waren. Brinkmann erklärt, möglicherweise sei in diesem Sinne auch der 1. Clemensbrief als inspiriert und kanonisch anzusprechen, denn Clemens sei Mitarbeiter des Paulus gewesen (Phil 4, 3) und somit nicht nur Träger eines apostolischen Amtes, sondern auch des apostolischen Charismas, und er habe den Brief wohl in Ausübung seiner apostolischen Sendung geschrieben. Dieser Brief sei jedoch der Kirche nicht als inspirierte Schrift übergeben worden bzw. ihr nicht eindeutig als solche überkommen. Die Kirche habe einfach zunächst nur Schriften gesammelt, die von Aposteln im engeren Sinn verfaßt waren oder als solche galten, abgesehen von den Evangelien nach Markus und Lukas und von der Apostelgeschichte, Schriften, die eine besondere Bedeutung hatten[74].

---

[72] Ebd., 224 f. 227.   [73] Ebd., 231.

[74] *B. Brinkmann,* a. a. O., 228–231. Auch *J. R. Geiselmann* (Die Heilige Schrift und die Tradition, a. a. O., 31) stellt fest, nicht unbedingt alle inspirierten Schriften seien in den Kanon aufgenommen worden, vielmehr nur die, die für die Kirche und in der Kirche normative Bedeutung hätten. Zu fragen, ob es noch weitere inspirierte Schriften gibt, ist u. E. jedoch eine müßige Spekulation, weil nur die Dogmatisierung der Inspiration einer Schrift deren Inspiriertheit mit Sicherheit bekannt

Zuzustimmen ist Brinkmann, sofern er angesichts der faktischen Entwicklung des Kanons eine explizite Offenbarung über die Inspiriertheit der einzelnen Schriften des NT für nicht möglich hält, die Kanongeschichte spricht jedoch nicht gegen eine implizite Offenbarung der Inspiriertheit der einzelnen Schrift, die die Kirche allmählich explizit erkannt hat. Es ist abwegig, den Kanon der Kirche nur als eine Auswahl aus einer größeren Zahl von kanonischen oder maßgeblichen Schriften zu verstehen und anzunehmen, daß es also maßgebliche Schriften gibt, die die Kirche doch nicht ausgewählt hat. Der Umfang des Kanons ist vielmehr durch die Offenbarung der Inspiriertheit der einzelnen Schriften des AT und des NT gegeben. Diese aber wird erkannt durch die Definition der Kirche[75].

Die Kirche hat nicht den Umfang des Kanons *bestimmt,* wie Brinkmann meint[76], sondern explizit erkannt, und zwar aus der impliziten Offenbarung der Inspiriertheit der einzelnen Schriften.

Wenn Brinkmann meint, die Kanonizität einer Schrift sei unmittelbar mit ihrer Inspiriertheit gegeben, so benutzt er einen Begriff von Kanonizität, der nicht der Klarheit dient. Er versteht kanonisch als maßgeblich. Maßgeblich ist aber die revelatio publica, die inspirierte Schrift hingegen insofern, als sie diese enthält. Welche Schrift das ist, wird durch die Kanonisierung deutlich. Diese bedeutet die Dogmatisierung der Inspiration einer Schrift. Mit der unklaren Terminologie Brinkmanns hängt eng zusammen die merkwürdige Meinung, daß es möglicherweise inspirierte und damit kanonische Schriften gebe, die doch nicht kanonisch sind, weil nicht von der Kirche in den Kanon aufgenommen.

Für Brinkmann können auch nach dem Abschluß der Offenbarung inspirierte Schriften entstehen, denn offenbart ist nach seinem Verständnis die Inspiration aller Schriften, die die Apostel und Apostelschüler in Ausübung ihrer Sendung verfaßt haben, und der Kanon ist für ihn nur eine Auswahl aus einer größeren Zahl kanonischer Schriften. Brinkmann stellt eigens fest, auch eine nach dem Tode des letzten Zwölfer-Apostels durch einen Apostelschüler verfaßte Schrift hätte noch in den Kanon aufgenommen werden können, denn es gehe ja um die Frage, welche inspirierten und damit kanonischen Bücher die Kirche in den Kanon aufgenommen bzw. kraft ihrer Unfehlbarkeit eindeutig als inspiriert und damit kanonisch für die ganze Kirche erklärt habe. Nur dürfe ein solches Buch nicht neue Offenbarungen enthalten, die noch nicht im Depositum der Kirche vorhanden gewesen seien, und die Zugehörigkeit dieser

---

macht. Man hat des öfteren die Frage erörtert, ob es möglich wäre, daß eine ursprünglich inspirierte und kanonische Schrift verlorengegangen sei, wobei man etwa an einen „vorkanonischen" Brief des hl. Paulus an die Korinther, an den Zwischenbrief an die Korinther, an den Kol 4, 6 erwähnten Brief an die Laodizener oder an die im Lukas-Prolog erwähnten Schriften (vgl. oben 258) gedacht hat. Rahner hält diese Vorstellung zwar nicht für völlig abwegig, aber doch nicht für sinnvoll, zumindest nicht bei einem ganzen Brief (Über die Schriftinterpretation, a. a. O., 87). An anderer Stelle bezeichnet er diese Frage als kontrovers (Art. Kanon, a. a. O., 1283).

[75] S. oben A 65.

[76] *B. Brinkmann,* a. a. O., 232 f.

Schrift zum Kanon dürfe nicht auf eine eigene Offenbarung an die Kirche zurückgehen[77].

Aber die Inspiration dieser Schrift ist doch in sich eine übernatürliche Realität, eine neue Offenbarungswirklichkeit, die nur implizit in der inspirierten Schrift selbst der Menschheit mitgeteilt sein kann! Ein Weiteres ist zu bedenken: Faktisch ist ein Großteil der Schriften des NT nach dem Tode der Apostel im engeren Sinne entstanden. Wenn Brinkmann das Depositum der Kirche nur in den zum Zeitpunkt des Todes des letzten Zwölfer-Apostels vorhandenen Schriften finden will, wären die übrigen eigentlich ganz gut zu entbehren. Wenn er aber meint, die mit diesem Zeitpunkt abgeschlossene Offenbarung sei nun bis zur Entstehung der von den Apostelschülern und anderen verfaßten Schriften des NT zum Teil in mündlicher Überlieferung in der Kirche weitergegeben worden, so erscheint das konstruiert und unwahrscheinlich. Nach der Überzeugung der Kirche gehört außerdem die grundlegende Promulgation der Offenbarung zur Offenbarung selbst. Dazu muß man u. E. auch ihre schriftliche Fixierung rechnen. Mithin wird man die apostolische Zeit weiter und elastischer verstehen müssen. Alle inspirierten Schriften müssen vor dem Abschluß der Offenbarung entstanden sein.

K. Rahner[78] sieht die Inspiration darin geoffenbart, daß eine Schrift als echter Wesensvollzug der Urkirche entsteht und als solche in der Kanonisierung erkannt wird. Nach ihm versteht die Kirche in der Kanonisierung einer Schrift aus der Urkirche diese als „inneres, homogenes Stück der Selbstkonstitution", erfaßt sie den Inhalt dieser Schrift als das ihr Wesensgemäße[79]. Mit Recht zählt er die Heilige Schrift zu den Constitutiva der Kirche wie Sukzession, Primat, Sakramente[80]. Er bemerkt, die Heilige Schrift sei als Norm der Zukunft in der gottgewirkten Konstitution dieser Kirche von Gott gewollt. Die Inspiration der Schrift sei eingeschlossen in der Offenbarung des umfassenden Tatbestandes der normativen Urkirche. Daraus könne die Kirche dann allmählich ohne neue Offenbarung die Grenzen des Kanons erkennen. Was nun als reine Objektivation der Urkirche in den damaligen Schriften allmählich von der Kirche reflektierend erkannt worden sei, sei auch ein konstitutives Element der Urkirche, damit als inspiriert und kanonisch erkannt[81]. Dem kann man zustimmen.

Aber die Urkirche ist umfassender als die Zeit der Zwölf. Das scheint Rahner nicht zu berücksichtigen, wenn er den Abschluß der Offenbarung im Prinzip mit den Zwölfen und Paulus verbindet, obschon er eine genaue Fixierung dieses Datums nicht für möglich hält und eine größere Elastizität fordert[82]. Gerade wenn die Schrift zu den Constitutiva der Urkirche gehört,

---

[77] Ebd., 231. 233.   [78] *K. Rahner,* Über die Schriftinspiration, a. a. O., 74 f. 56 f.

[79] Ebd., 75.   [80] Ebd., 55.

[81] *K. Rahner,* Art. Kanon, a. a. O., 1283 f. Neuerdings erwähnt K. Rahner die Möglichkeit, das apostolische Zeitalter auf die Entstehungszeit der kanonischen Schriften auszudehnen (K. Rahner, Tod Jesu und Abgeschlossenheit der Offenbarung, a. a. O., 264).

[82] S. oben 240 A 107; vgl. *K. Rahner,* Über die Schriftinspiration, a. a. O., 72 f.

muß die Offenbarungszeit weiter gefaßt werden. Die gottgegebenen Constitutiva der Kirche müssen noch Teil der Offenbarung sein und daher mit ihrem Ursprung in die Zeit der Offenbarung fallen, nicht nur intentionaliter, sondern realiter. Die Zeit der normativen Urkirche ist daher weiter zu fassen; sie ist die Zeit der göttlichen Konstituierung der Kirche.

In der Inspiration einer Schrift setzt Gott je eine neue übernatürliche Realität ins Werk und tut sie der Menschheit darin kund. Sie wird in der Kirche als Offenbarungsgegebenheit verstanden, die in der Kanonisierung als solche definiert wird. Daher muß die Entstehung der neutestamentlichen Schriften noch innerhalb der Offenbarungszeit liegen, anderenfalls könnte ihre Inspiration ja nicht ein Teil des depositum fidei und für alle verpflichtend sein, weil sie nicht der revelatio publica angehörte.

Diese Überlegungen werden gestützt durch die Rolle der Kanonkriterien, speziell durch das Verständnis des Kriteriums der Apostolizität in der Zeit der Väter.

4. Die Kriterien der Kanonizität

Lakonisch bemerkt N. Appel, es sei nicht der letzte Apostel gewesen, der die Endredaktion der neuen Heiligen Schrift übernommen hätte[83]. Die endgültigen Grenzen des Kanons sind durch die spätere Kirche gezogen worden, die unter der Leitung des Heiligen Geistes das begrenzte, was sie als „authentisches Erbe einer begnadigten Vergangenheit betrachtete"[84]. Nach welchen Kriterien erfolgte diese Scheidung?

A. Lang unterscheidet 5 Kanon-Kriterien[85]: den apostolischen Ursprung einer Schrift, die Übereinstimmung ihres Inhaltes mit der überkommenen Glaubenstradition, dem Kanon der Wahrheit, ihre universale Bestimmung, d. h. ihre Ausrichtung auf die Gesamtkirche, ihre Verwendung im Gottesdienst der Gesamtkirche und endlich ihre Anerkennung durch das Lehramt der Kirche, das die Grenzen des normativen Kanons autoritativ festlegt.

Die Alte Kirche berief sich bei der Anerkennung des neutestamentlichen Kanons vor allem auf die Apostolizität der Schriften – das erste und wichtigste Kanonkriterium. Eine Schrift des NT sollte apostolisch sein; das ist ein Grundsatz, der mehr oder weniger die ganze Väterliteratur durchzieht. Daran anschließend belegt die kirchliche Tradition bis in die Neuzeit hinein die Verfasser von neutestamentlichen Schriften in der Regel mit dem Titel Apostel[86].

Wie wir gesehen haben, findet sich der Normbegriff des Apostolischen für die Verkündigung und für das Leben der Kirche ansatzweise schon im NT. Er zieht sich dann wie ein roter Faden durch die folgende Literatur[87]. Er hat eine beinahe alles beherrschende Stellung in der Auseinandersetzung mit Marcion

---

[83] N. Appel, a. a. O., 196.   [84] Ebd.
[85] A. Lang, a. a. O., II, 306.   [86] S. oben 227.   [87] S. oben 228–243.

und mit der Gnosis. Gegen den verfälschten Kanon des Marcion oder die gnostische Berufung auf geheime apostolische Traditionen und apokryphe Literatur stützt man sich auf die wahrhaft apostolischen Überlieferungen und Schriften. Sobald der Schriftcharakter der apostolischen Paradosis um die Mitte des 2. Jahrhunderts deutlicher ins Bewußtsein trat, mußte die Norm des Apostolischen auch bei der Auswahl der neutestamentlichen Literatur zur Anwendung kommen[88].

Berief sich auch die Alte Kirche bei der Kanonbildung auf den apostolischen Ursprung der Schriften, so war sie sich doch schon früh dessen bewußt, daß nicht nur Apostel im engeren Sinn heilige Schriften verfaßt haben[89]. Das Kriterium der Apostolizität wurde in der altkirchlichen Literatur nicht nur auf Grund apostolischer Verfasserschaft, sondern auch auf Grund inhaltlicher Kriterien zuerteilt. Zwar spielte die apostolische Herkunft, d. h. die Verfasserschaft eines Zwölfer-Apostels oder des Paulus, bei der Kanonbildung eine wichtige Rolle, aber keineswegs eine zentrale oder gar die einzige. Die angenommene oder abgelehnte apostolische Herkunft war ein gewichtiges Argument, aber sie hat faktisch nicht definitiv über die Aufnahme einer Schrift in den Kanon entschieden, weder positiv noch negativ. J. A. Möhler[90] erinnert daran, daß es in den Apostolischen Konstitutionen – sie stammen aus dem 4. Jahrhundert, benutzen aber ältere Quellen – heißt, man dürfe sich keineswegs durch die Namen der Apostel, sondern müsse sich durch die Natur der Sache und den Charakter der Lehre eines Buches bewegen lassen, es für ein göttliches zu halten[91]. Weil auch der Inhalt vorzüglich ein Bestimmungsgrund für die Annahme der Echtheit einer Schrift war, deshalb war man nicht allzu eng in der Annahme ihrer Kanonizität[92].

K. H. Ohlig hat versucht, durch den historischen Befund die Meinung zu widerlegen, daß der Kanon primär mittels des Maßstabs der apostolischen Herkunft im engeren Sinn entstanden bzw. abgegrenzt worden sei[93]. Im folgenden soll seine Darstellung in groben Zügen nachgezeichnet werden.

Die Geschichte der Evangelien wird durchaus nicht von der apostolischen Verfasserschaft beherrscht. Die vier Evangelien waren schon eine feste Größe, bevor es zu bewußter Reflexion über etwaige Kriterien kam. Sie galten einfach deshalb, weil sie die apostolische Paradosis wiedergaben. Justin († um 165) spricht von den Erinnerungen der Apostel[94], wozu sicher die vier Evangelien gehörten. Für Irenäus von Lyon († um 202) entspricht die Vierzahl der Evangelien der göttlichen Heilsordnung[95]. Auch Clemens von Alexandrien

---

[88] *N. Appel,* a. a. O., 197–201; *K. H. Ohlig,* Die theologische Begründung des neutestamentlichen Kanons, a. a. O., 57. 240; *M. Schmaus,* Katholische Dogmatik, a. a. O., I, 119 f.
[89] Vgl. Justin, Irenäus, Tertullian; *A. Sand,* Kanon, a. a. O., 67.
[90] *J. A. Möhler,* a. a. O., 70 f. (§ 20).
[91] Constitutiones apostolicae IV, 16.
[92] *J. A. Möhler,* a. a. O., 70 f. (§ 20).
[93] *K. H. Ohlig,* Die theologische Begründung des neutestamentlichen Kanons, a. a. O., 59–162. Damit wird zugleich B. Brinkmann widerlegt (vgl. oben 285–287).
[94] Apologia I, 66, 3.   [95] Adversus haereses III, 11, 8.

(† vor 215) erwähnt die vier Evangelien[96]. Der Vier-Evangelien-Kanon ist älter als der Satz, daß nur Apostelschriften ins NT gehören. Die vier Evangelien haben ihre kanonische Geltung erlangt, ohne daß die apostolische Abfassung dabei eine ausschlaggebende Bedeutung gehabt hätte.

Die Betonung der Verbindung von Markus und Lukas mit den Aposteln ist sekundär[97]. Sonst hätte man ja leicht auch diesen Evangelien Apostelnamen zuerteilen können. Die Konstruktion des Schülerverhältnisses von Markus und Lukas bei den nach ihnen benannten Evangelien erfolgt erst, als diese bereits hohes Ansehen haben. Mit dem Schülerverhältnis begnügt man sich im allgemeinen; nur selten und relativ spät wird eine direkte Approbation durch die Apostel behauptet[98].

Die apokryphen Evangelien machen deutlich, daß die vermeintliche apostolische Verfasserschaft nicht unbedingt die Kanonizität einer Schrift im Gefolge hat. Die älteren apokryphen Evangelien wurden zumeist wegen häretischer Tendenzen, nicht wegen eines historischen Urteils über den Verfasser abgelehnt. Die jüngeren wurden bei den Vätern oft als echt apostolisch angesehen bzw. benutzt, aber dennoch nicht als kanonisch betrachtet[99]. Clemens von Alexandrien († vor 215) zitiert das apokryphe Ägypter-Evangelium[100] und das Hebräer-Evangelium[101], ohne an der Echtheit des Jesuswortes zu zweifeln, obwohl beide Evangelien anonym sind. Origenes († 253/254) und Eusebius von Cäsarea († 339) zitieren das Hebräer-Evangelium trotz des schon festen Evangelien-Kanons ohne irgendwelche Abschätzigkeit, weil sie den Großteil des Buches als mit einem der kanonischen Evangelien identisch erkennen[102]. Origenes erwähnt auch das Petrus-Evangelium[103], das ihm ansprechend und glaubwürdig erscheint[104].

Die Geschichte des Hebräerbriefes zeigt deutlich, daß die Forderung nach der Apostolizität für eine kanonische Schrift nicht unbedingt die apostolische Verfasserschaft im engeren Sinne beinhaltet. So hat Origenes den Hebräerbrief als kanonisch angesehen, obwohl er ihn nicht als Paulusbrief betrachtet hat[105].

---

[96] Stromata III, 13 (93, 1).   [97] S. oben 246.
[98] K. H. Ohlig, Die theologische Begründung des neutestamentlichen Kanons, a. a. O., 59–64; J. Leipoldt, Geschichte des neutestamentlichen Kanons I, Die Entstehung, Leipzig 1907, 267 und 182. Mit der Meinung, daß die apostolische Abfassung für die 4 Evangelien bei ihrer Erlangung der kanonischen Geltung keine ausschlaggebende Rolle gespielt hat, tritt Ohlig in Gegensatz zu G. G. Blum, Tradition und Sukzession, a. a. O., 173 f.
[99] K. H. Ohlig, Die theologische Begründung des neutestamentlichen Kanons, a. a. O., 65, mit Berufung auf J. Leipoldt, Geschichte des neutestamentlichen Kanons, a. a. O., I, 179 f.
[100] Stromata III, 13 (92, 2).   [101] Ebd., II, 9 (45, 5).
[102] Origenes, Comment. in Johannem II, 6; Comment. in Matthaeum XV, 14; Eusebius, Historia Eccl. III, 25, 5; III, 27, 4; III, 39, 16; IV, 22, 7; vgl. Th. Zahn, Geschichte des neutestamentlichen Kanons, a. a. O., II, 680 und 644–646.
[103] Comm. in Matth. X, 17.
[104] K. H. Ohlig, Die theologische Begründung des neutestamentlichen Kanons, a. a. O., 64–66. Ohlig beruft sich auf Th. Zahn, Geschichte des neutestamentlichen Kanons, a. a. O., II, 680 und 742, und bringt noch eine Reihe weiterer Beispiele zur Erhärtung seiner These.
[105] Vgl. Eusebius, Historia Eccl. IV, 25, 13 f.

Der Hebräerbrief wurde nicht nur da als kanonisch angesehen, wo er als paulinisch galt; der Irrtum der paulinischen Herkunft dieses Briefes resultiert aus dem Gebrauch im Gottesdienst und der dortigen Vereinigung mit den Paulusbriefen[106]. Hippolyt († 235) hält den Hebräerbrief für kanonisch bei gleichzeitiger Ablehnung der apostolischen Herkunft[107]. Auch Augustinus († 430) nimmt den Hebräerbrief als kanonisch trotz der Zweifel an seiner apostolischen Herkunft[108]. Hieronymus († 419) gibt die Meinung mancher Leute, die apostolische Herkunft garantiere die Kanonizität einer Schrift, ohne Zustimmung, also neutral, wieder[109]. Er hält die Verfasserfrage für einigermaßen irrelevant, wenn es um die Kanonizität geht. Wichtiger ist es ihm, daß die entsprechende Schrift von einem urkirchlichen Mann, also aus dem Raum der Urkirche, stammt[110]. Schon vor seiner Übersiedlung in den Osten akzeptiert er den Hebräerbrief als Teil der Schrift, trotz seiner Zweifel an dessen paulinischer Herkunft, wenn er seiner Revision des NT den athanasianischen Umfang zugrunde legt[111]. In seinem Schriftsteller-Katalog „De viris illustribus" aus dem Jahre 392 hat er die ihm bekannten Nachrichten über die Anzweifelung der apostolischen Herkunft von 2 Petr, Jak, Jud, Hebr und Apk zusammengestellt und dem Mittelalter überliefert[112].

Gerade die Geschichte des Hebräerbriefes ist ein Beweis für die differenzierte Haltung der Kirche zur Frage der apostolischen Authentizität[113]. Das gleiche läßt sich aber nach Ohlig auch für die katholischen Briefe nachweisen und aus den apokryphen Apostelbriefen folgern[114].

Wenn der Grundsatz gilt, daß nur apostolische Schriften in den Kanon gehören, so wird darunter nicht allein die Abfassung einer Schrift durch die Zwölf und Paulus verstanden. Schriften, deren apostolische Verfasserschaft von den Vätern bezweifelt oder bestritten wird, erfreuen sich bei den gleichen Autoren apostolischer Wertschätzung. Für andere wieder ist die Frage

---

[106] *Th. Zahn*, Geschichte des neutestamentlichen Kanons, a. a. O., I, 302.

[107] *N. Appel*, a. a. O., 69.

[108] Augustinus, De peccatorum meritis et remissione I, 27, 50; De civitate Dei XVI, 22.

[109] Comment. in epistulam ad Philemon, prol.

[110] Comment. in Jerem. Proph. VI, 26, 4.

[111] Vgl. *W. G. Kümmel*, Einleitung in das NT, a. a. O., 442. 473.

[112] De viris illustribus 1 ff.; vgl. *K. H. Ohlig*, Die theologische Begründung des neutestamentlichen Kanons, a. a. O., 66–75; *A. Vögtle*, Das Neue Testament und die neuere katholische Exegese, a. a. O., I, 40; *W. G. Kümmel*, Einleitung in das Neue Testament, a. a. O., 442. Ohlig bringt noch eine Reihe weiterer Beispiele für die Divergenz zwischen apostolischer Herkunft von Schriften und ihrer Kanonizität.

[113] *K. H. Ohlig*, Die theologische Begründung des neutestamentlichen Kanons, a. a. O., 75. Ohlig distanziert sich von *J. Leipoldt* (Geschichte des neutestamentlichen Kanons, a. a. O., I, 219) und *P. Lengsfeld* (Überlieferung, Paderborn 1960, 78–80), die der Meinung sind, der Hebräerbrief sei nur deshalb in den Kanon gekommen, weil er für einen Paulusbrief gehalten worden sei, und erklärt, diese Meinung könne man nur vertreten, wenn man den Vätern von Origenes bis Augustinus Inkonsequenz vorwerfe, sie alle hätten ja an der apostolischen Herkunft dieses Briefes gezweifelt, ihn aber dennoch nicht aus dem Kanon entfernt (*K. H. Ohlig*, Die theologische Begründung des neutestamentlichen Kanons, a. a. O., 75).

[114] Ebd., a. a. O., 75–87.

sekundär. Die Zitation unter einem traditionellen Namen bedeutet nicht ein Urteil über die Echtheit, sondern einfach die Kennzeichnung einer Schrift, nicht anders als heute. Die apostolische Herkunft einer Schrift sichert nicht gemeinhin ihre Zugehörigkeit zum Kanon, sie stellt vielmehr nur ein Moment der Kanonizität dar[115].

Der theologische Sinn des Kriteriums der Apostolizität ist in der Urkirchlichkeit zu sehen. Apostel ist als pars pro toto für die Urkirche zu verstehen. Der Begriff des Apostolischen meint zunächst eine historische Dimension. Apostolisch heißt eine Schrift, weil sie aus dem Raum der „apostolischen" Kirche stammt. Im Optimalfall ist sie auch eine authentisch apostolische Schrift. Das ist jedoch nicht eine conditio sine qua non. Über diese historische Dimension hinaus hat die Apostolizität entscheidend eine inhaltliche Dimension[116].

Schon bei den Apostolischen Vätern dient das Apostolische zur Charakterisierung der gesamten neutestamentlichen schriftlichen oder mündlichen Botschaft. Die Apostel stehen für das ganze NT wie die Propheten für das ganze AT. Man ist sich bewußt, daß die Frohbotschaft historisch, sachlich und personal durch die Apostel vermittelt wird. Daher wohnt dem apostolischen Wort die normative Kraft des Kyrios inne. Auf diesem Wort ist die Kirche erbaut. Man betrachtet die ganze urchristliche Überlieferung als apostolisch. Vor jeder Frage nach der literarischen Echtheit wird die ganze neutestamentliche Verkündigung und Schrift als apostolisch verstanden[117].

Nicht anders ist das bei den Apologeten und den Textzeugen bis hin zu den großen Theologen am Ende des 2. Jahrhunderts[118]. So nennt Justin († um 165) auch die von Apostelschülern verfaßten Schriften Apomnemoneumata der Apostel[119]. Er ist wohl an einer historischen und sachlichen Verknüpfung der Apomnemoneumata mit den Zwölfen interessiert, aber er verlangt nicht sklavisch die Abfassung durch einen Mann des Zwölferkreises. Die Apostolizität ist für ihn ein „Kennzeichen kanonischer Schriften mit geschichtlicher, inhaltlicher und funktionaler Bedeutung". Für ihn umfaßt der Kreis der als apostolisch charakterisierten Männer „wenigstens noch die zweite Generation"[120]. Bei Serapion (ca. 190–211 Bischof von Antiochien) ist die Apostolizität in erster Linie eine Qualität des Inhaltes[121]. Von der Zeit des Aristides (vor

---

[115] Ebd., 89 f.; ähnlich A. Vögtle, Die historische und theologische Tragweite der heutigen Evangelienforschung, in: ZKTh 86, 1964, 385–417, bes. 409, der allerdings der apostolischen Verfasserschaft einen etwas größeren Stellenwert beimißt; im Gegensatz dazu W. Marxsen (Das Neue Testament als Buch der Kirche, Gütersloh 1966, 30 f.), W. G. Kümmel (Notwendigkeit und Grenze des neutestamentlichen Kanons, a. a. O., 307) und P. Althaus (Die christliche Wahrheit, a. a. O., 157 f.).
[116] K. H. Ohlig, Die theologische Begründung des neutestamentlichen Kanons, a. a. O., 90–94.
[117] Ebd., 95–105; G. Klein, Die zwölf Apostel, a. a. O., 112 f.
[118] K. H. Ohlig, Die theologische Begründung des neutestamentlichen Kanons, a. a. O., 105–112.
[119] Dialogus 103, 8.
[120] K. H. Ohlig, Die theologische Begründung des neutestamentlichen Kanons, a. a. O., 107.
[121] Eusebius, Historia Eccl. VI, 12, 2. 6; s. unten 298 f.

140) bis zu den großen Theologen am Ende des 2. Jahrhunderts, als sich der Kanon zu einer festen Größe ausbildete, war die Kennzeichnung des Grundstocks des NT als apostolisch geläufig, wenn auch mit starken Differenzierungen hinsichtlich der Bedeutung dieser Eigenschaft[122]. Die angenommene Autorschaft durch einen Zwölfer-Apostel wurde als Idealfall angesehen, aber es genügte auch, wenn die Schrift von einem Apostelschüler stammte. Für die Mehrzahl der Quellen ist die Apostolizität jedoch in diesem Zeitraum vorwiegend, wenn auch nicht ausschließlich, eine inhaltliche Bestimmung[123].

Ähnlich ist das Verständnis des Kriteriums der Apostolizität bei den Vätern des Ostens in der Zeit vom 3. bis zum 5. Jahrhundert. Für Clemens von Alexandrien († vor 215) bedeutet die Forderung nach apostolischer Herkunft einer Schrift, daß ihr Verfasser ein urkirchlicher Mann sein muß[124]. Ein Angehöriger der christlichen Urzeit kann noch eine kanonische Schrift verfassen. Ja, auch eine anonym überlieferte Schrift kann als kanonisch bezeichnet werden, wenn sie nur das apostolische Kerygma wiedergibt[125]. Ähnlich denken Origenes († 253/254), Eusebius von Cäsarea († 339), Johannes Chrysostomus († 407) und Theodoret von Cyrus († um 466), um nur einige zu nennen[126]. Alle kanonischen Schriften werden als apostolisch gekennzeichnet. Die Apostolizität wird zunächst historisch verstanden, im Sinne der Abfassung einer Schrift durch einen Apostel im engeren Sinn; es ist aber auch die Abfassung durch Männer der apostolischen Zeit für sie denkbar, in denen die Kontinuität zu den Augenzeugen vermutet wird. Eine bedeutendere Rolle aber spielt die inhaltliche Charakterisierung einer Schrift als apostolisch[127].

Im Westen findet sich bei Irenäus († um 202) häufig der Ausdruck „die Apostel" zur Kennzeichnung des NT wie der Ausdruck „die Propheten" zur Kennzeichnung des AT[128]. Apostolizität bedeutet für ihn Herkunft aus der apostolischen Kirche, aber wichtiger als die historische Apostolizität ist für ihn die inhaltliche. Die Apostolizität meint bei ihm nichts anderes als die urkirchliche Qualität der neutestamentlichen Schriften, wobei der Optimalfall die Augenzeugenschaft und die historische Echtheit sind[129].

Ebenso kennt Tertullian († nach 220) in diesem Zusammenhang einen weiteren Apostelbegriff[130]. Er teilt die heiligen Schriften ein in vetus lex und

---

[122] S. oben 229–235.
[123] *K. H. Ohlig,* Die theologische Begründung des neutestamentlichen Kanons, a. a. O., 111 f.
[124] Stromata VII, 15 (92, 3. 5); II, 20 (118, 5); IV, 16 (105, 1); IV, 17 (105, 2).
[125] Stromata VII, 15 (92, 3. 5); I, 20 (100, 4), vgl. *K. H. Ohlig,* Die theologische Begründung des neutestamentlichen Kanons, a. a. O., 113–115.
[126] Ebd. 115–133; hier finden sich auch die entsprechenden Belege.
[127] Ebd., 133.
[128] Adversus haer. III, 11, 9; III, 19, 2; III, 24, 1; III, 1, 2; III, prooem.; vgl. *G. G. Blum,* Tradition und Sukzession, a. a. O., 174.
[129] Adversus haer. III, 11, 9; I, 20, 1; III, 11, 8; III, 12, 13; III, 24, 1; vgl. *G. G. Blum,* Tradition und Sukzession, a. a. O., 174.
[130] De praescriptione haeret., passim.

apostoli[131]. In seinem Werk Adversus Marcionem nennt er an einer Stelle alle neutestamentlichen Autoren Apostel, fährt dann aber differenzierend fort, daß auch apostolische Männer neutestamentliche Schriften verfaßt haben, wenn auch zusammen mit den Aposteln[132]. Über das Historische hinaus bringt er das Inhaltliche ins Spiel[133].

Von Hippolyt († 235)[134] bis zu Augustinus († 430)[135] gilt bei den Vätern des Westens der ganze neutestamentliche Kanon als apostolisch, unabhängig von den Verfasserfragen. Im Idealfall ist das Apostolische konkretisiert in der Gestalt des Apostels im engeren Sinn[136].

Somit findet sich im Osten wie im Westen im Grunde die gleiche Weite und Struktur des Apostolischen, wobei im Westen noch etwas mehr Gewicht auf die historische Dimension gelegt wird. Es geht um die sachliche und geschichtliche Herkunft der neutestamentlichen Schriften von den Aposteln, von den Zwölfer-Aposteln und Paulus, die im günstigsten Fall literarische Autoren sind. In diesem Sinne ist die Bedeutung des Kriteriums der Apostolizität für die Aufnahme in den Kanon in der ganzen altkirchlichen Literatur allerdings so grundlegend, daß kanonisch gleich apostolisch ist. War man sich der literarischen Autorschaft einer Schrift durch einen Apostel im engeren Sinn sicher, so ergaben sich im allgemeinen kaum Schwierigkeiten, etwa im Falle des Matthäus- und Johannes-Evangeliums, der Apostelgeschichte, der Paulusbriefe und teilweise auch des 1. Petrusbriefes und des 1. Johannesbriefes. Zumeist waren diese Schriften jedoch schon vor einer nachweisbaren Auseinandersetzung um ihre Apostolizität rezipiert. Aber die apostolische Herkunft allein beseitigte noch nicht alle Schwierigkeiten, wie sich bei den Pastoralbriefen und beim Philemonbrief zeigt. Apostolisch waren auch die Apostelschüler, weshalb deren Schriften relativ leicht in den Kanon gelangten. Den Evangelien des Markus und Lukas darf man dabei kein allzu großes Gewicht beimessen, denn sie waren schon vor der Auseinandersetzung um Verfasserfragen rezipiert, und die Konstruktion der Schülerschaft von Petrus und Paulus ist sekundär. Aber die Apostelschüler fanden nicht alle den Zugang zum Kanon. Auch Barnabas und Clemens von Rom wurden als solche verstanden und waren mithin als apostolisch qualifiziert. Dennoch kamen die ihnen zugeschriebenen Schriften nicht in den Kanon. Der nächste Kreis, auf den die Kennzeichnung apostolisch noch zutraf, sind die Autoren jener Schriften, über deren Herkunft man lange stritt, wie 2 Petr, 2 und 3 Joh, Hebr, Apk, Jak, Jud. Man hielt diese Schriften für pseudonym oder anonym oder jedenfalls für nicht aus dem Kreis der Zwölf stammend. Auch sie wurden allmählich für apostolisch und kanonisch gehalten, aber nicht deshalb, weil man neue Erkenntnisse über die Verfasser erhalten oder frühere Be-

---

[131] De pudicitia 12, 2.
[132] Adv. Marcionem IV, 2, 1; IV, 24, 1; vgl. oben 220.
[133] De praescriptione haeret. 32, 5.
[134] Comment. in Danielem IV, 12, 1; Refutatio VIII, 19, 1.
[135] Contra Cresconium II, 31, 39; De civitate Dei XV, 23, 4.
[136] K. H. Ohlig, Die theologische Begründung, a. a. O., 133–153.

denken vergessen hätte; entscheidend wurde hier das Moment der sachlichen Apostolizität. Man konnte sie vergleichen mit den schon rezipierten Schriften.

Daher kann man den Begriff „apostolisch" formal „als einen heilsgeschichtlichen und dynamischen Begriff" charakterisieren, „der inhaltlich mit ‚apostolischer Kirchlichkeit' oder ‚Urkirchlichkeit' wiedergegeben werden kann und immer die Tendenz hat, sich in der personalen, geschichtlichen und sachlichen Mitte des Urkirchlichen zu konkretisieren"[137]. Das letztere kommt zwar in dem Begriff „Urkirchlichkeit" nicht zum Ausdruck, räumt aber das Mißverständnis aus, daß es der Alten Kirche bei der Apostolizität nur um die Behauptung der literarischen Echtheit von Schriften geht[138].

Ein ähnliches Verständnis der Apostolizität scheint der Kanon Muratori, das älteste und wichtigste Kanonverzeichnis der Kirche, das den römischen Kanon vom Ende des 2. Jahrhunderts wiedergibt, nahezulegen. Dieses Verzeichnis mißt der Apostolizität großes Gewicht bei, denkt dabei aber durchaus nicht nur an die Abfassung einer Schrift durch einen Apostel im engeren Sinn. Im Zusammenhang mit Lukas und Markus ist nicht die Rede von einer nachträglichen Durchsicht und Billigung durch die Apostel. Wichtig ist nur, daß der Bericht zuverlässig ist. Der Pastor Hermae wird abgelehnt, weil er nicht der alten Zeit angehört. Der chronologische Gesichtspunkt wird dreimal unterstrichen. Was nicht der alten klassischen Zeit angehört, gehört nicht in den Kanon, der eben die Dokumente der Urzeit sammelt. Es geht im Muratorischen Fragment wie auch sonst in den Quellen bei aller beherrschenden Stellung des Apostels um die ursprüngliche Überlieferung, die die Apostel garantieren, aber nicht sie allein. Die Apostel sind ja nicht der Ursprung der Tradition, sondern Zeugen des Christusgeschehens und der Christuslehre. Zum Alter kommen hinzu die Praxis und das Urteil der Kirche, der Kirche als heiliger Wirklichkeit. Die Apostolizität zeigt hier die gleiche Struktur, die man in der Alten Kirche durchgehend aufzeigen kann: Der günstigste Fall ist die Abfassung einer Schrift durch Augenzeugen; daneben aber gibt es Abstufungen, von Markus über Paulus und Lukas zur anonymen Verfasserschaft eines Mannes des apostolischen Zeitalters[139].

---

[137] Ebd., 155.
[138] Ebd., 153–155. 240. Ähnlich *W. Trilling* (In der apostolischen Verkündigung des Neuen Testamentes begegnet uns der lebendige Christus, in: *W. Kern–F. J. Schierse–G. Stachel,* Warum glauben? Würzburg 1961, 246): Entscheidend ist nicht die apostolische Verfasserschaft, also die Verfasserschaft durch Paulus oder einen Zwölfer-Apostel, sondern die Qualität der apostolischen Verkündigung, die innere Zugehörigkeit einer Schrift zur Zeit der apostolischen Kirche, der Urkirche. Diese Zeit ist als Gründungszeit von allen späteren Zeiten unterschieden und hat bestimmende und beispielhafte Bedeutung für alle Zukunft.
[139] *K. H. Ohlig,* Die theologische Begründung des neutestamentlichen Kanons, a. a. O., 139 f.; *H. v. Campenhausen,* Die Entstehung der christlichen Bibel, a. a. O., 294–302. *H. v. Campenhausen* (ebd., 294 f.) stellt fest, das Fragment denke an Schriften, die alt und verläßlich seien, unter denen die Apostel als Zeugen des Christusgeschehens und der ursprünglich übermittelten Lehre natürlich die vornehmsten Verfasser seien.

Demgegenüber erklärt W. G. Kümmel[140], das entscheidende criterium canonicitatis im Muratorischen Fragment sei die Abfassung einer Schrift durch einen Apostel im engeren Sinn, ein weiteres criterium canonicitatis sei die Bestimmung einer Schrift für die ganze Kirche. A. Sand vertritt die Meinung[141], der Schwerpunkt liege hier auf der Autorität der Kirche. K. Aland konstatiert[142], in diesem Dokument werde jedes sichtbar werdende Prinzip für die getroffene Auswahl der Schriften sogleich wieder ausdrücklich aufgehoben. Er stellt fest: Apostel sollen die Verfasser der kanonischen Schriften sein, aber Lukas und Markus sind keine, Lukas nicht einmal Augenzeuge. Es gibt Fälschungen von Apostelschriften, die selbstverständlich verworfen werden, es gibt aber auch Schriften, an deren apostolischer Verfasserschaft nicht gezweifelt wird, die doch von einigen nicht angenommen werden, wie z. B. die Petrus-Apokalypse. Die kanonischen Schriften sollen an die ganze Kirche gerichtet sein, Paulus hingegen schreibt nur an einzelne Gemeinden, ja, an einzelne Personen. Die Botschaft muß einheitlich sein, aber die Prinzipien der Evangelien sind verschieden. Endlich müssen die kanonischen Bücher alt sein. Dieser Grundsatz ist schließlich der einzige, der durchgehalten wird, der allerdings dann doch wieder durchlöchert wird durch Irrtümer in der zeitlichen Ansetzung.

Diese Einreden sind nicht überzeugend. Es ist mit A. Vögtle[143] festzuhalten einmal, daß doch eine gewisse Einsicht in die Motive und Maßstäbe des Ausleseprozesses des Kanon Muratori möglich ist, zum anderen, daß das Prinzip der Apostolizität unbestreitbar ist, vorausgesetzt, man versteht es im oben skizzierten Sinn. Die wenigstens vermeintliche apostolische Herkunft einer Schrift hat ihr die Zugehörigkeit zum Kanon gesichert. Das Muratorische Fragment verwirft den Pastor Hermae, weil er erst vor kurzem verfaßt ist und weder unter den Propheten, deren Zahl abgeschlossen ist, noch unter den Aposteln verlesen werden kann. Trotz des Widerspruchs einiger der „Unsrigen" akzeptiert das Fragment die Petrus-Apokalypse, wohl deshalb, weil Petrus sich als Verfasser angibt.

In gleicher Weise gestattet Bischof Serapion von Antiochien um 200, um die Zeit, da sich das Vierer-Evangelium bereits durchgesetzt hat, auf Anfrage der Gemeinde von Rhossos die gottesdienstliche Verlesung des ihm bisher unbekannten Petrus-Evangeliums, zweifellos, wie der Kontext zeigt, wegen des Apostelnamens. Das lange Ringen der katholischen Briefe um kanonische

---

[140] W. G. Kümmel, Einleitung in das Neue Testament, a. a. O., 436. K. erklärt, im Kanon Muratori werde bei den kanonischen Schriften gegenüber den apokryphen Evangelien und Apostelgeschichten die Augenzeugenschaft und damit der sichere Zusammenhang mit der apostolischen Tradition hervorgehoben (436 f.).

[141] A. Sand, Kanon, a. a. O., 62.

[142] K. Aland, Das Problem des neutestamentlichen Kanons, in: NZSTh 4, 1962, 229 f.

[143] A. Vögtle, Das Neue Testament und die neuere katholische Exegese, a. a. O., I, 36–42; vgl. auch K. H. Ohlig, Die theologische Begründung des neutestamentlichen Kanons, a. a. O., 140. 195; G. G. Blum, Offenbarung und Überlieferung, a. a. O., 165 f.; A. Vögtle, Die historische und theologische Tragweite der heutigen Evangelienforschung, in: ZKTh 86, 1964, 388.

Geltung ist darin begründet, daß deren Herkunft aus dem apostolischen Bereich lange umstritten war.

Aber der Begriff von apostolischer Herkunft war durchaus nicht eng, sonst hätte man nicht um 150 n. Chr. in Rom unsere vier Evangelien als apostolisch betrachten können, wenngleich man, wie Justin berichtet, wußte, daß zwei nur von Apostelschülern waren. Wenn Clemens von Alexandrien († vor 215), Irenäus († um 202) und der katholische Tertullian († nach 220) den Pastor Hermae zum Kanon rechneten, dann wohl deshalb, weil sie, wie später Origenes, den Verfasser mit dem in Rö 16, 14 genannten Hermas identifizierten. An dieser Stelle wird uns Hermas als Christ, aber nicht als regelrechter Apostelschüler bezeugt. Das zeigt, wie weit der Begriff des Apostolischen gefaßt wurde.

Die geschichtliche Apostolizität wurde jedoch nicht als alleiniges und endgültiges Kriterium angesehen. Die Kirche des 2. Jahrhunderts fühlte sich nicht nur auf die Abfassungsverhältnisse der Schriften angewiesen. Deren Apostolizitätscharakter wurde gleichzeitig an der normativen Glaubenstradition gemessen. Kanon bedeutet ja zuerst regula fidei, dann Entscheidungen der Synoden und zuletzt, erst vom 4. Jahrhundert an, die Liste der Bücher der Heiligen Schrift, die für den kirchlichen Gebrauch zugelassen waren. Bevor um 200 die Vorstellung eines grundsätzlich noch nicht inhaltlich geschlossenen Kanons auftauchte, gab es schon im Bewußtsein der Kirche den „Kanon der Wahrheit", also den Maßstab der von der Kirche überlieferten und verkündeten Wahrheit, aus dem die neutestamentlichen Schriften entstanden sind, der im „Kanon des Glaubens" Gestalt findet. Es ist aufschlußreich, daß der oben erwähnte Bischof Serapion, nachdem er sich ein Exemplar des Petrus-Evangeliums besorgt, dieses untersucht und festgestellt hatte, daß einiges hinzugefügt war, wenn auch das meiste dem richtigen Logos des Herrn entsprach, seine frühere Entscheidung widerrief und dem Schreiben an die Gemeinde von Rhossos eine Liste der von ihm gefundenen doketischen Irrtümer beifügte[144].

Das entscheidende Kriterium für die Kanonizität einer Schrift des NT ist die Apostolizität, verstanden als apostolische Herkunft in einem weiteren Sinn und als inhaltliche Übereinstimmung mit dem apostolischen Kerygma, mit der

---

[144] A. *Vögtle,* Das Neue Testament und die neuere katholische Exegese, a. a. O., I, 36–42; vgl. *K. H. Ohlig,* Die theologische Begründung des neutestamentlichen Kanons, a. a. O., 64 f. Gegenüber W. G. Kümmel sei festgestellt, daß das Konzil von Trient (DS 1501 ff.) nicht die Identität der verschiedenen neutestamentlichen Autoren definieren wollte (*W. G. Kümmel,* Notwendigkeit und Grenze des neutestamentlichen Kanons, a. a. O., 290; *N. Appel,* a. a. O., 213 u. 218 f.). Entschieden besteht *O. Cullmann* (Die Tradition als exegetisches, historisches und theologisches Problem, a. a. O., 31 und 34) auf der Augenzeugenschaft als der entscheidenden Bedingung für die Aufnahme einer Schrift in den Kanon. Auch die nicht von den Augenzeugen verfaßten Schriften des Kanons müßten der unmittelbare Ausdruck ihrer Zeugenschaft sein. Es läßt sich nicht leugnen, daß die Augenzeugen im Grunde die Garanten der apostolischen Verkündigung sind, daß es letztlich um die Stimme der Augenzeugen geht. Daher wird auch immer diese Beziehung irgendwie zum Ausdruck gebracht. Aber die apostolische Verkündigung ist weiter als das Zeugnis der Augenzeugen.

regula fidei. Diese ist inhaltlich bestimmt vom AT und den bereits rezipierten neutestamentlichen Schriften, also dem rezipierten Bestand der Schriften und deren geistgeleiteter kirchlicher Auslegung[145].

Letztlich geht es beim Kanon des NT um die anfängliche Verkündigung. Die Autorität der einzelnen Schriften beruht darauf, daß sie die Christusweissagungen der Propheten und das Christuszeugnis der Apostel zuverlässig wiedergeben. Darum kann die apostolische Verfasserschaft als Kriterium weniger als ein historisch-faktisches denn als ein theologisches Kriterium verstanden werden. Entscheidend sind die Nähe zum Herrn und die Verbindung mit ihm, entsprechend dem Wort des Serapion (um 200 n. Chr.): „Die Apostel nehmen wir an als den Herrn". Die Abhängigkeit von ihm und die legitime Berufung auf ihn ist der eigentliche Maßstab, mit dem die christlichen und die nichtchristlichen Schriften beurteilt werden[146]. Hinter der apostolischen Autorität steht die Autorität Jesu. Der historische Jesus und der Kyrios sind die Norm und die letzte und absolute Begründung für die Kanonizität der apostolischen Überlieferung[147].

Die zuerst von Erasmus wissenschaftlich vertretene Auffassung, daß das ausschlaggebende Prinzip für die Aufnahme einer Schrift in das NT ihre Abfassung durch einen Apostel gewesen sei, ist daher nicht haltbar. Die alten Quellen zielen, abgesehen vom Inhalt, lediglich auf eine zeitliche Beschränkung, d. h., die maßgebenden Zeugnisse der Offenbarung müssen aus der christusnahen Ursprungszeit der Apostel und Apostelschüler sein. Das entspricht dem „historischen" Sinn des NT und bis zu einem gewissen Grad auch dem entsprechenden Abgrenzungsprinzip der jüdischen Synagoge in bezug auf das AT, wobei jedoch zu bedenken ist, daß die Beschränkung der Synagoge auf die alte klassische Zeit in ihrer Begründung weniger einleuchtend ist als jene des Christentums, dessen Interesse mit theologischer Notwendigkeit auf eine einzige Person und daher auch auf einen einzigen begrenzten Zeitraum konzentriert ist. Da sich die Tradition innerhalb der Urkirche immer weiter von der Person des Apostels losgemacht hat, ist es belanglos, ob neutestamentliche Schriften direkt von den Aposteln verfaßt sind, wichtig ist letztlich, „ob sie ursprüngliches und bevollmächtigtes, das ist apostolisches, Zeugnis über das Christusereignis sachgemäß aus der Tradition aufnehmen"[148].

---

[145] G. Ebeling (Die Geschichtlichkeit der Kirche und ihrer Verkündigung als theologisches Problem, a. a. O., 39) stellt fest: Mit dem Begriff des Apostolischen kreuzte sich ein Sachkriterium, was jedoch nicht so zum Bewußtsein kam, weil man die Verfasserfrage nicht genau historisch prüfte. Deutlich hat M. Luther einen sachlich-theologischen Kanonbegriff an die Stelle eines historisch-autoritären gesetzt, wenn er den Prüfstein für alle Bücher des NT in der Tatsache sieht, daß sie „Christum treiben" (Vorrhede auff die Episteln Sanct Jacobi und Judas (1522), WA, DB 7, 384). Später ist man wieder zum historisch-autoritären Kanonbegriff zurückgekehrt (E. Brunner, Offenbarung und Vernunft, a. a. O., 129 f.; vgl. N. Appel, a. a. O., 214. 229 f.).

[146] A. Sand, Kanon, a. a. O., 67; H. von Campenhausen, Die Entstehung der christlichen Bibel, a. a. O., 379.

[147] K. H. Ohlig, Die theologische Begründung des neutestamentlichen Kanons, a. a. O., 157–162.

[148] L. Goppelt, Tradition nach Paulus, in: KuD 4, 1958, 221.

Es ist auch zu beachten, daß nicht nur die Apostel und die Nicht-Apostel, also individuelle Personen, an der endgültigen Formgebung der apostolischen Tradition beteiligt sind, sondern die ganze Kirche. Schon deshalb kann man die Einmaligkeit des NT nicht auf die Einmaligkeit der individuell persönlichen Sendung der Apostel reduzieren, um den Umfang des Kanons annehmen zu können. Die Schrift ist faktisch eine Schöpfung der Urkirche, eine Frucht ihres Lebens, der schriftliche Ausdruck des urkirchlichen Selbstverständnisses[149]. Schniewind bemerkt: „Die Echtheitsfragen werden in dem Augenblick unwichtig, wo man mit der neutestamentlichen Gemeinde die Überzeugung teilt, daß in ihr und durch sie der erhöhte Christus redet. Auch alles, was die Gemeinde sagt, das beansprucht ebensosehr Autorität und Wahrheit wie Jesu eigene Worte"[150].

Von daher schon ist man nicht berechtigt, die apostolische Autorität im individualistischen Sinn zu verstehen, sondern muß die Priorität der Kirche gegenüber dem Apostelamt beachten, jener Kirche, in der die Apostel ihre fundamentale Funktion ausüben. Der tatsächliche Kanon des NT kann nur angenommen werden „als bleibende Darlegung und Ausdruck des Lebensreichtums der Urkirche . . . als Charisma des einmaligen Geburtsstadiums des neuen Gottesvolkes"[151], als schriftlicher Niederschlag der urchristlichen Predigt.

Die Mehrzahl der neutestamentlichen Schriften läßt sich mit Sicherheit nicht auf die Zwölf und Paulus zurückführen. Mithin kann auch ihre kanonische Geltung nicht auf diesen Aposteln gründen, wohl aber auf der Urkirche. So entspricht es im Grunde der Auffassung der Väter und dem Glauben der Kirche[152].

Wenn das II. Vaticanum erklärt[153]: „Quattuor Evangelia originem apostolicam habere Ecclesia semper et ubique tenuit ac tenet . . .", so ist diese Aussage nur dann mit den Ergebnissen der modernen Einleitungswissenschaft zu vereinbaren, wenn das Wort „apostolisch" entsprechend dem Verständnis der Alten Kirche als „urkirchlich" begriffen wird, in dem Sinne, wie wir es darlegten, m. a. W., wenn man das Mißverständnis beseitigt, die Alte Kirche wolle mit dem Begriff der Apostolizität die literarische Echtheit von Schriften behaupten[154]. An der oben zitierten Stelle des II. Vaticanum heißt es weiter: „Quae enim Apostoli ex mandato Christi praedicaverunt, postea divino afflante Spiritu, in scriptis, ipsi et apostolici viri nobis tradiderunt, fidei fundamentum, quadriforme nempe Evangelium, secundum Matthaeum,

---

[149] *N. Appel*, a. a. O., 219 f. 227. 331; vgl. *O. Cullmann*, Die Tradition als exegetisches, historisches und theologisches Problem, a. a. O., 25; *L. Goppelt*, Tradition nach Paulus, a. a. O., 220.

[150] *J. Schniewind*, Das Evangelium nach Matthäus, Göttingen ⁷1954, 49.

[151] *N. Appel*, a. a. O., 222. 227.

[152] *K. H. Ohlig*, Woher nimmt die Bibel ihre Autorität? Zum Verhältnis von Schriftkanon, Kirche und Jesus, Düsseldorf 1970, 156 f.

[153] DV Art. 18.

[154] *R. Pesch*, a. a. O., 70, die Anregungen Ohligs aufnehmend.

Marcum, Lucam et Joannem". Auch hier legt die moderne Einleitungswissenschaft das Verständnis der Apostel und der Apostolizität im weiteren und umfassenderen Sinne nahe, in jenem Sinne, in dem die Alte Kirche alle Verfasser von neutestamentlichen Schriften als Apostel und apostolisch bezeichnete[155].

Eng mit dem Kanonkriterium der Apostolizität einer Schrift nach Herkunft und Inhalt hängt das Kriterium ihrer universalen Bestimmung bzw. ihrer faktischen Verbreitung in der Kirche zusammen. Die tatsächliche wachsende Wertschätzung umstrittener Schriften und die Distanzierung von anderen blieben nicht ohne Einfluß auf den Abschluß des Kanons. Origenes († 253/254) erforschte die Verbreitung der einzelnen Schriften[156]. Augustinus († 430) suchte den Kanon festzulegen, indem er sich an jene Schriften hielt, die von den wichtigsten Kirchen (sedes apostolicae) angenommen waren[157]. Der von ihm aufgestellte Kanon wurde im wesentlichen von den Synoden von Hippo (393 n. Chr.) und Karthago (397 n. Chr.) übernommen[158].

Als ein weiteres criterium canonicitatis ist in der Alten Kirche die gottesdienstliche Verwendung einer Schrift zu betrachten[159]. Das Bedürfnis, beim Gottesdienst bzw. bei der Gemeindeversammlung neben den jüdischen Schriften auch Worte und Taten des Herrn und der Apostel verlesen zu können, war ein wichtiger Anlaß, die christlichen Schriften zu bewahren und zu sammeln. Das Werden des Kanons ist in enger Verbindung mit der Schriftlesung im Gottesdienst zu sehen. Gerade hier wird die wesentliche Funktion des Kanons deutlich, nämlich apostolische Stimme in jede Gegenwart der Kirche hinein zu sein[160].

Die endgültige Abgrenzung erfuhr der Kanon durch einen außerordentlichen Akt der Kirche. Bereits in seinem langsamen Werden ist er das Werk der Kirche. Vom Beginn bis zum faktischen Abschluß der Kanonbildung wirkten die verschiedenen Kirchengebiete des Westens und des Ostens zusammen. Die Gesamtkirche hat den Kanon allmählich geschaffen im Bewußtsein des Beistandes des Heiligen Geistes. Aber ohne das autoritative Eingreifen der Kirche wäre es nicht zu einem fest umrissenen neutestamentlichen Kanon gekommen. Die abschließende Kanonisierung ist ein kirchenamtlicher Entscheid. Bei diesem Entscheid erfreut sich die Kirche des Charismas der Unfehlbarkeit[161]. Sie nimmt damit 27 Schriften definitiv in ihren Kanon auf,

---

[155] S. oben 220 und 294 f.
[156] Eusebius, Historia Eccl. VI, 25, 3 ff.; vgl. *W. G. Kümmel*, Einleitung in das Neue Testament, a. a. O., 437; s. oben A 50.
[157] De doctrina christiana II, 8.
[158] *A. Vögtle*, Das Neue Testament und die neuere katholische Exegese, a. a. O., I, 43–45.
[159] Vgl. *Justin*, Apologia I, 67, 3.
[160] *A. Sand*, Kanon, a. a. O., 65 f.; *P. Brunner*, Schrift und Tradition, a. a. O., 134 f.; *J. R. Geiselmann*, Die Heilige Schrift und die Tradition, a. a. O., 23 und 31; *H. v. Campenhausen*, Die Entstehung der christlichen Bibel, a. a. O., 381 f.
[161] Das ist zu betonen gegenüber dem allgemeinen protestantischen Verständnis.

vereinigt sie zum Neuen Testament und stellt ein „Normbild ihres eigenen Wesens"[162] auf, dem sie stets treu bleiben will[163].

Die Entscheidung der Kirche ist das letzthin ausschlaggebende criterium canonicitatis. Die übrigen Kriterien weisen je durch ihr Ungenügen über sich hinaus und sind ergänzungsbedürftig. Sie sind nicht falsch, aber unvollständig. Sie sind Aspekte des entscheidenden lebendigen und hinreichenden Kriteriums, nämlich der Kirche Christi selber, die die Kanonbildung durch eine richterliche Entscheidung abschließt[164].

K. H. Ohlig[165] sieht zwar die Verbindung zwischen Kanon und Kirche, aber er wendet sich dagegen, daß man die kirchliche Rezeption der Schriften allzusehr als ausschlaggebenden Maßstab für die Entstehung des Kanons ansieht, sosehr sie auch historisch-faktisch die Gestalt des Kanons geprägt habe. Davor warnt nach ihm die intensive Beschäftigung der Alten Kirche mit den Schriften selbst und ihren Eigenschaften. Er meint, die Kanonizität der kanonischen Schriften gründe in der geistlichen Erfahrung der Kirche im Umgang mit diesen Büchern. Die Aufnahme in den Kanon sei auf Grund des Kriteriums der Urkirchlichkeit erfolgt. Die Rezeption der Schriften sei ein augenfälliges Zeichen ihrer Kanonizität. Die kirchliche Rezeption als Kriterium der Kanonizität sei in erster Linie relevant für den Glaubenden in der Kirche, nicht für die Kanonizität einer Schrift. Die Rezeption sei eine innerkirchliche Richtschnur. Das bedeute, der Kanon verdanke seine Entstehung nicht einer kirchlichen Autorität, sondern der Anerkennung der Kirche, die sich jahrhundertelang geistig mit diesen Schriften beschäftigt habe[166]. Er schreibt: „. . . die Kanonentscheidung der Kirche ist ein Akt des Glaubensgehorsams gegenüber der urkirchlich-pneumatisch erfahrbar gewordenen Autorität des Herrn"[167].

Demgegenüber muß man sehen: Sosehr die pneumatische Erfahrung der Kirche für die Kanonbildung von Bedeutung ist, so ist sie es nicht allein. Man kann durchaus nicht sagen, daß sich alle Schriften des Kanons aufgedrängt haben, und viele Schriften haben sich aufgedrängt, wurden aber nicht rezipiert. Die endgültige Kanonentscheidung der Kirche beschränkt sich keineswegs auf einen Akt des Glaubensgehorsams: Sie ist wesentlich die Teilhabe an der Autorität Jesu und eine Anwendung dieser Autorität[168]. In der Frage der Kanonabgrenzung ist das Mysterium der Kirche als göttlich-menschlicher Wirklichkeit von wesentlicher Bedeutung.

---

[162] *K. H. Schelkle,* Das Neue Testament, Seine literarische und theologische Geschichte (Berckers theologische Grundrisse 2), Kevelaer 1963, 258; vgl. *J. R. Geiselmann,* Die Heilige Schrift und die Tradition, a. a. O., 31.

[163] *A. Vögtle,* Das Neue Testament und die neuere katholische Exegese, a. a. O., I, 45 f.; *H. Haag,* Die Buchwerdung des Wortes Gottes in der Heiligen Schrift, in: MS I, 384.

[164] *N. Appel,* a. a. O., 376.

[165] *K. H. Ohlig,* Woher nimmt die Bibel ihre Autorität?, a. a. O., 82 f. 91.

[166] Ebd.   [167] Ebd., 134.

[168] *A. Sand,* Der Schriftkanon der Kirche und die kirchliche Autorität, in: MThZ 24, 1973, 364 f.; ders., Kanon, a. a. O., 87 f.

Letztlich ist der Kanon nur durch die grundlegende Tatsache der Kirche gegeben. Demgemäß bekennt Augustinus: „Dem Evangelium würde ich nicht Glauben schenken, wenn mich nicht dazu bewegen würde die Autorität der katholischen Kirche"[169]. Für ihn spielt die Autorität der Kirche, in die sich der einzelne einordnen muß, auch der Apostel, eine zentrale Rolle[170].

Es ist konsequent, wenn die protestantischen Theologen betonen, die Kirche stelle im Prozeß der Kanonbildung keine richterliche Instanz dar, bzw. die von der Kirche gezogene Grenze sei nicht verbindlich. L. Goppelt erklärt[171], der Kanon sei nicht eigentlich von der Kirche geschaffen, die apostolischen Schriften hätten sich vielmehr selbst im Dialog zwischen eigenem Anspruch und Zeugnis des Geistes in der Gemeinde Geltung verschafft. H. von Campenhausen bemerkt[172], der Kanon habe sich, inhaltlich betrachtet, selber durchgesetzt; er sei nicht ein Werk der Kirche, die er verpflichte. E. Kinder hebt hervor[173], in dem Ausleseprozeß durch das Leben und die Praxis der Urgemeinde bedeute die Auslese der Gemeinde nicht richterliche Instanz über diese Schriften, sondern Bestätigung „unter der Autorität des in ihnen enthaltenen apostolischen Kerygmas". Sie erkenne darin als verbindlich und maßgebend an, was sie als Kirche hervorgebracht habe. Die Kanonisierung sei eine Bestätigung für das, was sich in Leben und Praxis der Kirche längst als Autorität erwiesen habe. O. Cullmann betont[174], die Bücher des Kanons hätten sich der Kirche durch ihre innere apostolische Autorität aufgedrängt.

Diese Sicht wurde bereits in der Auseinandersetzung mit K. H. Ohlig[175] im Hinblick auf die faktische Kanongeschichte als fragwürdig erwiesen. Nicht alle kanonischen Schriften haben sich aufgedrängt, und nicht alle Schriften, die sich aufdrängten, wurden letztlich rezipiert. Man kommt eben nicht ohne die richterliche Entscheidung der Kirche aus. Das konzedieren W. G. Kümmel und andere protestantische Theologen, aber sie negieren die Verbindlichkeit dieser Grenze[176].

Leugnet man die richterliche Entscheidung der Kirche oder die Verbindlichkeit dieser Entscheidung, so ist der Kanon prinzipiell nicht unwiderruflich abgeschlossen. Diese Auffassung wird im allgemeinen von den protestanti-

---

[169] „. . . ego vero Evangelio non crederem, nisi me catholicae ecclesiae commoveret auctoritas" (Opusculum contra epistulam Manichaei quam vocant Fundamenti 5).
[170] De doctrina christiana prol 5 f.; vgl. *K. H. Ohlig,* Die theologische Begründung des neutestamentlichen Kanons, a. a. O., 152 f.; *N. Appel,* a. a. O., 91; *J. H. Newman,* Über die Entwicklung der Glaubenslehre (Ausgewählte Werke VIII, hrsg. von M. Laros, W. Becker, J. Artz), Mainz 1969, 114 f.
[171] *L. Goppelt,* Die apostolische und die nachapostolische Zeit, a. a. O., 112.
[172] *H. v. Campenhausen,* Die Entstehung der christlichen Bibel, a. a. O., 381 f.
[173] *E. Kinder,* a. a. O., 26 f.
[174] *O. Cullmann,* Die Tradition als exegetisches, historisches und theologisches Problem, a. a. O., 46 f.
[175] S. oben 303.
[176] *W. G. Kümmel,* Einleitung in das Neue Testament, a. a. O., 448; ders., Art. Bibel II (Neues Testament), in: RGG I, Tübingen ³1957, 1136; *E. Brunner,* Offenbarung und Vernunft, a. a. O., 150.

schen Theologen vertreten. E. Brunner erklärt[177], weil die Kanonbildung ein Glaubensurteil, ein Glaubensentscheid sei, deshalb sei der Kanon nicht endgültig. Dieser kirchliche Glaubensentscheid sei wie alle kirchlichen Glaubensentscheide nicht unfehlbar, sondern revidierbar und immer neu zu prüfen. Dennoch stellt er optimistisch fest: „Wer grundsätzlich die Notwendigkeit eines Kanons einsieht, das heißt, wer das gründende Urzeugnis vom begründeten kirchlichen Zeugnis unterscheidet, wird immer wieder auf den heutigen Kanon zurückkommen"[178].

Die auseinandergehende Stellungnahme der protestantischen und der katholischen Theologie zur Frage der Kanonfestsetzung gründet im verschiedenen Kirchenverständnis. Nach katholischem Glauben wirkt Gott durch Christus in der Kirche. Die Kirche ist eine gottmenschliche Realität. In ihr setzt sich das Inkarnationsprinzip fort. Die Begegnung des einzelnen mit Christus vollzieht sich nicht nur in der Kirche, sondern auch durch die Kirche. Demgegenüber glaubt der Protestant, Christus unmittelbar zu begegnen. Die Kirche ist für ihn kein Mysterium. Infolgedessen gibt es kein unfehlbares Lehramt, garantiert nicht die Kirche die Wahrheit des Gotteswortes. Daher partizipiert der Kanon im protestantischen Verständnis an der Fragwürdigkeit der einzelnen Kriterien. Das führt konsequent zu einem offenen Kanon, aber auch zur Anfechtung der dogmatischen Geltung des ganzen neutestamentlichen Kanons zugunsten eines Kanons im Kanon, eines inneren Kanons im äußeren.

Die katholische Theologie hält fest: An der Entstehung des Kanons ist nicht ein einziges Motiv beteiligt. Die Motive und Faktoren, die dabei eine Rolle spielen, die geschichtliche und sachliche Apostolizität (im weiteren Sinne!), die universale Bestimmung, die gottesdienstliche Verwendung einer Schrift und letztendlich die kirchenamtliche Entscheidung stehen in einer inneren Beziehung zueinander. Aber die kirchenamtliche Stellungnahme ist letztlich das entscheidende Kriterium. Es ist bemerkenswert, daß sich die Kirche für die Gültigkeit ihrer Listen nicht auf den erbrachten oder erbringbaren Nachweis der historischen Verfasserschaft oder sonstiger Kriterien beruft. Das Konzil von Trient verzichtet auf die Entscheidung der Verfasserfrage[179]. Ebensowenig beruft sich das I. Vatikanische Konzil in der Begründung der Kanonizität auf die Verfasserschaft, sondern auf die Inspiration[180]. Das II. Vatikanische Konzil spricht von dem apostolischen Ursprung der vier Evangelien, die von den Aposteln und den apostolici viri später schriftlich überliefert wurden[181], und erwähnt bezüglich der übrigen Verfasser die Inspiration[182]. Wir dürfen mit A. Vögtle feststellen, daß gerade in der Tatsache, daß das Konzil von Trient und das I. Vatikanische Konzil ohne unsere bibelwissenschaftlichen Erkennt-

---

[177] Ebd.   [178] Ebd., 151.
[179] DS 1501 ff.; vgl. oben A 144.
[180] DS 3029.   [181] DV Art. 18.
[182] Ebd., Art. 20. Die Begriffe „Apostel" und „apostolisch" müssen hier natürlich im weiteren Sinne verstanden werden; vgl. oben A 154 f. und S. 139 f.

nisse die Frage der apostolischen Verfasserschaft der neutestamentlichen Schriften offengelassen, sie nicht definiert und damit ihre Kanonizität begründet haben, sich deutlich das Walten des Heiligen Geistes zeigt[183].

5. Das Postulat des Kanons im Kanon

Aus dem Kirchenverständnis der evangelischen Theologie folgt notwendig die Offenheit des Kanons und der Gedanke eines Kanons im Kanon, eines inneren Kanons im äußeren.

W. G. Kümmel erklärt[184], die Kanongeschichte könne zwar die geschichtlichen Bedingungen und die Motive für die Entstehung und Festlegung des Kanons aufzeigen, nicht aber ein Urteil über die sachliche Notwendigkeit der Kanonbildung und die Richtigkeit seiner Abgrenzung abgeben; die Richtigkeit der Abgrenzung und die Verbindlichkeit des Kanons seien seit der Aufklärung zum Problem geworden. Weil das entscheidende Kriterium der Alten Kirche, das Kriterium der Apostolizität, sich historisch und dogmatisch als unbrauchbar erwiesen habe, sei der Kanon grundsätzlich überprüfbar, sei die altkirchliche Abgrenzung nicht unbedingt verpflichtend.

Dennoch ist Kümmel nicht der Meinung, daß man die Entscheidung der Alten Kirche über den Umfang des Kanons ernsthaft verbessern könnte. Würde man nämlich nur die in der Kanonizität lange umstrittenen Schriften ausscheiden, so habe man nur diesen Schriften gegenüber die sachlich nicht berechtigte Frage nach der Apostolizität, also nach der apostolischen Herkunft, gestellt. Auch in den unangefochten apostolischen Schriften gebe es Bestandteile, die mit der zentralen neutestamentlichen Verkündigung in Widerspruch stünden. Wichtiger oder sachgemäßer sei die exegetische Besinnung, das Bemühen, die größere oder geringere Nähe einer Schrift oder eines Schriftabschnittes zur grundlegenden Christusverkündigung zu klären. Die unerläßliche Frage nach der inneren Kanongrenze führe zu der Erkenntnis, daß eine Neufestsetzung der äußeren Kanongrenze unsinnig sei. Was „Christum treibet", das sei immer neu die Frage. Aber was heißt das praktisch?

Kümmel spricht von „faktischer Abgeschlossenheit" des Kanons bei „sachlicher Offenheit" der Kanongrenze[185]. Konkret folgert er die Existenz eines Kanons im Kanon und das Erfordernis, ihn aufzuspüren, aus der

---

[183] A. Vögtle, Das Neue Testament und die neuere katholische Exegese, a. a. O., I, 47–49.

[184] W. G. Kümmel, Einleitung in das Neue Testament, a. a. O., 447–451.

[185] Ebd., 451. Auch Marxsen betont die Kontingenz des Kanons, dessen Festlegung auf eine frühkirchliche Entscheidung zurückgehe, der eine experientia ecclesiae zugrunde liege (W. Marxsen, Kontingenz der Offenbarung oder (und?) Kontingenz des Kanons, in: NZSTh 2, 1960, 359). Anders O. Cullmann, der einen unfehlbaren Kanonabschluß vertritt, der durch die Kirche um 150 n. Chr. möglich gewesen sei aus ihrer historischen Nähe zur Zeit der Apostel und aus dem pneumatischen Augenblick. Darin erkennen allerdings viele Protestanten eine Leugnung des reformatorischen Grundprinzips (Unfehlbarkeit eines kirchlichen Bekenntnisses!) (N. Appel, a. a. O., 117 f.).

Tatsache, daß in den Spätschriften des NT eine lange Entwicklung der Botschaft sichtbar wird, der Übergang zum Frühkatholizismus, und betont, die Norm der Interpretation des NT müsse die zentrale Christusverkündigung sein[186].

G. Ebeling meint[187], die Frage der Grenzen des neutestamentlichen Kanons sei relativ unwesentlich, weil bei keiner Schrift die innere Sachkritik dispensabel sei. Es müsse das ursprüngliche Zeugnis vom abgeleiteten, sofern dieses in Widerspruch zu ihm trete, unterschieden werden. Die zeitliche Nähe zu den Anfängen der Jerusalemer Urgemeinde sei aber nicht unbedingt die Garantie für die Ursprünglichkeit.

Allein was ist das ursprüngliche Zeugnis? Was ist die zentrale Christusverkündigung? Wer kann die Mitte der Schrift feststellen? Und worin besteht sie? Bei Käsemann ist sie die Rechtfertigung der Gottlosen[188], bei Marxsen der historische Jesus, das Handeln Gottes in ihm und die apostolische Bezeugung davon[189]. Nach P. Althaus entscheidet das Evangelium über die Geltung und Nichtgeltung aller Gedanken im NT[190]. Für Martin Luther waren Paulus und seine Rechtfertigungslehre und das Johannes-Evangelium als Hauptevangelium der Maßstab. In der historisch-kritischen Theologie zu Beginn dieses Jahrhunderts waren es die Herrenworte der Synopse. Für R. Bultmann war es das Johannes-Evangelium bei Ausscheidung späterer Zusätze über die Sakramente und die künftige Eschatologie.

Die Theorie eines Kanons im Kanon scheitert bereits an der Vielzahl der widersprüchlichen Definitionen eines solchen Kanons. Ist Christus allein das criterium canonicitatis, so fragt sich angesichts der Vielfalt des NT, welcher Christus? Praktisch wird aus diesem Kriterium ein bestimmtes Verständnis der Christusgestalt. Außerdem setzt die Feststellung dieses Kanons wieder

---

[186] *W. G. Kümmel*, Notwendigkeit und Grenze des neutestamentlichen Kanons, a. a. O., 311 f.; vgl. *E. Käsemann*, Begründet der neutestamentliche Kanon die Einheit der Kirche?, in: Exegetische Versuche und Besinnungen I, Göttingen ³1963, 221.

[187] *G. Ebeling*, Die Geschichtlichkeit der Kirche und ihrer Verkündigung als theologisches Problem, a. a. O., 54.

[188] *E. Käsemann* (Hrsg.), Das Neue Testament als Kanon, Dokumentation und kritische Analyse zur gegenwärtigen Diskussion, Göttingen 1970, 405.

[189] *W. Marxsen*, a. a. O., 364.

[190] Althaus stellt fest, der Kanon enthalte Schriften oder doch Gedankengänge, die den Anfang jener Moralisierung des Evangeliums anzeigten, die zum Katholizismus geführt habe, der Kanon des NT enthalte also schon Katholisches oder, was das gleiche sei, Jüdisches oder Heidnisches bzw. Hellenistisches, die Entwicklung zum Frühkatholizismus kündige sich im Raum des Kanons an, vor allem in den Pastoralbriefen. Was nun anders klinge als das Evangelium, müsse im Sinne des Evangeliums ausgelegt oder, wenn das nicht möglich sei, vom Evangelium her abgewertet werden. M. a. W.: In der Auseinandersetzung mit Rom muß es auch eine Kritik innerhalb der Schrift vom Evangelium her geben (Die christliche Wahrheit, a. a. O., 177–179; vgl. *G. Ebeling*, Die Geschichtlichkeit der Kirche und ihrer Verkündigung als theologisches Problem, a. a. O., 55 u. 88; *H. Diem*, Das Problem des Schriftkanons, Zürich 1952, 18; *W. Marxsen*, Der Frühkatholizismus im Neuen Testament, Neukirchen 1958, 5; *E. Käsemann*, Begründet der neutestamentliche Kanon die Einheit der Kirche?, a. a. O., 221; *W. G. Kümmel*, Notwendigkeit und Grenze des neutestamentlichen Kanòns, a. a. O., 311).

Autorität voraus, da sie ja unter dem Anspruch einer gültigen Erkenntnis ergeht. Man kann auch ganz grundsätzlich fragen, ob hier der historische Jesus oder der erhöhte Christus gemeint ist. Im ersten Fall ist das Kriterium sehr ungenau, im letzten Fall ist es auch wieder durch Menschen gegeben. Wie K. H. Schelkle mit Recht konstatiert[191], kann man das NT nicht von irgendeiner dieser Normen her messen, muß man vielmehr die kritische Norm am Reichtum des NT messen. Dann kann man ihr allenfalls ein relatives Recht zuerkennen. Der Frühkatholizismus der späteren Schriften des NT ist nicht eine Verkehrung des Ursprünglichen und Wahren, sondern echte und gültige Entwicklung. Man kann nicht die Botschaft des NT auf den mathematischen Punkt des Römerbriefes oder des Johannes-Evangeliums begrenzen, denn das NT ist in seiner Ganzheit „Zeugnis der umfassenden, d. h. katholischen, Wahrheit in der Fülle"[192].

Es ist unbestreitbar, daß nicht allen Stellen und Büchern des NT das gleiche Gewicht zukommt, daß es im NT eine Entwicklung gibt, die legitim ist, und daß die Theologie das Spätere an dem Früheren zu messen hat[193]. Das Tridentinum hat nichts gesagt zu den verschiedenen Autoritätsgraden der einzelnen Schriften. Die Väter des Konzils schritten indes dagegen ein, wenn Luther gute und weniger gute Schriften unterschied und mit dieser Wertung einen neuen Kanon schuf, indem er die normativen Schriften reduzierte. Sie bestätigten den traditionellen Kanon und erklärten, daß nach der Tradition der Kirche jede der Schriften des Kanons dem Leben der Kirche und dem Heil der Menschen diene[194]. Nicht die Wertung der einzelnen Schriften als solche war schon für die Väter ein Grund zu solcher Feststellung, sondern nur eine Wertung, die die normativen Schriften reduziert bzw. eine Eliminierung von Schriften zur Folge hat. Auch später ist nie gesagt worden, daß alle Schriften des Kanons die gleiche Autorität haben. Im Gegenteil, die Kirche hat immer Schwerpunkte gesetzt. Das Matthäus-Evangelium war stets so etwas wie ein Lieblingsevangelium der Kirche. Es wurde am häufigsten in der Liturgie und in der Katechese verwendet, kommentiert und gelesen. Das Matthäus- und Lukas-Evangelium stellen schon in sich eine Wertung des Markus-Evangeliums dar, wenn sie bestimmte Teile nicht übernommen, andere überarbeitet oder verändert haben, womit jedoch die ausgelassenen Teile nicht ihre Autorität überhaupt verlieren. Auch die Konstitution Dei Verbum des II. Vatikanischen Konzils spricht den vier Evangelien einen Vorrang zu und rechnet mit einer unterschiedlichen Qualität des Kanons[195]. Wenn nicht alle

---

[191] *K. H. Schelkle*, Spätkatholische Briefe und frühkatholisches Zeugnis, a. a. O., 231 f.
[192] Ebd. 232.   [193] Ebd.
[194] DS 1504: „Si quis ... libros ipsos integros cum omnibus suis partibus ... pro sacris et canonicis non susceperit ... a. s."; vgl. DS 1501: „... pari pietatis affectu ac reverentia suscipit et veneratur".
[195] *A. Sand*, Die Diskrepanz zwischen historischer Zufälligkeit und normativem Charakter des neutestamentlichen Kanons als hermeneutisches Problem, a. a. O., 154–158; vgl. *H. Jedin*, Geschichte des Konzils von Trient, a. a. O., II, 44–46.

Teile des NT das gleiche Gewicht haben, so kann das aber nicht heißen, daß es darin Bücher gibt, die nicht die Offenbarung bezeugen, daß man das eine auf Grund des anderen eliminieren kann. Der ganze Reichtum der Schrift ist maßgebend. Der Maßstab des Verständnisses und der Interpretation aber ist der Glaube der Kirche.

Die Schrift ist nicht eine absolute Größe, eine sich selbst auslegende Instanz. Die auf Christus zurückgeführte Autorität der Kirche und ihre an der apostolischen Autorität orientierte Vollmacht, die den Kanon definitiv abgegrenzt hat, ist auch bei der Auslegung und Verkündigung der Schrift notwendig. Dabei bedarf es der gleichen kirchlichen Maßnahmen, die das Entstehen des Kanons begleiten, damit die Kirche sich nicht in Gruppen und Sekten zerspaltet[196].

6. Ergebnis

Das Problem der Bildung des Kanons in der Kirche lenkt den Blick erneut auf die Norm des Apostolischen. Sie spielt bei der Auswahl der neutestamentlichen Schriften eine bedeutende Rolle. Die Kanonbildung ist grundgelegt in dem Bewußtsein der Kirche, daß sie vom apostolischen Zeugnis lebt, das ihr in einer Reihe von Schriften begegnet. Daher ist das erste und wichtigste criterium canonicitatis die Apostolizität. Es meint nicht literarische Authentizität im Sinne der Verfasserschaft durch einen Apostel im engeren Sinne, sondern die Herkunft einer Schrift aus der Urkirche und ihre Übereinstimmung mit der apostolischen Überlieferung oder dem Kanon des Glaubens. „Apostolisch" bedeutet in diesem Zusammenhang bei den Vätern soviel wie „urkirchlich". Das Kriterium der Apostolizität meint demnach Urkirchlichkeit im Sinne der Herkunft und des Inhaltes, allerdings mit der Tendenz zur persönlichen, geschichtlichen und sachlichen Konkretisierung in den ersten Aposteln und Augenzeugen. Eine Schrift heißt also apostolisch, wenn sie aus dem Raum der Urkirche stammt und inhaltlich den Glauben der Kirche bezeugt. Im Optimalfall ist sie auch authentisch apostolisch im Sinne der Verfasserschaft durch Paulus oder einen Zwölfer-Apostel.

Wenn nun „apostolisch" bei den Vätern in einem weiteren Sinne als „urkirchlich" verstanden wird und alle Schriften des neutestamentlichen Kanons diese Qualität tragen, so legt es sich nahe, die Grenze der apostolischen Zeit, der Offenbarungszeit, mit der Entstehung der letzten der neutestamentlichen Schriften zu ziehen, den „Tod des letzten Apostels" mit eben diesem Zeitpunkt zusammenfallen zu lassen[197].

Die historischen Erkenntnisse um die Entstehung des neutestamentlichen Kanons müssen nicht Anlaß sein, den Kanon im Kanon zu suchen – ohnehin ein müßiges Unterfangen –, eher legen sie es nahe, die Zeit der Offenbarung

---

[196] *A. Sand*, Kanon, a. a. O., 89 f.; vgl. oben 265–276, bes. 273 f.
[197] Vgl. *F. V. Filson*, a. a. O., 410.

auszuweiten, zumal für das katholische Verständnis des Kanons[198]. Die Kirche hat sich für den ganzen Kanon als Norm entschieden, nicht für den Kanon im Kanon. Daraus ergibt sich die Ausweitung der apostolischen Zeit, es sei denn, die Kirche könnte sich in entscheidenden Punkten, hier bezüglich des depositum fidei, irren. Wo die Entscheidung der Kirche nicht als absolut verpflichtende und unfehlbare angenommen wird, da gelangt man konsequenterweise zu einem offenen Kanon und zur Eliminierung von Teilen des NT, zum Kanon im Kanon.

Hielte man fest am Tode des letzten Zwölfer-Apostels als Grenze der apostolischen Zeit und damit als Abschluß der Offenbarungszeit, so wäre der größere Teil der neutestamentlichen Schriften erst nach der Vollkonstituierung der Kirche, nach der Übergabe der ganzen Offenbarung, entstanden. Wahrscheinlich hat keine der neutestamentlichen Schriften einen Mann des Zwölferkreises zum Verfasser. Mit Sicherheit sind nur die echten Paulusbriefe[199] vor dem Tod des letzten Zwölfer-Apostels entstanden. Nach dem Verständnis der Kirche gehört von jeher die Promulgation der Offenbarung, ihre Gestaltwerdung und Verkündigung, zur Offenbarung selbst. Außerdem ist die Heilige Schrift des NT so bedeutungsvoll für die Konstituierung der Kirche, daß man ihre Entstehung unter die Offenbarungszeit fassen muß[200].

Die kanonischen Schriften gehören zu den Constitutiva der Kirche. Ihre Existenz als solche ist ein Teil der Offenbarung, speziell ihre Inspiration, die frühestens zum Zeitpunkt der Existenz der einzelnen Schrift geoffenbart sein kann.

Es zeigt sich auch hier, daß die apostolische Zeit im weiteren Sinne verstanden werden muß, daß das Werden der neutestamentlichen Schriften noch in die Offenbarungszeit fällt, daß diese erst mit der Entstehung der letzten neutestamentlichen Schrift abgeschlossen ist.

---

[198] W. Marxsen (Kontingenz der Offenbarung oder (und?) Kontingenz des Kanons, a. a. O., 363) meint, das Bestreben zur Ausweitung der Offenbarungszeit sei typisch katholisch. Es sei aus dem besonderen Interesse der katholischen Theologie zu erklären, die spätere Entwicklung zu rechtfertigen, um Sakramente, Priestertum und Sukzession als Elemente göttlichen Rechtes verstehen zu können. Wolle man nur der Kirche der Apostel im Sinne der unmittelbaren Zeugen kanonische Autorität zuerkennen, so müsse man einen Kanon im Kanon suchen. Alles andere sei Willkür. Wenn man hier nicht genau abgrenze, so gehe das apostolische Moment in seiner strengen Einmaligkeit und Abgeschlossenheit verloren, dann werde die Offenbarung verlängert und diese Verlängerung ungeprüft in die Offenbarung und damit in den Kanon einbezogen. Es stellt sich allerdings die Frage, ob nicht gerade die Verkürzung der Offenbarung Willkür ist.
[199] 1 Thess, 1 und 2 Kor, Gal, Rö, Phil.
[200] S. oben 275 f.

§ 16. Die apostolische Zeit

Die Theologen der Gegenwart begrenzen die apostolische Zeit unterschiedlich. Y. Congar[1] denkt an das Ende des Lebens des hl. Paulus, O. Cullmann[2] an das Jahrzehnt zwischen 70 und 80 n. Chr. Cullmann versteht unter dem Tod des letzten Apostels den Tod des letzten Augenzeugen, der den Herrn gesehen hat und „der vom fleischgewordenen oder vom auferstandenen Herrn Jesus Christus den unmittelbaren und besonderen Befehl erhalten hat, das Gesehene und Gehörte mündlich oder schriftlich zu bezeugen"[3]. Nach ihm ist jedoch das Zeugnis gewisser Apostel erst nach ihrem Tod aufgeschrieben worden[4]. Auch andere Theologen halten an der engen Begrenzung der apostolischen Zeit fest[5]. Aber zwischen 70 und 80 n. Chr. oder gar noch früher war das normative Zeugnis noch nicht vollständig greifbar.

---

[1] *Y. Congar,* Die Tradition und die Traditionen, a. a. O., I, 35.

[2] *O. Cullmann,* Die Tradition als exegetisches, historisches und theologisches Problem, a. a. O., 29.

[3] Ebd.; Apostel ist nach C., wer durch Christus unmittelbar, d. h. außerhalb der Traditionskette, berufen worden ist (31 f.).

[4] Ebd., 29 f.

[5] *P. Althaus* (Die christliche Wahrheit, a. a. O., 157 f.) schreibt, eine Reihe von Schriften des NT stamme aus nachapostolischer Zeit. Desgleichen stellt *N. Appel* (a. a. O., 190) fest, die Schriften des NT seien teils aus apostolischer, teils aus nachapostolischer Zeit, die Alte Kirche habe alles Apostolische aufgenommen und von dem Nachapostolischen das Beste. Daß das historisch nicht haltbar ist, wurde bereits oben (290 ff.) dargelegt. Appel macht sich selbst mit Recht den Einwand, ob in diesem Fall nicht das Fundament der Apostel und Propheten verlassen worden sei, ob man damit nicht ein Stück nachapostolischer Tradition kanonisiert habe. Er fragt, mit welchem Recht die Kirche von 150 auch einen Teil der nachapostolischen Tradition als Offenbarungsgut betrachtet habe. Da er diese Schriften aber wohl nur als formal nachapostolisch versteht, kann er die Richtigkeit dieses Verständnisses der Kirche als durch das Wirken des Heiligen Geistes in der Kirche verbürgt erklären (190 f.). Solche Deutung ist ein Postulat, das aber der Wirklichkeit wohl nicht gerecht wird. Auch *J. Martin* scheint die frühe Terminierung der apostolischen Zeit zu vertreten, wenn er erklärt (Die Genese des Amtspriestertums in der frühen Kirche, Der priesterliche Dienst III [QD 48], Freiburg 1972, 49 u. 85), weil apostolische Anordnungen für die kirchliche Organisation gefehlt hätten, habe man Entscheidungen der nachapostolischen Zeit als Anordnungen der Apostel ausgegeben. So, wenn Lukas Paulus Apg 20, 28–31 die Abschiedsrede an die Epheser in den Mund lege. Ob man hier von einer Korrektur durch die nachapostolische Zeit sprechen kann, hängt eben von der Terminierung der apostolischen Zeit ab (vgl. *B. Kötting,* Bespr. d. Werkes von J. Martin, in: ThRv 69, 1973, 186 f.). *L. Volken* (Die Offenbarungen in der Kirche, a. a. O., 43) datiert den Beginn des nachapostolischen Zeitalters in das Jahr 67 n. Chr., das mußmaßliche Todesjahr der Apostelfürsten Petrus und Paulus, da die Apostelschüler den Aposteln in der Leitung der Kirche gefolgt seien. Auch *K. Rahner* (Über die Schriftinspiration, a. a. O., 50. 53) scheint zunächst an diese Terminierung zu denken, wenngleich er einen gewissen Spielraum für möglich hält (vgl. oben 289). Er betont hier, die Urkirche habe in der 1. Generation eine einmalige und unersetzliche Funktion für die ganze weitere Geschichte der Kirche. Bei der Urkirche denkt er an die Kirche im Werden, an die Kirche der ersten Gründungszeit, in der ersten Generation. Neuerdings scheint Rahner eine größere Bereitschaft gegenüber einer weiteren Fassung der apostolischen Zeit zu haben (*K. Rahner,* Jesu Tod und Abgeschlossenheit der Offenbarung, a. a. O., 271).

Weiter faßt W. G. Kümmel[6] das apostolische Zeitalter, wenn er es mit dem Ende des 1. Jahrhunderts begrenzt, eine Auffassung, die uns bereits in den dogmatischen Lehrbüchern am Beginn dieses Jahrhunderts begegnet ist[7]. Diese Auffassung vertritt auch L. Goppelt[8], wenn er feststellt, das normative apostolische Zeugnis habe für alle Zeiten seine Gestalt zwischen Jesu Ausgang und dem Ende des 1. Jahrhunderts erhalten und seinen Niederschlag im neutestamentlichen Kanon gefunden. Damit wird die zweite Generation in die apostolische Zeit einbezogen. In der Tat ist die Zeit bis 100 n. Chr. sehr bedeutsam für das apostolische Kerygma. Zwischen dem Jüdischen Krieg und dem Beginn des 2. Jahrhunderts entsteht ein Großteil der neutestamentlichen Schriften, aber auch noch nach 100, in der dritten Generation, entstehen neutestamentliche Schriften, während der ersten Generation nur die echten Paulinen angehören[9]. Goppelt beruft sich bei seiner Terminierung auf den 1. Clemensbrief und Ignatius von Antiochien, die die Zeit bis 100 n. Chr. als einzigartige Epoche ansehen, und auf Eusebius, der sie das apostolische Zeitalter (ἀποστολικοὶ χρόνοι) nennt[10]. Er betont, Hand in Hand mit der Gestaltwerdung der Botschaft gehe die Gestaltwerdung der Kirche[11]. K. H. Schelkle schreibt[12]: „Gegen Ende der apostolischen Zeit bekunden die vielleicht um 100 n. Chr. geschriebenen Pastoralbriefe, daß das Amt in der Kirche bedeutsam geworden ist." H. Hegermann[13] konstatiert das unaufhaltsame Zuendegehen des apostolischen Zeitalters in den Pastoralbriefen bzw. in der darin sichtbar werdenden Situation.

A. Franzen[14] möchte bewußt die zweite Generation in die apostolische Zeit mit einbeziehen. Er bemerkt, wenn man für gewöhnlich den Tod des letzten Zwölfer-Apostels als Abschluß der Offenbarungszeit ansehe, so dürfe man die Fixierung nicht formal-juristisch pressen. Sie sei vielmehr im weiteren Sinn zu verstehen als die Zeit der ersten und zweiten christlichen Generation, „in der und solange die unmittelbaren Zeugen des auferstandenen Herrn noch lebten und seine Offenbarung weitertrugen." Er verweist auf den Hebräerbrief, der von einem unbekannten, alexandrinisch gebildeten Christen der zweiten Generation stamme[15]. Noch weiter faßt J. Lortz[16] die apostolische Zeit, wenn er feststellt, die Gestalt Christi wirke bis 130 n. Chr. unmittelbar auf die Gemeinde weiter, bis zum Tode des letzten Apostelschülers. Deshalb bestünde

---

[6] W. G. Kümmel, Einleitung in das Neue Testament, a. a. O., 424. Das Ende der Urkirche setzt Kümmel auf das Jahr 125 fest (Notwendigkeit und Grenze des neutestamentlichen Kanons, a. a. O., 306).
[7] S. oben 129 f. 134 f.
[8] L. Goppelt, Die apostolische und die nachapostolische Zeit, a. a. O., 1.
[9] H. Conzelmann, Die Geschichte des Urchristentums, a. a. O., 8. 101; H. v. Campenhausen, Die Entstehung der christlichen Bibel, a. a. O., 125 f.
[10] Eusebius, Historia Eccl. III, 31, 6.
[11] L. Goppelt, Die apostolische und die nachapostolische Zeit, a. a. O., 1.
[12] K. H. Schelkle, Theologie des Neuen Testaments, a. a. O., IV/2, 58.
[13] H. Hegermann, a. a. O., 63.   [14] A. Franzen, a. a. O., 20.
[15] Ebd.   [16] J. Lortz, a. a. O., 8.

von da an die Notwendigkeit, die von Jesus gebrachte Lehre unverrückbar festzulegen. A. Kolping[17] will die apostolische Zeit als „die Zeit der Apostel im weiteren Sinne" verstehen, „in der und für die die Zwölfer-Apostel das Bindeglied zu Jesus hin darstellen und damit für die endgültige Offenbarungs-überlieferung grundlegend und prototypisch sind".

Mit einer engen Umschreibung der apostolischen Zeit kommt man nicht aus. Sie widerspricht einfach den historischen Gegebenheiten. Die Gründerzeit reicht bis in die dritte nachchristliche Generation hinein. Das sieht J. Lortz, wenn er die Grenze bei dem Jahre 130 n. Chr. zieht. Wenn er an die Stelle des Todes des letzten Apostels den Tod des letzten Apostelschülers setzt, so muß er allerdings die Apostelschüler im weiteren Sinne verstehen, so daß auch noch der Verfasser des 2. Petrusbriefes, der letzten neutestamentlichen Schrift, darunter fällt[18].

E. v. Dobschütz[19] hat bereits zu Beginn dieses Jahrhunderts darauf hingewiesen, daß der Begriff der apostolischen Zeit eigentlich nicht ein chronologischer, sondern ein dogmatischer ist, der die „Idealzeit", den „Paradieseszustand" der Kirche, ihre „grundlegende Periode"[20] meint, das Urchristentum, das die drei ersten nachchristlichen Generationen umfaßt. Die drei ersten nachchristlichen Generationen bilden nach ihm eine Einheit und stehen der ganzen weiteren Entwicklung des Christentums gegenüber. Zeitlich erstrecken sie sich von ca. 30–130 n. Chr. Um diese Zeit erloschen „die unmittelbaren Berührungen mit der Zeit Jesu"[21], wie v. Dobschütz bemerkt. Dennoch will er nicht leugnen, daß die zweite Generation bereits gewisserma-ßen etwas Epigonenhaftes hat. Charakteristisch sind nach ihm für die Zeit um 130 folgende Fakten: der definitive Ausschluß des Judenchristentums aus der Synagoge wie aus der Gesamtkirche, der Bar-Kochba-Krieg, der einen tieferen Einschnitt als der Krieg des Jahres 70 darstelle, das Hervortreten des Heidenchristentums und seine Entwicklung zum Katholizismus, die Auffas-sung des Christentums als praktische Philosophie, als eine Kulturmacht im Staatsleben bei den Apologeten, der Beginn der theologischen Studien bei Gnostikern und Ketzerbestreitern, das Aufhören der alten Naivität in den Fragen der Lehre, das rapide Zurücktreten der eschatologischen Stimmung und das Sich-Einrichten der Kirche in der Welt[22]. Er beschreibt das apostolische Zeitalter als eine Zeit, „in der das Christentum sich mit einer Energie wie wohl nie wieder entwickelte"[23], die geprägt ist vom religiösen Enthusiasmus, der sich als Geisteserregtheit und sittliche Kraft darstellte[24], in der man die Wirksamkeit des Geistes noch unmittelbar empfand[25].

Bereits im voraufgehenden Paragraphen wurde deutlich, daß bei den Vätern apostolisch vielfach gleich urkirchlich ist, daß mit dem Kanonkriterium der

---

[17] A. *Kolping,* Art. Apostel II, a. a. O., 74.
[18] Vgl. *F. V. Filson,* a. a. O., 409 f.
[19] *E. v. Dobschütz,* Probleme des apostolischen Zeitalters, Leipzig 1904, 110 f.
[20] Ebd., 111. [21] Ebd. [22] Ebd.
[23] Ebd., 130. [24] Ebd., 112 f. [25] Ebd., 115.

Apostolizität die Urkirchlichkeit einer Schrift gemeint ist[26]. Auch heute werden die Begriffe „apostolisch" und „urkirchlich" oft synonym gebraucht. Einmal wird die apostolische Kirche als die Norm für die spätere Kirche bezeichnet, dann wieder die Urkirche[27]. Die Zeit der Urkirche ist nach M. Schmaus[28] entsprechend dem Willen Gottes die Quelle und Norm der Glaubensverkündigung für den ganzen Ablauf der Geschichte[29], nach K. Rahner[30] der bleibende Grund und die bleibende Norm für das Kommende. Aber sie ist umfassender als die erste Generation. Man wird kaum daran vorbeikommen, die im gesamten späteren Kanon faßbare, bis in die Zeit der apostolischen Väter reichende Entwicklung, den Überschritt der Kirche aus der „apostolischen" in die „nachapostolische" Zeit, also das ganze Urchristentum[31], in die Offenbarungszeit einzubeziehen. Damit wird das Ende der apostolischen Zeit, der entscheidenden Phase der Kirchengeschichte, geprägt durch das Aussterben der apostolischen Generation, durch das Zurücktreten charismatischer Geisteswirkungen, durch den Kampf gegen Unglaube, Sünde und Häresien, durch die Erfahrung der sich verzögernden Parusie, durch innere und äußere Verfolgungen und durch die stärkere Ausbildung vorhandener institutioneller Elemente[32].

Die Entwicklung des Urchristentums muß man als Teil der Offenbarung und somit als verbindlich ansehen. Sie findet ihren Niederschlag im NT, das die Väter in seiner Gesamtheit als apostolisch verstanden[33]. Es ist abwegig, einen Gegensatz zu konstruieren zwischen dem, was Jesus gewollt hat, und dem, was sich tatsächlich entwickelt hat, und von vornherein jede Entwicklung im NT als Deformation zu verstehen[34]. Die Norm der Kirche war von Anfang an die Urkirche bzw. das ganze NT[35].

Die apostolische Zeit, die noch Offenbarungsqualität hat, meint die Zeit der verbindlichen Grundlegung der Kirche, jene Zeit, die wir heute differenzierter als die Zeit des Urchristentums oder der Urkirche verstehen. Sie ist die Gründungszeit der Kirche und umfaßt praktisch die drei ersten nachchristli-

---

[26] S. oben 309.
[27] E. Schillebeeckx, Offenbarung und Theologie, a. a. O., 22 f. 55; A. Franzen, a. a. O., 19 f.; E. v. Dobschütz, a. a. O., 111. 130 f.; H. Conzelmann, Die Geschichte des Urchristentums, a. a. O., 8; N. Appel, a. a. O., 191 f.; K. Rahner, Über die Schriftinspiration, a. a. O., 51 f.; vgl. hier A 21. 26. 32. 38. 39.
[28] M. Schmaus, Der Glaube der Kirche, a. a. O., I, 149; vgl. oben 132–134. 165.
[29] Vgl. E. Schillebeeckx, Offenbarung und Theologie, a. a. O., 22 f
[30] K. Rahner, Über die Schriftinspiration, a. a. O., 52 f. Die Urkirche ist jene Periode, in der „Kirche noch wird, nicht nur Kirche bleibt" (52).
[31] A. Vögtle, Art. Urgemeinde, Urchristentum, Urkirche I, in: LThK X, Freiburg ²1965, 552.
[32] Ebd., 552 f.; vgl. oben A 22.
[33] Vgl. oben 294 ff.
[34] Vgl. oben 187 f.; A. Franzen, a. a. O., 18; K. H. Schelkle, Die Petrusbriefe, Der Judasbrief, a. a. O., 232.
[35] A. Franzen, a. a. O., 19 f.: Das verpflichtende Programm ist in der Urkirche in besonderer Weise und in besonderer Reinheit verwirklicht, weshalb sie normierende und exemplarische Bedeutung hat.

chen Generationen[36]. In dieser Zeit entsteht das depositum fidei. Es findet seinen Niederschlag im Kult und im Leben der Urkirche wie in den inspirierten kanonischen Schriften. Daher kann man das nachapostolische Zeitalter nicht schon mit der zweiten Generation beginnen lassen, wenngleich die erste Generation sicherlich grundlegend ist für die zweite und dritte.

Wenn W. Breuning[37] feststellt, die Kirche sei in ihrer Struktur von Christus her noch nicht völlig gegeben und die apostolische Zeit habe noch aktiven Anteil an ihrer Konstituierung[38], so kann das nur für die apostolische Zeit in diesem weiten Sinn gelten. Mit Recht weist er darauf hin, daß die Aufarbeitung des historischen Jesus im Lichte seiner pneumatischen Gegenwart so lange dauerte, bis sich die Kirche als institutionell festumrissenes Gebilde konstituieren konnte[39]. Aber diese Zeit kann man nicht auf die erste Generation beschränken, wie Breuning es tut[40]. Unbedingt zuzustimmen ist ihm allerdings, wenn er bemerkt, daß man nicht die Apostel der ersten Generation als isolierte Träger der Geistoffenbarung sehen könne, sondern „die Urkirche als apostolisch geleitete Kirche mit besonderen einzelnen charismatisch Berufenen"[41], daß die Ausbildung der Urkirche nach dem Willen Christi sich als echt menschlicher historischer Prozeß darstelle, der durch immer mehr geforderte irreversible Entscheidungen der Kirche ihre unveränderliche Gestalt gebe, daß die besondere Funktion der Urkirche gegenüber der späteren Kirche einen greifbaren Niederschlag im NT gefunden habe[42].

Man muß die Zeit des Urchristentums als eine lebendige und vielschichtige Wirklichkeit verstehen. Da gibt es viele Gruppierungen und Spannungen. Erinnert sei nur an die Gruppe der Hellenisten, die neben der älteren Gruppe um Petrus und die Zwölf stehen, das Nebeneinander von Juden und Heiden, die Heidenmission und das Problem des Frühkatholizismus im NT[43]. In diesem Zeitraum sind apostolische und nachapostolische oder kanonische und nichtkanonische Schriften entstanden; die apostolischen sind dabei jene, die später als Ausdruck des normativen Glaubens der Kirche anerkannt wurden. So sind die Didache und der 1. Clemensbrief beispielsweise mit Sicherheit früher entstanden als manche neutestamentliche Schriften, sie wurden aber nicht in den Kanon aufgenommen[44].

---

[36] N. *Appel* (a. a. O., 188 f.) unterscheidet die Zeit der apostolischen Kirche, die mit dem Tod des letzten Apostels zu Ende geht, die Zeit der Urkirche, die diese umfaßt und weitergeht bis zum Ende der Entstehung der neutestamentlichen Schriften, und die Zeit der späteren Kirche. Diese Dreiteilung sollte besser durch eine Zweiteilung ersetzt werden.
[37] W. *Breuning,* Art. Urgemeinde, Urchristentum, Urkirche II (Der dogmatische Begriff der Urkirche), in: LThK X, Freiburg ²1965, 555–557.
[38] Vgl. DS 1501. 3421.   [39] W. *Breuning,* a. a. O., 557.   [40] Ebd.
[41] Ebd.; W. *Trilling* (Untersuchungen zum 2. Thessalonicherbrief, a. a. O., 152 f.) stellt neben die kirchengründende Gabe des Apostolates die kirchengründende Gabe der Prophetie; vgl. Eph 2, 20. S. auch L. *Goppelt,* Tradition nach Paulus, a. a. O., 220.
[42] W. *Breuning,* a. a. O., 557.
[43] H. *Conzelmann,* Die Geschichte des Urchristentums, a. a. O., 8; L. *Goppelt,* Die apostolische und die nachapostolische Zeit, a. a. O., 74.
[44] H. *Haag,* Die Buchwerdung des Wortes Gottes in der Heiligen Schrift, in: MS I, 384.

Jedenfalls ist die einfache Datierung des Abschlusses der Offenbarung mit dem Tode des letzten Zwölfer-Apostels, wie wir sie unreflektiert gewohnt sind, angesichts unserer Kenntnisse über das geschichtliche Werden der Kirche und ihrer Botschaft unhaltbar. Es ist eben nicht so, daß alle Bücher des Neuen Testaments entweder von den Aposteln selbst oder in ihrem unmittelbaren Auftrag noch zu ihren Lebzeiten geschrieben wurden, wie eine naive Geschichtsbetrachtung meinen oder voraussetzen konnte[45]. Ein spürbarer Einschnitt ist nicht um das Jahr 70 oder 100 n. Chr. zu konstatieren, sondern um die Mitte des 2. Jahrhunderts. Nun existierte die gesamte neutestamentliche Literatur – die Entstehung der letzten neutestamentlichen Schrift, des 2. Petrusbriefes, erfolgte spätestens bis 150[46] –, und der größte Teil davon wurde als kanonisch anerkannt, d. h., man stellte nun eine eigene neutestamentliche Schrift neben die Schrift des AT. Hatte man bis dahin kein autoritatives Schrifttum neben dem AT gekannt – die Autoritäten waren lebendige Autoritäten –, so begann nun, da die lebendige Stimme des Evangeliums verklungen war, das NT neben das AT zu treten, wenn es auch noch nicht in seinem Umfang endgültig begrenzt war[47].

Die apostolische Zeit ist demnach genauer die Zeit der Urkirche, die umfassende Zeit des Werdens der Kirche. Dieses Werden erfolgte unter der führenden Offenbarung des Heiligen Geistes, die ihren Niederschlag in der Urkirche selbst und im Kanon des NT gefunden hat[48]. Die Urkirche steht mitten im Offenbarungsvorgang. Der „letzte Apostel", mit dem diese Offenbarung ihren Abschluß gefunden hat, ist der letzte authentische Zeuge des Christusmysteriums[49]. Erst nachdem die Kirche vollständig konstituiert ist, kann sie als Bewahrerin und Interpretin des ganzen depositum fidei fungieren[50]. Das definitive Ende der apostolischen Zeit, den Abschluß oder die Vollendung der Offenbarung Gottes, markiert die letzte neutestamentliche Schrift, der 2. Petrusbrief.

---

[45] *F. V. Filson*, a. a. O., 409 f.
[46] So mit *J. Wagenmann*, a. a. O., 170–172. *A. Vögtle* (Was Ostern bedeutet, Meditation zu Mt 28, 16–20, Freiburg 1976, 101) denkt an die Zeit zwischen 120 und 140; vgl. oben 231 A 30.
[47] *F. V. Filson*, a. a. O., 410 f.; vgl. *E. v. Dobschütz*, a. a. O., 115.
[48] *A. Franzen*, a. a. O., 18 f.; *B. Kötting*, a. a. O., 187; vgl. oben A 5.
[49] Vgl. *E. Schillebeeckx*, Offenbarung und Theologie, a. a. O., 55.
[50] *K. Rahner*, Über die Schriftinspiration, a. a. O., 53.

Rückblick

Eine abgeschlossene übernatürliche Offenbarung, in der Gott sich dem Menschen zuwendet, widerspricht in vielfacher Hinsicht der Erwartung und dem Lebensgefühl des modernen Menschen. An ihre Stelle möchte er die persönliche Erfahrung, das sinnliche Erleben und die Reflexion setzen, eine Offenbarung, die sich entsprechend den Gesetzen unserer Werdewelt evolutiv entwickelt, die sich ständig neu ereignet, bei der der Mensch letztlich der aktive Teil ist. Diese Situation beleuchtet die Aktualität der Frage nach dem Glaubensgrundsatz der Kirche vom Abschluß der Offenbarung mit dem Tode des letzten Apostels oder mit dem Ende der apostolischen Zeit.

Im ersten Teil dieser Studie wurde das Wesen der Offenbarung im Verständnis der Bibel und der Kirche dargestellt. Die Bibel hat keinen einheitlichen Offenbarungsbegriff. In ihr finden sich die verschiedensten Offenbarungsformen des Erscheinens, des Enthüllens, des Kundtuns und des Sprechens Gottes. Da wird Offenbarung weniger reflektiert als erfahren. Bei aller Verschiedenheit des Offenbarungsverständnisses ist die Offenbarung aber immer irgendwie ein dialogischer Vorgang zwischen Gott und dem Menschen.

Im AT wird die gesamte Geschichte Israels als der offenbarende Weg Gottes zum Menschen verstanden. Gottes Selbstoffenbarung geschieht in göttlichen Taten und Worten und durch die Thora. Im Laufe der Zeit verlagert sich das Reden von der Offenbarung Gottes mehr und mehr auf die Zukunft, in der die letztgültige Offenbarung Jahwes erwartet wird. Dieser eschatologischen Einstellung des Prophetismus steht die Auffassung der deuteronomischen Kreise gegenüber, für die die Geschichte der Entfaltung der ein für allemal gültigen Offenbarung entgegenstrebt. Ähnlich schaut man im rabbinischen Judentum auf die Offenbarung zurück. Auch hier macht sich die Tendenz bemerkbar, die Offenbarung als abgeschlossen und endgültig zu erklären. Dabei erwartet man aber teilweise eine neue Offenbarung für die zukünftige Endzeit. Gleichzeitig bildet sich die farbige Apokalyptik aus. Die Qumran-Gemeinde, die sich als endzeitliche Gemeinde erfährt, versteht die rechte Auslegung der Thora als Offenbarung, die abschließend und endgültig an alle ergeht, die das rechte Thora-Studium betreiben und die Thora erfüllen.

In Anknüpfung an das alttestamentliche Offenbarungsverständnis wird die Offenbarung im NT entscheidend durch die Taten bestimmt, in denen Gottes Hand aufleuchtet. Sie ist nicht Mitteilung von Wissen, sondern Zuwendung

Gottes zum Menschen. Auch die Kunde davon ist Offenbarung, jedoch im abgeleiteten Sinn. An die Stelle der Theophanie tritt im NT die Christophanie. Das Erscheinen Gottes in Menschengestalt ist die höchste Offenbarung, das Ziel der Heilsgeschichte. Ist auch in Christus die Offenbarung in Fülle geschehen, so wird doch die künftige und volle Offenbarung in seiner Parusie erwartet. Sehr anregend wirkt von Anfang an auf das Christentum die Apokalyptik.

Die Geschichte des Offenbarungsbegriffes ist vielfältig. Seine klare und einheitliche Fassung, wie sie uns heute in der Dogmatik begegnet, datiert seit dem Beginn der Neuzeit.

Die Dogmatik versteht unter Offenbarung die Selbsterschließung Gottes, des Überwelthaften, des Welttranszendenten, die auf die personale Gemeinschaft Gottes mit der rationalen Kreatur zielt. Sie vollzieht sich in einer Heilsgeschichte, die von Ewigkeit her in Gottes Ratschluß enthalten ist. Sie umfaßt die Gottesoffenbarung des Alten und des Neuen Bundes, hat ihren Niederschlag in den Schriften des AT und des NT gefunden und wird von der Kirche authentisch verkündigt und ausgelegt. Sie ist zu unterscheiden von der natürlichen Offenbarung, die eigentlich nur als Offenbarung im analogen Sinn zu verstehen ist. Sie findet ihre letzte Vollendung und ihr Ziel in der Endoffenbarung, in der sich Gott dem Begnadigten ohne Beteiligung kreatürlicher Mittel schenkt. Bei der Offenbarung ist zu unterscheiden zwischen der Selbsterschließung Gottes in den von ihm geschaffenen übernatürlichen Realitäten und dem sie erschließenden Wort Gottes. Sie ist zunächst Personoffenbarung, Lebensaustausch zwischen Gott und der Menschheit. Ihr Ziel ist nicht nur Einsicht, sondern vor allem die Kirche und das Leben in der Gnade. Aber sie bedarf des Offenbarungswortes, um empfangen und vermittelt werden zu können. Heute wird die Offenbarung primär von ihrem Ergebnis her betrachtet. Sie ist abgeschlossen, gehört aber doch nicht einfach der Vergangenheit an: Sie ist gegenwärtig, sofern die geoffenbarten übernatürlichen Realitäten und das diese erschließende Wort Gottes nicht vergangen sind. Der Offenbarungsbegriff der Kirche baut auf dem „Dualismus", auf der Unterschiedenheit von natürlichem und übernatürlichem Erkennen auf. Diese beiden Erkenntnisweisen entsprechen den Wirklichkeitsbereichen des Natürlichen und des Übernatürlichen. Sie sind organisch miteinander verbunden und durchdringen sich gegenseitig.

Von der öffentlichen, allgemein verpflichtenden Offenbarung, der revelatio publica, sind wohl zu unterscheiden die Privatoffenbarungen, die uns im AT und im NT, in der apostolischen Zeit und auch nach dem Abschluß der revelatio publica begegnen.

Der zweite Teil dieser Abhandlung untersuchte das Problem des Abschlusses der konkret-geschichtlichen Offenbarung. Der Abschluß der Offenbarung ist im NT und in der Geschichte des Glaubens unbestritten. Jesus betrachtet sich als das abschließende Wort Gottes an die Menschheit. In der nachösterlichen Verkündigung spielt der Gedanke, daß das AT in Christus seine Erfüllung gefunden hat, eine große Rolle. Die Väter sprechen zwar wie auch das NT nicht vom Abschluß der Offenbarung, aber sie betonen die unüberbietbare Verbindlichkeit des Christusereignisses und der Predigt der Apostel. Sie stützen und berufen sich auf die von den Propheten, von Christus und von den Aposteln kommende Unterweisung, die sie bewahren und verteidigen wollen. Sie betonen, daß die Offenbarung der Kirche durch die Apostel vermittelt wird. Sie sehen die Apostel in engster Verbindung mit dem Christusereignis und erkennen damit der Zeit der Apostel eine besondere Qualität zu. Sie weisen kategorisch den Montanismus, den Marcionismus, den Manichäismus und den Gnostizismus zurück, Irrlehren, die die Christusoffenbarung reduzieren oder neue Offenbarungen verkünden. Auch in den Verlautbarungen der Päpste und der Konzilien der ersten Jahrhunderte ist stets davon die Rede, daß die apostolische Verkündigung die Grundlage der Lehre und der Praxis der Kirche sei.

Aber die Offenbarungsterminologie der Väter ist wenig reflektiert und unentwickelt. Daher kann „Offenbarung" für sie bei aller Sorge um die unversehrte Bewahrung des depositum fidei auch eine gegenwärtige und zukünftige Möglichkeit sein. In den verschiedensten Zusammenhängen ist bei ihnen die Rede von Offenbarung: bei der erstmaligen Kundgabe der revelatio publica, bei Privatoffenbarungen, bei dem nachträglichen Wirken des Heiligen Geistes zur Erhellung und Vertiefung der revelatio publica oder bei einfacher göttlicher Erleuchtung, die bei jeder Erkenntnis, auch bei der rein natürlichen, mitwirkt. Dieser Offenbarungsbegriff der Väterzeit bestimmte die Theologie bis ins Mittelalter hinein. Erst die beginnende Systematisierung der Theologie des 13. Jahrhunderts in den von Aristoteles beeinflußten Schulrichtungen mit ihrer empirischen Erkenntnislehre präzisierte den Offenbarungsbegriff im Sinne des gegenwärtigen Verständnisses; er setzte sich aber nur allmählich durch.

Die Überzeugung vom Abschluß der Offenbarung wird im Mittelalter vor allem in der Zurückweisung des Joachimismus durch die Theologen und durch das Lehramt der Kirche deutlich. Man hält fest an der Verbindlichkeit des Christusereignisses und der Lehre der Apostel. Christus ist der Höhepunkt und die Erfüllung der Offenbarung. Daher gibt es kein wesentliches Wachstum im Glauben, nur eine Entfaltung der einmal ergangenen Offenbarung. Der Glaube der Kirche beruht auf der apostolischen Verkündigung. Teilweise treten die Apostel ausdrücklich als Offenbarungsträger hervor.

Im ausgehenden Mittelalter findet sich manchmal der Gedanke einer revelatio nova divina, der aber in der Regel mit der Überzeugung von der Vollgenügsamkeit des Glaubensdepositums übereingeht. Diese „neuen Offenbarungen" sind in manchen Fällen mit einer autoritativen Schriftinterpretation durch die Kirche gleichzusetzen, nicht selten ist auch an Privatoffenbarungen oder an den charismatischen Offenbarungsbegriff des hl. Paulus oder einfach an eine besondere Version der augustinischen Illuminationstheorie zu denken. Jedenfalls zeigt der spätmittelalterliche Gedanke einer revelatio nova divina nicht eine völlig neue Auffassung über die Offenbarung an und widerlegt nicht die allgemein gesicherte Lehre vom Abschluß der Offenbarung mit Christus und den Aposteln.

Nachdem das Tridentinum eine eindeutige Stellungnahme in der Frage der Normativität der Offenbarung, wie sie in der Schrift und in der Tradition der Kirche vorliegt, bezogen hat, betonen die nachtridentinischen Theologen, daß es nach den Aposteln keine neuen Offenbarungen mehr gebe. Seit dem 19. Jahrhundert begegnet uns in der Theologie die Rede vom Abschluß bzw. von der Vollendung der Offenbarung. Die Theologen weisen vor allem den Evolutionismus im Offenbarungsverständnis zurück und betonen die dienende Funktion der Kirche gegenüber der von den Aposteln empfangenen Offenbarung. Nicht selten verstehen sie die Apostel ausdrücklich als Offenbarungsträger. Sie bemerken, die Apostel hätten nicht einfach die Worte Jesu wiederholt, sie hätten die Offenbarung von Christus und dem Heiligen Geist empfangen. Sie nehmen damit einen Gedanken auf, den bereits das Trienter Konzil und die nachtridentinischen Theologen formuliert haben. Freilich denken sie im allgemeinen bei den Aposteln an die Zwölfer-Apostel und Paulus.

Eine besondere Herausforderung ist für die Kirche und die Theologie am Beginn des 20. Jahrhunderts der Modernismus, für den die Offenbarung, die rein immanent verstanden wird, in ständiger Evolution begriffen ist. In der Zurückweisung von 65 Thesen der Modernisten durch das Dekret „Lamentabili" wird auch die These verurteilt, daß die Offenbarung, der Gegenstand des katholischen Glaubens, nicht mit den Aposteln vollendet sei. In starker Frontstellung gegen den Modernismus betonen die Theologen Jahrzehnte hindurch den Abschluß der Offenbarung und ihre Unwandelbarkeit besonders nachdrücklich. Der Preis solcher Polemik ist eine starke Fixierung auf ein satzhaftes Verständnis der Offenbarung. Man versteht dabei die Offenbarung als eine Reihe von Lehrsätzen, die man wörtlich zu bewahren und deren Inhalt man begrifflich zu entfalten habe. Gleichzeitig gibt es aber ernsthafte Bemühungen um eine vertiefte und allseitigere Sicht der Offenbarung, vor allem in größerer Nähe zum biblischen Offenbarungsverständnis. Darauf konnte das II. Vaticanum aufbauen.

Dieses Konzil bestätigt die alte Lehre der Kirche vom Abschluß der Offenbarung, verwendet aber nicht die der traditionellen Theologie vertraute Terminologie. Es benutzt die Verben complere, consummare und perficere, um die Vollendung der Offenbarung zum Ausdruck zu bringen. Der Terminus „Abschluß" leistet in der Tat einem satzhaften Mißverständnis Vorschub, in dem Offenbarung primär als Lehre verstanden wird. Spricht man von der Fülle oder der Vollendung der Offenbarung, so besteht weniger die Gefahr, die Offenbarung auf die Wortoffenbarung einzuengen. Das Konzil bemüht sich entschieden, den umfassenden Wirklichkeitscharakter der Offenbarung deutlich zu machen. Verbindet es auch die Vollendung der Offenbarung mit dem Christusereignis, so weiß es doch, daß noch die Zeit der Apostel Offenbarungszeit ist.

Der Abschluß der Offenbarung wird sowohl in seinem Wesen als auch in seiner spezifischen Formulierung gegenwärtig in Frage gestellt. So werden Stimmen laut, die ihn schlechthin bestreiten, die die Interpretation der Offenbarung aus der jeweiligen Situation als konstitutives Element an ihr verstehen, so daß die jeweilige geschichtliche Situation in den Offenbarungs-vorgang hineingenommen wird. Andere wollen Offenbarung als je aktuelles Geschehen verstehen und sagen, sie entstehe dort, wo sie im Glauben ergriffen werde. Indem man Offenbarung als aktuelle Erfahrung deutet, will man die für den modernen Menschen anstößige Bindung der Offenbarung an die Geschichte entschärfen. Nicht ohne Grund befürchten manche Theologen bei der Rede vom Abschluß der Offenbarung ein einseitiges intellektualistisches Offenbarungsverständnis, oder sie wollen stärker den Gegenwarts- und Zukunftsbezug der Offenbarung hervorheben. Wichtig sind hier klare begriffliche Unterscheidungen. Offenbarung ist Handeln Gottes in der Geschichte. Das geschieht freilich in der Gegenwart und der Zukunft wie in der Vergangenheit, aber in der revelatio publica schafft Gott durch sein Handeln übernatürliche Realitäten, in denen er sich der ganzen Menschheit verbindlich mitteilt, und erschließt sie durch sein Wort. In dieser Weise schafft Gott über das Christusereignis hinaus keine heilsrelevanten übernatürlichen Realitäten mehr und übergibt der Menschheit keine neuen Einzelaussagen mehr. Das gegenwärtige Handeln Gottes geschieht auf Grund dieses seines Handelns in der Vergangenheit. Die von Gott geschaffenen Realitäten und das sie erschließende Wort gehören aber auch der Gegenwart und der Zukunft an. Der Abschluß der Offenbarung in actu primo ist der Anfang der Offenbarung in actu secundo, in der sie den Menschen bis zum Jüngsten Tag durch die Kirche zugewendet wird. Sie verheißt endlich ihre letzte Erfüllung in der Endoffenbarung, in der revelatio gloriae.

Das Axiom von der Vollendung der Offenbarung ist ein integrierender Bestandteil der Lehre der Kirche. Der tiefere Grund für diese Glaubenswahr-heit ist im Geheimnis der Inkarnation zu suchen. Aber diese Glaubenswahr-heit ist nicht zwingend gegeben. Sie ist der Kirche vielmehr durch die Offenbarung selbst als positiver Willensentschluß Gottes mitgeteilt, der zwar nicht willkürlich, aber für uns letztlich geheimnisvoll ist. Wie die Offenbarung überhaupt, so ist auch die Art ihrer Vollendung kontingent.

Zwar ist die Vollendung der Offenbarung mit dem Christusereignis gegeben, aber man kann sie doch nicht mit dem historischen Jesus von Nazareth bzw. mit seiner Auferstehung begrenzen. Die Christusoffenbarung entfaltet sich als echt geschichtlich fortschreitender Prozeß in die Zeit der Apostel hinein, d. h., in der werdenden Kirche gibt es noch Offenbarungsge-schichte. Die apostolische Predigt wiederholt nicht einfach nur die Worte des historischen Jesus. Sie ist primär Wort über Jesus, den Christus. Die normative Entfaltung des Christusereignisses im Heiligen Geist gehört zur Offenbarung. Diese Überzeugung kündet sich bereits in der Zeit der Väter an, wenn sie die Apostel aufs engste mit Christus verbinden und der Zeit der Apostel und ihrem Wirken eine so starke Bedeutung beimessen. Im Mittelalter verstehen bereits einzelne Theologen die Apostel ausdrücklich als Offenbarungsträger.

In diesem Sinne äußern sich auch das Tridentinum sowie das I. und das II. Vaticanum.

Im Zeitpunkt der Vollendung der Offenbarung beginnt die Dogmenentwicklung. Sie hat das der Kirche anvertraute Depositum der Offenbarung zur Grundlage. Sie unterstreicht die Überzeugung der Kirche vom Abschluß der Offenbarung und zeigt, wie sie diesen Abschluß versteht. Mit dem Abschluß der Offenbarung beginnt ihre Explikation in der Kirche. Sie erfolgt im lebendigen Kontakt mit der geoffenbarten Wirklichkeit unter der Führung des Heiligen Geistes. Sie ist letztlich begründet im personal-dialogischen Verhältnis zwischen Christus und seiner Kirche und schreitet fort bis zum Jüngsten Tag.

Im dritten Teil dieser Studie wurde nach der genaueren Terminierung der Zeit der Apostel, die die Christusoffenbarung definitiv zum Abschluß bringt, gefragt. Es ging um das Problem, was die Kirche damit sagen will, wenn sie die Apostel noch als Offenbarungsträger versteht, ob die Zeit der Apostel von den Zwölfen und Paulus her zu bestimmen ist oder ob sie weiter zu fassen ist.

Der Apostelbegriff ist weder im NT noch in der Väterzeit ausschließlich den Zwölfen und Paulus vorbehalten, wenngleich sie mit unübersehbarem Vorzug die Apostel sind und sich im NT, speziell bei Lukas, eine Einengung des Apostelbegriffs auf die Zwölf beobachten läßt. Die Väter bezeichnen auch andere Männer der Urkirche, die in besonderer Weise Anteil am Apostolat der Zwölf und des Paulus haben und eine bedeutende Rolle für die Kirche spielen, als Apostel: so die Gruppe der Siebzig, den „Evangelisten" Philippus, Lukas, Markus, Clemens von Rom und andere. „Apostel" sind außer den Zwölf und Paulus jedenfalls auch andere, die authentische Zeugen des Christusgeschehens und seiner maßgeblichen Entfaltung sind. Sie sind allgemein das Fundament der Kirche, die normativen Zeugen der Christusoffenbarung. Daher heißen besonders alle Verfasser der neutestamentlichen Schriften Apostel. Mithin ist die Zeit der Apostel die Gründerzeit der Kirche. Der letzte Apostel aber ist der Verfasser der letzten neutestamentlichen Schrift.

Die Berechtigung solcher Terminierung wird erhärtet durch die Bedeutung der Norm des Apostolischen bei den Vätern. Zwar ist bei dieser Norm zunächst an die Zwölf und Paulus gedacht, aber sie bilden nicht allein diese Norm. Vielmehr handelt es sich hier um ein Theologumenon, bei dem es um das Ursprüngliche geht, um den verpflichtenden Anfang der Kirche und um die Legitimität der aktuellen Verkündigung. Bei den Vätern ist das Kirchliche das Apostolische und das Apostolische das Kirchliche. Die Norm des Apostolischen meint die ganze konstitutive Phase der Kirche bis hin zu ihrer Fixierung im NT, die gesamte, praktisch über die Zwölf und Paulus hinausgehende, normierende, ursprüngliche Tradition, das gesamte depositum fidei. Die Bindung an das ursprüngliche Glaubenszeugnis schließt die faktische Entwicklung, wie sie sich im NT darstellt, ein. Die Väter meinen den Ursprung und das Gewordene, wenn sie mit der Norm des Apostolischen argumentieren. Mit der letzten neutestamentlichen Schrift hat die Überlieferung von Jesus Christus ihre gültige und verpflichtende Gestalt gefunden, denn über die heiligen Bücher hinaus wird die apostolische Verkündigung nicht mehr erweitert und variiert. Daher kann nur diese Schrift das Ende der Zeit der Apostel markieren.

Eine spezifische Anwendung der Norm des Apostolischen ist die neutestamentliche Pseudepigraphie. Sie ist Ausdruck des prophetisch-apostolischen Selbstverständnisses der urchristlichen Verkünder und Gemeinden. Die neutestamentlichen Pseudepigraphen wollen eine neue Situation aus dem Ursprung meistern. Sie sind mehr als nur Darstellung der von den Zwölfen und Paulus verkündeten Botschaft. Offenbar waren sich die Verfasser der neutestamentlichen Pseudepigraphen oder wenigstens die diese rezipierenden Gemeinden der Besonderheit der anfänglichen Zeit der Kirche bewußt. Die neutestamentlichen Pseudepigraphen können nur echtes Offenbarungszeugnis sein, wenn sie noch in die Offenbarungszeit fallen. Die Kirche aber hat sie in diesem Sinne anerkannt. Wenn noch nach den Zwölfer-Aposteln und Paulus legitimerweise apostolische Schriften entstehen können, so muß auch die apostolische Zeit die Zeit der Zwölf überschreiten. Da wird apostolisch im Grunde als ursprünglich, authentisch, normativ verstanden. Dann aber wird die apostolische Zeit durch die letzte Schrift des NT begrenzt, wenn sie sich auch als pseudepigraphisch repräsentiert.

Die apostolische Verkündigung faltet das Christusgeschehen aus und deutet die alttestamentliche Prophetie und die Ereignisse des Lebens Jesu im Lichte des Osterereignisses. Dabei weiß die apostolische Gemeinde um die lebendige und wirksame Gegenwart des Herrn. Die apostolische Verkündigung wird gewissermaßen als Wort des Erhöhten an seine Gemeinde verstanden. Dieser Prozeß ist aber nicht nur an die Zwölf und Paulus, sondern an die apostolische Gemeinde überhaupt zu binden. Er ist nicht zu Ende mit dem Tode der Apostel im engeren Sinne. Die Geschichte der apostolischen Verkündigung ist sehr komplex. Sie durchläuft verschiedene Stadien der mündlichen und schriftlichen Überlieferung, in die immer neue Situationen einbezogen werden, bis zu ihrer endgültigen Fixierung in den neutestamentlichen Schriften. In diesen Schriften selbst, deren Entstehungszeit fast ein Jahrhundert umfaßt, ist deutlich eine Entwicklung sichtbar. Bezieht man diese Entwicklung nicht in die Offenbarungszeit ein, so muß man die wahre apostolische Verkündigung, die Offenbarung, hinter dem NT suchen. Die Kirche der ersten Jahrhunderte bezieht aber die Entwicklung ein, denn einerseits findet sie die apostolische Verkündigung in den neutestamentlichen Schriften, den Ergebnissen des Traditionsprozesses, und zwar in allen Schriften, andererseits ist sie bestrebt, diese Schriften an Paulus und die Zwölf zu binden. Das weist darauf hin, daß die apostolische Zeit für sie praktisch über die Zeit der Apostel im engeren Sinne hinausgeht und erst durch die letzte „apostolische", d. h. neutestamentliche, Schrift begrenzt wird. Würde man die Grenze der apostolischen Zeit beim Tode des letzten Apostels im engeren Sinne ziehen, so müßte man manches aus dem NT eliminieren. Das widerspricht jedoch dem Glaubensbewußtsein der Urkirche, die das ganze NT kanonisierte.

Die Tatsache, daß die Schrift im Hinblick auf die Offenbarung materialiter suffizient ist, daß die ganze Offenbarung in der Schrift niedergelegt ist und die Schrift damit eine dominierende Stellung gegenüber der lebendigen apostolischen Tradition in der Kirche einnimmt, ist ein weiterer Hinweis darauf, daß mit der Entstehung des NT das Werden der traditio constitutiva begrenzt und die Offenbarungszeit abgeschlossen ist.

Auch die Entstehung des neutestamentlichen Kanons zeigt, daß der entscheidende Einschnitt in der Geschichte der Kirche und damit das Ende der apostolischen Zeit durch die Entstehung der letzten neutestamentlichen Schrift markiert ist. Die kanonischen Schriften gehören zu den Constitutiva der Kirche und damit zur Offenbarung. Die Inspiration jeder einzelnen Schrift ist je eine Offenbarungsrealität, die nicht anders als durch diese Schrift selbst implizit der Kirche mitgeteilt worden ist. Die inspirierten Schriften müssen daher vor dem Abschluß der Offenbarung entstanden sein.

Bei der Bildung des Kanons spielt das Kriterium der Apostolizität eine bedeutende Rolle. Damit will aber die Alte Kirche nicht die literarische Authentizität einer Schrift im Sinne der Verfasserschaft durch einen Apostel im engeren Sinne behaupten, sondern ihre Herkunft aus der Urkirche und ihre Übereinstimmung mit der apostolischen Überlieferung oder dem Kanon des Glaubens. Apostolizität meint hier Urkirchlichkeit im Sinne der Herkunft und des Inhaltes, mit der Tendenz zur persönlichen, geschichtlichen und sachlichen Konkretisierung in den ersten Aposteln und Augenzeugen. In diesem Sinne tragen alle neutestamentlichen Schriften die Qualität der Apostolizität und gehören damit der apostolischen Zeit an.

Die historischen Erkenntnisse um die Entstehung des neutestamentlichen Kanons und der neutestamentlichen Schriften können nicht ein Anlaß sein, den Kanon zu begrenzen, also den Kanon im Kanon zu suchen, sie legen es vielmehr nahe, die Offenbarungszeit auszudehnen, denn von jeher hat sich die Kirche für den ganzen Kanon als Norm entschieden, nicht für den Kanon im Kanon, wie immer man ihn bestimmen mag. Sie hat diese Entscheidung in dem Bewußtsein gefällt, dabei vom Heiligen Geist geführt zu sein. Betrachtet man diese Entscheidung nicht als absolut verpflichtend und unfehlbar, so bleibt nur die Eliminierung von Teilen des NT bzw. die Aufstellung eines Kanons im Kanon.

Wenn die Kirche vom Abschluß oder von der Vollendung der Offenbarung mit dem Ende der apostolischen Zeit spricht, so will sie sagen, daß die Offenbarungszeit die Zeit des Werdens der Kirche, ihre konstitutive Phase, umschließt, jene Periode, da die verbindliche Struktur der Kirche und die gültige Gestalt des Glaubensdepositums entstanden. Das ist, grob gesagt, die Zeit der Urkirche. Sie wird begrenzt durch die Entstehung der letzten neutestamentlichen Schrift, des 2. Petrusbriefes, und reicht damit ungefähr bis in die Mitte des 2. Jahrhunderts.

Personenregister

Das Register erwähnt nicht alle im Werk vorkommenden Namen und Fundorte. Verwiesen sei auch auf das Literaturverzeichnis.

Sachregister

Sachregister